9급 공무원 시험대비 **개정판**

박문각 공무원

기 본 서

합격까지 함께
한국사 만점 기본서

최근 출제 경향 분석을 통한 본문 구성

주요 핵심 내용의 도식화 + 기출 수록

풍부한 자료들과 주요 사료 모두 탑재

노범석 편저

동영상 강의 www.pmg.co.kr

노범석 한국사 #2 근현대사

박문각

이 책의 머리말

노량진 현장에서 검증되고 다져진 해법국사가, 이제 수험생 여러분의 합격 파트너가 되겠습니다.

20여 년 동안 강의를 하면서 맞닥뜨리는 것 중 하나가 바로 국사에 대한 수험생 여러분들의 절치부심한 고민들입니다. 한국사 수업에 대한 수험생들의 고민 중 가장 흔한 것이 '지루하고 암기량이 너무 많아 어렵다'는 것이었습니다. 역사라는 긴 시간의 흐름이 요즘 수험생들의 짧게 생각하려는 특성과는 아무래도 어울리지 않는 것이 사실이기도 합니다.
그러나 이러한 수험생 여러분들의 고민을 '요즘 수험생들'의 탓으로만 돌릴 수는 없습니다. 기실 시중에 출판된 공무원 한국사 수험서의 상당수를 살펴보면 오랜 강의 생활을 한 본인으로서도 이해하기 어려운 부분이 적지 않습니다. 내용이 쉽게 전달되지 않을 뿐만 아니라, 사전 지식 없이는 이해할 수 없는 낯선 용어나 개념이 하나 둘이 아닙니다. 문장이나 단어의 사용도 한문 투의 것이 많아 한글 세대가 읽어내기가 그리 쉽지 않은 것이 사실입니다.
이 같은 점 때문에 현장에서 수험생들을 가르치는 교수로서 나름대로 쉽게 그리고 오래 기억될 수 있도록 여러 가지 방법을 시도하고 있습니다. 아무리 중요한 내용일지라도 학생들에게 명확히 전달되지 않는다면 그 수업은 실패이기 때문입니다.

『해법국사』는 바로 그러한 현장 수업의 경험을 기초로 하여 집필하였습니다. 이 시기의 이 부분에서는 어떤 설명, 어떤 사화(史話)가 학생들에게 쉽게 받아들여졌고, 학생들이 특히 관심을 갖는 부분은 어떠한 내용이었는지를 수업의 실제 경험에서 기억하여 찾아내고자 하였습니다.
또한 통계학적 분석을 동원하여 최신 출제 경향을 한눈에 파악할 수 있도록 하였으며, 국정 교과서는 물론 개정 교과서의 내용까지 담아 돌발적인 고난도 문제까지 해결할 수 있도록 한국사의 모든 내용을 폭넓게 다루었습니다.

이처럼 『해법국사』는 공무원 한국사를 준비하는 수험생 여러분들이 최소한의 노력으로 최대의 효과를 얻을 수 있도록, 어떠한 시험 환경에서도 완벽히 대비할 수 있도록 하였습니다. 또한 수험생들로 하여금 가벼운 마음으로 역사에 다가설 수 있도록 현장 수업을 상정하며 구성하였습니다. 따라서 개념 서술 형식도 나열식 설명은 가급적 피하면서 구체적 내용 하나하나에 대하여 인과 관계의 맥을 간결하게 짚어, 전체적인 흐름을 중시하는 방식을 취하였습니다.

기본적으로 국정 교과서에 맞춰 서술 체계는 통사의 형식을 채택하였고, 공무원 한국사 출제 비중에 맞춰 시대별·주제별 비중을 안배하였습니다. 특히 정치사의 경우 전체적인 역사적 흐름을 잡을 수 있도록 인과적 전개 방식을 취해 『해법국사』만이 가진 스토리텔링 기법을 교재에 적극 반영하였습니다. 또한 각종 사료와 역사 통계 자료 및 사진 자료 등을 풍부하게 삽입하여 공무원 시험의 다양한 유형에 적극 대비토록 하였습니다. 그리고 최근 공무원 한국사 시험의 트렌드인 개정 한국사 내용을 적극 반영하기 위해 현행 고등학교에서 이용하고 있는 한국사 교과서의 내용을 심층 분석하여 수록하였습니다.

여기에 엄선된 핵심 기출문제 등을 수록하여 개념 완성과 동시에 개념의 문제 적용력을 향상시킬 수 있도록 하였습니다. 감히 『해법국사』가 최고의 수험서라고 할 수는 없지만, 현장에서 얻어진 경험을 바탕으로 구성된 가장 효율적인 개념과 과학적인 기출 분석 및 예측을 담은 독보(獨步)적인 교재임에는 틀림없다고 자부합니다.

이번 『해법국사』의 출간으로 더 이상 수험생 여러분들이 공무원 한국사 학습에 어려움을 느끼고 고민하지 않기를 바람해 마지않으며, 『해법국사』가 출간되기까지 오랜 시간 수많은 고민과 어려움을 함께해 준 정건수 연구실장 및 신윤원 선생님 이하 연구실 직원들, 늘 학원에서 사는 저를 이해해 준 가족들에게 감사의 말을 올립니다. 또 잦은 교정과 편집 요청에도 한결같이 성심을 다해 준 박문각 출판팀 여러분에게도 깊은 감사의 마음을 표합니다.

아직도 불이 꺼지지 않은 노량진 현장에서

노범석

이 책의 차례

01권 전근대사

1막 한국사의 바른 이해와 선사 문화

2막 고대 사회의 발전

3막 중세 사회의 발전

CONTENTS

이 책의 차례

02권
근현대사

6막 근대 사회의 전개

7막 일제의 침략과 민족의 독립운동

PART

근대 사회의 전개

1 CHAPTER

개항과 근대적 개혁 추진

解·法·기·출·진·맥

9급 국가직

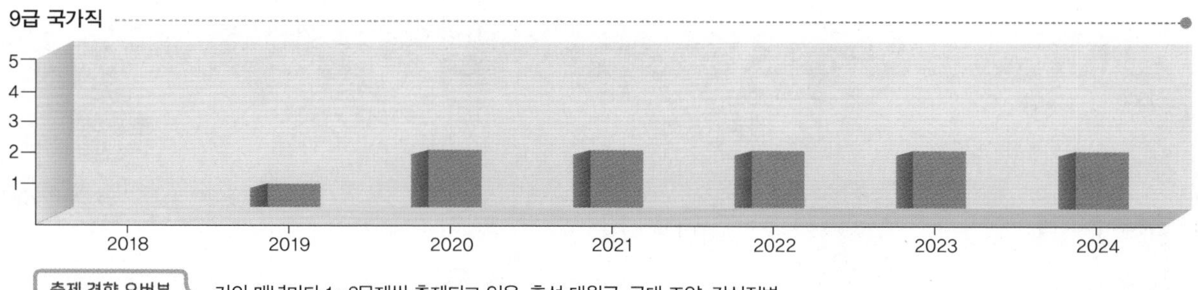

출제 경향 오버뷰 거의 매년마다 1~2문제씩 출제되고 있음. 흥선 대원군, 근대 조약, 갑신정변

9급 지방직

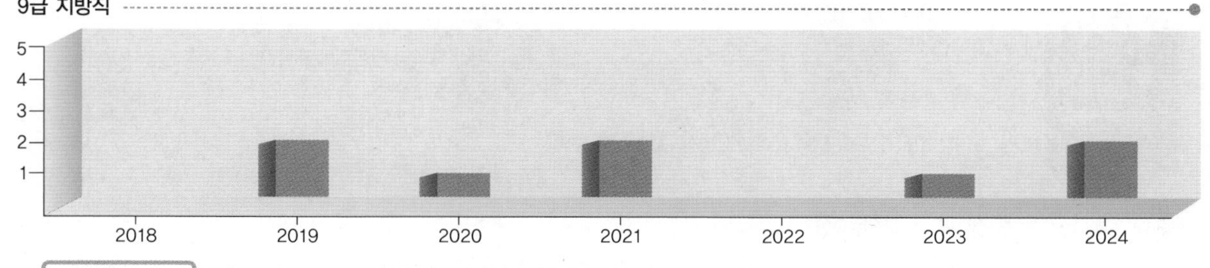

출제 경향 오버뷰 거의 매년 1~2문제씩 출제되고 있음. 흥선 대원군, 통상 수교 거부 정책

9급 법원직

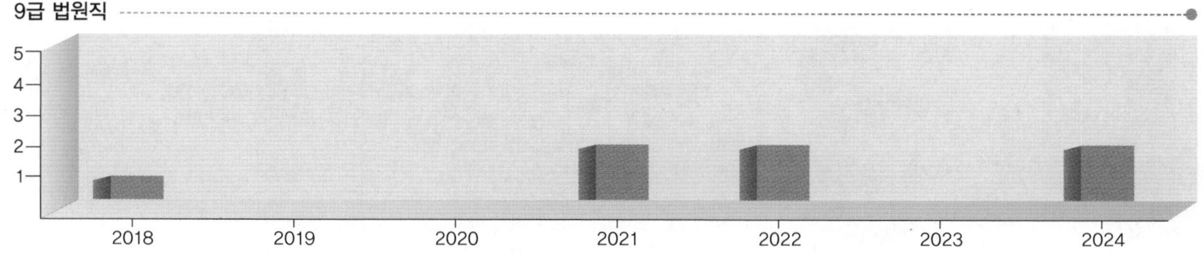

출제 경향 오버뷰 2년에 1번 이상은 1~2문제씩 출제되고 있음. 동학, 갑오개혁, 독립 협회, 국권 피탈, 의병, 신민회

01 강 흥선 대원군의 개혁 정책

구 분		2008~2017	2018	2019	2020	2021	2022	2023	2024
9급	국가직				고종	흥선 대원군	흥선 대원군	흥선 대원군	
	지방직	• 의궤(병인양요) • 신미양요		고종(흥선 대원군)		• 흥선 대원군 • 통상 수교 거부 정책			병인양요
	법원직	• 흥선 대원군 • 의궤	통상 수교 거부 정책			흥선 대원군	통상 수교 거부 정책		통상 수교 거부 정책

1860년대 정치 상황

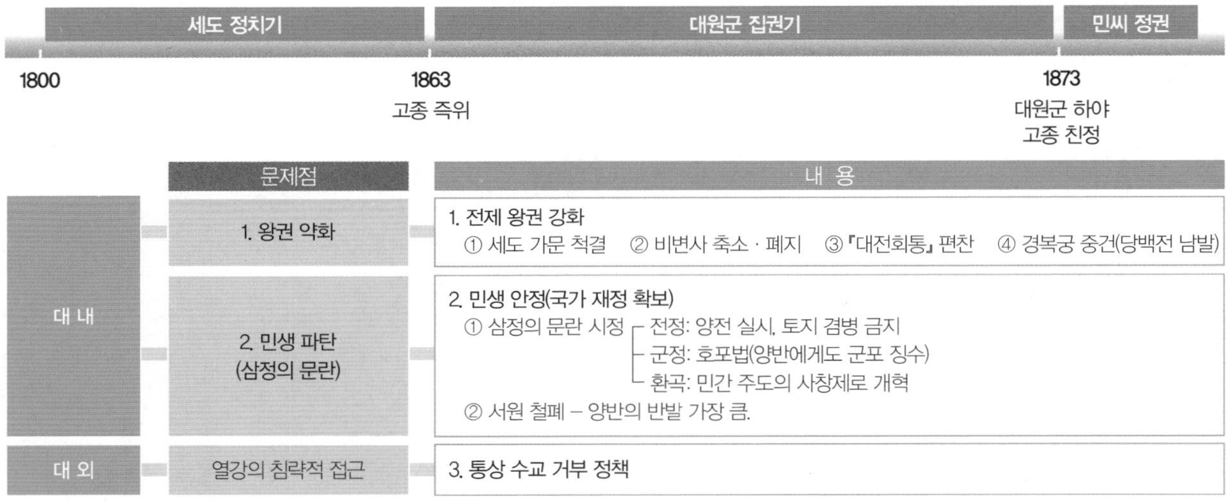

	문제점	내 용
대 내	1. 왕권 약화	1. 전제 왕권 강화 ① 세도 가문 척결 ② 비변사 축소·폐지 ③『대전회통』 편찬 ④ 경복궁 중건(당백전 남발)
	2. 민생 파탄 (삼정의 문란)	2. 민생 안정(국가 재정 확보) ① 삼정의 문란 시정 ┌ 전정: 양전 실시, 토지 겸병 금지 ├ 군정: 호포법(양반에게도 군포 징수) └ 환곡: 민간 주도의 사창제로 개혁 ② 서원 철폐 – 양반의 반발 가장 큼.
대 외	열강의 침략적 접근	3. 통상 수교 거부 정책

흥선 대원군의 통상 수교 거부 정책

	사 건	내 용
1866	병인박해	프랑스 신부 9명과 8천여 명의 천주교 신자 처형
	제너럴셔먼호 사건	미국 상선 제너럴셔먼호가 평양에 와서 통상을 요구하다 충돌
	병인양요	• 병인박해 구실로 프랑스 함대 침입 ⇨ 프랑스군(로즈 제독) 강화읍 점령 • 문수산성(한성근), 정족산성(양헌수)에서 격퇴(외규장각 문화재 약탈)
1868	오페르트 도굴 사건	독일 상인 오페르트가 충남 덕산에 있는 남연군 묘 도굴 기도
1871	신미양요	• 제너럴셔먼호 사건을 빌미로 미국 함대가 강화도 침략 • 광성보에서 어재연 부대의 강력한 저항에 부딪힘(초지진, 덕진진) ⇨ 철군
	척화비 건립	통상 수교 거부 정책 강화, 전국 각지에 척화비 건립

01 흥선 대원군의 대내 정책

1. 19세기 중엽 국내의 정세

(1) 국내의 상황

19세기 **세도 정치**로 정치 기강이 무너지고, **삼정의 문란**으로 농민에 대한 수탈이 더욱 심해졌다. 이에 **농민 봉기**가 전국에서 일어났으며, 농민들 사이에서는 **천주교·동학**이 널리 퍼졌다.

(2) 이양선[1]의 출몰

한반도 연안에 서양 선박인 이양선이 나타나 조선에 통상을 요구하였다.

2. 흥선 대원군의 등장

철종이 후사 없이 세상을 떠나자 흥선군 이하응의 둘째 아들이 왕(고종)으로 즉위하였다. 형식적으로 조대비(헌종의 모후)가 수렴청정을 했으나, 고종의 친부인 이하응이 '대원군'[2]의 칭호를 얻으며 권력의 실세가 되었다.

3. 흥선 대원군의 대내 개혁

(1) 통치 체제의 정비

① 인재 등용: 세도 정치를 펼치던 안동 김씨 세력을 정계에서 몰아내고, 당파와 신분에 관계없이 사색당파(노론, 소론, 남인)의 인재를 고루 등용하였다.

② 정치·군사 제도의 개편

㉠ 비변사의 기능 축소: 세도 정치의 핵심 기구인 **비변사를 축소·격하시켜 사실상 폐지시켰다.**

㉡ 의정부와 삼군부[3]: **의정부의 기능을 회복하고, 삼군부를 부활**시켜 각각 정치와 군사의 최고 기관으로 삼았다.

㉢ 법전의 정비: **『대전회통』**, 『육전조례』[4] 등의 법전을 편찬하였다.

1 이양선(異樣船)
우리 선박과 모양이 다르게 생긴 서양 선박으로, 대포 등으로 무장하였다. 1832년 순조 때 영국의 로드 암허스트호가 충청도 해안에 나타났다. 이것이 조선에 정식으로 교역을 요구한 최초의 이양선이다. 이양선은 18세기 후반부터 출몰하기 시작하여 순조 이후 급증하였다.

2 대원군
조선 시대에 왕위를 계승할 자손이나 형제가 없어 종친이 왕위를 이어받을 때 새 왕의 아버지를 칭하는 말이다.

3 삼군부
군사 업무를 총괄하였다.

4 『육전조례』
각 관아에서 시행하였던 모든 조례와 『대전회통』에서 빠진 여러 관청의 시행 규정을 모아 육전으로 분류하였다.

심화사료 百出 — 2018. 경찰 1차, 2016. 지방직 7급

흥선 대원군의 세도 정치 타파

• 대원군이 집권한 후 어느 공회석상에서 음성을 높여 여러 대신들을 향해 말하기를 **"나는 천리를 끌어다 지척을 삼겠으며, 태산을 깎아 내려 평지를 만들고, 또한 남대문을 3층으로 높이려 하는데, 공들은 어떠시오."**라고 물었다. 대저 천리지척이라는 말은 종친을 높인다는 뜻이요, 남대문 3층이란 말은 남인을 천거하겠다는 뜻이요, 태산을 평지로 만들겠다는 말은 노론을 억압하겠다는 의사이다. – 황현, 『매천야록』

• 그(흥선 대원군)가 대단한 능력을 발휘하여 힘써 교정하고 쇄신하니 치도(治道)가 맑고 깨끗하여 국가의 재정이 풍족하게 된 것은 득이며 장점인 것이요. …… **쇄국을 스스로 장하다 하여 대세의 흐름을 부질없이 반대**하였으니 이것은 단점이요 실정인 것이다. – 황현, 『매천야록』

흥선 대원군

(2) 경복궁 중건

① **내용**: 왕실의 위엄을 높이고 왕권 강화를 위해 **왜란 때 불타버린 경복궁을 중건**하고, 광화문 앞의 육조 거리를 복원하였다.

② **폐단**: 공사비를 충당❶하기 위하여 **기부금인 원납전**❷을 강제로 징수하였으며, **당백전**❸을 남발하여 물가 폭등을 야기하였다. 게다가 부족한 목재를 확보하기 위하여 양반들의 묘지림까지 벌목하였고 많은 백성들을 공사장에 강제로 동원했다.

고등사료 百出 2012. 지방직 7급, 2012. 경찰 2차

「경복궁 타령」(경복궁 중건에 대한 민중의 정서 반영)

남문을 열고 파루를 치니 계명산천이 밝아온다. / 을축 4월 갑자일에 경복궁을 이룩하세. (···)

조선 팔도 유명한 돌은 경복궁 짓는 데 주춧돌감이로다. / 우리나라 좋은 나무는 경복궁 중건에 다 들어간다. (···)

경복궁 역사가 언제나 끝나 그리던 가족을 만나나 볼까.

(3) 수취 체제의 개편(삼정의 개혁)

① **전정(田政)**: **양전**을 실시하여 토지 대장에서 누락된 땅을 찾아냈으며, 지방관과 토호가 불법적으로 토지를 늘리는 것을 금지하였다.

② **군정(軍政)**: **호포제를 실시하여 양반에게도 군포를 징수**❹하였다. 군포를 개인이 아닌 **호(집) 단위로 부과**한 것으로, 신분의 고하를 막론하고 매호마다 2냥씩 징수하였다.

③ **환곡(還穀)**: 고리대로 변질된 환곡을 개선하여 **사창제**❺를 실시하였다. 사창은 지역민이 자치적으로 운영하여 지방관과 아전의 중간 수탈을 배제하였다(중농 실학의 영향).

(4) 서원 철폐

① **폐단**: 많은 서원들이 면세·면역의 특권을 누렸으며, 선현에 대한 제사를 명목으로 농민들을 수탈하였다.

② **전개**: **47개의 사액 서원만 남기고, 노론의 정신적 지주인 만동묘를 비롯한 폐단이 큰 서원들을 철폐**하였다. 철폐된 서원 소속의 토지와 노비를 몰수하여 국가 재정을 확충하고, 백성에 대한 양반 유생들의 횡포를 막았다.

③ **반발**: 양반 유생들의 반발이 가장 컸으나 대원군은 강력하게 시행하였다.

4. 흥선 대원군 개혁의 의의와 한계

(1) 의의

국가 기강을 확립하고 민생을 안정❻시키는 데 어느 정도 기여하였다.

(2) 한계

전제 왕권 강화와 조선 왕조의 전통적인 질서 유지를 목표로 추진된 개혁이라는 한계를 갖고 있었다. 따라서 권력에 소외된 양반층과 농민들의 저항❼도 계속되었다.

❶ 공사비 마련
토지에 대한 특별 세금인 결두전을 거두고, 청나라 동전(싸구려 동전, 상평통보의 1/2~1/3 가치)을 유통시켰다. 또한, 도성문을 지나는 사람들에게 통행세를 부과하였다.

❷ 원납전
'스스로 원하여 바치는 돈'이란 뜻으로, 관리나 부호들을 대상으로 거둔 기부금이었다.

❸ 당백전
명목 가치는 상평통보의 100배인 고액 화폐였지만, 실제 가치는 1/20에도 미치지 못하는 악화였다. 물가 폭등과 유통 질서의 혼란을 초래하자 곧 사용이 중단되었다.

❹ 호포(戶布)의 징수
양반의 경우 노비의 이름으로 납세하는 것을 허용하였다.

❺ 사창제(社倉制)
곡식을 저장했다가 백성에게 대여해 준 제도이다. 관에서 운영하고 면 단위로 설치된 환곡과 달리, 민간에서 자율적으로 운영하고 리(里) 단위로 설치되었다. 마을 안에서 덕망이 있으면서 경제적 여유가 있는 사람에게 운영의 책임을 맡겼다.

❻ 풍속 개량
흥선 대원군은 허례허식과 사치를 억제하고자 하였다. 테두리가 작은 갓이나 소매가 좁은 두루마기·도포를 입게 했으며, 비단 신발 대신 검소한 검정 신발을 신게 하였다.

❼ 이필제의 난(1871)
향반 출신의 동학교도로, 난을 일으켰으나 관군에게 진압되었다.

고등사료 百出 2023. 국가직 9급, 2021. 국가직 9급, 2021. 법원직 9급, 2019. 법원직 9급, 2017. 국가직 7급(하), 2013. 경찰 1차, 2010. 서울시 9급

호포제(戶布制) 실시

나라 제도로서 인정(人丁)에 대한 세를 신포라 하였는데, **충신과 공신의 자손에게는 모두 신포가 면제되어 있었다.** 이 법이 시행된 지도 이미 오래됨에 턱없이 면제된 자가 많았다. 그 모자라는 액수는 반드시 평민에게만 덧붙여 징수하였다. 대원군은 이를 수정하고자 동포라는 법[8]을 제정하였다. 가령 한 동리에 2백여 호가 있으면 매 호에 더부살이 호가 약간씩 있는 것을 자세히 밝혀서 계산하고, **신포를 부과하여 고르게 징수**하였다.

– 박제형, 「근세조선정감」

호포제 반대 상소문

근래에 호포가 한번 나오면서 등급이 문란해졌습니다. **벼슬아치나 선비, 하인, 천인들이 똑같이 취급되고 상하의 구별이 없어졌으니 한탄스럽습니다.** …… 귀천에 관계없이 고르게 분배하려는 뜻에서 나온 것이라고 합니다. 그렇지만 명분이 한번 무너지면 이 나라는 앞으로 어떻게 다스리겠습니까? 호포를 혁파하여 명분을 바로잡고 군액을 바르게 하여 뜻하지 않는 사변에 대비하십시오.

– 홍시형의 상소문(1873), 「고종실록」

흥선 대원군의 서원 정리

- 대원군이 영을 내려서 나라 안 서원을 죄다 허물고 서원의 유생들을 쫓아 버리도록 하였다. 감히 항거하는 자는 반드시 죽이라 하니, 사족이 크게 놀라서 온 나라 안이 물 끓듯 하고 대궐 문간에 울부짖는 자도 수만이나 되었다. …… 대원군이 크게 노하여 말하기를 **"진실로 백성에게 해되는 것이 있으면 비록 공자가 다시 살아난다 하더라도 나는 용서하지 않겠다. 하물며 서원은 우리나라 선유를 제사하는 곳인데 지금에는 도둑의 소굴로 됨에 있어서랴."** 하였다. – 박제형, 「근세조선정감」
- 선비들 수만 명이 대궐 앞에 모여 만동묘와 서원을 다시 설립할 것을 청하니, 흥선 대원군이 크게 노하여 한성부의 조례(皂隸)와 병졸로 하여금 한강 밖으로 몰아내게 하고 드디어 천여 곳의 서원을 철폐하고 그 토지를 몰수하여 관에 속하게 하였다.

–「대한계년사」

解法 도움닫기 **만동묘와 화양 서원**

충청도 괴산에 있는 만동묘와 화양 서원은 당시 서원들 중에서 가장 횡포가 심하였다. 만동묘는 명나라 신종과 의종을 제사 지내는 사당이었고, 화양 서원은 송시열을 제사 지냈다. 제사 비용을 마련하기 위해 화양 묵패라는 고지서를 발행했는데, 거부하는 사람은 서원에 잡혀가 혹독한 형벌을 받았다.

❽ 동포제

흥선 대원군은 마을마다 할당량을 정해 양반도 군포를 납부하는 동포제를 실시하였다. 그러나 양반들이 여러 방법으로 빠져나가자 이를 집집마다 군포를 거두는 호포제로 변경하였다.

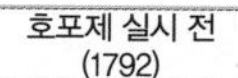

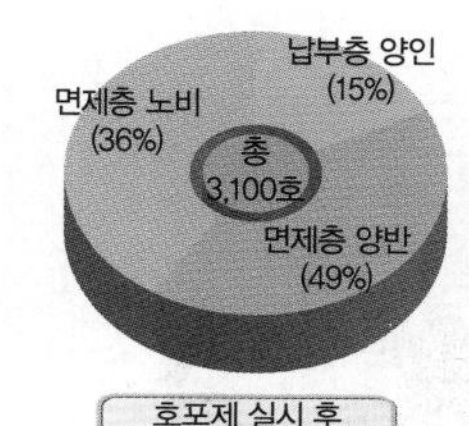

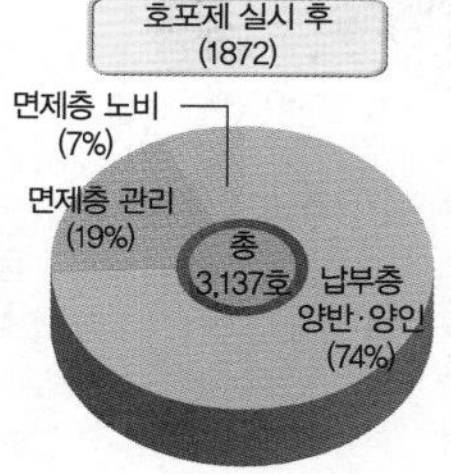

호포제 실시 전후(경북 영천)

02 통상 수교 거부 정책

1. 흥선 대원군의 통상 수교 거부 정책

흥선 대원군은 서구 열강의 침략적 접근을 막기 위하여 국방력을 강화[9]하였다.

❾ 흥선 대원군의 국방 강화

훈련도감과 수군의 군사력을 보강했으며, 서양의 화포 기술을 도입하였다.

2. 외세의 침략적 접근

(1) 병인박해와 병인양요(1866)

① **병인박해**(1866. 1.): 러시아의 남하[1]에 위협을 느낀 흥선 대원군은 프랑스 선교사를 통해 프랑스의 힘을 빌리고자 했으나 실패하였다. 이런 상황에서 천주교를 금지하라는 여론이 높아지자 흥선 대원군은 **프랑스 선교사 9명과 신자 8천여 명을 처형**하였다.

② **병인양요**(1866. 9.)

㉠ **발발**: 프랑스는 **병인박해**를 구실로 조선의 문호를 개방할 것을 요구하며 극동 함대를 보내 조선을 침략하였다. 대원군은 순무영[2] 설치, 한강 연안 수비 강화 등으로 대응하였다.

㉡ **전투**: 로즈 제독이 이끄는 프랑스군은 한강을 봉쇄하고 강화부를 점령하였다. 그러나 서울로 진격하던 프랑스군을 **한성근 부대**가 **문수산성**에서 방어하였고, **양헌수 부대**가 **정족산성**에서 이들에게 큰 타격을 주었다. 그 결과 프랑스 함대는 모두 퇴각하였다.

③ **결과**: 프랑스 군대는 물러가면서 **외규장각**[3]에 있던 문화재(의궤, 왕실 서적)를 약탈하였다.

(2) 제너럴셔먼호 사건(1866. 7.)

미국 상선 제너럴셔먼호가 대동강을 거슬러 올라와서 **통상을 요구**하였다. 선원들의 횡포에 분노한 평양의 관군과 주민들은 평안 감사 **박규수**의 지휘 아래 제너럴셔먼호를 불태워 침몰시켰다.

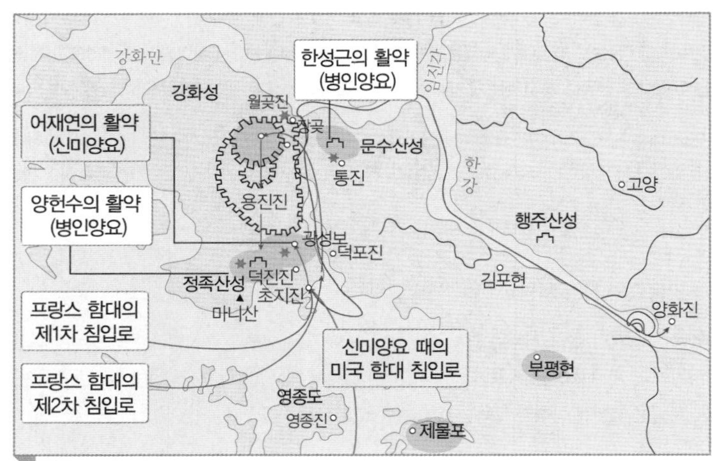

병인양요와 신미양요 전개도

심화사료 百出

제너럴셔먼호 사건

2년 전 한 이양선이 대동강에 도착하였다. 그 지방 관리들이 배에 올라 외국인에게 정중하게 말을 건네었다. …… 그 가운데 한 사람은 자기들끼리는 '프랑스인 토니'라고 부르는 사람이었다. 그는 조선 관리들을 매우 거칠고 무례하게 대하였다. …… **그들은 강을 거슬러 평양까지 올라갔다.** '고위 부관'이 탄 배를 납치하고 부관을 사슬로 묶어 놓았다. 다른 배도 훔쳐 승무원들을 잡아가려 하였다. **이에 격분한 평양 주민들은 화승총과 대포로 이양선을 공격하였다.** – 그리피스, 『은자의 나라 한국』

❶ 러시아의 남하
19세기 중엽 러시아가 연해주를 차지하고 조선과 국경을 마주하였다. 이 무렵 러시아는 두만강을 자주 건너와 조선에 통상을 요구하였다.

❷ 순무영
전쟁이나 지방에서 반란이 일어났을 때 임시로 설치한 기구로, 군사 업무나 민심 수습 등을 담당하였다. 병인양요 때는 이경하가 순무사로 파견되었다.

박병선 박사(1928~2011)

❸ 외규장각 도서 반환
1975년 서지학자 박병선 박사는 프랑스 파리 국립 도서관 창고에 외규장각 도서가 보관되어 있다는 것을 국내에 알렸다. 국내에서는 의궤 반환 운동이 전개되었다. 마침내 프랑스와 합의를 통해 2011년부터 '5년마다 갱신이 가능한 대여 방식'으로 도서 297권이 국내에 반환되었다.

✎ 강화도
강화도는 전통적으로 외적의 침략을 피할 수 있는 안전한 곳으로 생각되었다(고려: 대몽 항쟁, 조선: 정묘·병자호란 때 피난처). 그러나 19세기 이후 한양으로 들어오는 길목에 위치한 강화도는 바다를 통해 침략하는 열강에 맞선 최전선으로 변모하였다.

(3) 오페르트 도굴 사건(1868)

미국의 사주를 받은 **독일 상인 오페르트** 등은 **흥선 대원군의 아버지인 남연군의 묘를 도굴**하려 하였으나 충청도 덕산 주민들의 저항으로 실패하였다. 이를 계기로 흥선 대원군은 통상 수교 거부 정책을 더욱 강화하였다.

심화사료 百出 2024. 법원직 9급

오페르트의 서신

남의 무덤을 파헤치는 것은 예의 없는 행동이지만 무력을 사용하여 백성을 괴롭히는 것보다 나을 것 같아 그렇게 하였다. 본래 관을 파오려고 했으나 너무 지나친 짓이라 생각되어 그만두었다. 우리에게 석회를 팔 도구가 없었겠는가? 당신네 나라의 안전과 존엄은 전적으로 당신에게 달려있다. 높은 관리 한 사람을 보내 좋은 대책을 협의하는 것이 어떻겠는가?

– 『고종실록』, 1868년 4월 23일

(4) 신미양요(1871)

① 발발: 미국은 **제너럴셔먼호 사건을 구실로 통상을 요구**해 왔다. 태평양 함대의 로저스 제독은 5척의 군함으로 강화도를 공격하였다.

② 전투: 미군은 **초지진**과 **덕진진**을 점령하고 광성보를 공격하였다. **광성보**에서는 **어재연**이 이끄는 부대가 항전하였으나 전력의 열세로 함락되고 어재연은 전사하였다. 이때 미군은 어재연 장군의 수자기[4]를 탈취해갔다.

③ 결과: 조선 정부가 계속 저항하자, 미국은 통상이 어렵다고 판단하고 철수하였다.

(5) 척화비의 건립: 열강과의 무력 충돌 이후 외세를 배격하는 풍조가 더욱 강하게 형성되었다. 이때 대원군은 전국 각지에 **척화비를 건립**하여 통상 수교 거부 의지를 밝혔다.

❹ **어재연 장군의 수자기(帥字旗)**

지휘관의 명령을 전달하는 깃발이다. 2007년에 장기 임대 형식으로 미국에게 돌려받았다.

심화사료 百出 2019. 서울시 7급

척화비(斥和碑) 건립

서양 오랑캐가 침범함에 싸우지 않음은 곧 화의하는 것이요, 화의를 주장함은 나라를 파는 것이다. 우리의 만년 자손은 경계할 지어다. 병인년에 짓고, 신미년에 세운다(洋夷侵犯 非戰則和 主和賣國 戒我萬年子孫 丙寅作 辛未立).

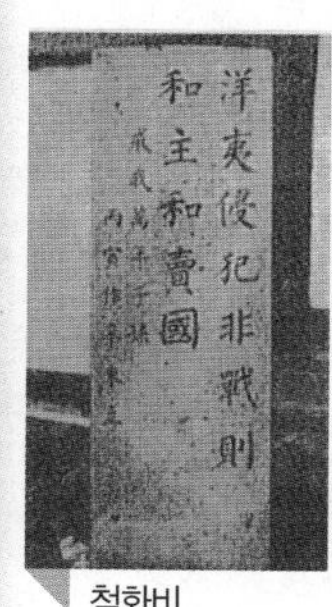

척화비

대표 기출문제

밑줄 친 '그'에 대한 설명으로 옳은 것은? 2022. 국가직 9급

고종이 즉위한 직후에 실권을 장악한 그는 러시아를 견제하기 위해 천주교 선교사를 통해 프랑스와 교섭하려 했다. 하지만 천주교를 금지해야 한다는 유생의 주장이 높아지자 다수의 천주교도와 선교사를 잡아들여 처형한 병인박해를 일으켰다. 이후 고종의 친정이 시작됨에 따라 물러난 그는 임오군란이 일어났을 때 잠시 권력을 장악했지만, 청군의 개입으로 곧 물러났다.

① 미국에 보빙사라는 사절단을 파견하였다.
② 전국 여러 곳에 척화비를 세우도록 했다.
③ 국경을 획정하고자 백두산정계비를 세웠다.
④ 통리기무아문을 설치하고 그 아래에 12사를 두었다.

해설

제시된 자료는 흥선 대원군에 대해 설명하고 있다. ② 신미양요 이후, 흥선 대원군은 전국 각지에 척화비를 건립하여 통상 수교 거부 의지를 밝혔다.
① 1883년의 일로, 흥선 대원군이 하야한 이후의 일이다. ③ 조선 후기 숙종 때의 일이다. ④ 흥선 대원군이 하야한 이후인 1880년의 일이다.

정답 ②

02강 개항과 불평등 조약 체결

구분		2008~2017	2018	2019	2020	2021	2022	2023	2024
9급	국가직	근대의 조약(2)		근대의 조약		근대의 조약	근대의 정치	근대의 조약	조선책략
	지방직	강화도 조약(4)		근대의 조약					
	법원직	• 강화도 조약 • 근대의 조약				근대의 조약			

1870년대 정치 상황

대원군 | 민씨 정권

- 1863 고종 즉위
- 1873 대원군 하야 고종 친정
- 1875 운요호 사건
- 1876 개항 조·일 수호 조규

강화도 조약(조·일 수호 조규, 병자 수호 조규, 개항, 1876. 2.)

구분	내용
배 경	운요호 사건: 일본 군함 운요호가 강화 해역을 침범하여 조선군의 포격을 유도하자 초지진 포대가 경고 사격 시행 ⇨ 운요호 사건을 빌미로 일본은 조선에 개항을 요구하여 강화도 조약 체결(1876)
성 격	최초의 근대적 조약, 주권을 침해한 불평등 조약, 침략 거점을 확보하려는 정치적, 군사적 목적이 내포된 조약
내 용	① 청과의 종속 관계 부인 ⇨ 청의 간섭 배제(1관) ② 경제적 목적과 더불어 정치, 군사적 침략 의도(4관, 7관) ③ 영사 재판권(치외 법권) ⇨ 일본인의 침략적 활동 보호(10관)

제1관 조선국은 자주의 나라이며, 일본과는 평등한 권리를 가진다.
제2관 일본국 정부는 지금부터 15개월 후 수시로 사신을 조선국 서울에 파견한다.
제4관 조선국은 부산 외에 두 곳(인천, 원산)을 개항하고, 일본인이 왕래 통상함을 허가한다.
제7관 일본국의 항해자가 자유로이 해안을 측량하도록 허가한다.
제10관 일본국 인민이 조선국 지정의 각 항구에 머무르는 동안에 죄를 범한 것이 조선국 인민에게 관계되는 사건일 때에는 모두 일본 관원이 심판할 것이다.

01 강화도 조약의 체결 ☆

1. 체결 배경

(1) 일본과의 외교 분쟁

① **서계**[1] **사건**: 메이지 유신 이후인 1868년 일본은 서계를 보내 국교 수립을 요구하였다. 흥선 대원군은 서계에 황실·봉칙 등 황제국에서 쓰이는 문구가 보이는 등 외교적 결례를 했다는 이유로 이를 거부하였다.

② **정한론의 대두**: 일본에서는 이를 빌미로 조선을 무력으로 침공하자는 정한론이 제기되었으나 일단 유보되었다.

심화사료 百出

서계 문제

의정부에서 아뢰었다. "…… 대마도주가 보낸 서계 중에 자신을 좌근위 소장이라고 써 온 것은 비록 받아들일 수 있다 하더라도, '조신(朝臣)'이라는 두 글자는 기왕의 격례에 크게 어긋납니다. 역관으로 하여금 이를 엄중하게 알리도록 하고, 대마도주에게 서계를 고쳐 올리게 하십시오. 직명이 전과 다른 것은 항식과 항례가 아니거니와, 300년이나 된 약조의 본의가 어찌 이와 같겠습니까. 그들에게 서계를 고쳐 올리도록 분부하심이 옳을 것입니다." 하자 임금이 윤허하였다. – 『승정원일기』, 고종 6년 12월 13일

(2) 고종의 친정 체제 수립

1873년 최익현의 상소[2]로 **흥선 대원군이 하야**하고, 고종의 친정이 시작되었다. 그러나 실제로는 **민씨 척족 세력이 정권을 장악**하였다.

① **대내 정책**: 서원을 일부 복구하면서 유생들을 포섭하고, 조세를 감면하여 민심을 얻고자 하였다.

② **대외 정책**: 청과의 외교 관계를 유지하고 일본과도 유화적인 정책을 취하였다. 이 무렵 문호를 개방해야 한다는 **통상 개화론**[3]이 힘을 얻게 되어 기존 외교 정책에 변화가 나타나기 시작하였다.

(3) 운요호 사건(1875)

① **운요호의 침략**: 일본은 **군함 '운요호'를 강화도 초지진에 파견**하였다. 조선 측의 발포를 유도하고, 영종도에 상륙하여 살인과 약탈을 저지르고 돌아갔다.

② **결과**: 일본은 조선이 운요호에 사격을 했다는 것을 빌미로 강화도에 다시 군함을 보내 **무력으로 조선에 개항을 요구**해 왔다. 결국 민씨 정권은 일본과 강화도 조약을 맺어 문호를 개방하였다.

2. 강화도 조약과 개항(조·일 수호 조규·병자 수호 조약, 1876. 2.)

(1) 강화도 조약[4]

우리나라 **최초의 근대적 조약**[5]이었지만 주권을 침해한 **불평등 조약**이었다. 또한 침략 거점을 확보하려는 정치적, 군사적 목적이 내포되어 있었다.

---

❶ **서계(書契)**
조선 시대 일본과 서로 주고 받은 공식 외교 문서이다.

❷ **최익현의 상소**
1873년 최익현은 서원 철폐 조치 등에 반대하면서 흥선 대원군을 탄핵하는 상소를 올렸다.

❸ **통상 개화론**
박규수, 오경석, 유홍기 등 초기 개화파가 주장한 것으로, 북학파 실학의 영향을 받았다.

❹ **강화도 연무당**
본래 강화 유수가 군사들을 훈련시키던 장소로, 1876년에는 이곳에서 일본과 강화도 조약을 체결하였다.

조·일 양국 대표 회담 광경

❺ **강화도 조약**
강화도 조약이 체결됨에 따라 조선과 일본 사이의 전통적인 외교 관계가 무너지고 근대 국제법적인 토대 위에서 새로운 외교 관계가 성립되었다.

공관 설치
강화도 조약 체결 직후, 부산에만 공관이 설치되었다. 이후 1880년 서울에도 공관이 설치되었다.

❶ 거류지(조계)

조약에 의해 그 영토의 일부를 한정하여 개방한 곳으로, 외국인의 거주와 영업을 허용하였다.

(2) 부속 조약 체결과 1880년대의 변화

구분	주요 내용	1880년대 이후 변화
조 · 일 수호 조규 부록	1876년 8월 • 개항장에서의 일본 화폐의 유통 허용 • 거류지❶ 무역: 동서남북 10리로 제한	1882년 임오군란 이후 • 일: 수호 조규 속약(1882, 거류지 50리 확대) • 청: 상민 수륙 무역 장정(1882, 내지 통상 허용) ⇨ 조선 시장에서 청 · 일 상인 치열한 경쟁 • 주요 열강: 최혜국 대우 내세워 내지 통상
조 · 일 무역 규칙 (조 · 일 통상 장정)	1876년 8월 • 무관세 및 무항세 규정 • 양곡의 무제한 유출 규정 (방곡령 선포권 박탈)	1883년 통상 장정 개정 • 관세 자주권 일부 회복 • 방곡령 선포권 회복(1개월 전 미리 통보) • 일본에 최혜국 대우 규정(불평등 조약)

심화사료 百出

2024. 법원직 9급, 2021. 법원직 9급, 2019. 지방직 9급, 2013. 지방직 9급, 2013. 국가직 7급, 2009. 국가직 7급

조·일 수호 조규(강화도 조약, 1876. 2.)

제1조 조선국은 **자주국**으로 일본국과 평등한 권리를 갖는다.

제5관 경기·충청·전라·경상·함경 5도 연해 중에서 **통상에 편리한 항구 두 곳을 택하여 지정**한다.

제7관 조선국 연해의 섬과 암초는 종전에 자세히 조사한 적이 없어 지극히 위험하므로 **일본국 항해자가 수시로 해안을 측량하는 것을 허락**하여 위치와 깊이를 재고 지도를 제작하여 양국 배와 사람들이 위험을 피하고 편안할 수 있도록 한다.

제10관 일본국 인민이 조선국의 각 항구에서 머무르는 동안 죄를 범한 것이 조선국 인민과 관계되는 사건일 때에는 모두 일본국 관원이 심판한다.

조·일 수호 조규 부록(1876. 8.)

제4관 부산 항구에서 **일본인이 통행할 수 있는 지역**은 부두에서부터 계산하여 **동서남북 10리**로 제한한다.

제7관 일본인은 **본국의 현행 여러 화폐로 조선인이 소유한 물품과 교환**할 수 있으며, 조선인은 그 교환한 일본국의 여러 화폐로 일본국에서 생산한 여러 가지 상품을 살 수 있다.

조·일 무역 규칙(조·일 통상 장정, 1876. 8.)

제6조 조선국 항구에 머무르는 일본 인민은 **쌀과 잡곡을 마음대로 수출**할 수 있다.

제7조 일본국 선박은 항구세를 납부하지 않으며 수출입 상품에도 **관세를 부과하지 않는다.**

조·일 수호 조규 속약(1882. 7.)

제1조 부산, 원산, 인천 각 항의 **간행이정을 확장해 각 50리**로 하고 2년 후를 기해 다시 각 100리로 한다. 1년 뒤에 양화진을 개시장으로 한다.

제2조 **일본국 공사, 영사 및 그 수행원과 가족의 조선 각지 여행을 허가한다.** 여행 지방을 지정함은 예조에서 하되, 증서를 발급하고, 지방관은 증서를 검사하고 여행자를 호송한다.

개정 조·일 통상 장정(1883)

제12관 해관 세무사에서 입출항 화물의 화주가 말한 가격이 부당할 때에는 해관의 간화인(看貨人)이 인정하는 가격에 따라서 **관세를 징수**할 수 있다.

제37관 조선국에서 가뭄과 홍수, 전쟁 등의 일로 인해 국내에 양식이 결핍할 것을 우려하여 일시 쌀 수출을 금지하려고 할 때에는 **1개월 전에 지방관이 일본 영사관에게 통지**하여 미리 그 기간을 항구에 있는 일본 상인들에게 전달하여 일률적으로 준수하는 데 편리하게 한다.

제42관 현재나 앞으로 조선 정부에서 **어떠한 권리와 특전 및 혜택과 우대를 다른 나라 관리와 백성에게 베풀 때는 일본국 관리와 백성도 마찬가지로 일체 그 혜택을 받는다.**

02 서구 열강과의 조약 체결

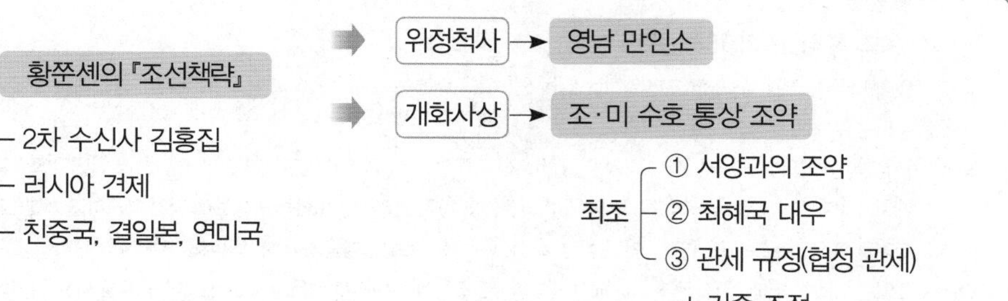

1. 미국과의 통상 조약 체결

(1) 배경

① 『조선책략』: 1880년 제2차 수신사로 일본에 파견된 **김홍집**은 『조선책략』을 가져와 국왕에게 바쳤다.

㉠ 내용: 청의 외교관인 황쭌셴(황준헌)이 조선의 외교 정책을 제시한 책이다. 조선이 **러시아의 침략을 막으려면 중국과 친하고 일본·미국과 연합**해야 한다고 주장하였다.

㉡ 결과: 유생들은 거세게 반발(영남 만인소)했지만, 정부 내에서는 미국과 외교 관계를 맺어야 한다는 주장이 점차 힘을 얻게 되었다. 이에 따라 **조·미 수호 통상 조약**을 체결하였다.

② **청나라의 알선**: 청은 **러시아와 일본을 견제**하고 조선에 대한 종주권을 확인받기 위해 조선과 미국의 수교를 적극 주선하였다.

고등사료 百出 2024. 국가직 9급, 2020. 법원직 9급, 2017. 지방직 9급, 2017. 교육행정직 9급

『조선책략』

조선 땅덩어리는 실로 아시아의 요충을 차지하고 있어, 형세가 반드시 다투게 마련이며, 조선이 위태로우면 중동의 형세도 날로 위급해질 것이다. 따라서 러시아가 강토를 공략하려 할진대 반드시 조선으로부터 시작할 것이다. 그렇다면 오늘날 조선의 책략은 **러시아를 막는 일보다 더 급한 것이 없을 것**이다. 러시아를 막는 책략은 어떠한가? **중국과 친하고(親中國), 일본과 맺고(結日本), 미국과 이어짐(聯美邦)**으로써 자강을 도모할 따름이다. …… 미국을 끌어들여 우방으로 하면 도움을 얻고 화를 풀 수 있을 것이다.

(2) 조·미 수호 통상 조약(1882. 4.)[2]

1882년 청나라 이홍장[3]의 알선으로 조·미 수호 통상 조약을 체결하였다. **서양과 맺은 최초의 조약**이면서 불평등 조약이었다. 또한 **최초로 관세와 최혜국 대우를 규정**하였다.

① **관세 부과**[4]: 미국 수출입 상품에 대해 비율은 낮지만 **최초로 관세를 부과**하였다.

② **최혜국 대우**: 통상 조약을 체결한 나라가 제3국과 새로운 조약을 체결하여 유리한 조건을 부여할 경우, 그 내용을 기존의 국가에도 적용하였다. **조선은 미국에 최초로 최혜국 대우를 인정**하였다.

③ **치외 법권 인정**: 영사 재판에 의한 치외 법권을 인정하였다.

④ **거중 조정**[5]: 우호 협력을 강조한 조항으로, 양국 중 한 나라가 제3국의 압박을 받을 경우에 서로 도와주겠다고 규정하였다.

❷ 조·미 수호 통상 조약의 체결
청나라 이홍장의 주선으로 인천에서 조선의 전권대사 신헌과 미국의 슈펠트 사이에 조·미 수호 통상 조약이 체결되었다.

❸ 이홍장

중국 청나라 정치가로, 양무 운동의 중심 인물로 활약했다. 중국의 근대화에 힘썼으나 청·일 전쟁의 패배로 실각하였다.

❹ 관세 부과
낮은 비율이지만 관세를 받을 수 있었으며, 곡식의 무제한 유출을 방지하는 내용이 있었다. 이 조약을 근거로 일본과 통상 장정을 개정하여 관세를 받았다.

❺ 거중 조정
거중 조정에 대해서 미국은 형식적인 표현으로 생각하였으나 조선은 미국과의 동맹으로 확대·해석하였다.

❶ 보빙사
전권 대사인 민영익을 비롯하여 홍영식, 서광범 등이 동행하였다. 보빙사 중 일부는 유럽을 거쳐 귀국하였다. 유길준은 보빙사의 일원으로 미국에 갔다가 남아 유학하였고, 귀국 후 『서유견문』을 저술하였다.

조·미 수호 통상 조약문

미국 공사관(서울 정동)

(3) 보빙사[1]의 파견(1883)

미국 공사 푸트(Foote)가 조선에 부임하자 조선은 **민영익** 등을 보빙사로 미국에 파견하였다.

심화사료 百出 2008. 법원직 9급

조·미 수호 통상 조약(1882. 4.)

제1조 만약 타국이 어떤 불공평하고 경멸하는 일을 일으켰을 때에는 일단 확인하고 **서로 도와주며, 중간에서 잘 조정**하여 두터운 우의를 보여 준다.

제4조 조선 백성이 미합중국 국민에게 범행을 하면 조선 당국이 조선 법률에 따라 처벌한다. 미합중국 국민이 조선 인민을 때리거나 재산을 훼손하면 미합중국 영사나 그 권한을 가진 관리만이 **미합중국 법률에 따라 체포하고 처벌**한다.

제5조 무역을 목적으로 조선국에 오는 미국 상인 및 상선은 **모든 수출입 상품에 대하여 관세를 지불**해야 한다.

제14조 조약을 체결한 뒤에 통상 무역 상호 교류 등에서 **본 조약에 부여되지 않은 어떠한 권리나 특혜를 다른 나라에 허가할 때에는 자동적으로 미국 관민에게도 똑같이 주어진다.**

2. 각 열강들과의 통상 조약 체결

구분	시기	내용	특징
조·청 상민 수륙 무역 장정	1882	• 치외 법권 • 청의 내지 통상 특권 인정	• 임오군란 진압 직후 체결 • 청이 조선의 종주국임을 명시
조·영 수호 통상 조약	1883	• 최혜국 대우, 저율의 관세 • 내지 통상권	영국 군함, 조선에 정박 가능
조·러 수호 통상 조약	1884	• 치외 법권, 저율의 관세 • 조선 영해 측량 가능	• 청·일의 반대로 지연 ⇨ 직접 수교 • 러시아 군함, 조선에 정박 가능
조·불 수호 통상 조약	1886	• 치외 법권 • 천주교 신앙 허용	천주교 선교 허용 문제로 지연

3. 문호 개방의 결과

문호 개방은 근대 사상과 문물 제도를 수용하여 새롭게 발전할 수 있는 전환점이었다. 그러나 오히려 청·일과 서양 열강의 침략을 가속화시키는 계기가 되었다.

대표 기출문제

(ㄱ), (ㄴ) 조약이 체결된 시기로 옳은 것은? 2021. 법원직 9급

(ㄱ) 제7관 일본국 인민은 본국의 현행 여러 화폐를 사용해 조선국 인민이 소유한 물품과 교환할 수 있다. 조선국 인민은 그 교환한 일본국의 여러 화폐로 일본국에서 생산한 여러 가지 화물을 구매할 수 있다.

(ㄴ) 제6칙 이후 조선국 항구에 거주하는 일본 인민은 양미와 잡곡을 수출입할 수 있다.

	(가)	(나)	(다)	(라)	

1866 병인양요 / 1871 신미양요 / 1875 운요호 사건 / 1880 원산 개항 / 1883 인천 개항

① (가) ② (나) ③ (다) ④ (라)

해설
제시된 자료 중 (ㄱ)은 1876년 8월에 체결된 조·일 수호 조규 부록에 규정된 내용이고, (ㄴ)은 1876년 8월에 체결된 조·일 무역 규칙(조·일 통상 장정)에 규정된 내용이다. 둘 다 (다) 시기에 체결되었다.

 ③

03강 위정척사와 개화

구 분		2008~2017	2018	2019	2020	2022	2023	2024
9급	국가직	•3차 수신사 •위정척사			동도서기론			
	지방직	•영선사 •위정척사와 개화			1870~1880년대 정치		최익현	
	법원직	•위정척사(2) •동도서기론 •급진 개화파				근대 정치		해외 시찰단

민족 운동의 흐름

위정척사 운동

1860년대	병인양요	**척화주전**	이항로, 기정진	통상 반대 운동
1870년대	운요호 사건 강화도 조약	**왜양일체**	최익현	개항 반대 운동
1880년대	『조선책략』 개화 정책 추진	**영남 만인소**	이만손, 홍재학	개화 정책 반대
1890년대	명성 황후 시해 단발령	**을미의병**	유인석, 이소응	항일 의병 운동

01 위정척사 운동

1. 위정척사❶의 개념

성리학을 수호하고, 힘의 논리를 앞세우는 서양과 일본 문화를 배척해야 한다는 것이다.

2. 위정척사 운동의 전개 과정

(1) 1860년대 통상 반대 운동

① **배경**: 서구 열강의 통상 요구가 거세지는 가운데 **병인양요**가 일어났다.

② **내용**: 1866년 병인양요 당시 **이항로·기정진은 척화주전론**을 내세우며 서구 열강과의 통상을 강력히 반대하였다. 이들은 당시 **흥선 대원군의 통상 수교 거부 정책을 지지**하였다.

(2) 1870년대 개항 반대 운동

① **배경**: 1875년 운요호 사건을 계기로 강화도에서 일본과 통상을 위한 협상이 진행되었다.

② **내용**: **최익현❷**은 **왜양일체론**을 내세운 **5불가소**를 올려 일본과의 수교·통상을 반대하였다.

(3) 1880년대 개화 반대 운동

① **배경**: 제2차 수신사로서 일본에 다녀온 **김홍집이 『조선책략』을 들여와 유포**하였다. 그리고 이후 정부는 본격적으로 개화 정책을 추진하였다.

② **내용**: **이만손** 등은 **'영남 만인소'**를 올려 『조선책략』의 내용과 정부의 개화 정책을 비판하였다. 이를 계기로 전국의 유생들이 잇달아 상소하였고, 강원도 유생인 홍재학은 '만언척사소'❸를 올려 정부의 정책과 고종을 비판하다가 능지처참형에 처해졌다.

(4) 1890년대 항일 의병 운동

① **배경**: 명성 황후가 시해된 **을미사변**과 **단발령**(을미개혁 때 실시)을 계기로 일어났다.

② **내용**: 유인석·이소응 등 유생들이 주도하고 농민들이 가담하였다.

3. 위정척사 운동의 평가

서양과 일본의 경제적·군사적 침략에 반대하는 **반외세·반침략 민족 운동**이다. 그러나 **조선 왕조의 전통적 정치 체제와 양반 중심의 성리학적 질서를 옹호하는 한계**를 가지고 있었다.

고등사료 百出 2023. 지방직 9급, 2020. 국가직 7급, 2019. 국가직 7급, 2014. 기상직 9급, 2013. 지방직 7급, 2009. 국가직 7급, 2007. 법원직 9급

위정척사 운동

[1860년대]

서양 오랑캐의 화(禍)가 오늘날에 이르러서는 홍수나 맹수의 해(害)보다 더 심합니다. 전하께서는 부지런히 힘쓰시고 경계하시어 안으로는 관리들로 하여금 사학(邪學)의 무리를 잡아 베게 하시고, 밖으로는 장병으로 하여금 바다를 건너오는 적을 정벌케 하소서.

– 이항로, 『화서집』

[1870년대]

저들의 물화는 모두가 사치하고 기이한 노리개이고 손으로 만든 것이어서 그 양이 무궁한 데 반하여, 우리의 물화는 모두가 백성들의 생명이 달린 것이고 땅에서 나는 것으로 한정이 있는 것입니다. …… 저들이 왜인이라고 하나 실은 양적(洋賊)입니다. 강화가 한번 이루어지면 사학의 서적과 천주의 초상화가 교역하는 곳에서 들어올 것입니다. 그렇게 되면 얼마 안 가서 선교사와 신자 간의 전수를 거쳐 사학이 온 나라 안에 퍼지게 될 것입니다.

– 최익현, 5불가소

❶ **위정척사(衛正斥邪)**
위정이란 바른 학문인 성리학과 성리학적 질서를 수호하는 것이고, 척사란 성리학 이외의 모든 종교와 사상을 배격하는 것이다.

❷ **최익현의 오불가소(五不可疏)**
1876년 강화도에서 개화 협상이 진행될 때 최익현은 도끼를 들고 경복궁 앞에 엎드려 상소를 올렸다. 그는 일본과 서양은 다름없다는 왜양일체론을 내세웠으며, 개항 이후 진행될 일본의 경제적 침탈을 예견하였다. 또한 일본 침략에 의한 국가 자주성의 손상, 일본과의 교역으로 인한 산업의 폐해, 천주교 확산에 따른 미풍양속의 파괴 등을 지적하였다.

❸ **홍재학의 만언척사소**
개화를 주장하는 관리의 엄벌, 서양 물건과 서양 서적을 불태울 것, 통리기무아문의 혁파 등을 요구하였다.

최익현

[1880년대]

중국은 우리가 신하로서 섬기는 바이며 해마다 옥과 비단을 내는 수레가 요동과 계주를 이었습니다. 신의와 절도를 지키고 속방의 직분을 충분히 지킨 지 벌써 2백년이나 되었습니다. …… **일본은 우리에게 매어 있던 나라입니다.** …… 그들은 이미 우리 땅을 잘 알고 있으니, …… 그들이 우리의 허술함을 알고 쳐들어오면 장차 이를 어떻게 막겠습니까? **미국은 우리가 본래 모르던 나라입니다.** 잘 알지 못하는데 공연히 타인의 권유로 불러들였다가 그들이 재물을 요구하고 우리의 약점을 알아차려 어려운 청을 하거나 과도한 경우를 떠맡긴다면 장차 이에 어떻게 응할 것입니까? **러시아는 본래 우리와 혐의가 없는 나라입니다.** 공연히 남의 말만 듣고 틈이 생기게 된다면 우리의 위신이 손상될 뿐만 아니라 만약 이를 구실로 침략해 온다면 장차 이를 어떻게 막을 것입니까?

– 이만손 등, 영남 만인소

[1890년대]

원통함을 어찌하리. 우리 국모의 원수를 생각하며 이미 이를 갈았는데, 참혹한 일이 더욱 심하여 임금께서 또 머리를 깎으시는 지경에 이르렀으니 의관을 찢긴 나머지 또 이런 망극한 화를 만났으매, 우리 부모에게 받은 머리털을 풀 베듯이 베어버리니 이 무슨 변고입니까. …… 이에 감히 먼저 의병을 일으키고서 마침내 이 뜻을 세상에 포고하노니 ……

– 유인석의 창의문

영남 만인소

❖ 개화파의 형성과 분화

통상 개화론(초기 개화파): 박규수, 오경석, 유홍기(대치)		
⇩		
온건 개화파(사대당, 수구당)	임오군란	급진 개화파(개화당, 독립당)
김홍집, 어윤중, 김윤식	인물	김옥균, 박영효, 홍영식, 서광범, 서재필
친청	성향	반청 친일
청의 양무운동 모방, **동도서기론**	개혁 방법	일본의 메이지 유신 모방, **입헌 군주제**
민씨 정권에 참여, 갑오개혁 주도	영향	**갑신정변**의 주체가 됨.

❖ 1880년대

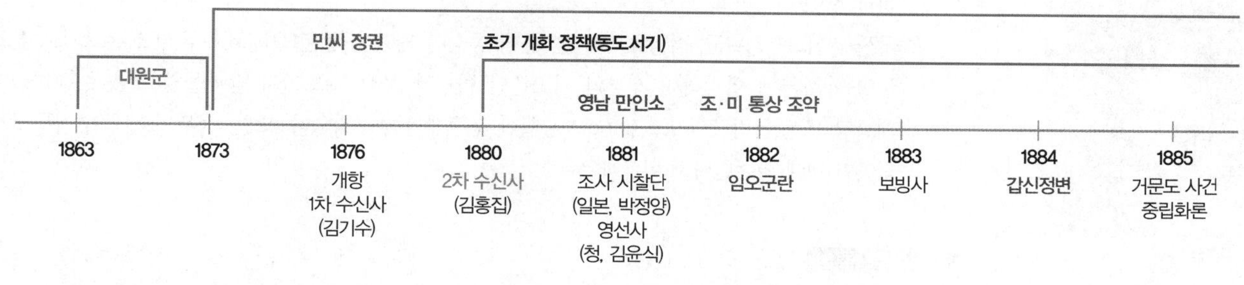

02 개화파의 형성과 개화 정책

1. 개화 사상의 선구

초기의 대표적인 개화 사상가로는 **박규수, 오경석, 유홍기** 등이 있다. 이들은 김옥균, 박영효, 홍영식 등 젊은 양반 자제들에게 북학 사상과 서구 문물을 가르쳐 이후 **개화파 형성에 영향**을 주었다.

오경석

대표적 통상 개화론자

1. **박규수(좌의정)**: 북학파 박지원의 손자로, 조부의 영향을 받았다. 청에 사신으로 다녀온 후, 서양의 발달된 문물을 수용해야 한다고 주장했다. 임술민란(1862) 때 경상도 안핵사로 진주에 파견되었고 **평안 감사 시절에는 제너럴셔먼호 격퇴를 지휘**하였다(1866). 또한, **강화도 조약 체결을 주도**했으며 김옥균·박영효·유길준 등에게 영향을 미쳤다.
2. **오경석(역관)**: 청에 왕래하며 『해국도지』,[1] 『영환지략』 등 여러 서적을 들여와 외국 문물을 소개하였다.
3. **유홍기(유대치, 한의사)**: 통상과 개화를 주장했으며, 박영효와 김옥균 등에게 영향을 주었다.

❶ 『해국도지(海國圖志)』
1844년 청나라 사람 위원이 간행한 책으로, 세계의 역사·지리·정치·전술 등을 소개하고 있다. 이 책은 19세기 조선 헌종 때 처음 소개된 이후, 최한기·박규수·오경석 등에게 많은 영향을 미쳤다.

2. 개화파의 분화

(1) 배경

임오군란 이후 개화파는 청의 내정 간섭, 개화 정책의 추진 방법 등을 둘러싸고 **온건 개화파와 급진 개화파**로 분화되었다.

(2) 분화

① **온건 개화파**: **김홍집, 어윤중, 김윤식** 등이 중심이 되어, **청의 양무운동**을 본받아 점진적인 개혁을 추진하였다. 사상적 기반은 동도서기론[2]이었으며, 사대당이라고 불렸다. 이들은 민씨 정권에 적극 참여하여 개화 정책을 주도하였다.

② **급진 개화파**: **김옥균, 박영효, 서광범** 등이 중심이 되었다. **일본의 메이지 유신**을 본보기로 삼고, 문명 개화론에 입각하여 서양의 기술뿐만 아니라 사상·제도까지 받아들일 것을 주장하였다. 개화당 또는 독립당이라고 불렸으며, 입헌 군주제를 추구하였다. 또한, 정부의 개혁이 너무 소극적이며 청에 의존한다고 비판하였다.

❷ 동도서기론(東道西器論)
우리의 전통적인 제도와 사상을 지키면서 근대적인 서양의 기술과 과학을 받아들이자는 주장이다. 이에 따라 온건 개화파는 서양의 종교를 금지하고 유교 도덕과 정치 제도를 지켜나가면서도 충분히 부국강병을 이룩할 수 있다고 생각하였다.

김홍집

홍영식

심화사료 百出 2016. 국가직 7급, 2014. 기상직 9급, 2012. 지방직 7급, 2008. 법원직 9급

동도서기론(東道西器論)

- **서양에서 유행하고 있는 천주교가 우리나라에 유포되는 것을 금지해야 합니다. 우리가 부족한 것은 기술뿐이기 때문에 그 기술만을 받아들이면 됩니다.** 과학 기술 문명은 인간의 도리에 해롭지 않고 백성들이 살아가는데 도움이 되기 때문에 이를 배워야 합니다. – 김윤식의 상소문
- **외국의 교(敎)는 즉 사(邪)로써 마땅히 멀리해야 하지만 그 기(器)는 즉, 이(利)로서 가히 이용후생의 바탕이 될 것인즉,** 농·상·의학·군대·주차(舟車) 등은 어찌 이를 꺼려 멀리하겠는가? – 곽기락의 상소

심화사료 百出

급진 개화파의 개화론

이 세상에 있는 어떤 나라도 어리석고 약해진 뒤에야 그 나라를 보존하고 그 지위를 평안케 할 수 없습니다. 따라서 **진실로 나라를 부강하게 하여 서양과 맞서려면 군권을 줄여 국민들에게 자유를 누리게 하고 보국의 책임을 다하게 해야 합니다.** 그러한 뒤에야 문명이 발달하고 국민이 평안해지면 나라가 무사해질 것입니다. – 박영효 건의서, 일본 외교 문서 제21권

3. 개화 정책의 추진: 정부는 동도서기의 입장에서 개화 정책을 추진하였다.

(1) 조직의 개편

① **통리기무아문 설치**: 1880년 '통리기무아문'이라는 근대적 행정 기구를 두었다. 그 아래에 실무를 담당하는 12사❸를 설치하여 외교, 군사, 산업 등의 정책을 추진하였다.

② **군제 개편**: 5군영을 무위영과 장어영으로 통합하고 **신식 군대인 별기군**❹(교련병대)을 창설하였다. 일본인 교관을 초빙해 근대식 군사 훈련을 실시하고, 사관 생도를 양성하였다.

심화사료 百出

고종이 내린 개화에 관한 교서

저들의 종교는 사악하다. 마땅히 음탕한 소리나 치장한 여자를 멀리하듯이 해야 한다. **하지만 저들의 기술은 이롭다.** 잘 이용하여 백성들을 잘 살게 할 수 있다면 농업, 양잠, 의약, 병기, 배, 수레에 대한 기술을 꺼릴 이유가 없다. 종교는 배척하되 기술을 본받는 것은 함께 할 수 있다. 결코 충돌하는 것이 아니다. 지금 강약의 형세가 이미 큰 격차로 벌어졌다. 만약 저들의 기술을 본받지 않는다면 어떻게 저들에게 모욕을 받지 않고 저들이 엿보는 것을 막을 수 있겠는가. –『고종실록』, 1882년 8월 15일

(2) 해외 시찰단의 파견

① 일본

㉠ 수신사❺의 파견

1차(1876)	**김기수** 일행이 일본의 관청과 학교, 조선소 등 근대 문물을 시찰하고 돌아왔다. 김기수는 고종에게 올린 『일동기유』를 통해 근대 문물을 소개하였다.
2차(1880)	강화도 조약의 개정을 위해 파견되었다. 본뜻은 이루지 못했지만, 약 5개월간 머물면서 일본의 발전상을 파악하였다. 또한, 김홍집은 황쭌셴을 만나 『조선책략』을 가지고 귀국하였다.
3차(1882)	**임오군란**으로 인한 제물포 조약 체결 직후 일본에 **사죄사**의 형식으로 **박영효, 김옥균** 일행이 3차 수신사로 파견되었다. 박영효는 그 기록을 『사화기략』에 남겼다.

㉡ 조사 시찰단(1881. 4.)❻: 정부는 일본에 조사 시찰단(신사 유람단)을 비밀리에 파견하였다. 4개월여 동안 일본의 발전상을 견문하고 보고서를 제출하여 정부의 개화 정책 추진을 뒷받침했다.

❸ **12사(司)의 주요 기구**
- 사대사(事大司) – 대청 외교 업무
- 교린사(交隣司) – 대일 외교 업무

❹ **별기군**

1881년 정부는 기존의 5군영에서 80명을 선발하여 별기군을 창설하였다. 또한 서울의 일본 공사관에 근무하는 공병 소위 호리모토를 교관으로 초빙하였다. 이후 별기군은 임오군란 때 폐지되었다.

❺ **수신사(修信使)**
종래 조선에서 일본에 파견하던 사절을 통신사라고 하였으나, 강화도 조약 이후 수신사로 이름을 바꾸었다.

❻ **조사 시찰단(朝士視察團)**
당시 개화에 대한 반대 주장이 거세게 대두되어 있었다. 정부는 박정양, 어윤중, 홍영식 등 시찰단으로 파견할 사람들을 동래 암행어사로 임명하여 부산에 모이게 한 후 비밀리에 파견하였다. 이들은 각기 전문 분야에 대해 자세히 시찰하고, 귀국 후 여행기와 보고서를 작성해 고종에게 제출하였다. 이들 중 유길준, 윤치호는 최초의 일본 유학생이 되었다.

② 청 – 영선사(1881. 9.)

김윤식을 영선사로 삼아 학생과 기술자 등을 **청국 톈진**에 파견하여 근대식 무기 제조법, 군사 훈련법 등을 배우게 하였다. 이들은 근대 기술에 대한 지식 부족, 재정 결핍과 임오군란 등의 이유로 1년 만에 돌아왔다. 하지만 이를 계기로 1883년 서울에 **기기창(무기 제조)**이 설립되었다.

③ 미국 – 보빙사(1883)

조·미 수호 통상 조약 체결 이후 **민영익**을 전권 대사로 하여 홍영식과 유길준 등을 파견하였다. 최초의 구미사절단으로 병원, 신문사, 학교 등을 시찰하고 돌아왔다.❶

❶ 보빙사(報聘使)

보빙사로 파견된 이들이 견학한 신문물은 신식 우편 제도, 육영 공원 설치에 영향을 미쳤다. 또한, 농무 목축 시험장 운영, 경작 기계의 제작과 수입 등 농업 기술 연구에도 기여하였다.

고등사료 百出 2017. 경찰 2차

1차 수신사 파견

의정부에서 아뢰기를, "지난번 일본 사절선이 온 것은 오로지 수호(修好) 때문이니, 우리가 선린(善隣)하는 뜻에서도 이번에는 사신을 전위(專委)하여 수신(修信)해야 하겠습니다. **사신의 호칭은 수신사라 하고 응교(應教) 김기수(金綺秀)를 특별히 차출**하되 …… 따라가는 인원은 일을 아는 자로 적당히 가려서 보내되, 이는 수호한 뒤에 처음 있는 일이니, 이번에는 특별히 당상관(堂上官)으로 하여금 서계(書契)를 가지고 들어가도록 하고, …… 하니, 윤허한다고 전교하였다. – 「승정원일기」(고종 13년, 2월)

조사 시찰단의 보고서

• 인재를 등용할 때, 예전에는 화족(왕족), 사족, 평민의 구분이 있었으나 지금은 그 명칭이 있어도 전적으로 재주로써 사람을 쓰기 때문에 평민으로 높은 자리에 오른 자도 매우 많으며, 화족이나 사족의 후손이 수레나 말을 끄는 천한 직업에 종사하기도 한다. – 박정양

• 조선의 과제는 하루속히 부강의 도를 얻어 행하여 자강을 실현하는 것입니다. 부강의 도가 근대적 개혁이며, 만일 이 방법에 의하여 부강을 이루지 못하면 이웃 국가의 수모를 받을 위험이 매우 큽니다. – 어윤중

대표 기출문제

다음과 같은 주장을 한 인물은? 2023. 지방직 9급

> 일단 강화를 맺고 나면 저 적들의 욕심은 물화를 교역하는 데 있습니다. … (중략) … 저들이 비록 왜인이라고 하나 실은 양적(洋賊)입니다. 강화의 일이 한번 이루어지면 사학(邪學)의 서적과 천주의 상(像)이 교역하는 가운데 섞여 들어갈 것입니다.

① 박규수　　② 최익현
③ 김홍집　　④ 김윤식

해설

② 제시된 자료는 최익현이 주장한 5불가소의 내용이다. 강화도 조약이 체결되기 직전, 최익현은 왜양일체론을 내세운 5불가소를 올려 일본과의 수교·통상을 반대하였다.

정답 ②

임오군란과 갑신정변

구 분		2008~2017	2018	2019	2020	2021	2022	2023	2024
9급	국가직	•갑신정변(2) •갑신정변 이후의 정세							임오군란
	지방직	•임오군란 •구한말 대외 관계							1880년대 정치
	법원직	•임오군란(3) •갑신정변(3) •갑신정변 이후의 정세(2)							

임오군란

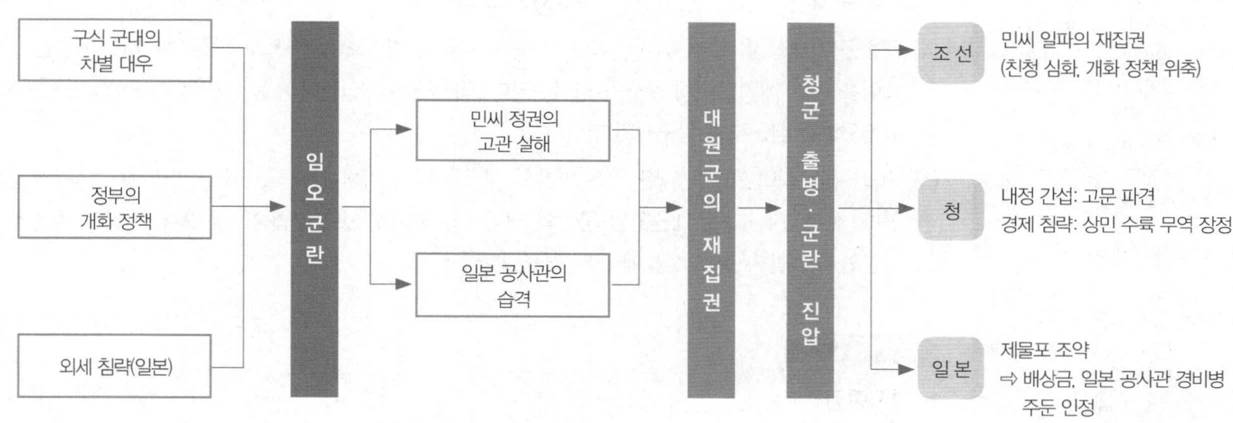

갑신정변

배 경	민씨 정권의 개화 세력 탄압, 청·프 전쟁으로 청군의 일부 철수
전 개	우정국 개국 축하연 계기로 정변 단행 ⇨ 개화당 정부 수립(14개조 정강) ⇨ 청 개입으로 실패
결 과	청의 내정 간섭 강화, 개화 운동의 흐름 약화, 한성 조약과 톈진 조약 체결
의 의	최초로 입헌 군주제와 봉건적 신분제 타파 추구 ⇨ 근대화 운동의 선구
한 계	위로부터의 개혁, 민중의 지지 ×, 외세 의존적(일본)

01 임오군란(1882) ☆

1. 배경

(1) **정치적**: 개화 정책의 추진을 놓고 민씨 정권과 위정척사파 사이의 갈등이 심화되었다.

(2) **경제적**: 개화 정책 추진에 따른 재정 지출 증가로 세금이 늘어났고, **일본으로의 곡물 유출로 쌀값도** 올라 서민들의 생활이 어려워졌다.

2. 임오군란의 발발과 전개 과정

(1) **원인**: 정부는 기존의 군대 조직을 축소·개편하였는데, 그 과정에서 많은 구식 군인들이 직업을 잃었다. 또한, **신식 군대인 별기군에 비해 구식 군인에 대한 대우는 매우 열악**하였다.

(2) **도봉소 사건**❶: **구식 군인**들은 **13개월 동안 월급이 밀린 상황**에서 쌀로 지급된 1달치 급료에 겨와 모래가 섞여있자 격분하였다. 이들은 급료 지급을 담당하던 선혜청 책임자 **민겸호**의 집으로 쳐들어 가는 등 폭동을 일으켰다.

(3) **확산**: 구식 군인들은 무기를 탈취하여 민겸호 등 일부 정부 고관과 별기군의 일본인 교관을 죽이고 **일본 공사관을 습격**하였다. 여기에 **서울의 하층민**까지 가담하면서 군란의 규모가 커졌다.

(4) **대원군의 재집권**: 중전 민씨는 장호원(충주, 지금의 경기도 이천)으로 피신❷하였고, 고종은 사태의 책임을 지고 대원군에게 정권을 넘겨주었다. **대원군은 재집권하여 통리기무아문과 별기군을 폐지하고 5군영과 삼군부를 복구**하였다.

(5) **진압**: **김윤식의 요청**을 받은 청은 일본의 개입을 막기 위해 신속히 군대를 파병하여 군란을 진압하였다. 한편, 청나라는 **대원군을 군란의 책임자라 하여 톈진으로 압송**❸해 갔다. 일본도 조선에 있는 일본인 보호를 구실로 서울에 군대를 보냈다.❹

❶ **도봉소 사건**
임오군란의 도화선이 된 사건이다. 선혜청의 창고인 도봉소에서 지급한 급료의 상태에 분노한 군인들이 선혜청 관리를 구타하였다.

❷ **홍계훈(?~1895)**
임오군란 당시 중전 민씨를 피신시킨 공으로 출세하였다. 그는 동학 농민 운동이 일어났을 때 양호초토사로 출전하기도 하였다. 이후 을미사변 때 일본군의 침입을 막다가 죽었다. 고종은 1900년 장충단을 세워 홍계훈 등을 제사지냈다.

❸ **흥선 대원군의 압송**
청으로 끌려간 흥선 대원군은 4년간 억류되었다가 1885년에 귀국하였다.

❹ **일본의 파병 의도**
일본은 이 기회에 배상금을 받아내고 조선과의 통상 조건을 좀 더 유리하게 고치려고 하였다.

심화사료 百出

임오군란

이때 군량이 지급되지 않은 지 이미 반년이 지났는데 …… **쌀에 겨를 섞어서 지급하고 남은 이익을 챙기자 많은 백성이 크게 노하여 그를 구타하였다.** 민겸호가 그 주동자를 잡아 포도청에 가두고 그를 곧 죽일 것이라고 선언하였다. 수많은 군중은 더욱 분함을 참지 못하고 칼을 빼어 땅을 치며 …… **6월 10일 난병들이 대궐을 침범하였다. 중궁(왕비)은 밖으로 도망치고 이최응, 민겸호, 김보현이 살해되었다.** 고종은 변이 일어났다는 말을 듣고 급히 대원군을 불렀으며 대원군은 난병을 따라 들어갔다. …… **대원군에게 군국 사무를 처분하라는 명이 떨어졌다.** 대원군은 궁궐 안에 있으면서 **통리기무아문과 무위, 장어 두 개의 영을 폐지**하고 **5영 군제를 복구**하라는 영을 내려 군량을 지급하도록 하였다.

– 황현, 『매천야록』

3. 결과

(1) 민씨의 재집권

재집권한 민씨 일파에 의해 **친청 정책은 심화**되었고 **개화 정책은 약화**되었다.

(2) 청의 내정 간섭 강화

① **군대 주둔**: **청은 임오군란을 진압한 뒤에도 군대를 서울에 주둔시켰다.** 청은 조선에 대한 형식적 종속 관계를 실질적 '속방' 관계로 강화하기 위해 내정을 간섭하였다.

② **고문 파견**: **마젠창과 묄렌도르프** 등 30여 명의 외국인을 **고문**으로 **파견**하여 조선의 내정과 외교 문제에 깊이 관여하였다.

③ **조·청 상민 수륙 무역 장정(1882. 8.)**: **조선이 청의 속방국임을 명시**했으며, **치외 법권**을 인정하였다. 또한, **내지 통상권** 등을 규정하여 청나라 상인들이 본격적으로 조선 내륙에 진출할 수 있었다.

(3) 일본과의 조약 체결

① **제물포 조약**[5] **체결(1882. 7.)**: 일본은 일본 공사관이 습격받은 일을 구실로 제물포 조약을 강요하였다. 조선은 일본에 공사관 신축비 등 **배상금을 지불**하였고, **공사관 경비를 위한 일본군의 한성 주둔을 인정**하였다. 이는 **최초의 일본 군대 주둔**[6]이었다.

② **조·일 수호 조규 속약**[7]**(1882. 7.)**: **개항장을 기준으로 통상 지역을 확대**하였다. 이에 따라 일본 상인이 내륙으로 진출할 수 있었다.

심화사료 百出

2024. 지방직 9급, 2023. 국가직 9급, 2021. 경찰 1차, 2018. 서울시 9급(상), 2018. 경찰 3차, 2014. 지방직 9급, 2013. 지방직 7급
2012. 법원직 9급, 2008. 법원직 9급

제물포 조약(1882)

제1조 금일부터 20일 안에 조선국은 흉도를 체포하고 그 괴수를 엄중히 취조하여 중죄에 처한다. 일본국은 관리를 보내 입회 처단케 한다. 만일 그 기일 안에 체포하지 못할 때는 응당 일본국이 처리한다.

제3조 조선국은 **5만 원**을 내어 해를 당한 일본 관리들의 유족 및 부상자들에게 주도록 한다.

제4조 흉도의 폭거로 일본국이 받은 피해 및 공사를 호위한 육해군 경비 중에서 **50만 원**을 조선국이 채워준다.

제5조 **일본 공사관에 군인 약간을 두어 경비한다.** 그 비용은 조선국이 부담한다.

제6조 조선국은 사신을 특파하여 국서를 가지고 일본국에 사과한다.

조·청 상민 수륙 무역 장정(1882)

전 문 오직 금번 체결하는 수륙 무역 장정은 중국이 **속방(屬邦)**[8]**을 우대하는 후의에서 나온 만큼 다른 각국과 일체 균점하는 예와 같지 않다.**

제1조 청의 상무위원을 서울에 파견하고 조선 대관을 톈진에 파견한다. 청의 북양대신과 조선 국왕은 대등한 지위를 가진다.

제2조 청 상인이 조선 항구에서 개별적으로 소송을 제기하였을 경우에는 청 상무위원에게 넘겨 심의·처리한다.

제4조 **중국 상인이 조선의 양화진 및 한성에 영업소(상점·창고·여관 등)를 개설할 경우**를 제외하고, 각종 화물을 내륙으로 운반하여 상점을 차리고 파는 것을 허가하지 않는다. 단, 내륙 행상이 필요한 경우 지방관의 허가서를 받아야 한다.

제5조 …… 압록강 건너편의 책문(柵門)과 의주 두 곳을, 그리고 도문강(圖們江) 건너편의 훈춘과 회령 두 곳을 정하여 교역하도록 한다.

제8조 장정의 수정은 북양대신과 조선 국왕의 자문으로 결정한다.

묄렌도르프
1882년 11월 고문으로 파견되었다.

5 제물포 조약
제물포 조약에 따라 1882년 일본에 3차 수신사(박영효·김옥균)를 파견하였다.

6 일본 군대의 주둔
제물포 조약에는 약간의 병력을 주둔시킨다고 했지만, 실제로는 1개 대대의 병력을 주둔시켰다. 임오군란의 결과, 청과 일본의 군대가 조선에 머무르게 되어 양국 간 무력 충돌의 위험이 커졌다.

7 조·일 수호 조규 속약
간행이정을 50리(2년 후 100리)로 확대하였다.

8 속방(屬邦)
조·미 수호 통상 조약의 체결 당시 청은 조약문에 조선이 청의 '속방'이라는 문구를 넣어 청과 조선의 사대 관계를 유지하려고 하였다. 그러나 미국의 반대로 '속방' 문구는 조약문에 들어가지 못했다. 미국은 조선이 독립국이 아니면 조약을 체결할 수 없다고 하였다.

02 갑신정변(1884)

1. 배경

(1) 민씨 정권의 개화 세력 탄압

급진 개화파는 박문국(1883)과 전환국(1883) 설치 등의 개화 정책을 추진하였다. 그러나 청나라의 내정 간섭과 이를 묵인하는 민씨 정권을 비판하다가 정치적 입지가 점차 좁아졌다.[1]

(2) 조선 주둔 청군의 철수

청이 베트남 문제로 청·프 전쟁에 들어가면서 조선에 주둔하던 청군 병력의 일부가 철수하였다.

(3) 일본의 군사 지원 약속

임오군란 이후 냉담하던 일본이 다시 급진 개화파에 접근하였다. 일본 공사 다케조에 신이치로를 통해 군사적 지원을 약속하였다.

2. 전개

(1) 우정국 사건

급진 개화파는 **우정국 개국 축하연(1884)**을 이용하여 민씨 정권의 고관들을 살해하고 창덕궁에 있던 국왕을 경우궁으로 옮겼다. 이어 **김옥균, 박영효**, 서광범, 서재필 등을 중심으로 하는 개화당 정부[2]를 수립하고, **'14개조의 개혁 정강'**을 발표하였다.

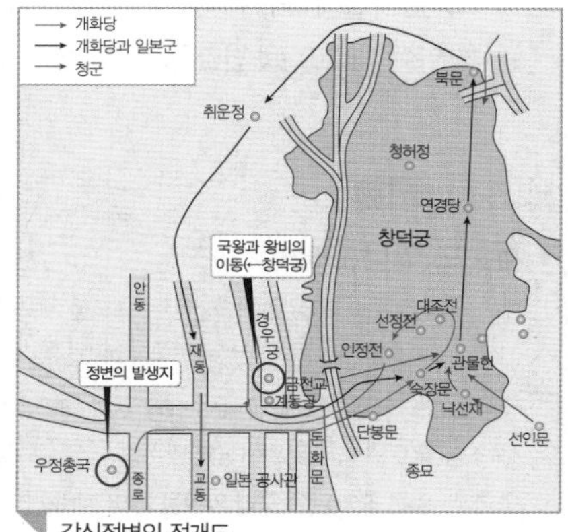

갑신정변의 전개도

(2) 개혁 요강의 내용

청에 대한 사대 관계를 폐지하고 **입헌 군주제적 정치 구조**를 지향하면서, **인민 평등권의 확립**과 능력에 따른 인재 등용을 주장하였다. 또 **재정의 일원화(호조)**, 지조법[3] 개혁, 혜상공국[4] 폐지 등을 제시하였다.

(3) 정변의 실패(3일 천하)

민씨 정권의 요청[5]으로 **청군이 개입**하여 정변을 진압하였다. 이에 홍영식·박영교 등은 청군에게 사살되었고, 김옥균·박영효·서광범·서재필 등은 일본으로 망명하였다. 이후 **개화의 흐름이 한동안 단절되었고, 청의 내정 간섭은 더욱 강화되었다.**

고등사료 百出 2015. 서울시 9급

갑신정변의 진압

청나라 제독군문 원세개(위안스카이)가 대궐에 들어와 호위했다. 일본 군대는 퇴각했으며 임금은 북관묘에 행차하셨다. **홍영식과 박영교는 죽임을 당했다. 박영효, 김옥균, 서광범, 서재필 등은 일본군을 끼고 도망쳤다.** – 「매천야록」

갑신정변에 대한 박은식의 평가

개화당의 실패는 우리에게 매우 애석한 일이다. …… 그는 **일류 수재들이 일본인에게 이용당해 그처럼 크나큰 착오를 저질렀으니 참으로 애석한 일**이라고 하였다. **어찌 일본인이 진심으로 김옥균을 성공하게 하고 성의 있게 조선의 운명을 위하여 노력하겠는가?** …… 일본도 이를 이용하여 청으로부터의 독립을 권하고 원조까지 약속했지만 사실은 조선과 청의 악감정을 도발하여 그 속에서 이익을 얻으려는 속셈이었다. – 박은식, 「한국통사」

❶ 차관 교섭의 실패

조선 정부는 묄렌도르프의 건의로 당오전을 발행하려 했다. 그러나 김옥균은 일본으로부터의 차관 도입을 건의하였다. 결국 고종은 두 가지 정책을 병행하기로 하고 300만 원의 차관을 들여오기 위해 김옥균을 일본에 보냈으나, 일본은 이를 거절하였다.

우정국

❷ 개화당 정부의 주요 인사

- 홍영식(좌의정, 29세)
- 박영효(전후영사 겸 좌포도대장, 23세)
- 서광범(좌우영사 겸 우포도대장, 25세)
- 김옥균(호조참판, 33세)
- 서재필(병조참판, 20세)

❸ 지조법(地租法)

토지에서 발생하는 수익에 부과하는 세금으로, 관리들의 부정이 많았다.

❹ 혜상공국

보부상을 보호하기 위하여 1883년에 설치한 기관이다. 상리국(1885), 상무사(1899) 등으로 이름을 바꾸었다가 1904년에 혁파되었다.

❺ 청나라 군대의 개입 요청

갑신정변이 일어나자 김윤식, 김홍집 등은 위안스카이에게 청국 군대의 개입을 요청하였다.

고등사료 百出 22. 소방직, 20. 법원직 9급, 18. 지방직 7급, 18. 서울시 7급, 14. 지방직 9급, 14. 서울시 9급, 11. 국가직 7급, 11. 법원직 9급

갑신정변 14개조 정강

1. **청에 잡혀간 흥선 대원군을 조속히 귀국시키고, 청에 대한 조공의 허례를 폐지한다.**
   ⇨ 청에 대한 사대 관계 폐지
2. **문벌을 폐지하고 인민 평등의 권리를 제정하여 능력에 따라 관리를 임명한다.**
   ⇨ 양반 신분 제도 폐지(갑오개혁에 반영)
3. **지조법(地租法)을 개혁하고** 관리의 부정을 근절하며, 빈민을 구제하고 국가 재정을 넉넉하게 한다.
   ⇨ 삼정 문란 개선, 조세 제도 개혁(토지 개혁 아님.)
4. 내시부를 폐지하고, 그중 우수한 자만을 등용한다.
   ⇨ 내시부는 조선 시대 내시(환관)를 관할하던 관청이다. 이 관청을 폐지하여 왕권 약화를 꾀함.
5. 부정한 관리와 탐관오리 가운데 그 죄가 심한 자는 처벌한다.
   ⇨ 국가 기강 확립과 민생 안정
6. 각 도의 환상미(還上米)는 영구히 면제한다.
   ⇨ 환곡제 폐지
7. 규장각을 폐지한다.
   ⇨ 본래 왕과 왕실을 위한 기구였기 때문에 폐지를 주장
8. 급히 순사를 두어 도적을 방지한다.
   ⇨ 근대적 경찰 제도 도입
9. **혜상공국(惠商公局)을 혁파한다.**
   ⇨ 특권 독점 상업의 폐지와 근대적 자유 상업의 장려
10. 유배 또는 금고 된 죄인을 다시 조사하여 석방시킨다.
11. 4영을 합하여 1영으로 하고 영 가운데서 장정을 뽑아 근위대를 급히 설치할 것. 육군 대장은 왕세자로 한다.
    ⇨ 군사 제도 개혁
12. **일체의 국가 재정은 호조에서 관할하고, 그 밖의 재정 관청은 금지한다.**
    ⇨ 국가 재정의 일원화
13. **대신과 참찬은 날을 정하여 의정부에서 회의하고 정령을 의정·집행한다.**
    ⇨ 내각 중심의 정치 시행(입헌 군주제)
14. 정부 6조 외에 불필요한 관청을 폐지하고 대신과 참찬으로 하여금 이것을 심의 처리하도록 한다.
    ⇨ 정부 조직의 개편

김옥균

갑신정변을 주도한 급진 개화파들

3. 결과

(1) 한성 조약(1884) – 조선·일

고종은 일본의 정변 개입에 항의하고 김옥균 등 망명자의 송환을 요구하였다. 그러나 일본은 도리어 공사관이 불타고 공사관 직원 등 일본인이 희생된 것에 대해 사죄와 배상을 요구하였다. 이에 배상금 지불과 공사관 신축비 부담을 내용으로 하는 한성 조약을 체결하였다.

(2) 톈진 조약(1885) – 청·일

일본은 불리해진 정세를 만회하기 위해 이토 히로부미[6]를 청에 파견하여 톈진 조약[7]을 체결하였다. 이에 따라 청군과 일본군이 조선에서 동시 철수하고, 일본은 청국과 동등하게 조선에 대한 파병권을 획득하였다.

4. 의의

갑신정변은 입헌 군주제를 통해 근대 국가를 수립하고자 한 최초의 정치 개혁 운동이었다. 이들이 추구한 개혁 방향은 갑오개혁과 독립 협회의 활동 등에 영향을 주었다.

5. 한계

(1) 위로부터의 개혁: 민중과 유리된 위로부터의 정치 개혁으로, 일반 민중에게 지지를 받지 못하였다. 또한 당시 민중들에게 가장 문제시되었던 **토지 제도 개혁**에 소홀하였다.

(2) 일본 의존적 성향: 일본의 침략 의도에 대해서는 간과하고 외세를 끌어들였다는 한계를 가지고 있다.

(3) 개화 운동의 위축: 개화파가 외세와 폭력적 수단을 동원하여 반대 세력을 살해했기 때문에 개화에 우호적이었던 사람들마저도 개화 사상을 왜곡·불신하는 결과를 초래하였다.

⑥ 이토 히로부미[伊藤博文]
메이지 유신 이후 정계에 투신하여 1885년 초대 내각 총리대신이 되었다. 1906년 조선에 초대 통감으로 부임하였다.

⑦ 톈진 조약
청·일은 조선에서 변란이 발생하여 양국 중 어느 한쪽이 파병할 경우에는 그 사실을 상대방에게 미리 알릴 것에 대해 합의하였다.

심화사료 百出

2021. 경찰 1차, 2017. 서울시 사회복지직 9급

한성 조약(1884, 조선 – 일본)

제1조 조선국은 국서를 일본국에 보내 사의를 표명한다.

제2조 해를 입은 일본인 유족과 부상자에게 **보상금을 지불**하고, 또 상인의 재물이 훼손, 약탈된 것을 변상하기 위해 **조선국은 11만 원을 지불**할 것

제4조 일본 공관을 새로운 곳으로 옮겨 신축하는 것은 마땅히 조선국에서 기지와 방옥을 교부해 공관 및 영사관으로 사용할 수 있도록 한다. 수축 증건에는 조선국이 다시 **2만 원을 지불해 공사비를 충당**한다.

텐진 조약(1885, 청 – 일본)

제1조 청국은 조선에 주둔한 군대를 철수한다. 일본군은 공사관 호위를 위해 조선에 주재한 병력을 철수한다.

제2조 청·일 양국은 조선 국왕이 군대를 교련하여 자위할 수 있게 하고, 외국 무관 1인 내지 여러 명을 채용하여 훈련을 위임하게 하되, 이후 청·일 양국은 관원을 파견하여 조선에서 훈련하는 일이 없도록 상호 승인한다.

제3조 **앞으로 만약 조선에 변란이나 중대 사건이 일어나 청·일 두 나라 또는 한 나라가 파병을 하려고 할 때에는 마땅히 그에 앞서 쌍방이 문서로써 알려야 한다.** 그 사건이 진정된 뒤에는 즉시 병력을 전부 철수시키며 잔류시키지 못한다.

03 갑신정변 이후의 정세

1. 정부의 반청 개화 정책 시도❶

(1) 청나라 견제: 갑신정변 후 고종은 내무부를 설치하여 반청 정책의 중심 기구로 활용했으며, 일본과 미국에 공사관을 개설하여 청의 속방이 아닌 자주 독립국임을 알리려 하였다.

(2) 근대화 정책 추진: 근대식 의료 시설인 **제중원**(1885), 전신 가설을 위한 전보국(1885), 근대식 교육 기관인 **육영공원**(1886), 사관 양성을 위한 연무공원(1888)❷ 등을 설립하였다.

2. 열강의 대립 격화

(1) 러시아의 세력 확대

① 정부의 친러 경향: 청의 지나친 내정 간섭을 견제하기 위해 조선 정부는 러시아에게 접근하였다.

② 조·러 통상 조약❸(1884): 청의 중재 없이 러시아 외교관 베베르❹가 묄렌도르프❺의 도움을 받아 체결하였다.

③ 조·러 육로 통상 조약(1888): 조선과 러시아는 연해주와 함경도 지역을 통한 양국 간 육로 무역을 허용하였다.

(2) 영국의 거문도 점령(1885. 4.~1887. 2.): 조선에 대한 러시아의 영향력❻이 확대되자, 영국은 러시아의 남하를 견제하기 위해 거문도❼를 점령하였다.

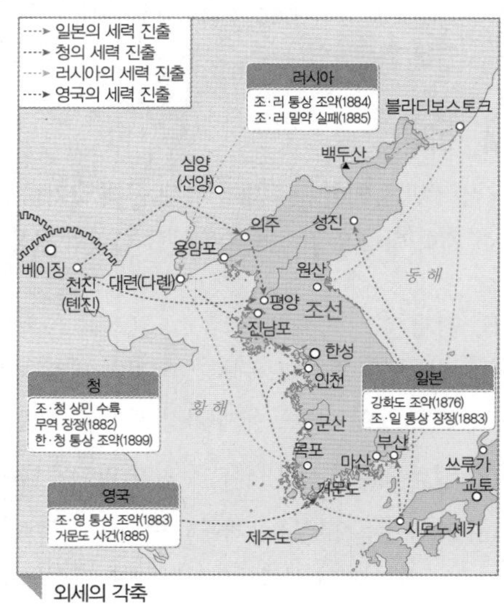

외세의 각축

❶ **한계**
청의 지나친 간섭과 민씨 정권의 부패로 큰 성과를 거두지 못하였다. 또한, 외형적인 근대 문물 수입에 그쳤으며 토지 문제 등 근본적인 부분은 외면하였다.

❷ **연무공원(鍊武公院)**
사관을 양성하고 신식으로 군사 훈련을 하기 위해 설치된 것으로, 미국인을 교관으로 초빙하였다. 그러나 재정 부족 등의 문제로 인해 1894년 폐지되었다.

❸ **조·러 통상 조약**
갑신정변 이전에 체결되었다.

❹ **베베르(웨베르)**
조·러 통상 조약을 직접 체결하였다. 이후 서울 주재 러시아 공사(1885~1897)로 활동했으며, 아관 파천을 주도하였다.

❺ **묄렌도르프**
조·러 통상 조약 체결에 묄렌도르프가 도움을 준 사실을 알게 된 청나라는 그를 외교 고문에서 해임하였다.

❻ **1차, 2차 조·러 밀약(1884, 1885)**
러시아의 군사 교련단 파견 등을 내용으로 하는 조약을 비밀리에 추진했으나, 청의 압력으로 폐기되었다.

❼ **영국의 거문도 점령**
영국은 거문도를 해밀턴 항이라 부르며 일방적으로 점령하였다.

3. 한반도 중립화론의 대두(1885)

(1) 한반도 중립화론

조선을 둘러싸고 열강의 대립이 격화되자, 조선 주재 독일 영사 부들러는 **조선이 독자적으로 영세 중립국을 선언할 것을** 제안하였다(스위스식). 미국에서 돌아온 **유길준은 강대국 모두가 보장하는 중립화를** 이루는 것이 필요하다고 주장하였다(벨기에식).

(2) 결과: 중립화론은 조선 정부와 열강의 무관심으로 수용되지 못하였다. 정부는 톈진 조약 이후 청·일의 간섭이 약화되고 있는 상황에서 이들을 자극할 필요는 없다고 판단하였다.

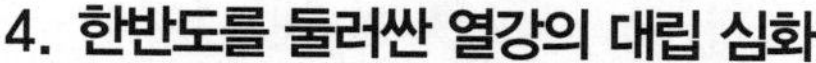

2020. 경찰 1차

유길준의 중립화론

지금 우리나라의 지리는 아시아의 인후(목구멍)에 처해 있어서 그 위치는 유럽의 벨기에와 같고, …… 유럽 여러 대국들이 러시아를 막으려는 계책에서 나온 것이었고 …… 이를 가지고 논한다면, **우리나라가 아시아의 중립국이 된다면 실로 러시아를 방어하는 큰 기틀이고 또한 아시아의 여러 대국이 서로 보전하는 정략이 될 수 있다.** …… 오직 중립 한 가지만이 진실로 우리나라를 지키는 방책이다. 그러나 이를 우리가 먼저 제창할 수 없으니 그것은 중국에 요청하여 처리하도록 해야 한다. **중국이 맹주가 되어 영국, 프랑스, 일본, 러시아 같은 아시아에 관계있는 여러 나라들과 화합하고 우리나라를 참석시켜 같이 중립 조약을 체결토록 해야 될 것이다.**

– 유길준 전서

유길준(1856~1914)

1881년 어윤중의 수행원이 되어 신사 유람단에 참가, 최초의 일본 유학생이 되었다. 또한 보빙사의 수행원으로 미국으로 건너갔다가 최초의 미국 유학생이 되기도 하였다. 이후 1차 갑오개혁 당시 군국기무처의 의원으로 참여하였다. 저서로는 『서유견문』과 『조선문전』이 있다.

4. 한반도를 둘러싼 열강의 대립 심화

거문도 사건과 중립화론의 대두 등 일련의 사건들은 당시 조선을 둘러싸고 청과 일본, 영국과 러시아가 대립하고 있음을 보여 준다. 이러한 상황은 청·일 전쟁과 삼국 간섭의 배경이 되었다.

대표 기출문제

(가)에 들어갈 말로 옳은 것은? 2024. 국가직 9급

> 정부의 개화 정책이 추진되면서 구식 군인과 도시 하층민이 반발하였다. 제대로 봉급을 받지 못한 구식 군인들이 난을 일으키고 도시 하층민이 여기에 합세하였으나 청군에 의해 진압되었다. 이후 청은 조선에 군대를 주둔시키고 조선의 내정에 개입하였다. 또 (가) 을 체결하여 조선이 청의 속방임을 명문화하고 청 상인의 내륙 진출을 인정받았다.

① 한성 조약
② 톈진 조약
③ 제물포 조약
④ 조·청 상민 수륙 무역 장정

해설

제시된 자료는 1882년 임오군란에 대한 내용이다. ④ 임오군란의 결과, 조선은 청나라와 조·청 상민 수륙 무역 장정을 체결하였다.
① 한성 조약은 갑신정변의 결과 일본과 체결한 조약이다. ② 톈진 조약은 갑신정변 이후인 1885년 청나라와 일본이 체결한 조약이다. ③ 제물포 조약은 임오군란 이후 일본과 체결한 조약이다.

정답 ④

2 CHAPTER 구국 민족 운동의 전개

解·法·기·출·진·맥

9급 국가직

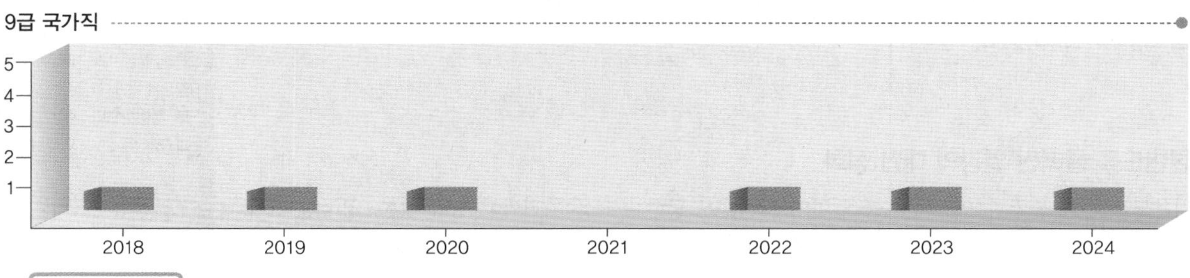

출제 경향 오버뷰 거의 매년 1문제 이상씩 출제되고 있음. 동학, 독립 협회

9급 지방직

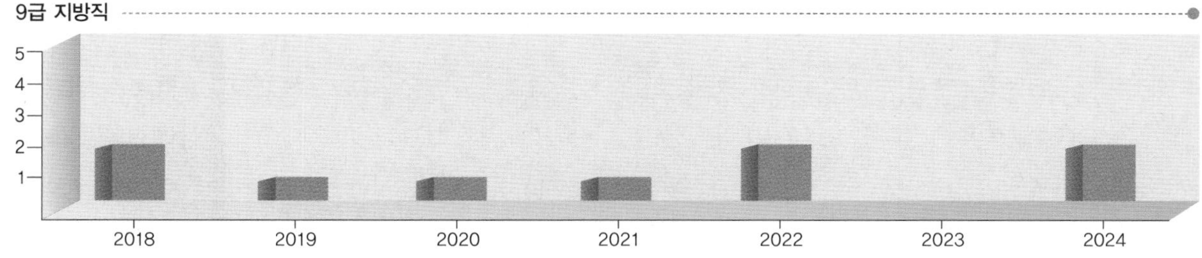

출제 경향 오버뷰 매년마다 1~2문제 이상씩 출제되고 있음. 대한 제국, 국권 피탈

9급 법원직

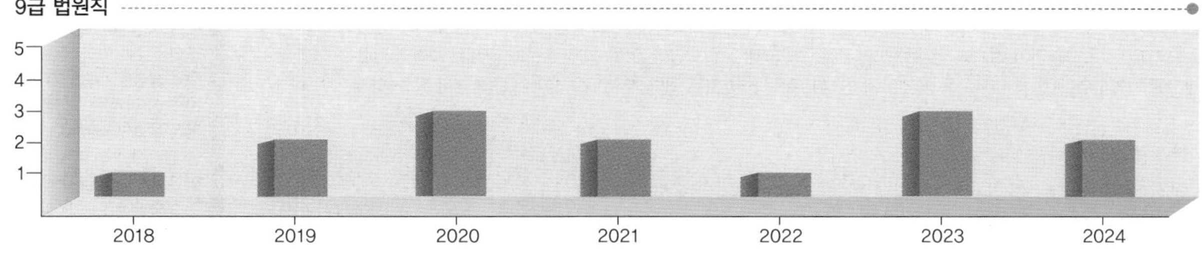

출제 경향 오버뷰 매년마다 1~3문제 이상 출제되고 있음. 동학, 갑오개혁, 독립 협회, 국권 피탈, 의병, 신민회

01 강

동학 농민 운동의 전개

解/法 기출분석

구 분		2008~2017	2018	2019	2020	2021	2022	2023	2024
9급	국가직	동학(2)	동학	동학					
	지방직	동학							동학
	법원직	동학(4)					동학		동학

동학 농민 운동의 전개

內: 탐관오리의 횡포　外: 외세의 경제 수탈(일본)

동 학 → **농민 운동**

삼례 집회(1892)
복합 상소(1893)

↑ 보은 집회(1893)

1894

- 1기 1月 고부 민란 조병갑, 사발통문
- 2기 3月 1차 봉기 (무장·백산 봉기), 격문, 4대 강령
  - 제폭구민(반봉건) ⇨ 갑오개혁
  - 보국안민(반외세) ⇨ 의병 항쟁
- 4月 황토현 전투 ⇨ 장성 황룡촌 전투 ⇨ 전주성 점령
- 3기 5月 전주 화약
  - 폐정 개혁안
    - 신분제 폐지
    - 토지 제도
  - 집강소 설치
- 6月 교정청 설치 ⇨ 경복궁 점령(일) ⇨ 청·일 전쟁 ⇨ 1차 갑오개혁: 군국기무처, 자주적
- 4기 9月 2차 봉기 척왜(반외세)
- 11月 우금치 전투 ⇨ 2차 갑오개혁: 홍범 14조, 박영효

	1차 봉기	2차 봉기
성 격	반봉건적	반외세적
교 단	남접 중심	남·북접 연합
지도자	전봉준 손화중	전봉준 손병희

01 1894년 이전 농민층의 동향

1. 농민층의 동요

(1) 지배층의 수탈

집권 세력의 부정부패로 농민들에 대한 수탈이 극심했다.

(2) 외세의 경제 침탈

일본으로 곡물이 많이 수출됨에 따라 곡물 가격과 물가는 폭등했다. 게다가 일본 상인들은 입도선매[1]나 고리대의 방법으로 폭리를 취하였다.

(3) 민란 발생 : 전국 각지에서 민란이 일어났다.

2. 동학의 교세 확산

(1) 창시

1860년 최제우가 **인내천(人乃天)** 사상을 중심으로 동학을 창시하였다.

(2) 교세 확장

2대 교주 최시형이 **포접제**[2]를 정비하고 포교 활동을 활발히 펼치면서 교세가 크게 확장되었다.

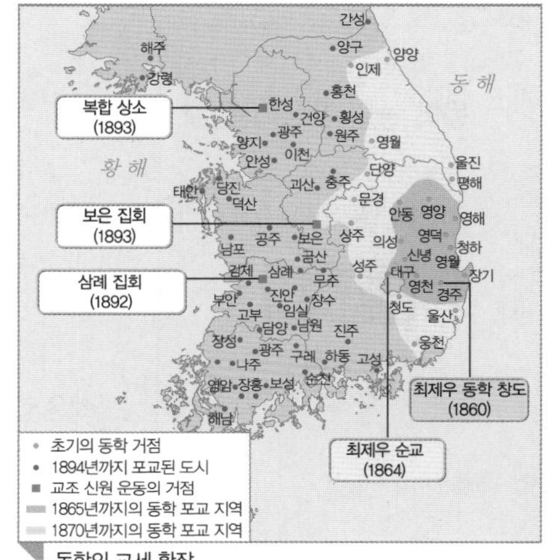

동학의 교세 확장

3. 교조 신원 운동의 전개

동학교도들은 **교조 신원 운동**을 전개하여 교조 최제우의 억울함[3]을 풀고, 포교의 자유를 얻고자 하였다.

(1) 삼례 집회(1892. 11.) – 1차 신원 운동

충청·전라의 관찰사에게 동학의 탄압 중지와 억울하게 처형당한 최제우의 누명을 벗겨줄 것을 요청하였다.

(2) 서울 복합 상소(1893. 2.) – 2차 신원 운동

동학 대표 40여 명이 경복궁 앞에 엎드려 국왕에게 직접 상소하였다(복합 상소). 그러나 정부는 이들을 강제로 해산시켰다.

(3) 보은 집회(1893. 3.) – 종교적 차원을 넘어 정치·사회 운동으로 발전

① **정치적 집회의 시작**: 일반 농민까지 참가한 대규모 집회가 되었다. 종교적인 요구(교조 신원) 외에 외세 배척('척왜양창의'[4])과 탐관오리 숙청 등 정치적 구호를 내세웠다.

② **정부의 대응**: 충청·전라도의 관찰사를 교체하는 등 회유책과 동시에 관군을 보내 압박하였다.

---

❶ **입도선매(立稻先賣)**
주로 현금이 급한 농민들이 논에서 자라고 있는 벼를 파는 것을 말한다.

최시형(동학의 2대 교주)

❷ **포접제(包接制)**
동학의 모임 장소인 접소에 책임자인 접주를 두고, 전국을 포와 접으로 나누어 관리한 동학의 교단 조직이다.

❸ **최제우의 억울한 죽음**
1864년 정부는 세상을 어지럽힌다는 이유로 동학을 사교로 규정하고 교조 최제우를 처형하였다.

❹ **척왜양창의(斥倭洋倡義)**
일본과 서양을 물리치고 대의를 세운다.

02 동학 농민 운동의 전개 ☆

1. 고부 민란(1894. 1.)

(1) 원인

고부 군수로 부임한 **조병갑**의 탐학[5]이 극심하자, 농민들은 **전봉준**을 앞세워 시정을 요구하였다. 그러나 조병갑은 이를 무시하였다.

(2) 민란의 발발

전봉준은 **사발통문**[6]을 작성하면서 거사를 계획하였다(1893. 11.). 이후 1천여 명의 농민군을 이끌고 관아를 습격하여 군수를 내쫓고 만석보를 허물었다.

(3) 결과

정부는 고부 군수를 박원명으로 교체하고 농민 봉기 사건을 조사하기 위해 **안핵사**[7]를 파견하였다.

심화사료 百出 2024. 지방직 9급

고부 민란 당시 사발통문의 내용

1. 고부성을 격파하고 군수 조병갑의 목을 베어 매달 것
1. 군수에게 아첨하여 백성을 침탈한 탐욕스러운 아전을 쳐서 징벌할 것
1. 전주 감영을 함락하고 서울로 곧바로 향할 것

⑤ 조병갑의 농민 착취

고부 군수 조병갑은 농민을 동원하여 만석보를 개수하여 강제로 수세(水稅)를 거두었다.

⑥ 사발통문(沙鉢通文)

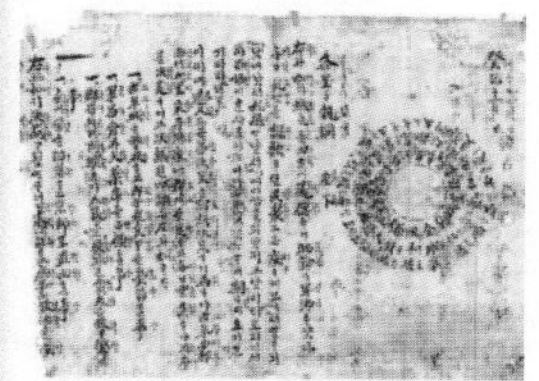

주모자가 누구인지 알 수 없게 사발을 엎어 그린 원을 중심으로 참여자들의 이름을 적고, 봉기의 취지를 알린 글이다.

⑦ 안핵사(按覈使)

민란 등이 발생했을 때 파견한 조선의 임시 관직이다.

2. 제1차 봉기(1894. 3.)

(1) 무장·백산 봉기

① **원인**: 동학 농민군은 새로 부임한 군수인 박원명으로부터 폐정을 시정하겠다는 약속을 받고 해산하였다. 그러나 이후 진상 조사를 위해 파견된 **안핵사 이용태**는 모든 책임을 동학 농민군의 탓으로 돌리면서 **주모자를 색출하고 마을을 약탈**하였다.

② **전개**

㉠ **무장 봉기**: 이용태의 행위에 분개한 전봉준은 손화중과 함께 전라도 **무장에서 봉기**하였다. 이들은 각 고을에 **제폭구민**,[8] **보국안민**[9]의 대의를 위하여 봉기할 것을 호소하였다.

㉡ **백산 봉기**: 농민군은 **호남 창의소**를 조직하고 지휘부[10]를 구성하였다. 또한 이들은 농민 봉기를 알리는 **격문**과 **4대 행동 강령**을 선포하였다.

(2) **전주성 입성**(1894. 4.)

농민군[11]은 **고부 황토현 전투**에서 전라도 감영 군대를 물리쳤다. 이어서 4월 하순 **장성 황룡촌 전투**에서 초토사 홍계훈이 이끄는 경군(관군)을 크게 격파하였고 북상하여 **전주성**을 점령하였다(4. 27.).

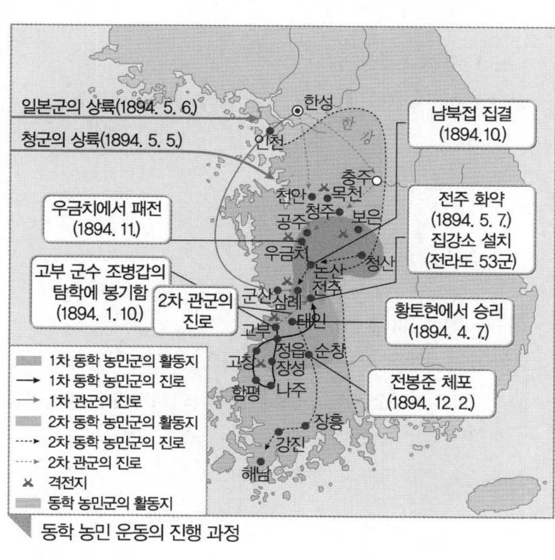

동학 농민 운동의 진행 과정

동학 농민군의 백산 봉기

⑧ 제폭구민(除暴救民)

탐관오리에게 고통을 받는 백성들을 구원한다는 뜻이다.

⑨ 보국안민(輔國安民)

나라를 지키고 백성을 편안하게 한다는 뜻이다.

⑩ 동학 농민군의 지휘부

농민군은 전봉준을 총대장으로, 김개남·손화중을 총관령으로 정하여 지휘 체계를 갖추었다.

⑪ 균전사와 전운사 철폐 주장

4월 초 농민군은 농민들에 대한 수탈로 원성이 높았던 균전사와 전운사를 없애라고 강력히 요구하였다. 균전사는 왕실에서 전라도 지역의 토지를 관리하기 위해 파견한 관리이고, 전운사는 지방에서 거둔 조세를 서울로 운반하는 업무를 담당하였다.

✎ 동학 농민 운동의 전개 과정

1차 동학 농민 운동은 고부 민란에서 시작되어 전라도 일대를 누빈 후 전주성을 점령하는 것으로 마무리되었다. 2차 동학 농민 운동은 삼례에서 봉기하여 논산을 거쳐 공주 쪽으로 북상하다가 공주 근처의 우금치 전투에서 패배하는 것으로 사실상 막을 내렸다.

고등사료 百出 2022. 법원직 9급, 2016. 지방직 7급, 2015. 법원직 9급, 2013. 국가직 7급, 2009. 지방직 7급, 2007. 국가직 9급

보국안민 창의문(1894. 3. 25.)

우리가 의(義)를 들어 여기에 이르렀음은 그 본의가 결코 다른 데 있지 아니하고, 창생을 도탄에서 건지고 국가를 반석 위에 두자 함이라. **안으로는 탐학한 관리의 머리를 베고, 밖으로는 횡포한 강적의 무리를 쫓아 내몰고자 함이라.** 양반과 부호 앞에서 고통을 받고 있는 민중들과 방백과 수령의 밑에서 굴욕을 받고 있는 소리(小吏)들은 우리와 같이 원한이 깊은 자이라.

– 호남 창의 대장소 백산에서, 전봉준

농민군 4대 강령

1. 사람을 죽이지 말고 가축을 잡아먹지 마라.
2. 충효를 다하여 세상을 구하고 백성을 평안케 하라.
3. 일본 오랑캐를 몰아내고 나라의 정치를 깨끗이 한다.
4. 군대를 몰고 서울로 들어가 권세가와 귀족들을 모두 없앤다.

3. 전주 화약과 청·일 전쟁

(1) 1894년 5월

① **청·일 양군 파병**: 전주성 함락에 놀란 **정부는 청에 지원을 요청**하였다. 청은 5월 5일 아산만에 군대를 보냈고, **톈진 조약**[1]에 따라 일본도 5월 6일 인천에 군대를 상륙시켰다.

② **전주 화약(1894. 5. 7.)**: 정부는 농민군과 타협하여 **전주 화약**을 체결하였고 동학 농민군은 자진 해산하였다. 정부는 농민군이 요구한 **폐정 개혁안**과 **집강소 설치**를 받아들였다.

❶ 톈진 조약

조선에 중대한 사건이 발생하였을 때 청과 일본은 사전에 상호 문서를 보낸 후 파병하기로 하였다.

고등사료 百出 2018. 국가직 9급, 2014. 경찰 1차, 2007. 국가직 7급

폐정 개혁안(弊政改革案)

1. 동학도는 정부와의 원한을 씻고 서정에 협력한다.
   ⇨ 왕조 자체는 인정
2. 탐관오리는 그 죄상을 조사하여 엄징한다.
3. 횡포한 부호(富豪)를 엄징한다.
4. 불량한 유림(儒林)과 양반의 무리를 징벌한다.
   ⇨ 2, 3, 4: 제폭구민
5. **노비 문서를 소각한다.**
6. **7종의 천인 차별을 개선하고, 백정이 쓰는 평량갓(平亮)은 없앤다.**
   ⇨ 5, 6: 봉건적 신분제 폐지
7. **청상과부의 개가를 허용한다.**
   ⇨ 봉건적 악습 폐지
8. 무명의 잡세는 일체 폐지한다.
   ⇨ 조세 제도 개혁
9. **관리 채용에는 지벌(地閥)을 타파하고 인재를 등용한다.**
   ⇨ 능력에 따른 인재 등용(신분제 폐지)
10. 왜와 통하는 자는 엄징한다.
    ⇨ 반외세적 성격(척왜)
11. 공사채를 막론하고 기왕의 것을 무효로 한다.
    ⇨ 부채 탕감으로 농민 생활 안정
12. **토지는 평균하여 분작(分作)한다.**
    ⇨ 토지 개혁 요구

✎ 평량갓(패랭이)

댓개비(대를 쪼개 가늘게 깎은 것)로 엮어 만든 갓. 천민들이 주로 썼다.

전주 화약 체결 이후의 상황

관찰사가 관민(官民)이 서로 화해할 계책을 상의하고 **각 군(郡)에 집강(執綱)을 두는 것을 허락하였다.** 이에 따라 **동도가 각 읍을 할거하고 공청(公廳)에 집강소를 설치하고 서기(書記)·성찰(省察)·집사(執事)·동몽(童蒙)과 같은 임원을 두어** 완연히 하나의 관청을 이루었다. …… 전봉준은 수천의 무리를 거느리고 금구 원평에 웅거하면서 전라우도(全羅右道)를 호령하였으며, 김개남은 수만의 무리를 거느리고 남원성(南原城)에 웅거하면서 전라좌도(全羅左道)를 통할하였다.

– 갑오약력

③ 집강소❷ 설치

전주 화약에 따라 **전라도 53군에 집강소라는 민정 자치 기관을 설치**하였다. 집강소는 **행정과 치안을 담당**하면서, 탐관오리 처벌·조세 개혁 등 폐정 개혁안의 내용을 실천하고자 하였다.

(2) 1894년 6월

① **교정청 설치**: 6월 11일 정부는 **교정청**을 세워 개혁에 착수하면서 청·일 양군의 철병을 요구하였다.

② **청·일 전쟁(1894. 6. 23.)**

㉠ **전개**: 일본은 **경복궁을 점령**❸(1894. 6. 21.)하고, 청군을 기습 공격하여 **청·일 전쟁**❹을 일으켰다. 이후 **흥선 대원군**을 **섭정**으로 하는 **김홍집 내각**이 성립되었다.

청·일 전쟁의 진행 과정

㉡ **결과**: 일본이 승리하면서 **1895년 4월 시모노세키 조약**을 체결하였다. 일본은 청으로부터 조선에 대한 종주권 포기, 요동반도와 타이완 할양, 배상금 2억 냥 지급 등을 약속받았다.

심화사료 百出 2024. 지방직 9급, 2011. 지방직 9급

시모노세키 조약(청-일, 1895. 4. 17.)

제1조 조선은 자주국임을 확인한다.

제2조 **청은 일본에 대만, 요동, 팽호도를 할양한다.**

제4조 청은 군비 배상금으로 은 2억 냥을 일본에게 지불한다.

제6조 청은 일본 정부와 그 국민에게 최혜국 대우를 부여한다.

4. 제2차 봉기(1894. 9.)❺

(1) **배경**: 일본이 **경복궁 점령, 청·일 전쟁**을 연달아 일으키자 동학 농민군은 일본 세력을 몰아내기 위해 재봉기하였다.

(2) 전개

① **남접과 북접의 연합**: 10만여 명의 **전라도 농민군(남접)**이 삼례❻에 집결하였다. 손병희는 10만여 명의 **충청도 농민군(북접)**을 이끌고 **논산**에서 **합류**하였다(1894. 10.).

② **공주 우금치 전투(1894. 11.)**: 공주를 점령하려 한 농민군은 **우금치**에서 관군 및 일본군과 1주일간의 공방전을 벌였으나 대패하였다.

③ **우금치 전투 이후**: 각지에서 항전하였으나 연이어 패하고, 전봉준❼을 비롯한 지도자들까지 체포되면서 진압되었다.

(3) **동학 잔여 세력의 활동**: 영학당·활빈당 등의 무장 조직을 결성했으며, **의병**에 **가담**하기도 하였다.

❷ **집강소 조직**

전주에 집강소의 총본부인 대도소를 두고, 전라도 일대에 집강소를 설치하였다. 각 집강소에는 1인의 집강과 그 밑에 임원들을 두었다. 그리하여 전봉준은 전라북도를, 김개남은 전라남도를 각각 지휘하였다.

❸ **일본의 경복궁 점령 배경**

일본은 청에게 공동으로 조선의 내정을 간섭할 것을 제안하였다. 청과의 교섭이 잘 이루어지지 않자, 일본은 경복궁을 점령하고 조선에서의 독점적 지위를 확보하려 하였다.

❹ **청·일 전쟁 발발**

청이 일본의 경복궁 점령을 강력하게 항의하자 일본은 아산만에서 청의 함대를 기습 공격하였다. 이후 일본은 연이은 전투에서 청군을 격파하였다.

❺ **농민군의 재봉기**

1894년 9월 전봉준은 삼례에 대도소를 설치하여 농민군이 삼례에서 거병할 것을 촉구하는 동시에 "이번 거사에 호응하지 않는 자는 불충무도(不忠無道)한 자"라는 통문을 돌렸다.

❻ **삼례**

지세가 넓고, 교통의 요지였기 때문에 전략적 요충지였다.

압송되는 전봉준

❼ **전봉준**

순창에서 체포되어 서울로 압송된 후 일본 공사의 재판을 받고 사형당하였다.

심화사료 百出 2022. 법원직 9급

2차 봉기 격문

- **일본 오랑캐(일구, 日寇)가 분란을 야기하고 군대를 출동하여 우리 임금님을 핍박하고 우리 백성들을 뒤흔들어 놓았으니** 어찌 차마 말할 수 있겠습니까. …… 지금 조정의 대신들은 망령되이 자신의 몸만 보전하고자 위로는 임금님을 협박하고 아래로는 백성들을 속이며 일본 오랑캐와 내통하여 삼남 백성들의 원망을 샀습니다. …… 갑오 10월 16일 논산에서 삼가 올림.

  – 선유방문병동도상서소지등

- **금년 칠월 개화당이 왜국을 끌어들여 밤을 타서 서울로 들어와 임금을 핍박하고 국권을 마음대로 하여** …… 생령이 도탄함에 이제 우리 동도가 의병을 들어 왜적을 소멸하고 사직을 편히 보전하려 하는데 …… 조선 사람끼리라도 도는 다르나 **척왜 척화는 거의가 일반이라** …… **조선으로 왜국이 되지 않게 하고 동심협력**하여 큰일을 이르게 할 일이로다.

  – 경군과 영병, 이서 시민에게 고시함(1894. 11. 12.)

✎ 동학 농민 운동과 관련된 민요 2015. 경찰 1차

새야 새야 녹두새야
녹두밭에 앉지마라
녹두꽃이 떨어지면
청포장수 울고 간다
새야 새야 팔왕(八王)새야
네 무엇하러 나왔느냐
솔잎 댓잎이 푸릇푸릇 하절인가 하였더니
백설이 펄펄 흩날리니
저 강 건너 청송 녹죽이 날 속인다.

고등사료 百出 2019. 서울시 7급(상), 2017. 서울시 9급

1895년 전봉준 공초(발췌)

문: 작년 3월 고부 등지에서 민중을 크게 모았다고 하니 무슨 사연으로 그리하였는가?
공: **고부 군수가 정액 외에 가렴(가혹하게 징수함)이 수만 냥 인고로 민심이 억울하고 원통하여 이 의거가 있었다.** ……
문: 고부에서 기포할 때에 동학이 많았느냐, 원민이 많았느냐?
공: 동학은 적고 원민이 많았다.
문: 다시 난을 일으킨 것은 무슨 이유인가.
공: **일본이 개화라 칭하고 처음부터 민간에게 일언반구의 말도 공포함 없이 군대를 거느리고 우리 서울에 들어와 밤중에 왕궁을 공격하여 임금을 놀라게 하였다.** 하기로 초야의 사민들이 충군애국의 마음으로 분개함을 이기지 못하여 의병을 규합하여 일본인과 접전하여 이 사실을 1차 묻고자 함이었다.
문: 그러면 일본 병사나 각국인으로서 서울에 머물고 있는 자를 모두 몰아내려 하였느냐?
공: 그러함이 아니라 각국인은 다만 통상만 하는데 일본인은 군대를 이끌고 서울에 진을 치고 체류하는 고로 우리나라 영토를 침략하려 한다는 의심을 품게 되었기 때문이다.

5. 동학 농민 운동의 의의와 한계

(1) 의의: 아래로부터의 **반봉건적·반외세적 민족 운동**으로, 신분제 폐지 등을 주장하고 외세의 침략을 자주적으로 물리치려 했다. 이후 동학 농민군의 개혁 요구는 **갑오개혁**에 일정 부분 반영되었고 농민군의 잔여 세력은 **의병 운동**에 가담하였다.

(2) 한계 : 근대 사회 건설을 위한 구체적인 방안을 제시하지 못했다. 또한 지주와 양반 세력을 적대시했기 때문에, 이들은 민보군❶을 조직하여 동학 농민군에 대항하였다.

❶ 민보군(民保軍)

양반·부호·관료층들이 연합한 조직으로, 동학군의 진압에 앞장섰다. 이들은 농민군의 활동을 양반 지배층을 적대시하는 것으로 간주하였다.

대표 기출문제

(가)의 체결 이후에 일어난 사실로 옳은 것은? 2019. 국가직 9급

> 청군과 일본군의 개입으로 사태가 악화되자 농민군은 폐정 개혁을 제시하며 정부와 (가) 을/를 맺었다. 이에 따라 농민군은 해산하였다.

① 농민군이 황토현에서 감영군을 격파하였다.
② 고부 군수 조병갑이 만석보를 쌓아 수세를 강제로 거두었다.
③ 안핵사 이용태가 농민을 동학도로 몰아 처벌하였다.
④ 남접군과 북접군이 논산에서 합류하여 연합군을 형성하였다.

해설

(가)는 1894년 5월에 동학 농민군과 관군이 체결한 전주 화약이다. ④ 동학 농민군은 1894년 9월에 다시 봉기하여 10월에 논산에서 연합군을 형성하였다.
① 1894년 4월의 일이다. ② 조병갑의 만석보 수탈 등으로 인하여 1894년 1월 고부 농민 봉기가 발발하였다. ③ 1894년 3월의 일이다.

정답 ④

갑오·을미개혁

구 분		2008~2017	2018	2019	2020	2021	2022	2023	2024
9급	국가직	• 갑오개혁 • 동학과 갑오개혁의 공통점 • 역대 지방 행정 제도						갑오개혁	
	지방직	• 갑오개혁(2) • 근대 개혁안(2)							1890's 정치
	법원직	• 근대 개혁안(3) • 갑오개혁 • 을미개혁 • 근대 정치	갑오개혁	2차 갑오개혁	근대 개혁안				

갑오·을미개혁의 전개

교정청 설치 → 1차 갑오개혁 → 2차 갑오개혁 → 3차 갑오(을미)개혁

1차 갑오개혁	2차 갑오개혁	3차 갑오(을미)개혁
김홍집 내각	김홍집·박영효 연립 내각	김홍집 내각
자주적	온건 + 급진 개화파	급진적 개혁 단발령
군국기무처 중심	홍범 14조	아관 파천으로 중단

갑오·을미개혁의 비교

구분	제1차 갑오개혁(1894. 6.)	제2차 갑오개혁(1894. 11.)	을미개혁 (제3차 갑오개혁, 1895. 8.)
정치	• 정부와 왕실 사무 분리 • 개국 연호 사용 • 과거제 폐지 • 6조 ⇨ 8아문	• 내각제 시행 • 8아문 ⇨ 7부제 • 8도 ⇨ 23부(337군) • 사법권과 행정권 분리 (지방 재판소 설치, 지방관 권한 축소)	• 연호 '건양' • 친위대, 진위대
경제	• 재정 일원화(탁지아문) • 도량형 통일 • 조세 금납화(지세와 호세로 통합) • 은 본위 화폐 제도	관세사 · 징세사(지방 징세 업무 개편)	
사회	• 공 · 사 노비법 폐지 • 고문과 연좌제 폐지 • 조혼 금지, 과부 개가 허용	교육 입국 조서 ⇨ 한성 사범 학교, 한성 중학교, 외국어 학교	• 태양력 사용 • 단발령 • 우편 사무 재개 • 소학교 설치

01 제1차 갑오개혁(1894. 6.)

1. 자주적 개혁의 시도

일본은 조선에 군대를 주둔할 구실을 찾기 위해 조선 정부에 내정 개혁을 요구하였다. 정부는 일본군의 철수를 요구하는 한편, 자주적인 개혁을 추진하기 위해 **교정청**[1]을 설치(1894. 6. 11.)하였다.

> **심화사료** 百出 2011. 지방직 9급
>
> **교정청(校正廳) 설치**
>
> 고종 31년(1894) 우리 정부는 왕명을 받들어 **교정청**을 설치하였다. 당상관 15명을 두고 **먼저 폐정 몇 가지를 개혁하니, 모두 동학당이 주장한 것이다. 우리 힘으로 개혁을 추진하여 일본인들이 끼어듦을 막고자 하였다.** ……
>
> • 공금을 많이 횡령한 자는 일절 너그러이 용서하지 말고 법대로 처벌할 것
>
> • 공사채(公社債)를 가리지 말고 절대로 족징(族徵)을 하지 말 것
>
> – 김윤식, 『속음청사』

2. 개혁의 추진

(1) 내각의 구성

일본은 군대를 동원하여 경복궁을 점령(1894. 6. 21.)하고 민씨 정권을 붕괴시켰다. 이어 **대원군**[2]을 섭정으로 하는 **제1차 김홍집 내각**이 성립되었다.

(2) 군국기무처(1894. 6. 25.) 설치

초정부적 회의 기구로서, 각종 정책을 추진하였다. **영의정 김홍집**을 총재관으로 하여 박정양·김윤식·유길준 등 17명이 위원으로 참여하였다.

군국기무처(軍國機務處)의 조직 구성

군국기무처는 총재 1명, 부총재 1명, 그리고 16명 내지 20명 미만의 회의원으로 구성되었으며, 경복궁 수정궁에 설치되었다. 총재는 **영의정 김홍집**이 겸임하고 부총재는 내아문독판으로 회의원 **박정양**이 겸임하였다. 이들 이외에 6월 25일 회의원으로 임명된 관료는 강화부 유수 김윤식, 외아문 참의(外衙門參議) **유길준** 등이 있다.

3. 개혁 내용

중점적으로 다룬 것은 정치와 경제 부분이었고 개혁안에는 동학 농민군의 요구도 상당수 포함되었다.

---

[1] **교정청**

갑오개혁이 실시되면서 폐지되었다.

1894년 주요 사건 일지

월	사건	농민 봉기	갑오개혁
1월	고부 농민 봉기	1차 농민 봉기	
2월			
3월	무장·백산 봉기		
4월	황토현·황룡촌 전투 전주성 점령		
5월	청·일군 상륙 전주 화약 체결		
6월	교정청 설치 일본군의 경복궁 점령 청·일 전쟁 발발 군국기무처 설치		1차 갑오개혁
7월			
8월			
9월	농민군 재봉기	2차 농민 봉기	
10월	이노우에 공사 부임		
11월	우금치 전투		
12월	홍범 14조 반포		2차

[2] **흥선 대원군**

일본은 민씨 세력의 견제, 백성들의 반발 등을 이유로 흥선 대원군을 섭정으로 내세웠으나, 실권을 주지는 않았다.

군국기무처의 회의 모습

(1) 정치

① **연호 사용**: 청의 연호를 버리고 **개국 기원(개국 연호)**을 사용하였다. 조선 건국 연도인 1392년을 원년으로 삼아 1894년은 '개국 503년'이라고 표현하였다.

② **왕실과 정부 사무 분리**: **궁내부**[3]를 신설하여 왕실과 정부 사무를 분리함으로써, 국왕의 권한을 제한[4]하고 의정부에 권력을 집중하였다. **의정부 산하의 6조는 8아문으로 확대·개편하였다.**

③ **경무청 설치**: 내무아문 산하에 설치된 경찰 기관이다.

④ **과거제 폐지**: **과거제를 폐지**하여 신분의 구별 없이 인재를 등용하였다. 또한, 근대적 관리 임용제를 실시하여 일본식의 칙임관·주임관·판임관[5] 등으로 구분하였다.

⑤ **언론 기관 폐지**: **사간원**을 비롯한 삼사의 대간 제도를 **폐지하였다.**

(2) 경제

① **재정의 일원화**: **탁지아문이 재정에 관한 모든 사무를 관장**하도록 하였다.

② **기타 개혁**: 수많은 조세 항목을 **지세**와 **호세**로 통합했으며, 조세를 화폐로 납부하게 하였다. **신식 화폐 발행 장정**[6]을 통해 은 본위제를 채택하고, 도량형을 통일하였다.

(3) 사회

① **신분제의 철폐**: 양반과 평민의 **계급을 타파**하였고, **공·사노비 제도를 폐지**하였다.

② **봉건적 악습 혁파**: 가혹한 고문과 연좌제[7]를 폐지하였다.

③ **기타 개혁**: 조혼(早婚)을 금지했으며, 과부의 재가를 허용하였다. 또한 양반이라도 상업에 종사할 수 있게 하였다.

심화사료 百出 2020. 법원직 9급, 2016. 지방직 9급

제1차 갑오개혁의 개혁 법령(일부)

1. 이후 국내외의 공사(公私) 문서에 개국 기원을 사용한다.
4. 연좌율을 폐지하여 죄인 자신 외에는 처벌하지 않는다.
6. 남자 20세, 여자 16세 이하의 조혼을 금지한다.
7. **과부의 재혼은 귀천을 막론하고 자유에 맡긴다.**
8. **공사 노비법을 혁파하고 인신매매를 금지한다.**
9. 평민도 국가에 이익이 되고 백성을 편하게 할 수 있는 의견이 있다면 군국기무처에 올려 토의에 부치게 할 것
17. **역인, 창우(광대), 피공(가죽 제조업자) 등의 천민 대우를 폐지할 것**
20. 각 도의 각종 세금은 화폐로 내게 한다.

– 경장장정존안

4. 일본의 간섭 강화

청·일 전쟁에서 승기를 잡고 동학 농민군을 진압한 일본은 조선에 대해 적극적으로 간섭하기 시작하였다. 흥선 대원군을 정계에서 물러나게 하고, 일본에 망명 중이던 박영효와 서광범[8]을 귀국시켰다.

❸ 궁내부
의정부에서 담당하던 왕실 업무를 궁내부(수장: 궁내부 대신)가 맡아서 하였다.

❹ 왕실 약화
궁중의 잡다한 부서들을 궁내부 산하로 통합하고 그 기능을 축소시켜 왕실을 약화시켰다.

❺ 칙임관·주임관·판임관
칙임관은 왕이 직접 임명하고, 중급 관리인 주임관은 대신이 추천하여 왕이 임명하였다. 그리고 하급 관리인 판임관은 각 기관장이 직접 임명하게 하였다.

❻ 신식 화폐 발행 장정
일본 화폐의 국내 유통을 허용하였다.

❼ 연좌제
범죄자의 친족까지 함께 처벌하였다.

1차 갑오개혁 때 중앙 행정 조직

❽ 서광범
1882년 김옥균과 박영효가 일본에 수신사로 갈 때 수행하였고, 1883년에는 보빙사의 수행원으로서 미국과 유럽을 순방하였다. 갑신정변에 참여했으나 정변 진압 이후 일본·미국 등으로 망명하였다. 1894년에 귀국하여 2차 김홍집 내각에 참여하였다. 이후 법부대신이 되어 여러 개혁을 추진하였다.

02 제2차 갑오개혁(1894. 11.) ☆

1. 친일 내각의 구성

(1) 제2차 김홍집·박영효 연립 내각(친일 내각)

1차 갑오개혁의 중심 기구였던 **군국기무처는 폐지**되고 **김홍집과 박영효의 연립 내각**이 성립되었다.

(2) 홍범 14조의 반포(1894. 12.)

고종은 종묘에 나가 **독립서고문**을 바치고, **홍범 14조**를 반포하였다. 이를 통해 청에 대한 사대 관계를 청산하고 자주독립을 국내외에 선포하였다.

심화사료 百出 2023. 국가직 9급, 2018. 법원직 9급, 2012. 법원직 9급, 2010. 법원직 9급

김홍집·박영효 연립 내각의 성립

제3호 내가 동짓날에 백관들을 거느리고 태묘(太廟)에 나아가 우리나라가 독립하고 모든 제도를 이정(釐正)한 사유를 고하고, 다음 날에는 태사(太社)에 나아가겠다.

제4호 **박영효를 내무대신으로, 서광범을 법부대신으로** …… 삼도록 하라고 명하였다.

– 이상은 **총리대신 김홍집**, 외무대신 김윤식, 탁지대신 어윤중, 학무대신 박정양이 칙령을 받았다. – 「고종실록」, 1894년 11월 21일

독립서고문(獨立誓告文, 나라의 자주독립을 선포)

종묘(宗廟), 영녕전(永寧殿)에 나아가 전알(展謁)하였다. 이어 서고(誓告)를 행하였다. "…… 우리 선조가 우리 왕조를 세우고 우리 후손들에게 물려준 지도 **503년**이 되는데 **짐의 대에 와서 시운(時運)이 크게 변하고 문화가 개화하였으며** 우방(友邦)이 진심으로 도와주고 조정의 의견이 일치되어 오직 **자주독립(自主獨立)**을 해야 우리나라를 튼튼히 할 수 있는 것입니다. …… 세상 형편을 살펴 내정(內政)을 개혁하여 오래 쌓인 폐단을 바로잡을 것입니다. **짐은 이에 14개 조목의 큰 규범(홍범 14조)을 하늘에 있는 우리 조종의 신령 앞에 고하면서** ……." 하였다. – 「고종실록」, 1894년 12월 12일

2. 개혁[1]의 실행

(1) 정치

① **중앙 제도 개편**: 의정부를 **내각**으로 고치고, 8아문을 7부[2]로 개편하였다. 그리고 군국기무처를 폐지하고 **규장각**을 격하시켜 규장원이라 하였다.

② **지방 제도 개혁**: **8도를 23부로 개편**하고, 부·목·군·현 등의 행정 구역 명칭을 '군(郡, 군수)'으로 통일하여 **337군**을 두었다.

③ **사법권 분리**: 지방 재판소, 한성 재판소, 고등 재판소 등을 설치하여 **사법권을 행정권에서 분리**[3]하였다. 이에 따라 **지방관은 권한이 축소**되어 행정권만 행사하였다.

(2) 경제

① **징세 기관의 일원화**: 탁지부 산하에 **관세사**와 **징세사**를 지방에 두어 징세 업무를 강화하였다. 이는 지방관의 조세 징수권을 대신하여 별도의 징세 기관을 설치한 것이다.

② **상공업 활성화**: 육의전을 폐지하고, 독점 상업권을 행사하던 상리국[4]도 폐지하였다.

(3) **사회·문화**: 교육 입국 조서를 반포하여 근대적 교육을 실시하고자 했으며, 1895년에 약 200여 명의 국비 유학생을 선발하여 일본에 유학시켰다.

[1] **제2차 갑오개혁**
내무대신 박영효가 주도하였다.

[2] **7부 개편**
공무아문과 농상아문을 농상공부로 통합하였다.

[3] **재판소 설치**
1심 재판소로 지방 재판소와 개항장 재판소, 2심 재판소로 순회 재판소와 고등 재판소 등을 설치하였다(단, 군수의 1심 재판 관할은 유지됨).

[4] **상리국**
보부상을 통합하여 관할하던 기관이다. 1883년에 설치된 혜상공국이 1885년 내무부에 속하게 되면서 상리국으로 명칭이 바뀌었다.

3. 개혁의 중단

삼국 간섭 이후 고종은 일본을 견제하고자 러시아를 끌어들였다. 또한 **박영효**가 역모 혐의를 받아 추방되자, 고종은 친미·친러적 내각을 새로 구성하였다. 이에 따라 2차 갑오개혁은 중단되었다.

고등사료 百出 2018. 법원직 9급, 2010. 법원직 9급

제2차 갑오개혁의 개혁 법령(홍범 14조)

1. **청에 의존하는 생각을 버리고 자주독립의 기초를 세운다.** ⇨ 청의 종주권 부인
2. 왕실 전범(典範)을 제정하여 왕위 계승의 법칙과 종친·외척의 구별을 명확히 한다. ⇨ 국왕 친정 체제 확립
3. 임금은 각 대신과 의논하여 정사를 행하고, 종실(宗室), 외척의 내정 간섭을 용납하지 않는다.
4. **왕실 사무와 국정 사무를 나누어 서로 혼동하지 않는다.**
5. 의정부(議政府) 및 각 아문(衙門)의 직무, 권한을 명백히 규정한다.
   ⇨ 3, 4, 5: 왕실 사무와 국정 사무 분리, 국왕의 전제권 제한, 내각의 권한 강화
6. **납세는 법으로 정하고 함부로 세금을 징수하지 않는다.** ⇨ 조세 법률주의
7. **조세의 징수와 경비 지출은 모두 탁지아문(度支衙門)의 관할에 속한다.** ⇨ 재정의 일원화
8. 왕실의 경비는 솔선하여 절약하고 이로써 각 아문과 지방관의 모범이 되게 한다.
9. 왕실과 관부(官府)의 1년 회계를 예정하여 재정의 기초를 확립한다. ⇨ 8, 9: 왕실과 정부의 예산 정비, 예산 제도의 수립
10. 지방 제도를 개정하여 지방 관리의 직권을 제한한다. ⇨ 지방 제도의 개편
11. 총명한 젊은이들을 파견하여 외국의 학술과 기예를 견습시킨다. ⇨ 인재 양성, 선진 문물의 도입
12. 장교를 교육하고 징병을 실시하여 군제의 근본을 확립한다. ⇨ 국민 개병제 확립
13. 민법, 형법을 제정하여 인민의 생명과 재산을 보전한다. ⇨ 민권 보장
14. **문벌을 가리지 않고 인재 등용의 길을 넓힌다.** ⇨ 문벌 폐지와 능력에 따른 인재 등용

23부 지방 행정 구역(2차 갑오개혁)

03 을미개혁(제3차 갑오개혁, 1895. 8.~1896. 2.)

1. 삼국 간섭과 을미사변

(1) 삼국 간섭(러시아·프랑스·독일, 1895)

① **청·일 전쟁의 결과**: 승리한 일본은 **시모노세키 조약**❺(1895. 4.)을 체결하여 청으로부터 요동반도를 빼앗았다. 이에 따라 일본은 만주·중국으로 진출할 수 있는 발판을 마련하였다.

② **삼국 간섭**: **러시아**는 프랑스·독일을 끌어들여 **요동반도를 청에 돌려줄 것을 일본에 요구**하였다. 일본은 이에 굴복하여 요동반도를 포기하였다.

③ **결과**: 삼국 간섭으로 러시아의 우위가 드러나자, 조선 정부는 **친러 정책을 추진**하였다.

(2) 제3차 김홍집 친러 내각 수립(1895. 8.)

박영효가 실각하자 고종과 중전 민씨는 김홍집, 이범진, 이완용 등을 등용하여 온건 **개화파와 친러파의 연립 내각**을 구성하였다.

(3) 을미사변(명성 황후 시해 사건,❻ 1895. 8.)

① **배경**: **친일 세력의 실각**에 불안을 느낀 일본은 **친러 외교를 주도하던 중전 민씨**를 제거하고자 하였다.

② **내용**: 일본 공사 미우라의 주도 아래 일본군 수비대와 **'낭인'**이 경복궁 건청궁에 난입하였다. 홍계훈을 비롯한 군인들이 끝까지 저항했으나, 결국 **명성 황후(민씨)**가 **시해**되었다.

❺ **시모노세키 조약**
조선에 대한 청의 종주권을 부인하여 일본의 조선에 대한 우세를 확실히 하였다. 또한 일본은 배상금과 함께 대만과 요동반도를 할양받았다.

❻ **명성 황후 시해 사건**
황후는 무참히 살해된 뒤 시체가 불살라졌다. 일본은 미우라 일당을 송환하여 히로시마 형무소에 가두고 재판하는 척하다가 증거 불충분을 이유로 무죄 판결을 내렸다. 1897년 3월 명성이라는 시호가 내려지고, 11월에 국장(장례식)이 치뤄졌다.

심화사료 百出

을미사변(乙未事變)

러시아 세력의 앙진(昂進)을 겨우 외교상의 수단만으로 저지할 수 있다고 생각할 수는 더더욱 없는 처지였다. 그렇다면 일본이 마땅히 취해야 할 방도는 무엇이겠는가? **오직 비상한 수단으로 조선과 러시아의 관계를 단절시키는 수밖에 다른 방법이 없었다.** …… 바꾸어 말하면 **왕실의 중심 인물인 민비를 제거함으로써 러시아와 조선의 결탁을 근본적으로 파괴**하는 수밖에 다른 방법이 없었다.

– 고바야카와 히데오, 『민비 조작 사건』

2. 을미개혁

을미사변으로 친러 내각이 붕괴되고 4차 김홍집 내각이 구성되어, **급진적인 개혁**을 추진하였다.

(1) 정치

① **건양**[1] **연호의 사용**: '개국' 연호를 폐지하고 '건양' 연호를 제정하였다.

② **친위대와 진위대 설치**: 서울에 중앙군으로 **친위대**를, 지방에 지방군으로 **진위대**를 설치하였다.

(2) 사회·문화

① **태양력**[2] **사용**: 음력 11월 17일을 기하여 양력 1896년 1월 1일로 정하였다.

② **소학교 설치**: **소학교령**을 공포하고 전국에 소학교를 설치하기 시작하였다.

③ **종두법 실시**: 지석영이 배워 온 종두법을 토대로 **종두 규칙**을 제정하였다.

④ **단발령 시행**: **상투를 자르라는 법령**으로, 강압적으로 단발령이 시행되었다.

⑤ **우체사 설치**: 근대적 우편 제도가 실시되어 한성, 부산 등 10곳에 우체사를 개설하였다.

3. 결과

(1) 항일 의병 운동(을미의병)의 발생

을미사변과 **단발령**에 **반발**하여 전국 각지에서 의병[3]이 일어났다.

(2) 개혁의 중단(아관 파천)

고종이 러시아 공사관으로 거처를 옮기는 **아관 파천**을 단행하였다. 이에 따라 김홍집 내각은 무너지고 '왜대신'으로 지목받은 김홍집은 군중에 의해 살해되었다. 그 결과 갑오·을미개혁도 중단되었다.

심화사료 百出 2014. 국가직 7급

단발령

- 1895년 11월 15일에 **고종은 비로소 머리를 깎고 내외 신민에게 명하여 모두 머리를 깎도록 하였다.** …… **머리를 깎으라는 명령이 이미 내려지니** 곡성이 하늘을 진동하고 사람들은 분하고 노해서 목숨을 끊으려 하였으며, 형세가 바야흐로 격변하여 일본인들은 군대를 엄히 하여 대기시켰다. 경무사 허진은 순검들을 인솔하고 칼을 들고 길을 막으며 만나는 사람마다 머리를 깎았다. …… 서울에 손님으로 왔다가 상투를 잘리니 모두 상투를 집어서 주머니 속에 감추고 통곡을 하며 성을 나갔다.

– 황현, 『매천야록』

- 모든 남자는 상투를 자르고 서양식으로 머리를 깎으라는 시행령을 선포하였다. 성문마다 파수꾼과 군졸들이 배치되었다. …… 남자들의 갓은 예외 없이 벗겨지고 가위가 나와 상투를 잘랐다.

– 올리버 에비슨, 구한말 비록

❶ **건양(建陽)**

'건양'은 '양력으로 세운다.'라는 의미이다. 음력 1895년 11월 17일을 양력으로 환산하여 1896년 1월 1일부터 '건양'이라는 연호를 쓰기 시작하였다.

❷ **태양력 사용**

조선은 기존의 음력을 1896년부터 태양력으로 바꾸었다. 이로써 시간과 관련된 일상생활과 공휴일 등이 바뀌었으며, 중국을 기준으로 하였던 표준 시간이 서양을 기준으로 바뀌었다. 이는 당시 지배 세력이 일방적으로 실시한 정책이었기 때문에 민간에서는 여전히 음력을 사용하였다.

❸ **을미의병**

유생들은 "내 목을 자를지언정 내 머리카락은 자를 수 없다."는 강경한 자세로 저항하였다.

강제로 상투를 자르는 모습

심화사료 百出

2013. 법원직 9급

을미개혁의 군제 개혁

제1조 국내의 육군을 **친위와 진위** 2종으로 나눈다.

제2조 **친위는 경성에 주둔**하여 왕성 수비를 전적으로 맡는다.

제3조 **진위**는 부(府) 혹은 군(郡)의 **중요한 지방에 주둔**하여 지방 진무와 변경 수비를 전적으로 맡는다.

4. 갑오·을미개혁에 대한 평가

(1) 의의 : 개화 인사들(갑신정변)과 농민층(동학 농민 운동)의 개혁 요구를 일부 수용했으며, 이후 독립 협회와 애국 계몽 운동에도 영향을 미쳤다.

(2) 한계 : 일본의 침략 의도가 반영된, 위로부터의 개혁이다. 일본의 간섭 아래에서 추진되었기 때문에 군사 개혁이나 토지 개혁 등은 제대로 이루어지지 못했으며, 민중의 지지도 얻지 못하였다.

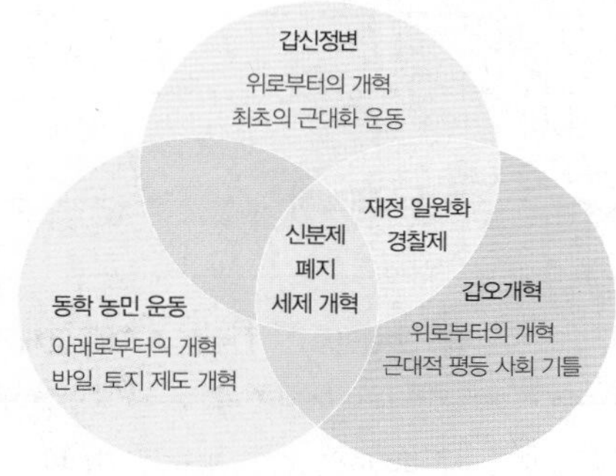

갑신정변, 동학 농민 운동, 갑오개혁 비교

대표 기출문제

밑줄 친 '14개 조목'에 해당하는 것만을 모두 고르면?

2023. 국가직 9급

이제부터는 다른 나라를 의지하지 않으며 융성하도록 나라의 발걸음을 넓히고 백성의 복리를 증진하여 자주독립의 터전을 공고하게 할 것입니다. …(중략)… 이에 저 소자는 <u>14개 조목</u>의 홍범(洪範)을 하늘에 계신 우리 조종의 신령 앞에 맹세하노니, 우러러 조종이 남긴 업적을 잘 이어서 감히 어기지 않을 것입니다.

보기

㉠ 탁지아문에서 조세 부과
㉡ 왕실과 국정 사무의 분리
㉢ 지계 발급을 위한 지계아문 설치
㉣ 대한 천일 은행 등 금융 기관 설립

① ㉠, ㉡
② ㉠, ㉣
③ ㉡, ㉢
④ ㉢, ㉣

해설

제시된 자료는 1894년 12월 고종이 문무백관을 거느리고 종묘에 나가 바친 독립서고문의 내용으로, 밑줄 친 '14개 조목'은 독립서고문과 함께 반포한 홍범 14조를 일컫는다. ㉠ 홍범 14조에 따르면 '조세의 징수와 경비 지출은 모두 탁지아문에서 관할한다.'라고 하였다. ㉡ 홍범 14조에서는 왕실 사무와 국정 사무의 분리를 규정하였다.
㉢ 지계아문이 설치된 것은 대한 제국 시기인 1901년의 일이다. ㉣ 대한 천일 은행이 설립된 것은 대한 제국 시기인 1899년의 일이다.

정답 ①

03 강

독립 협회와 대한 제국

解/法 기출분석

구분		2008~2017	2018	2019	2020	2021	2022	2023	2024
9급	국가직	•대한 제국(2) •대한국 국제 •독립 협회와 대한 제국					•독립 협회 •근대 주요 사건		
	지방직		대한 제국	대한 제국	독립 협회				대한국 국제
	법원직	•독립 협회(6) •광무개혁(2)		헌의 6조				독립 협회	

解法 요람

1890년대

독립 협회(반러)
- 자주 국권: 이권 수호
- 자유 민권: 기본권 ⇨ 참정권
- 자강 개혁: 의회 설립 운동

사교 단체 ⇨ 계몽 단체(민중↑) ⇨ 정치 단체

1894	1895	1896	1897	1898	1899
동학 농민 운동 청·일 전쟁 1차, 2차 갑오개혁	삼국 간섭 ⇨ 친러 내각 을미사변 을미개혁 을미의병	아관 파천(러) 4월 『독립신문』 7월 독립 협회	고종 환궁 대한 제국 광무개혁 (구본신참)	만민 공동회 관민 공동회 (헌의 6조)	대한국 국제 경인선 원수부 한·청 통상 조약

광무개혁

구본 정치 — 전제 왕권 강화

① 대한국 국제 – 전제 왕권 강화
② 원수부 설치 – 군권 장악
③ 한 · 청 통상 조약
④ 간도 관리사 파견 ⇨ 간도 이주민 보호

신참 경제 — 근대 산업 육성

① 양전 사업(양지아문) – 지계 발급(지계아문)
② 궁내부 내장원 중심의 재정 운영
③ 식산흥업 정책, 실업 학교 설립
④ 근대 시설 도입 – 철도, 전차, 전기, 전화, 우편 제도

01 아관 파천(1896. 2.)

1. 배경

고종은 일본의 내정 간섭을 견제하기 위해 경복궁을 벗어나 서양 공사관들이 몰려 있는 정동으로 피신하려 했으며, 춘생문 사건[1]이 일어났다.

2. 아관 파천

고종은 러시아 공사 베베르와 이완용, 이범진 등의 친러파 대신들의 협조를 얻어 **1896년 2월** 세자와 함께 궁성을 빠져나가 **러시아 공사관으로 피신**하였다.

3. 결과

(1) 러시아의 내정 간섭[2]

아관 파천으로 고종은 약 1년간 러시아 공사관에서 보호를 받는 처지가 되었다. 이때 러시아를 비롯한 열강들에게 각종 이권이 넘어갔다(근거 : **최혜국 대우**).

(2) 혼란한 정국 수습(을미개혁 중단)[3]

고종은 친일적인 김홍집 내각을 해산하고, 박정양·이완용·이범진 등 친미·친러 성향의 인물들을 중심으로 내각을 구성하였다. 새 내각은 **단발령을 철회하고 의병 해산을 권고**하였다.

4. 고종의 환궁

고종의 환궁을 요구하는 여론이 높아지면서 고종은 **1897년 경운궁으로 환궁을 단행**하였다.

02 독립 협회

1. 독립 협회의 조직

(1) 독립 협회[4]의 창립

① **배경** : 아관 파천 이후 **러시아를 비롯한 열강의 이권 침탈**이 더욱 심해지고 있었다.

② **『독립신문』 창간(1896. 4.)** : 갑신정변 때 미국으로 망명했던 **서재필**이 귀국하여 정부의 지원을 받아 『독립신문』을 창간하였다.

③ **독립 협회 창립(1896. 7.)** : 서재필·이상재 등은 독립문을 건설한다는 명목으로 독립 협회를 조직하였다. 손상된 나라의 권위를 되찾고 대내외적으로 자주국임을 내세우고자 한 것이다.

❶ 춘생문 사건(1895. 10.)
고종이 미국 공사관으로 피신하려다가 실패한 사건이다. 이범진 등 정동 구락부의 관료들이 주도하였다. 고종을 궁궐 밖으로 탈출시키려던 군사들이 춘생문(경복궁 동쪽 협문)에서 궁궐 수비군에게 패하면서 계획은 실패로 끝났다.

러시아 공사관(서울 정동)

❷ 러시아의 내정 간섭
아관 파천 직후 러시아는 압록강 유역의 산림 채벌권 등 각종 이권을 획득했으며, 조선 정부는 일본인 대신 러시아인을 군사·재정 고문으로 삼았다(알렉세예프 등).

❸ 을미개혁의 중단
- 단발령 폐지(단발의 자유화)
- 내각 폐지와 의정부 복설
- 지방을 23부에서 13도로 개편
- 호구 조사 규칙 반포

❹ 독립 협회의 모순
『독립신문』은 서구의 자유·민주·평등사상과 일본의 신문물을 찬양하고 유교 문화와 중국을 야만시하는 내용으로 채워져 있다. 즉, 독립 협회가 표방하는 '독립'은 청나라로부터의 독립을 의미한 것이었다.

서재필

제6편 근대 사회의 전개

(2) 독립 협회의 구성·운영

① **성격**: 초기에는 사교 단체로 결성되어 현직 관료도 광범위하게 참여하였다.

② **참여**: 서재필과 윤치호, 이완용 등 친미·친러 성향의 개혁파 관료 그룹인 정동 구락부와 신흥 사회 세력❶들이 참여하였다. 또한 독립문 건립을 위한 기금을 내고 가입 의사만 표시하면 누구나 회원이 될 수 있어 점차 각계각층이 참여하는 단체로 성장하였다.

③ **운영**: 공주 지회를 시작으로 전국 13도에 지회가 설치되었다.

2. 독립 협회의 활동 ☆

(1) 독립 협회 창립기(민중 계몽)

① **독립의식 고취**: 독립문과 독립관 건립 등에 주력하여 대중의 호응을 얻었다.

㉠ **독립문 건립**: 국민들의 성금을 모아 **청에 대한 사대의 상징**인 영은문❷을 허물고 그 자리에 독립문을 세웠는데 1897년에 완공되었다.

㉡ **독립관 개축**: 중국 사신을 대접했던 모화관❸을 개조하여 독립관이라고 하였다.

② **민중 계몽 운동**: 기관지인 「대조선 독립협회 회보」를 간행하고 독립관에서 각종 강연회·토론회를 열었다. 이 과정에서 독립 협회는 점차 민중을 대변하는 단체로 성장하였다.

(2) 민중 참여기(자주 국권·자강 개혁)

① **만민 공동회(자주 국권 운동)**

독립 협회는 고종에게 구국 선언 상소문을 올렸다. 이를 계기로 **1898년 종로에서 우리나라 최초의 군중 대회인 만민 공동회를 개최**하여 외국의 간섭과 일부 관리의 부정부패를 비판하였다.

② **이권 수호 운동❹**

독립 협회는 각종 이권 수호 운동을 전개하였다. 특히 **러시아의 군사 교관과 재정 고문을 철수**시켰다. 또한 **러시아의 절영도 조차❺ 요구를 철회**하게 했으며, 한·러 은행을 폐쇄시켰다.

③ **내정 개혁**: 독립 협회는 정부 대신의 부정부패를 규탄하는 한편, 국민의 신체 자유·언론·출판·집회·결사의 자유 확대를 주장하였다. 또한 의회 설립 운동을 전개하였다.

고등사료 百出

2013. 경찰 2차, 2011. 법원직 9급, 2012. 법원직 9급

구국 선언 상소문

신(臣) 등은 생각하건대 나라의 나라 됨이 둘이 있으니, 가로되 자립하여 타국에 의뢰하지 않는 것이요, 가로되 자수(自修)하여 한 나라에 정치를 행하는 것입니다. 이 두 가지는 하느님께서 우리 폐하에게 주신 바의 하나의 대권입니다. 이 대권이 없은즉 그 나라가 없습니다. 때문에 신 등은 독립문을 세우고 독립 협회를 설립하여 위로는 황상(皇上)의 지위를 높이고, 아래로는 인민의 뜻을 굳게 하여 억만년 무강의 기초를 확립하려 합니다.

– 「독립신문」, 1898년 3월 21일

만민 공동회(萬民共同會)

회원 김정현이 급히 배재 학당으로 가서 교사 **이승만❻** 및 학도 40~50인과 함께 경무청 앞에 갔고 다른 회원들은 백목전 도가(都家)*에 모여 윤시병을 **만민 공동회** 회장으로 삼아 경무청 앞으로 갔다. 이때 인민들이 다투어 모인 자가 수천인이었다.

* 도가: 상인들이 모여 의논하는 집

– 「대한계년사」

---

❶ 독립 협회에 참여한 신흥 세력

1. 개혁적 관료들
2. 근대 지식인들
3. 개신 유학자들(동도서기론)
4. 시민 의식에 눈뜬 상인, 농민층

❷ 영은문

조선을 방문한 중국 사신을 맞이하던 문으로, 모화관 앞에 세워져 있다. 은인을 맞이한다는 뜻을 지녔다.

❸ 모화관

조선 시대에 명나라·청나라 사신을 위해 환영·환송연을 베풀었던 곳이다. 중국을 사모한다는 뜻이 담겨져 있다.

독립문

❹ 독립 협회의 양면성

독립 협회는 러시아에 대해서는 적극 견제했지만, 미국·영국·일본에 대해서는 우호적인 태도를 취하였다(근대 문물 수용 목적).

❺ 절영도 조차

조차란 조약에 따라 다른 나라의 영토를 유상 혹은 무상으로 빌려 사용하는 것을 말한다. 러시아는 얼지 않는 항구를 확보하고, 숯과 석탄의 저장 창고를 설치하기 위해 절영도(부산 위치)를 조차하고자 하였다.

❻ 이승만

배재 학당 출신으로, 1차 만민 공동회 때 연사로 참여하였다.

㉠ **보수파와의 갈등**: 김홍륙 독차 사건[7] 이후 보수파와 독립 협회와의 갈등이 심화되었다.

㉡ **진보 내각의 출범**: 독립 협회는 수차례 만민 공동회를 개최하여 의회 설립과 보수 관료 퇴진을 주장하였다. 이에 보수 내각이 퇴진하고, 박정양을 중심으로 진보 내각이 수립되었다.

㉢ **관민 공동회**[8]: 새로 수립된 내각의 대신들까지 참여한 관민 공동회가 개최되었다. 여기서 **헌의 6조**를 결의하고 **중추원**[9]을 **개편**하여 **의회**를 만들고자 하였다(중추원 신관제). 그러나 의회 설립은 고종과의 갈등으로 실현되지는 못하였다.

고등사료 百出 21. 경찰 1차, 20. 법원직 9급, 19. 법원직 9급, 17. 국가직 9급, 14. 지방직 9급, 13. 경찰 2차, 11. 법원직 9급, 10. 지방직 9급, 10. 지방직 7급

관민 공동회와 백정 박성춘의 연설

관민 공동회에 참석한 회원 일동은 만세를 부른 뒤에 관리와 백성들에게 먼저 의견을 개진할 것을 요청하였다. **백정 박성춘이 말하였다. "이 사람은 바로 대한에서 가장 천한 사람이고 매우 무식합니다. 그러나 임금께 충성하고 나라를 사랑하는 뜻은 대강 알고 있습니다.** 이제 나라를 이롭게 하고 백성을 편리하게 하는 방도는 관리와 백성이 마음을 합한 뒤에야 가능하다고 생각합니다. 저 차일(즉 천막이다)에 비유하면, 한 개의 장대로 받치자면 힘이 부족하지만 만일 많은 장대로 힘을 합친다면 그 힘은 매우 튼튼합니다. 삼가 원하건대, 관리와 백성이 마음을 합하여 우리 대황제의 훌륭한 덕에 보답하고 국운이 영원토록 무궁하게 합시다." 회중이 박수를 보냈다.

– 정교, 『대한계년사』

헌의 6조[10]

1. **외국인에게 의지하지 말고** 관민이 힘을 합하여 **전제 황권을 견고하게 할 것**
   ⇨ 자주 국권의 확립
2. 외국과의 이권에 관한 계약과 조약은 각 대신과 중추원 의장이 합동 날인하여 시행할 것
   ⇨ 열강의 이권 침탈 방지와 입헌 군주제적 요소
3. **국가 재정은 탁지부에서 전관하고, 예산과 결산을 국민에게 공포할 것**
   ⇨ 재정의 일원화
4. 중대 범죄는 공개 재판하되, 피고가 죄를 자백한 후에 시행할 것
   ⇨ 재판 공개와 피고인의 자백 중시(근대적 민권 의식)
5. 칙임관을 임명할 때에는 정부에 그 뜻을 물어서 중의에 따를 것
   ⇨ 입헌 군주제적 요소
6. 정해진 규칙을 실천할 것
   ⇨ 법치 행정 중시

중추원 신관제[11](1898년 11월 발표)

제3조 의장은 대황폐하께서 성간으로 칙수하시고, 부의장은 중추원 공천에 의하여 칙수하시고, 의관 반수는 정부에서 국가에 노고가 있는 자로 회의 추천하고, 반수는 인민 협회에서 27세 이상인이 정치와 법률, 학식에 통달한 자로 투표로 선거할 것

3. 독립 협회의 해산

(1) 보수 세력의 모함(익명서 사건)[12]

독립 협회가 황제를 폐위하고 공화정을 건설하려 한다는 보고가 고종에게 전달되었다.

(2) 과정

고종은 독립 협회의 해산을 명령하고, 이상재를 비롯한 독립 협회 간부들을 체포하였다. 이에 독립 협회는 만민 공동회를 열어 대항하였다.

[7] 김홍륙 독차 사건(1898. 9.)
고종 황제와 황태자가 커피를 마신 후 토하고 정신이 혼미해지는 사건이 발생하였다. 이 사건의 주범으로 전 러시아 통역관인 김홍륙이 지목되었고 관련자들이 체포되었다. 이를 계기로 수구파 세력이 연좌법(죄인의 가족에게 중형을 내리는 법)과 노륙법(죄인의 스승, 아들, 남편, 아비를 죽이는 법)을 부활해야 한다는 청원서를 올렸다. 이에 독립 협회는 민권 보호의 측면에서 반대 운동을 전개하였다.

[8] 관민 공동회
1898년 10월에 열린 만민 공동회는 박정양 내각의 정부 대신들이 참석하여 관민 공동회로 개최되었다. 이는 관(관리)과 민(독립 협회 중심의 민중 세력)이 함께 한 대중 집회였다.

[9] 중추원
중추원은 실권 없는 자문 기관이었다. 독립 협회는 이를 법률 제정·의정부의 자문 역할 등의 권한을 가지는 기구로 개편하고자 하였다.

[10] 헌의 6조 결의
독립 협회는 관민 공동회를 개최하였다. 당시 개막 연설을 한 사람은 백정 박성춘이었다. 이날 대회에서는 헌의 6조를 결의하였고, 정부도 헌의 6조의 수용을 약속하였다.

[11] 중추원 관제의 내용
중추원은 의장 1인, 부의장 1인, 독립 협회의 선거로 뽑힌 25인, 황제가 임명한 25인으로 구성된다. 법률과 칙령안, 의정부 의결안, 국민의 건의 사항을 심사·의결하는 권한을 가진다.

[12] 익명서 사건
독립 협회 등이 의회를 설립하여 고종을 폐위하고 공화정으로 국체를 바꾼 다음, 대통령에 박정양, 부통령에 윤치호를 임명하려 한다는 내용의 익명서가 고종에게 전달된 사건이다.

(3) 해산

고종이 보부상 단체인 '황국 협회' 회원들을 동원하여 만민 공동회를 습격하자, 독립 협회 회원들과 무력 충돌이 벌어졌다. 정부는 군대를 동원하여 만민 공동회를 강제로 해산하였고 결국 독립 협회는 더 이상 활동할 수 없었다.

(4) 독립 협회 활동의 의의

독립 협회는 민중에 바탕을 둔 개화 운동을 전개하여, 광범위한 사회 계층의 참여를 유도하였다.

◈ 갑신정변, 동학 농민 운동, 갑오개혁, 독립 협회 개혁안 비교

구분	갑신정변 (14개조 정강)	동학 농민 운동 (폐정 개혁안 12조)	갑오개혁 (홍범 14조)	독립 협회 (헌의 6조)
청 종주권 부정	청에 잡혀간 흥선 대원군을 곧 돌아오게 하며, 종래 청에 대하여 행하던 조공의 허례를 폐지한다.		청국에 의존하는 생각을 끊어버리고 자주독립하는 기초를 세운다.	
신분제 폐지 (관리 등용 개선)	문벌을 폐지하여 인민 평등의 권리를 세워 능력에 따라 관리를 등용한다.	관리 채용에는 지벌을 타파하고 인재를 등용한다. 노비 문서를 소각한다.	문벌을 가리지 않고 인재 등용의 길을 넓힌다.	
세제 개혁	지조법을 개혁하여 국가의 재정을 넉넉하게 한다.	무명의 잡세는 일체 폐지한다.	납세는 법으로 정하고 함부로 세금을 징수하지 않는다.	예산과 결산을 국민에게 공포한다.
재정의 일원화	모든 재정은 호조에서 통할한다.		조세의 징수와 경비 지출은 모두 탁지아문의 관할에 속한다.	국가 재정은 탁지부에서 전관한다.
과부 개가 허용		청상과부의 개가를 허용한다.	과부의 개가를 허용한다(1차 갑오개혁).	
국왕의 전제권 제한	대신과 참찬은 매일 합문 내의 의정부에 모여서 정령을 의결하고 반포한다.		민법, 형법을 제정하여 인민의 생명과 재산을 보전한다.	
관리 부정 방지	부정한 관리 중 그 죄가 심한 자는 치죄한다.	탐관오리는 그 죄상을 조사하여 엄징한다.		
행정 기구 개편	의정부, 6조 외의 불필요한 기관을 폐지한다.		왕실 사무와 국정 사무를 나누어 서로 혼동하지 않는다.	
토지 제도 개혁		토지는 평균하여 분작한다.		

03 대한 제국과 광무개혁

1. 대한 제국의 성립

(1) 대외적 상황

아관 파천으로 친일 내각이 붕괴되어 수세에 몰린 일본은 러시아와 세력 균형을 위한 협상을 전개하였다. 이에 따라 한반도에 일시적인 세력 균형 상태가 형성되어 1904년 러·일 전쟁까지 지속되었다.

① **베베르-고무라 각서(1896. 5.)**: 일본은 거류민을 보호한다는 명목으로 군대를 계속 주둔시킬 수 있게 되었지만, 대신 조선에 대한 러시아의 우위를 인정하였다.

② **로젠-니시 협정(1898. 4.)**: 러·일 양국은 대한 제국의 내정에 간섭하지 않으며, 군사 교관이나 재정 고문 등을 초빙하는 경우에는 양국이 사전 동의하도록 협의하였다.

(2) 대내적 상황

국가의 위상을 높여야 한다는 여론에 힘입은 고종은 **1897년 2월 경운궁으로 환궁**하였다.

(3) 대한 제국의 선포(1897. 10.)

고종은 연호를 **광무**로 고치고, **환구단에서 황제 즉위식을 거행**하였다. 국호를 **대한 제국**으로 선포하고 자주독립 국가임을 널리 알렸다. **1899년 대한국 국제를 반포**하여 만국공법(국제법)상 근대 국가의 모습을 갖추었다.

解法 도움닫기 **환구단(원구단)에서 황제 즉위식을 가진 고종**

제천례(하늘에 지내는 제사)는 고대부터 행해졌으나, 조선 세조 이후 중국과의 관계를 고려하여 제후국에서 거행할 수 없다는 논의가 있어 폐지되었다. 그러나 고종은 1897년 환구단(원구단)을 새로 세우고 그해 10월 12일 이곳에서 황제 즉위식을 가졌다.

심화사료 百出

2024. 지방직 9급, 2020. 지방직 7급, 2017. 경찰 1차, 2016. 법원직 9급, 2014. 지방직 9급, 2014. 서울시 9급, 2010. 국가직 7급 2007. 국가직 9급

'대한' 국호의 제정

나라는 옛 나라이나 천명을 새로 받았으니 이제 이름을 새로 정하는 것이 합당하다. …… '대한(大韓)'이라는 이름을 살펴보면 황제의 정통을 이은 나라에서 이런 이름을 쓴 적이 없다. '한'이라는 이름은 우리의 고유한 나라 이름이며, 우리나라는 마한·진한·변한 등 원래의 삼한을 아우른 것이니 '큰 한'이라는 이름이 적합하다.

– 『고종실록』, 1897년 10월

대한국 국제(1899)

제1조 대한국은 세계 만국이 공인한 **자주독립 제국**이다.
제2조 대한국의 정치는 **만세불변의 전제 정치**이다.
제3조 대한국 대황제는 **무한한 군권**을 누린다.
제5조 대한국 대황제는 **육군과 해군을 통솔**한다.
제6조 대한국 대황제는 **법률을 제정**하여 그 반포와 집행을 명하고, 대사, 특사, 감형, 복권 등을 명한다.
제7조 대한국 대황제는 행정 각부의 관제를 정하고 행정상 필요한 칙령을 발한다.
제8조 황제는 문무관의 임명을 행하며 작위, 훈장 및 기타 영전을 수여 혹은 박탈할 권한을 갖는다.
제9조 대한국 대황제는 각 조약 체결 국가에 사신을 파견하고 선전, 강화 및 제반 조약을 체결한다.

근대 연호의 변천

갑오개혁	개국원년(開國元年)
을미개혁	건양(建陽)
대한 제국	광무(光武) – 고종
	융희(隆熙) – 순종

환구단(원구단)
황제가 하늘에 제사를 지내기 위해 둥글게 쌓은 제단이다.

2. 대한 제국의 개혁(광무개혁) ☆

(1) 원칙

구본신참❶을 개혁의 방향으로 삼고 교정소를 설치하여 개혁을 추진하였다.

(2) 정치적 개혁 : 황제 중심의 전제 군주 국가임을 확실히 하고자 하였다.

구분	개혁 내용	
정치	대한국 국제 반포(1899)	지금의 헌법에 해당된다. 만세 불변의 전제 정치와 **황제권의 무한함을 강조**하고 군대 통수권, 입법권, 행정권, 사법권, 외교권 등을 황제의 권한으로 규정하였다.
	정궁(경운궁)	경운궁을 정궁으로 정하고, 평양❷을 서경으로 높였다.
	지방 제도 개편	갑오개혁 때의 23부를 13도로 개편❸하였다(1896. 8.).
군사	원수부 설치	원수부를 설치하여 **황제가 군대의 지휘권을 직접 장악**하였다.
	군사 제도 개편❹	**서울의 시위대**(1895년 설치)를 개편하고 또한 **지방의 진위대**를 증강하였다.
	경위원 · 무관학교 설치	황실 경찰 기구인 경위원을 설치하였다. 또한, 근대적인 군사 교육 기관으로 무관 학교를 설립하였다.
외교	한 · 청 통상 조약❺	1899년 청과 양국 황제 명의로 조약을 체결하여 국제적으로 대등한 관계가 되었다.
	외교 활동	벨기에(1901) · 덴마크(1902)와 국교를 수립하였으며, **만국 우편 연합(1900)** · 국제 적십자사(1903) 등의 국제 기구에 가입하였다.
	해외 이주민 관리	교민 보호를 위해 블라디보스토크에 해삼위통상사무관을 파견하였고, **간도❻**에 **북변도 관리**를 파견하였다. 또한 이민 업무를 담당하는 수민원을 설치하였다.

(3) 경제적 개혁: 양전 지계 사업과 상공업 진흥책을 추진하여 근대 산업을 육성하고자 하였다.

구분	개혁 내용	
양전지계 사업	토지 조사	양지아문(1898)을 설치하고 미국인 측량사를 초빙하여 양전 사업을 실시하였다.
	지계 발급	토지 소유권을 법적으로 인정해주는 지계❼ 발급을 위해 지계아문❽(1901)을 설치하였다. 그러나 **러 · 일 전쟁 중 일본의 압력으로 중단**되어 전국으로 확대되지 못하였다.
	특징	지주뿐만 아니라 전호의 권리도 인정하였다. 또한, 개항장 이외에서는 외국인의 토지 소유를 금지하여 열강의 토지 침탈을 막으려고 하였다.
재정 관리	탁지부 등에서 관리하던 광산, 홍삼, 철도 등의 수입을 **황제 직속 궁내부❾ 산하의 내장원으로 이관**하였다. 이용익이 내장원의 재정을 관리하였다.	
식산흥업 정책	근대적 기술 학교	**상공 학교(1899), 광무 학교(1900)**, 기예 학교 · 의학교 · 외국어 학교 등을 설립하였다. 또한 우편 사무원 양성을 목적으로 **우편학당 · 전무학당** 등을 마련하였다.
	회사 설립 지원	황실 스스로 방직, 제지 공장 등을 설립하거나 민간 회사의 설립을 지원하였다.
	상무사 조직	**보부상을 지원**하기 위해 상무사를 조직하여 상업 특권을 부여하였다.
	서북 철도국	내장원 산하 기관으로 서북 철도국을 두어 **경의 철도 부설 작업을 추진**하였다.
	양잠 기술	양잠 전습소와 잠업 시험장을 설립하였다.
금융 제도 개혁	금 본위 개정 화폐 조례(1900) · 중앙은행 조례(1903)를 발표하여 금 본위제 실시와 중앙은행 창립을 시도하였다. 그러나 재정 부족으로 성공하지 못하였다. 또한 **백동화를 남발**하여 물가가 급등하는 결과를 낳았다.	
칙령 개항❿	**황제의 칙령**을 통해 **목포, 마산, 군산 등을 개항**하였다.	

❶ **구본신참(舊本新參)**
옛 제도를 근본으로 새로운 제도를 참작한다.

❷ **평양**
평양에는 풍경궁을 건설하여 행궁으로 삼았다(1902).

❸ **13도 개편**
아관 파천 때의 일이다.

❹ **군제 개편**
대한 제국은 중앙의 친위대를 확대·강화하였다.

❺ **한·청 통상 조약**
양국은 서로 균등한 자격으로 거류민의 신분과 재산을 보호하고, 이를 위해 전권 대사를 교환하였다.

❻ **정부의 간도 관리**
정부는 1902년 이범윤을 간도시찰원으로 파견하고, 1903년 북변간도관리사로 임명하였다.

❼ **지계**

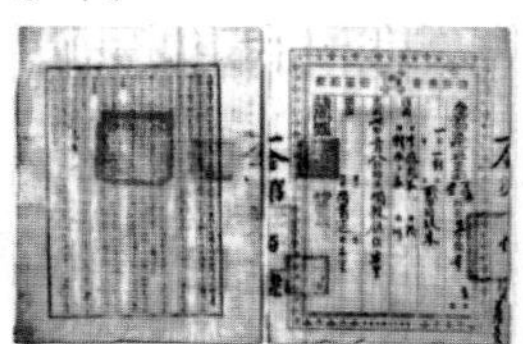

산림·토지·전답·가옥까지 지계 발급 대상에 포함되었다. 대한 제국은 지계 발급을 통해 토지의 명분상 소유주와 실제 소유주를 일치시키고, 토지를 자유롭게 매매할 수 있게 하였다.

❽ **지계아문**
1902년 1월부터 양지아문의 사업도 인수하여 양전 사업(토지 측량)을 실시하였다.

❾ **궁내부**
궁내부는 본래 1차 갑오개혁 때 왕권을 제한하고자 설치된 기구이다. 그러나 대한 제국 시기, 황제권 강화와 함께 그 역할이 더욱 확대되어 황실 업무 뿐만 아니라 각종 근대화 사업을 추진하였다.

❿ **칙령 개항**
대한 제국은 외국과의 조약 없이 정부 스스로 결정해서 개항하였다. 다른 개항과는 다르게 제반 규칙을 스스로 정하였다.

심화사료 百出

2009. 국가직 7급

양전 사업의 전개

제2조 전답, 산림, 천택, 가옥을 매매와 양도하는 경우 **관계(官契)**를 반납한다.

제3조 소유주가 관계를 받지 않거나, 저당잡힐 때 관허가 없으면 모두 몰수한다.

제4조 **대한 제국 인민 외 소유주가 될 권리가 없고**, 외국인에게 명의를 빌려주거나 사사로이 매매, 저당, 양도할 경우 법에 따라 처벌한다.

– 지계감리응행사목

解法 도움닫기 **국권 피탈 이후 문화재 파괴**

국권 침탈과 더불어 한양도 급속히 파괴되었다. 조선 왕조의 궁궐이었던 경복궁에는 220여 채의 전각이 있었으나 대부분이 헐리고 1916년부터 1926년까지 근정전 앞에 거대한 조선 총독부 청사를 지어 경복궁의 기를 꺾어 버렸다. 성종 때 지은 창경궁은 1909년 순종의 오락장을 만든다는 이유로 대부분의 전각을 헐고 그 자리에 박물관·동물원·식물원을 짓고 이름을 창경원(昌慶苑)으로 격하시켰다. 경희궁(광해군 때 창건)도 완전히 헐리고 그 자리에 경성중학교(해방 후 서울중·고등학교)를 세웠으며, 창경궁 건너편의 경모궁(景慕宮, 사도 세자 사당)이 헐리면서 그 자리에 경성 제국 대학 의학부(지금의 서울대학교 의대)가 설립되었다.

대표 기출문제

대한 제국 정부가 시행한 정책으로 옳은 것은?

2018. 지방직 9급

① 별기군을 폐지하고 5군영을 복구하였다.
② 양전 사업을 시행하고자 양지아문을 설치하였다.
③ 통리기무아문을 설치하여 개화 정책을 추진하였다.
④ 화폐 제도를 은 본위제로 개혁하고자 '신식 화폐 발행 장정'을 공포하였다.

해설

② 대한 제국은 양전 사업을 위해 1898년 양지아문을 설치했다.
① 임오군란 때 재집권한 대원군이 추진한 정책들이다. ③ 1880년의 일이다. ④ 제1차 갑오개혁의 내용이다.

정답 ②

일제의 침략과 국권의 피탈

解/法 기출분석

구분		2008~2017	2018	2019	2020	2021	2022	2023	2024
9급	국가직	• 구한말 정치 상황 • 국권 피탈							
	지방직	국권 피탈(3)	한·일 신협약			을사조약			
	법원직	국권 피탈(2)			국권 피탈	러·일 전쟁		을사조약	국권 피탈

解法 요람

국권 피탈의 과정

(1904. 2.) 러·일 전쟁 — 대한 제국 대외 중립 선언(1904. 1.), 일본 뤼순항 공격

(1904. 2.) 한·일 의정서 — 군사 요지(전략상 필요한 지점) 점령권, 대한 제국에 대한 충고권, 황실과 영토 보전 약속

(1904. 8.) 제1차 한·일 협약 — **고문 정치** ⇨ 재정(메가타), 외교(스티븐스) 등

열강의 묵인 — **7月** 가쓰라 – 태프트 밀약(미), **8月** 제2차 영·일 동맹(영), **9月** 포츠머스 강화 조약(러)

(1905. 11.) 을사조약 — **통감 정치**, 대한 제국의 외교권 박탈
⇨ 통감부 설치(1906)

(1907. 7.) 한·일 신협약 — **차관 정치**(일본인 차관), 통감의 권한 강화
부속 협약 – 군대 해산

(1909) 기유각서 — 사법권·감옥 사무 박탈

(1910) 한·일 병합 조약 — 국권 피탈 ⇨ 총독부 설치

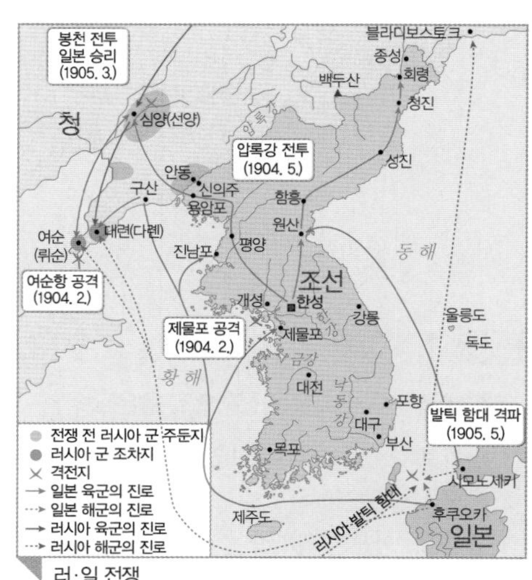

러·일 전쟁

01 러·일 전쟁과 일제의 침략 강화

1. 한·일 의정서(1904. 2.)

(1) 체결 배경

① 러·일 간 갈등 고조: 영국은 러시아 견제를 위해 1902년 제1차 영·일 동맹❶을 맺어 일본을 지원하였다. 이에 러시아는 압록강 지역의 용암포를 점령(1903)하였다.

② 국외 중립 선언: 러·일 전쟁 직전,❷ 대한 제국 정부는 국외 중립을 선언(1904. 1.)하였다.

③ 러·일 전쟁: 1904년 2월 일본은 뤼순항을 기습적으로 공격하고, 러시아에 선전포고함으로써 러·일 전쟁❸을 일으켰다.

(2) 조약의 체결

① 한·일 의정서❹ 체결: 일본은 대한 제국의 중립 선언을 무시하고 한·일 의정서를 강요하였다.

② 내용: 시정 개선을 위해서 일본의 충고를 받아들일 것, 일본 정부가 대한 제국의 황실과 영토를 보전해 줄 것, 그리고 이를 위해서 군사 전략상 필요한 지점의 사용 가능 등의 내용을 담고 있다.

심화사료 百出 2020. 경찰 1차, 2017. 경찰 2차, 2011. 법원직 9급

한·일 의정서(韓日議定書)

제1조 동양의 평화를 확립하기 위하여 대한 제국 정부는 일본 제국 정부를 확신하고 시정 개선에 관하여 그 충고를 들을 것

제2조 대일본 제국 정부는 대한 제국의 황실을 확실한 친의(親誼)로써 안전·강녕(康寧)하게 할 것

제3조 대일본 제국 정부는 대한 제국의 독립과 영토 보전을 확실히 보증할 것

제4조 제3국의 침해나 혹은 내란으로 인하여 대한 제국의 황실 안녕과 영토 보전에 위험이 있을 경우에는 대일본 제국 정부는 속히 임기응변의 필요한 조치를 행할 것이며, 그리고 **대한 제국 정부는 대일본 제국 정부의 행동이 용이하도록 충분히 편의를 제공할 것. 대일본 제국 정부는 전항(前項)의 목적을 성취하기 위하여 군략상 필요한 지점을 임기수용할 수 있을 것**

2. 제1차 한·일 협약(1904. 8., 한·일 협정서)

(1) 체결 과정

전쟁에서 우세해지자 일본은 제1차 한·일 협약 체결을 강요하였다(고문 정치❺).

(2) 체결 결과

재정 고문은 일본인 메가타,❻ 외교 고문은 일본 정부에 고용되었던 미국인 스티븐스가 부임하였다.

심화사료 百出 2024. 법원직 9급, 2021. 경찰 1차, 2011. 법원직 9급

제1차 한·일 협약(한·일 외국인 고문 용빙에 관한 협정서, 한·일 협정서)

제1조 한국 정부는 일본 정부가 추천하는 **일본인 1명을 재정 고문**으로 하여 한국 정부에 용빙하고, 재무에 관한 사항은 일체 그 의견을 물어 시행할 것

제2조 한국 정부는 일본 정부가 추천하는 **외국인 1명을 외교 고문**으로 하여 외부에 용빙하고, 외교에 관한 용무를 일체 그 의견을 물어 시행할 것

제3조 한국 정부는 외국과의 조약 체결, 기타의 중요한 외교 안건, 즉 외국인에 대한 특권 양여와 계약 등의 사무 처리에 관하여는 미리 일본 정부와 협의할 것

❶ **제1차 영·일 동맹**
영국과 일본은 각각 청과 조선에서 가지고 있는 이권을 침해받을 경우 공동 대응하기로 하였다. 또한 양국이 제3국과 교전시 상호 원조할 것을 약속하였다.

❷ **러시아와 일본의 외교 교섭**
영·일 동맹 체결 이후 러시아는 한반도를 분할하여 차지하자고 제안했으나, 일본은 이를 거절하였다.

❸ **러·일 전쟁의 발발**
1904년 2월 일본이 요동반도의 뤼순항과 인천 월미도에 정박해 있던 러시아 군함 2척을 기습 공격하였다.

❹ **한·일 의정서**
일본은 전쟁 수행에 필요한 지역을 임의로 사용하는 권리를 확보하였다. 또한 시정 개선이라는 명목으로 전국에 걸쳐 군용지를 수용하고, 어업권을 확장했으며, 황무지 개간권을 요구하였다.

❺ **고문 정치**
일제는 1차 한·일 협약을 빌미로 규정에도 없는 군부, 내부, 궁내부, 학부 등 각부에도 일본인 고문을 두어 한국의 내정을 마음대로 간섭하였다.

❻ **메가타**
재정 고문으로 부임한 메가타는 1905년 화폐 정리 사업을 추진하였다.

02 을사조약과 국권 피탈

1. 열강의 묵인

(1) 가쓰라-태프트 밀약(1905. 7.)

필리핀에 대한 **미국**의 권익과 조선에 대한 일본의 권익을 서로 인정해 주었다.

(2) 제2차 영·일 동맹(1905. 8.)

일본은 한국에서의 독점적 지배권을 묵인받은 대신 **영국**의 인도에 대한 특수 권익을 인정하였다.

(3) 포츠머스 강화 조약[1](1905. 9.)

러·일 전쟁이 일본의 승리[2]로 끝난 후 미국의 중재로 **러시아**와 일본 간에 체결된 조약이다. 이에 따라 러시아는 한국에 대한 일본의 독점적 지배권을 인정하였다.

심화사료 百出 2024. 법원직 9급, 2015. 서울시 9급

국권 강탈 과정에 있어서 열강들의 묵인

가쓰라-테프트 밀약(1905. 7.)

첫째 필리핀은 **미국**과 같은 친일적인 나라가 통치하는 것이 일본에 유리하며, 일본은 필리핀에 대해 어떤 침략적 의도도 갖지 않는다.

셋째 미국은 일본이 대한 제국의 보호권을 확립하는 것이 러·일 전쟁의 논리적 귀결이며 극동 평화에 직접 이바지할 것으로 인정한다.

포츠머스 강화 조약(1905. 9.)

제2조 **러시아** 제국 정부는 일본 제국이 한국에서 정치·군사상 및 경제상의 탁월한 이익을 갖는다는 것을 인정하고 일본 제국 정부가 한국에서 필요하다고 인정하는 지도 보호 및 감리의 조처를 하는 데 이를 저지하거나 간섭하지 않을 것을 약정한다.

2. 을사조약(乙巳條約, 1905. 11., 제2차 한·일 협약, 을사늑약)[3] ☆☆

(1) 체결 과정

일본은 열강에게 한국 지배를 독점적으로 인정받고, 곧바로 **한국의 보호국화 작업을 추진**하였다. 고종은 서명에 반대했으나, 이완용 등 **을사5적**을 앞세워 조약을 강압적으로 체결하였다.

(2) 체결 결과

대한 제국의 외교권이 박탈[4]되어 일본의 중재 없이 국제적 조약을 체결할 수 없게 되었다. 또한 일제는 1906년 2월에 통감부를 설치했으며, 초대 통감으로 이토 히로부미가 부임하였다. 이후 통감부는 외교 문제뿐만 아니라 정치 전반을 간섭하였다.

---

❶ **포츠머스 강화 조약**

일본은 이 조약에 따라 러시아군의 만주 철수, 한국을 지도·보호할 권리 승인, 랴오둥 반도 조차권 및 남만주 철도와 부속지 지배권 양도, 사할린 남부 할양 등을 얻었다.

❷ **일본의 승리**

1905년 5월 일본은 대한 해협(동해)에서 러시아의 발틱 함대를 격파하여 전쟁의 승기를 잡았다. 또한 러시아도 국내에서 혁명이 일어나 전쟁을 더 이상 계속할 수 없는 상황이 되었다.

❸ **을사조약**

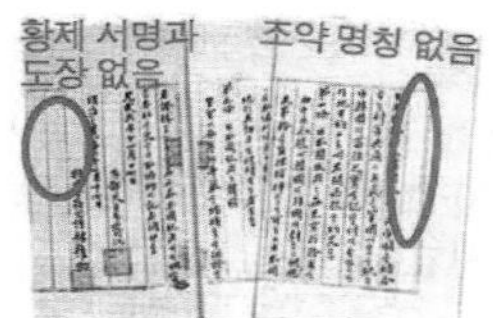

을사조약은 서명자인 외부대신의 전권 위임장, 황제의 비준서가 없었기 때문에 국제법상으로도 무효이다. 또한 일제는 외부대신의 날인을 받는 데 급급한 나머지 조약의 공식 명칭마저 써 놓지 못했다.

❹ **외교권 박탈**

대한 제국의 외부가 없어졌다. 국내에 있던 외국 사절들과 미국·러시아 등 해외에 두었던 대한 제국의 공사관들도 철수하였다.

심화사료 百出 2024. 법원직 9급, 2021. 지방직 9급, 2017. 국가직 9급(하), 2011. 국가직 7급

을사조약(1905. 11. 17.)

제1조 일본국 정부는 도쿄에 있는 외무성을 통하여 금후 **한국의 외국과의 관계 및 사무를 감리(관리 감독)·지휘**하고, 일본국의 외교 대표자와 영사는 외국에 있는 한국의 신민 및 그 이익을 보호한다.

제2조 일본국 정부는 한국과 타국 사이에 현존하는 조약의 실행을 완수하는 책임을 지며 **한국 정부는 금후 일본국 정부의 중개를 거치지 않고서는 국제적 성질을 가진 어떠한 조약이나 약속을 하지 않을 것**을 약속한다.

제3조 일본국 정부는 그 대표자로서 한국 황제폐하의 아래에 1명의 통감(統監)을 두되, **통감은 오로지 외교에 관한 사항을 관리**하기 위하여 서울에 주재하고, 직접 한국 황제 폐하를 궁중에서 비밀리에 알현할 권리를 가진다.

헤이그 특사
(왼쪽부터 이준, 이상설, 이위종)

❺ 헤이그 특사 파견

고종은 을사조약의 불법성을 국제 사회에 호소하기 위해 만국 평화 회의에 특사를 파견하였다. 회의에 참석 못한 특사 일행은 회의장 밖에서 각국 대표에게 보내는 탄원서를 발표하고, 신문을 통해 일본의 국제법 위반 행위를 폭로하였다.

(3) 을사조약 반대 운동

조약 체결에 반대하여 **의병 운동**이 전개되었으며, 민영환 등은 자결로써 항의하였다. 고종은 조약의 무효를 선언하고 1907년 **헤이그에 특사를 파견**❺하여 일제의 만행을 세계에 알리고자 하였다.

3. 한·일 신협약(1907. 7., 정미 7조약) ☆☆

(1) 고종의 강제 퇴위: 일제는 **헤이그 특사 파견**을 계기로 **고종 황제를 강제로 퇴위**시켰다. 그리고 순종이 즉위한 직후 **한·일 신협약**을 강제 체결하였다.

(2) 내용: 통감의 권한이 더욱 강화되어 **법령 제정과 고위 관리 임면** 등에서 통감의 승인을 얻어야 했다. 또한 **통감이 추천하는 일본인을 각 부에 차관으로 임명**하여 내정 간섭을 더욱 강화하였다.

(3) 부속 각서: 부속 각서를 체결하여 대한 제국의 **군대를 해산**하고, 각 부 **차관**에 **일본인을 임명**하였다.

(4) 군대의 해산: 재정난 등의 이유를 들어 **대한 제국의 군대를 해산**시켰다. 나아가 반대하는 시위대·진위대의 봉기를 무자비하게 진압하였다. 이후 해산된 군인들은 의병에 합류하였다.

순종의 즉위식

고종과 순종은 일제의 결정에 반발하여 양위식과 즉위식에 참석하지 않고 내시를 시켜 의식을 대행하게 하였다.

심화사료 百出 2021. 경찰 1차, 2019. 서울시 9급, 2019. 서울시 7급, 2017. 서울시 9급

한·일 신협약(1907)

제1조 한국 정부는 시정 개선에 관하여 **통감의 지도**를 받을 것

제2조 한국 정부의 법령 제정 및 중요한 행정상의 처분은 미리 **통감의 승인을 거칠 것**

제4조 한국 고등 관리의 임면은 **통감의 동의**로써 이를 행할 것

제5조 한국 정부는 **통감이 추천한 일본인을 한국 관리로 임명할 것**

제6조 한국 정부는 **통감의 동의 없이** 외국인을 용빙(傭聘) 아니할 것

부속 각서(군대 해산❻)

제3조 다음 방법에 의하여 군비를 정리함.

1. 육군 1대대를 두어 황궁 수비를 맡기고 기타 부대를 해산할 것

제5조 중앙 정부 및 지방청에 일본인을 임명함.

1. 각 부 차관
1. 각 도 사무관

❻ 군대 해산

서울의 시위대를 시작으로 군대 해산이 진행되었다. 그 과정에서 시위대의 대대장 박승환이 자결(1907. 8.)하였고 시위대 병사들이 봉기하였다. 이들은 서울 곳곳에서 일본군과 시가전을 벌였고, 이러한 움직임은 지방 진위대에도 이어졌다.

4. 기유각서(1909. 7.)

사법 제도 및 감옥 사무를 개선하겠다는 명분을 내세워 기유각서를 체결하였다. 이에 따라 통감부에 사법청이 설치되어 사법 자주권을 빼앗겼으며, 감옥 사무권도 통감부로 강제 이관되었다.

심화사료 百出

기유각서(己酉覺書)

첫째, 한국의 사법 및 감옥 사무가 완비되었다고 인정할 때까지 **한국 정부는 사법 및 감옥 사무를 일본 정부에게 위탁**할 것

5. 경찰권 박탈(1910. 6.)

1910년 현역 육군 대장인 데라우치를 통감으로 임명하고, 곧이어 '한국 경찰 사무 위탁에 관한 각서'에 의해 경찰권을 박탈하여 대한 제국은 치안권을 상실하였다.

6. 한·일 병합 조약(경술국치, 1910. 8. 29.)

(1) 배경: 일제는 일진회❶를 비롯한 친일 단체에게 합방 청원 운동을 전개하도록 하였다. 한편, 1910년 초 러시아와 영국, 프랑스로부터 한국 병합에 대한 승인을 받아 국제적 여건을 충족시켰다.

(2) 체결: 1910년 8월에 **총리대신 이완용**과 **통감 데라우치**가 한국 병합에 관한 조약을 체결·공포함으로써 대한 제국의 **국가 주권은 공식적으로 소멸되었다.**

(3) 결과: 일본은 대한 제국을 조선❷이라 고치고 **총독부**와 **총독**에 의한 식민 통치를 실시하였다.

❶ 일진회(一進會)

송병준, 이용구 등이 중심이 되어 1904년 결성된 친일 단체이다. 일제의 조선 침략에 적극 협력했으며, 1909년에는 합방 청원서를 일본 정부에 제출하였다. 1910년 8월 29일 일제가 한국을 강점하자 데라우치 통감에 의해 그해 9월 해체되었다.

❷ 조선

일본은 한국을 일본의 새로운 영토의 일부로 병합하고, 국가명인 대한 제국이 아니라 지역명 '조선'으로 호칭했다.

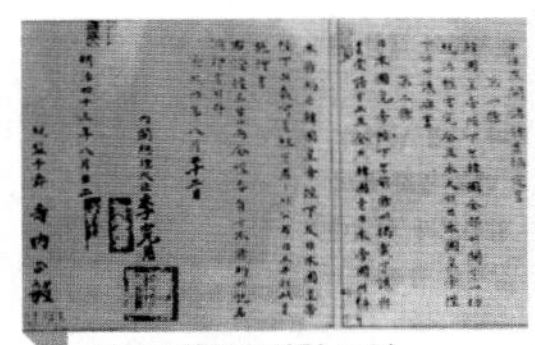

한국 병합에 관한 조약

심화사료 百出 　　2019. 서울시 7급

한국 병합에 관한 조약(1910)

제1조 **한국 황제 폐하는 한국 전부에 관한 모든 통치권을 완전 또는 영구히 일본 황제 폐하에게 양여한다.**

제2조 일본국 황제 폐하는 전조에 기재한 양여를 수락하고 **완전히 한국을 일본 제국에 병합함을 승낙한다.**

제3조 일본국 황제 폐하는 한국 황제 폐하, 태황제 폐하, 황태자 전하와 그 후비(后妃) 및 후예로 하여금 각각 그 지위에 따라 상당한 존칭, 위엄 및 명예를 향유하게 하고 또 이를 유지하는 데 충분한 세비(歲費)를 공급할 것을 약속한다.

제8조 본 조약은 일본국 황제 폐하 및 한국 황제 폐하의 재가를 받은 것으로서 공포일로부터 시행한다.

－『조선 총독부 관보』 1호, 1910년 8월 29일

대표 기출문제

국권이 침탈되기까지의 과정을 시기 순으로 바르게 나열한 것은? 　　2017. 국가직 9급

㉠ 헤이그 특사 파견을 문제 삼아 고종 황제를 강제로 퇴위시켰다.
㉡ 일본인 메가타를 재정 고문으로, 미국인 스티븐스를 외교 고문으로 임명하도록 하였다.
㉢ 대한 제국의 사법권을 빼앗고 감옥 사무를 장악하였다.
㉣ 통감이 추천한 일본인을 대한 제국의 관리로 임명하도록 하였다.

① ㉠-㉡-㉢-㉣ 　② ㉡-㉠-㉣-㉢
③ ㉡-㉢-㉠-㉣ 　④ ㉣-㉡-㉠-㉢

해설

㉡ 제1차 한·일 협약(1904. 8) ⇨ ㉠ 고종의 강제 퇴위(1907. 7. 20.) ⇨ ㉣ 정미 7조약(1907. 7. 24.) ⇨ ㉢ 기유각서(1909. 7.)

정답 ②

강

항일 의병과 애국 계몽 운동

解/法 기출분석

구분		2008~2017	2018	2019	2020	2021	2022	2023	2024
9급	국가직	• 을사의병 • 정미의병(2) • 의병 운동 • 간도 • 울릉도·독도			독도				장지연
	지방직	• 정미의병 • 애국 계몽 운동(2) • 대한 자강회					안중근		
	법원직	• 의병(3) • 헐버트 • 근대 정치 • 대한 자강회와 신민회 • 신민회 • 간도			신민회	정미의병		근대 정치	

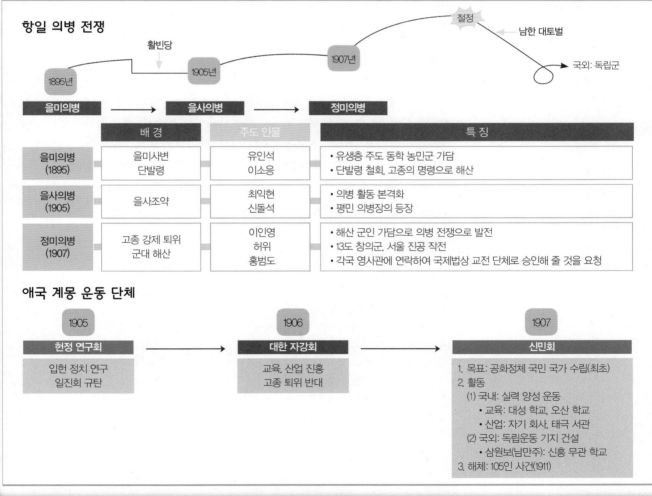

항일 의병 전쟁

1895년 → 활빈당 → 1905년 → 1907년 → 절정 → 남한 대토벌 → 국외: 독립군

을미의병 → 을사의병 → 정미의병

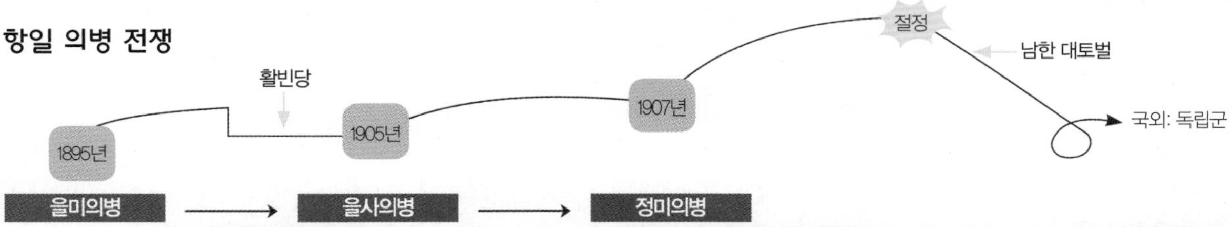

	배 경	주도 인물	특 징
을미의병 (1895)	을미사변 단발령	유인석 이소응	• 유생층 주도 동학 농민군 가담 • 단발령 철회, 고종의 명령으로 해산
을사의병 (1905)	을사조약	최익현 신돌석	• 의병 활동 본격화 • 평민 의병장의 등장
정미의병 (1907)	고종 강제 퇴위 군대 해산	이인영 허위 홍범도	• 해산 군인 가담으로 의병 전쟁으로 발전 • 13도 창의군, 서울 진공 작전 • 각국 영사관에 연락하여 국제법상 교전 단체로 승인해 줄 것을 요청

애국 계몽 운동 단체

1905 헌정 연구회
입헌 정치 연구
일진회 규탄

→

1906 대한 자강회
교육, 산업 진흥
고종 퇴위 반대

→

1907 신민회
1. 목표: 공화정체 국민 국가 수립(최초)
2. 활동
   (1) 국내: 실력 양성 운동
      • 교육: 대성 학교, 오산 학교
      • 산업: 자기 회사, 태극 서관
   (2) 국외: 독립운동 기지 건설
      • 삼원보(남만주): 신흥 무관 학교
3. 해체: 105인 사건(1911)

유인석

❶ 민용호
'오늘 병사를 일으키려는 것은 국모의 원수를 갚으려는 것이다.'라는 내용의 통문을 돌려 유림의 분발을 촉구하였다. 이후 거병하여 관동 지역을 중심으로 활동하였다.

단발령과 이에 반대하는 통문

❷ 활빈당 이름의 유래
가난한 사람을 살려내는 무리라는 뜻으로, 『홍길동전』에서 이름을 따왔다. 이는 『홍길동전』의 활빈당처럼 의로운 도적이 되겠다는 의미이다.

❸ 활빈당의 활동
1900년 전후 충청과 경기, 낙동강 동쪽의 경상도 등지에서 활동하였다. 평등, 빈부 타파, 국가 혁신 등을 목표로 하였다.

01 항일 의병 전쟁의 시작

1. 을미의병(1895)

(1) 배경: 을미사변에 이어 정부가 단발령을 공포하자 전국 각지로 확산되었다.

(2) 활동: 유인석과 이소응, 민용호[❶] 등 **유생들이 주도**하고, 농민들과 동학 농민군의 잔여 세력이 가담하였다. 지방 관청이나 일본군을 공격하고 친일 관리와 일본인을 처단하였다.

(3) 자진 해산: 친일 내각이 붕괴되고 단발령 등 일부 정책들이 철회됨에 따라 의병 봉기의 명분이 약화되었다. 여기에 **국왕의 해산 권고 조칙**(효유조칙)이 내려지면서 을미의병은 종식되었다.

심화사료 百出 2015. 사회복지직 9급

을미의병의 봉기

머리를 깎이고 의복 제도를 바꾸니 나라의 풍속은 오랑캐로 변하였구나. **국모를 시해하고** 임금을 협박하니 갑오, 을미의 원수를 아직 갚지 못하였다. …… 저들이 이 강산을 빼앗아 영원히 살겠다는 생각은 일찍이 볼 수 없었던 일이다. 저들의 죄를 세자면 하늘도 미워할 것이니 우리 국민 된 자 모두가 일어나서 저들을 죽일 의무가 있는 것이다. …… 무릇 의병을 일으킴에 응모한 우리 충의의 지사들은 모두 마음을 다져 먹고 나라에 보답할 뜻을 가졌다. – 이강년

2. 농민들의 항쟁

(1) 활빈당(1900~1905)[❷]

① 조직: 의병에 참여했던 농민들은 을미의병이 해산된 뒤 무장 조직인 활빈당을 결성하였다.

② 활동[❸]: 활빈당은 13개조의 행동 강령인 **대한 사민 논설 13조목**을 통해 토지의 균등 분배, 방곡령의 실시 등을 요구하였다. 또한 탐관오리, 친일 부호에게 뺏은 재물을 빈민에게 나누어 주었다.

③ 의병 활동: 을사조약 이후 대부분은 항일 의병 투쟁에 적극적으로 참여하였다.

(2) 그 외: 동학 농민 운동의 잔여 세력 중 일부는 영학당, 서학당 등을 조직하여 투쟁을 계속하였다.

(3) 의의: 을미의병과 을사의병을 잇는 다리 역할을 하였다.

심화사료 百出 2017. 지방직 7급, 2007. 국가직 7급

대한 사민 논설 13조목

5. **시급히 방곡령을 실시하고 구민법을 채용할 것**
6. 시장에 **외국 상인의 출입을 엄금할 것**
8. **금광의 채굴을 금지**하고 인민의 방책을 꾀할 것
9. **사전을 혁파하고 균전으로 하는 구민법을 채택할 것** — 토지 제도 개혁 (지주제 폐지, 반봉건)
10. 곡가의 앙등을 막기 위해 곡가를 저렴하게 안정시킬 법을 세울 것
11. 만민의 바람을 받아들여 악형의 여러 법을 혁파할 것
13. **다른 나라에 철도 부설권을 허용하지 말 것**

(5, 6, 8, 13 — 이권 수호(반외세))

– 『한성신보』, 1900년 10월 8일

02 을사조약에 대한 저항과 을사의병

1. 을사조약의 체결(1905)

을사조약의 체결로써 대한 제국은 **외교권을 강탈**당하고 일본의 보호국으로 전락하였다.

2. 을사조약에 대한 저항

(1) 고종의 대처

헐버트[4]를 워싱턴에 특사로, **이준·이위종·이상설을 헤이그에 특사로 파견**하여 을사조약 체결의 부당함을 밝히려 하였으나 실패하였다. 또한 을사조약의 무효를 알리는 밀서를 영국에 전달하고자 하였으며, **을사조약의 무효를 선언하는 친서를 『대한매일신보』에 게재**하였다.

(2) 관료층의 저항

조병세, 민영환, 이상설 등 69명은 조약의 폐기와 을사오적[5]의 처단을 주장하는 상소 운동을 전개하였다. 또한 **민영환**은 고종과 국민에게 보내는 유서를 남기고 **자결**하였다.

(3) 장지연의 「시일야방성대곡」

『황성신문』의 주필 **장지연**은 **「시일야방성대곡」을 발표**하여 을사조약의 부당성을 규탄하였다.

(4) 나철·오기호

나철(나인영), 오기호 등은 자신회(自新會)라는 **오적 암살단**을 조직하였다. 이들은 친일 단체인 일진회를 습격하고 을사오적의 집을 공격하였다.

(5) 장인환, 전명운(1908)

대한 제국의 **외교 고문**으로 일제의 침략 정책을 선전하던 미국인 **스티븐스**를 샌프란시스코에서 사살하였다. 이 사건은 대한인 국민회 결성의 계기가 되었다.

심화사료 百出   2024. 국가직 9급, 2018. 서울시 7급(상), 2015. 경찰 2차, 2012. 법원직 9급

민영환[6]의 유서

슬프다. 우리나라 우리 민족의 치욕이 이 지경에 이르렀구나. 생존경쟁이 심한 이 세상에 우리 민족의 운명이 장차 어찌 될 것인가. …… 영환은 다만 한번 죽음으로써 우러러 황은에 보답하고 우리 2천만 동포에게 사죄하노라. **영환은 죽었다 하더라도 죽은 것이 아니다.** …… 힘을 합하여 우리의 자유와 독립을 회복하면 죽은 자가 마땅히 땅속에서 기뻐 웃을 것이다. 슬프다. 그러나 조금도 실망하지 말라.

– 『대한매일신보』, 1905년 12월 1일

장지연의 '시일야방성대곡(是日也放聲大哭)'

이 날을 목 놓아 우노라[是日也放聲大哭]. …… 지난번에 이토[伊藤] 후작이 한국에 왔을 때 …… "…… 이번에 한국에 온 것은 필경 우리나라의 독립을 굳게 부식(扶植)케 할 방략을 권고할 것이다."고 하여 항구부터 서울에 이르기까지 관민(官民)의 위아래가 환영해 마지않았다. …… 천하만사가 예측하기 어려운 것도 많지만, **천만 뜻밖에 5개조가 어떻게 제출되었는가.** 이 조건은 비단 우리 한국뿐 아니라 동양 삼국이 분열할 조짐을 점차 만들어 낼 것이니 이토 후작의 본의는 어디에 있는가 …… 우리 대황제 폐하는 강경한 성의(聖意)로 거절하기를 그치지 않으셨으니, …… 아, **저 개돼지만도 못한 소위 우리 정부의 대신이란 자들**은 자기 일신의 영달과 이득이나 바라고 거짓 위협에 겁먹어 머뭇대거나 벌벌 떨며 **나라를 팔아먹는 역적이 되는 것**을 달갑게 여겨서 4,000년의 강토와 500년의 종묘사직을 남에게 들어 바치고, 2,000만 백성을 남의 노예가 되도록 하였도다.

– 『황성신문』, 1905년 11월 20일

[4] 헐버트(1863~1949)

미국 출신으로 1886년에 내한하여 육영 공원에서 외국어를 가르쳤다. 1905년에 을사조약이 체결되자 고종의 밀서를 미국 대통령에게 전달하려 했으나 실패하였다. 1906년 다시 내한해서 고종에게 헤이그에서 열리는 제2차 만국 평화 회의에 밀사를 보내도록 건의하였다.

[5] 을사오적

을사조약에 동의한 대신들이다. 학부대신 이완용, 군부대신 이근택, 내부대신 이지용, 외부대신 박제순, 농상공부대신 권중현이다.

민영환

[6] 민영환의 혈죽

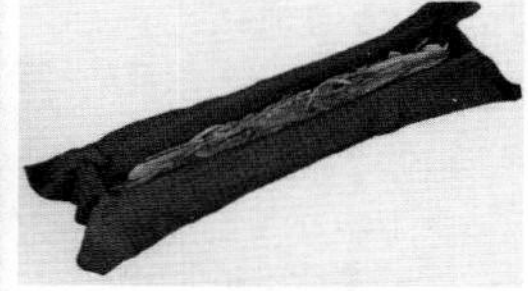

민영환이 자결한 뒤 피 묻은 옷과 칼을 보관했던 마루 아래에서 푸른 대나무가 자랐다. 이 사실이 언론에 대서특필되었고, 민영환의 집은 대나무를 확인하려는 인파로 들끓었다. 민영환의 피가 대나무가 되었다고 '혈죽'이라 불렸으며, 충절의 상징이 되었다.

✎ 안중근의 동양 평화론

안중근의 생전 모습

안중근은 이토 히로부미 처단 후, 사형 언도를 받고 감옥 안에서 『동양평화론』을 집필하던 중 1910년 3월 사형당하였다(미완성). 그는 이 저술에서 이토 히로부미를 저격한 이유를 밝히고, 한·중·일 삼국이 독립 국가로 대등하게 협력할 때 동양의 평화가 이루어진다고 주장하였다.

(6) 안중근 의거(1909)

연해주에서 이범윤과 함께 의병 투쟁을 전개하던 안중근은 **하얼빈 역**에서 한국 침략의 선봉장이었던 **이토 히로부미를 저격**하였다. 안중근은 뤼순 감옥에서 옥고를 치르다가 1910년 3월 32세의 나이로 **순국**하였다.

(7) 이재명(1909)

매국노를 처단하기 위해 **이완용**을 칼로 찔러 중상을 입혔다.

심화사료 百出 2022. 지방직 9급

안중근이 재판을 받을 때 남긴 법정 진술

오늘날 사람은 모두 법에 의하여 생활하고 있는데 실제로 사람을 죽인 자가 벌을 받지 않고 생존할 도리는 없는 것이다. …… 나는 한국의 의병이며 지금 적군의 포로가 되어 와 있으므로 마땅히 만국공법에 의해 처단되어야 할 것으로 생각한다.

안중근의 동양평화론

한국과 청나라 양국의 국민은 …… 일본을 도와주었다. …… 일본과 러시아가 전쟁을 시작할 때, 일본 천황은 이 전쟁이 동양 평화를 유지하고 대한의 독립을 튼튼히 하기 위한 것이라고 했다. …… 또 다른 이유는 일본과 러시아의 싸움이 황인종과 백인종의 다툼이라 할 수 있으므로 …… 같은 인종을 사랑하는 마음이 일어났던 것이다. …… 슬프다. 천만뜻밖에도 일본이 승리한 뒤에 가장 가깝고 가장 친하며 어질고 약한 같은 인종인 한국을 힘으로 억눌러 강제로 조약을 맺고 …… －『안중근 전기 전집』

3. 을사의병

(1) **배경**: **을사조약**의 폐기와 친일 정권의 타도를 주장하며 전국에서 의병이 일어났다.

(2) 활동

① **참여 세력**: 유생과 전직 관료, 평민 등 다양한 계층들이 의병에 합세하였다. 또한, **평민 출신 의병장이 등장**하였다.

② 을사의병장

㉠ **민종식**: 전 참판 민종식이 충남에서 거병하여 홍주성을 점령하였다.

㉡ **최익현**: 전라도에서 제자들과 봉기하였다. 그러나 정부군과 마주치자 "왜적 아닌 동족과 싸울 수 없다." 하여 스스로 부대를 해산하고, 포로가 되었다. 최익현은 그 후 일본군에 의해 **대마도**에 유폐되었는데 그곳에서 단식하다가 마침내 순국하였다(1906. 12.).

㉢ **신돌석**: **평민 의병장**으로 울진과 평해를 중심으로 활동하였다. 신돌석 부대는 유격전을 벌여 많은 전과를 올렸으며, '태백산 호랑이'라 불렸다.

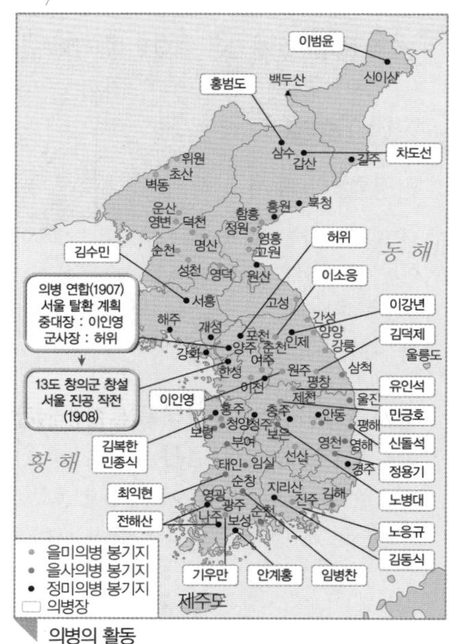

의병의 활동

(3) **의의**: **평민 의병장이 등장**했으며, 농민들도 의병 투쟁에 적극 가담하여 참여 계층이 확대되었다.

고등사료 百出

2018. 국가직 7급, 2010. 국가직 7급

최익현[1]의 포고팔도사민

오호라. 작년 10월에 저들이 한 행위는 만고에 일찍이 없던 일로서, **한 조각의 종이에 강제로 조인하게 하여 5백 년 전해오던 종묘사직이 마침내 하룻밤 사이에 망했으니** …… 우리에게 **이웃 나라가 있어도 스스로 결교(結交)하지 못하고 타인을 시켜 결교하니 이것은 나라가 없는 것**이요, 우리에게 토지와 인민이 있어도 스스로 주장하지 못하고 타인을 시켜 대신 감독하게 하니, 이것은 임금이 없는 것이다. 나라가 없고 임금이 없으니 우리 삼천리 인민은 모두 노예이며 신첩일 뿐이다. 남의 노예가 되고 남의 신첩이 된다면 살았다 하여도 죽는 것만 못하다. …… 우리 의병 군사의 올바름을 믿고, 적의 강대함을 두려워하지 말자. 이에 격문을 돌리니 다 함께 일어나라.

– 포고팔도사민

❶ **최익현**

최익현은 제자 임병찬과 함께 전북 태인에서 봉기하여 정읍·순창 등 전라도 일대를 장악해 나갔다. 그러나 관군이 출동하자 항전을 중지하고 체포되어 대마도로 압송되었다. 이곳에서 최익현은 적이 주는 음식을 먹을 수 없다며 단식하다가 순국하였다.

03 정미의병과 의병 전쟁

1. 배경

일본은 **고종 황제를 강제 퇴위**시키고, 순종을 즉위시켰다. 곧이어 **한·일 신협약(정미 7조약)**을 강제로 체결하고, **대한 제국의 군대를 해산**시켰다. 이후 해산된 군인들이 의병에 합류함에 따라 의병의 전력이 강화되었다(의병 전쟁).

해산 전의 대한 제국 정규군

심화사료 百出

2017. 국가직 9급, 2017. 교육행정직 9급

대한 제국의 군대 해산

짐이 생각건대 쓸데없는 비용을 절약하여 이용후생에 응용함이 급무라. 현재 군대는 용병으로서 상하의 일치와 국가 안전을 지키는 방위에 부족한지라. 훗날 징병법을 발표하여 공고한 병력을 구비할 때까지 황실 시위에 필요한 자를 빼고 모두 일시에 해산하노라.

–「관보」 호외

2. 활동

(1) 의병 구성의 다양화

유생과 농민, 해산 군인뿐 아니라 여러 계층이 의병에 참여하였다. 의병장도 양반 유생뿐만 아니라 함경도의 **홍범도**,[2] 황해도·경기도의 김수민 등 다수의 평민 의병장들이 활약하였다.

(2) 외교 활동

서울에 주재하는 각국 영사관에 **'국제법상의 합법적 교전 단체로 승인해 줄 것'을 요청**하는 서한을 발송하였다. 이는 의병 투쟁이 일제 침략에 맞선 정당한 전쟁임을 주장한 것이다.

(3) 서울 진공 작전(1908. 1.)

① **13도 창의군 결성(1907. 12.)**: 경기도 양주에 집결한 1만여 명의 의병들은 총대장에 이인영,[3] 군사장에 허위를 추대하고 **13도 창의군**을 결성하였다.

② **전개**: 허위는 300명의 선발 부대를 이끌고 서울 동대문 밖 30리 지점까지 진격하였다. 그러나 후속 부대의 도착 지연과 일본군의 우세한 화력에 밀려 실패하고 말았다.

③ **한계**: 13도 창의군에 평민 의병장인 신돌석,[4] 홍범도, 김수민 등은 제외되었다.

❷ **홍범도**

평안도 출신으로 머슴, 광산 노동자, 산포수로 전전하였다. 1907년 차도선, 송상봉, 허근 등 여러 사람들과 의병을 일으킨 홍범도는 산포수들을 모아 의병을 구성하고 함경도 산수, 갑산 등지에서 일본군과 전투를 벌였다. 3·1 운동 이후 대한 독립군을 창설하였다.

❸ **이인영**

총대장 이인영이 부친상을 당하자, '불효는 곧 불충이다.' 하고는 고향으로 내려갔다.

❹ **신돌석**

1907년 13도 창의군이 결성될 때 경상도 의병을 대표하여 의병 1,000여 명을 이끌고 참여하고자 하였으나, 평민 출신이라는 이유로 참여하지 못하였다. 이후 다시 영해로 돌아와 영양, 안동, 울진, 삼척 등에서 활약하였다. 그러나 1908년 영덕에서 암살당하고 말았다.

심화사료 百出 2021. 법원직 9급, 2007. 지방직(세무직) 9급

서울 진공 작전

군사장은 미리 군비를 신속하게 정돈하여 철통과 같이 함에 한 방울의 물도 샐 틈이 없는지라. 이에 전군에 명령을 전하여 일제히 진군을 재촉하여 동대문 밖으로 진격하여 …… **3백 명을 인솔하고 선두에 서서 동대문 밖 삼십 리의 지점에 나아가** 전군이 와서 모이기를 기다려 일거에 서울을 공격하여 들어오기로 꾀하더니 …… 이때 사기를 고무하여 **서울 진공의 명령**을 내리니 그 목적은 서울에 들어와서 **통감부를 쳐부수고** 항복을 받아 저들의 소위 **신협약 등을 파기**하여 대대적 활동을 기도함이다.

– 『대한매일신보』, 1907년

3. 일본군의 탄압

(1) 각지에서의 의병 활동 전개

서울 진공 작전의 실패 이후에도 호남 지역을 중심으로 의병들이 항쟁을 계속하였다. 이 시기 대표적인 의병장으로는 **함경도 일대의 홍범도**, 호남 지역의 기삼연·안규홍(머슴 출신의 의병장) 등이 있다.

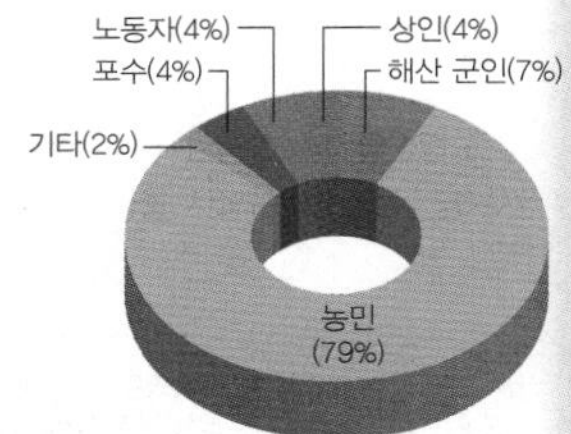

의병의 직업 분포

(2) 남한 대토벌 작전(1909)

일본군은 **호남 지역**을 중심으로 **남한 대토벌 작전**을 추진하여 의병 부대의 근거지가 될 만한 촌락과 가옥을 초토화시키고 양민을 학살하였다.

(3) 독립군으로의 전환

일본의 탄압으로 국내 의병 활동은 위축되었다. **홍범도·이범윤 등 일부는 만주와 연해주로 이동하**여 국내 진공 작전을 시도했으며, 채응언[1] 등 일부는 국내에 남아 활동하였다.

[1] **채응언**
평안도와 황해도 등에서 유격전을 전개했으며, 1913년에는 황해도의 헌병 파견소를 공격하였다.

4. 항일 의병 전쟁의 평가

(1) 의의

의병 전쟁은 외세의 침략에 맞선 **구국 운동의 가장 대표적인 형태**로 우리 민족의 강인한 **저항 정신**이 표출된 것이었다. 또한 일제 시대, 항일 무장 독립 투쟁의 기반을 마련하였다는 점에서도 의의가 크다.

(2) 한계

일부 양반 출신의 의병장은 평민 의병장을 인정하지 않는 등 **봉건적 신분 의식을 극복하지 못한 한계**를 보였다. 또한 외교적으로 고립되어 있었고, 일본군과 전력상 차이도 컸다.

의병의 모습
1907년 11월경 양평에서 영국 기자 매켄지가 촬영하였다. 『한국의 독립 운동』에 수록되어 있다.

일본군에 체포된 호남 지역 의병장

04 애국 계몽 운동의 전개

1. 배경

지식인들을 중심으로 **교육과 산업**을 일으켜 **민족의 실력을 양성**하는 방법으로 국권을 지킬 수 있다고 생각하였다. 이에 많은 애국 계몽 단체가 조직되었다.

2. 애국 계몽 단체

(1) 보안회(보민회, 1904)

① **결성**: 러·일 전쟁 발발 이후에 원세성, 송수만 등의 유생 및 관료 출신들이 조직하였다.

② **활동**: **보국안민**을 내세웠으며 **일본의 황무지 개간권 요구를 저지**하기 위해 대규모 민중 집회를 열어 **일본의 황무지 개간 요구를 철회**시켰다.

(2) 헌정 연구회(1905)❷

① **결성**: 이준·윤효정 등은 헌정 연구회를 조직하였다. 독립 협회를 계승한 단체로, **입헌 정치 체제의 수립**을 목표로 활동하였다.

② **해체**: 친일 단체인 **일진회**❸의 매국적 행위를 규탄하다가 **통감부**에 의해 **해산당하였다**(1906).

(3) 대한 자강회❹(1906)

① **결성**: 윤치호, 장지연 등이 주도하여 조직되었다. 헌정 연구회를 계승한 단체로, 국권 회복을 위해 교육과 산업의 진흥을 강조하였다.

② **활동**: 전국 각지에 33개의 지회를 설치하고, 『대한 자강회 월보』를 간행하였다. 정기적인 연설회를 열어 대중적 기반을 넓혔다. 또한, 국채 보상 운동에 적극 참여할 것을 결의하였다.

③ **해체**: **고종 황제의 강제 퇴위와 정미 7조약 체결에 반대하는 운동을 주도**하다가 1907년 통감부의 탄압으로 강제 해산되었다(보안법).

고등사료 百出 2018. 경찰 1차, 2015. 지방직 9급

대한 자강회 설립 취지문

무릇 우리나라의 독립은 오직 **자강**의 여하에 달려 있는 것이다. 우리 대한이 종전에 **자강**의 방도를 구하지 아니하여 인민이 스스로 우매함에 갇히고 국력이 스스로 쇠퇴하게 되었고, 나아가서 금일의 험난한 지경에 이르렀고, 외국인의 보호까지 받게 되었다. 이것은 모두 **자강**의 방도에 뜻을 두지 않았기 때문이었다. …… **자강**의 방법으로는 교육을 진작하고 산업을 일으켜 흥하게 하면 되는 것이다. **무릇 교육이 일지 못하면 백성의 지혜(민지, 民智)가 열리지 못하고 산업이 늘지 못하면 국가가 부강할 수 없다.**

– 『황성신문』, 광무 10년 4월 2일

(4) 대한 협회(1907)

① **조직·활동**: 오세창 등 천도교 계열이 조직했으며, 교육 보급·산업 개발 등을 내세웠다.

② **해체**: 점차 친일적인 단체로 변질되다가 결국 1910년 국권 상실 후 해체되었다.

❷ **헌정 연구회**
강령에서 '국왕과 정부도 헌법과 법률을 지켜야 하며, 국민은 법률에 규정된 권리를 누릴 자유가 있다.'라고 하였다.

❸ **일진회(一進會)**
송병준이 1904년에 조직하였다. 을사조약 지지 선언, 고종의 퇴위 강요, 한일 합방 주장 등 여러 친일 행각을 주도했다. 국권 피탈 이후인 1910년 9월 26일 일제에 의해 해산되었다.

❹ **대한 자강회**
러·일 전쟁에서 승리한 일본에 맞서 무력을 행사하는 것은 어렵다고 보고, 국권을 회복하려면 우선 실력을 양성해야 한다고 주장하였다. 또한, 일제의 탄압으로 공개적인 정치 활동이 어려워지자 교육과 산업 진흥을 내세웠다.

❶ 신민회
신민회는 비밀을 철저하게 유지하면서 조직을 운영했기 때문에 통감부의 눈을 피해 많은 활동을 할 수 있었다. 또한, 일본의 감시가 미치지 않는 국외에 독립운동 기지를 건설하여 일본과의 전쟁에 대비하였다.

❷ 신민회의 서울 조직
서울에서는 상동 교회 내에 있었던 상동 청년회가 조직적 거점 역할을 하였다.

❸ 105인 사건
독립운동 자금을 모으고 있던 안명근(안중근 사촌)이 체포되었다(안악 사건). 일제는 이를 빌미로 총독 암살 미수 사건을 날조하여 윤치호·양기탁·이승훈·이동휘 등 수백 명의 애국지사를 체포하여 그 중 105인을 구속·기소하였다.

안창호

❹ 김구의 교육 사업
신민회 회원으로 활동했으며, 해서교육총회에 가담하여 교육 사업에 힘을 기울였다. 그러나 김구 등 해서교육총회의 지도자들은 안악 사건에 연루되어 체포되고 활동은 중단되었다.

❺ 서북 학회
이동휘, 안창호, 박은식 등이 중심이 되었으며, 서북 협성학교, 농림 강습소 등을 세워 인재 양성에 힘썼다. 또한 독립운동 기지 건설을 위해 노력하였다.

❻ 기호 흥학회
경기도와 충청도에 학교를 세우는 것을 목적으로 조직되었으며, 서울에 교사 양성을 겸한 기호학교를 설립하였다.

(5) 신민회(1907)[❶] ☆

① **결성**: **안창호**는 양기탁, 이동녕, 이승훈 등의 서북 지방 인물을 중심으로 사회 각층의 인사들을 망라해 **비밀 결사**로 신민회를 조직[❷]하였다. 이들은 국권의 회복과 **공화 정체의 국민 국가 건설**을 궁극적인 목표로 삼았다.

② **활동**: 국내에서는 **문화·경제적 실력 양성 운동**을 전개했으며, 국외에서는 **독립군 기지 건설을 통한 무장 투쟁**을 준비하였다.

㉠ **민족 교육**: **평양에 대성 학교, 정주에 오산 학교**를 세웠고 청년 학우회를 조직하였다.

㉡ **민족 산업의 육성**: **대구와 평양에 태극 서관을, 평양에 자기 회사**를 설립하였다.

㉢ **독립운동 기지의 건설**: 안창호, 이회영 등은 만주 등지로 망명하여 무장 투쟁을 위한 독립운동 기지를 마련하였다.

③ **해체**: 1911년 일제는 안명근 사건을 데라우치 총독 암살 미수 사건으로 날조하였다. 이를 빌미로 수백 명의 민족 지도자들을 검거·투옥(**105인 사건**[❸])했으며, **신민회는 해체**되었다.

④ 의의

㉠ **공화 정체의 국민 국가 수립**: 신민회는 **공화 정체의 근대 국민 국가 수립**을 **최초**로 추구하였다.

㉡ **독립 전쟁을 통한 국권 회복**: **실력 양성 운동과 무장 투쟁을 연계**했으며, **간도와 연해주에 독립군 기지를 건설**하여 장기적인 독립 전쟁을 준비하였다.

❖ 신민회의 분화

실력 양성파	무장 투쟁파
안창호 등	이동휘, 이회영 등
안창호는 미국으로 건너가 흥사단을 조직하여 무실역행(務實力行, 참되고 실속있도록 힘써 실행)의 문화 활동을 전개	• 만주 등지로 망명하여 무장 투쟁을 준비 • 국외에 독립운동 기지 마련(서간도의 삼원보 등)

고등사료 百出 2016. 서울시 7급, 2011. 서울시 9급

신민회 설립 취지서

신민회는 무엇을 위하여 일어났는가? 국민들의 병든 관습에 **신사상(新思想)**이 시급하며, 국민 관습의 우매함에 **신교육**이 시급하며, …… 도덕의 타락에 **신윤리**가 시급하며, 실업(實業)의 침체에 **신규범**이 시급하며, 정치의 부패에 **신개혁**이 시급하다. 천만 가지 일에 신(新)을 기다리지 않는 바 없도다. …… 무릇 우리 대한인은 내외를 막론하고 통일 연합으로써 그 진로를 정하고 독립 자유로써 그 목적을 세움이니 이것이 신민회가 생각하는 바이니 간단히 말하면 오직 **신정신**을 불러 깨우쳐서 **신단체**를 조직한 후에 **신국(新國)**을 건설할 뿐이다.
– 『주한 일본 공사관 기록』, 헌병 대장 기밀 보고, 1909년

신민회(新民會) 4대 강령

1. 국민에게 민족 의식과 독립사상 고취
2. 동지를 발견하고 단합하여 국민 운동 역량 축적
3. 상공업 기관 건설로 국민의 부력(富力) 증진
4. 교육 기관 설립으로 청소년 교육 진흥

3. 교육을 통한 실력 양성[❹](학회 설립)

애국 계몽 운동가들은 각 지방에 **학회**를 조직하여 **민중의 계몽과 신교육의 보급**에 노력하였다. 국민 교육회를 시작으로 **서북 학회**,[❺] 기호 흥학회,[❻] 호남 학회, 관동 학회 등이 전국적으로 조직되었고, 여자 교육회도 설립되었다.

4. 애국 계몽 운동의 의의와 한계

(1) 의의: 교육과 산업 발전을 통해 민족의 실력을 양성하고자 하였다.

(2) 한계

① **사회 진화론**[❼]**의 부정적 영향**: 애국 계몽 운동가들은 사회 진화론을 받아들였는데 오히려 **일제의 침략을 합리화시키는 구실을 제공**하는 등 부정적 영향을 끼치기도 하였다.

② **의병 투쟁 비판**: 일본에 대한 정치 투쟁보다는 실력 양성이 더 중요하다는 생각을 갖고 있었다. 이에 따라 **경제·문화적 실력 양성에만 주력하고 의병 투쟁을 비판**하는 경향이 있었다.

❼ **사회 진화론**
다윈의 생물학적 진화론을 인간 사회와 국제 관계에 적용한 이론이다. 약육강식과 적자생존의 국제 사회에서 제국주의 열강의 약소국 지배를 정당화하는 논리로 이용되었다.

05 간도와 독도

1. 청과의 국경 문제

(1) 배경

청은 그들의 본거지였던 만주 지방을 성역화하였는데, 우리나라 사람들의 일부가 두만강을 건너 인삼을 캐거나 사냥을 하는 경우가 있었기 때문에 청과 **국경 분쟁**이 일어났다.

(2) 백두산정계비의 건립(숙종, 1712)

조선과 청의 두 나라 대표가 백두산 일대를 답사하고 국경을 확정하여 정계비를 세웠다. 이 정계비에서 양국 간의 국경은 **서쪽으로는 압록강, 동쪽으로는 토문강을 경계**로 한다고 하였다.

백두산정계비(1712)

심화사료 百出 2017. 서울시 사회복지직 9급, 2011. 지방직 9급

백두산정계비

청나라 오라 총관 목극등이 성지(聖旨)를 받들고 변경을 답사하여 이곳에 와서 살펴보니, (국경이) **서쪽은 압록(鴨綠)이 되고, 동쪽은 토문(土門)이 되므로 분수령 위의 돌에 새겨 기록한다.** (西爲鴨綠 東爲土門 故於分水嶺上 勒石爲記) – 홍세태, 「백두산기」, 『유하집』 14

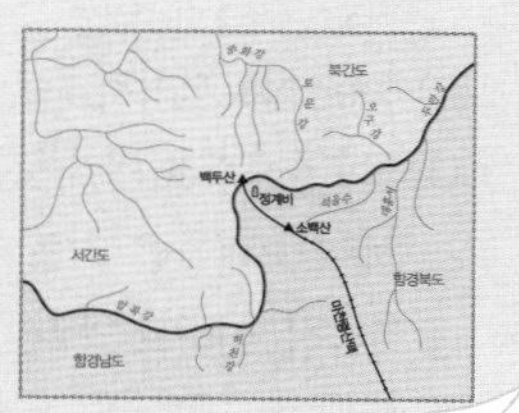

대한 제국 시기의 지도
표시된 부분은 간도의 일부 지역으로 우리나라의 영토로 명기되어 있다.

2. 간도 귀속 문제

(1) 발생 배경

19세기 간도로 이주하는 사람들이 크게 늘어나면서 간도 귀속을 둘러싼 분쟁이 일어났다. 숙종 때 건립된 **백두산정계비**에 기록된 **토문강 위치**를 둘러싸고 간도가 누구의 영토인지 팽팽히 대립하였다.

(2) 양국의 대책

① **조선의 대응**: 1880년대 정부는 어윤중·이중하를 보내 청과 국경 문제를 협의[❽]하였다. 대한 제국은 1902년 **이범윤**을 간도 시찰원으로 파견하였으며, 1903년 그를 간도 관리사로 임명하였다.

② **청의 대응**: 간도 지역에 연길청을 설치하고 행정 사무를 실시했으며 군대를 주둔시켰다.

❽ **정부의 간도 관리**
1883년 정부는 서북경략사 어윤중을 보내 청과 국경 문제를 협의하였다. 이후 이중하를 토문감계사로 파견(1885, 1887)하여 청국 관리와 토문에 대해 규명을 시도했으나 결렬되었다.

❶ 간도 파출소
간도 파출소는 '한·청 국경 문제의 연혁'이라는 문서를 편찬하였다. 이 문서에서 일제는 토문강은 쑹화강 상류로서 두만강과 관계없으며, 두만강이 결코 천연의 국경선일 수 없다고 주장하고 있다. 이러한 일제의 입장은 간도 협약 체결 당시 번복된다.

❷ 토문강
토문강을 송화강 지류라고 파악한 우리 측의 입장은 철저히 무시된 채, 청과 일본은 토문강을 두만강이라고 파악하고 간도 협약을 체결하였다.

독도

❸ 조선팔도지도
안용복이 가져간 조선팔도지도를 일본 관리가 문서로 옮겨 적었다. 울릉도를 '다케시마(竹島, 죽도)', 독도를 '마쓰시마(松島, 송도)'라고 기록하고, 조선의 강원도 소속으로 기록하였다.

(3) 통감부의 출장소(파출소) 설치(1907)

일본은 통감부 설치 이후인 1907년에 조선 통감부 간도 파출소(출장소)❶를 설치하였다. 이것은 일본이 간도 지역의 독립운동을 탄압하고 향후 대륙 침략을 도모하기 위해 나온 조처였으나, 어쨌든 **간도를 조선의 영토로 여기는 조선 정부의 입장을 인정**한 것이다.

(4) 간도 협약(1909)

만주로 진출하려던 일본은 청과 간도 협약을 체결하였다. 청으로부터 남만주의 안동과 봉천을 연결하는 철도 부설권과 푸순 광산 채굴권을 받아내는 대가로 **일본은 간도를 청의 영토로 인정**하였다.

(5) 조·중 변계 조약(1962)

북한과 중국이 밀약을 체결하여 압록강과 백두산, 두만강을 경계로 하는 국경선을 확정하였다. 이를 통해 **백두산 천지를 북한이 55%, 중국이 45%** 비율로 분할하여 귀속시켰다.

고등사료 百出 2009. 법원직 9급

간도 협약

제1조 일본과 청, 두 나라 정부는 토문강❷을 청국과 한국의 국경으로 하고 강 원천지에 있는 정계비를 기점으로 하여 석을수(石乙水)를 두 나라의 경계로 한다.

제2조 청 정부는 이전과 같이 토문강 이북의 개간지에 한국 국민이 거주하는 것을 승인한다. 그 지역의 경계는 별도로 표시한다.

제6조 청 정부는 앞으로 길장 철도를 연길 이남으로 연장하여 한국의 회령에서 한국의 철도와 연결할 수 있다.

3. 울릉도와 독도 문제

(1) 울릉도와 독도에 대한 기록

① **『삼국사기』**: '신라 장군 **이사부가 6세기 지증왕** 때 울릉도와 독도 지역의 우산국을 복속시켰다.'라는 기록이 있다.

② **『세종실록지리지』**: 울릉도와 독도를 **강원도** 울진현 소속으로 기록하고 있다.

③ **팔도총도**: 16세기 『신증동국여지승람』에 덧붙여진 팔도총도는 울릉도와 독도를 별개의 섬으로 하여 그려놓은 최초의 지도이다.

④ **『동국문헌비고』**와 **『만기요람』**: 울릉도와 독도를 우리나라 영토로 파악하고 있으며, 독도를 일본에서 송도(松島)라는 명칭으로 쓰고 있는 것을 파악하고 있었다.

(2) 안용복의 활약(숙종)

① **배경**: 조선 태종 때, 왜구의 약탈을 막기 위해 섬에 사는 주민들을 육지로 이동시켜 섬을 비우는 공도(空島) 정책(쇄환 정책)을 실시하였다. 이후 일본 어민들이 자주 이곳을 침입하였다.

② **전개**: 숙종 때 **안용복**은 울릉도에 출몰하는 일본 어민들을 쫓아내고 두 차례 일본에 건너가 울릉도와 독도가 조선의 영토임을 확인받고 돌아왔다.❸

③ **결과**: 도쿠가와 막부는 일본 어민의 울릉도 도해 금지령을 내렸고(1696), 울릉도와 부속 도서(독도)를 조선 영토로 인정한다는 내용의 문서를 조선에게 주었다(1699).

(3) 대한 제국의 울릉도와 독도 경영

19세기 말에 **조선 정부**는 적극적인 **울릉도 경영**❹에 나서 주민 이주를 장려하였다. 이후 **대한 제국**은 **칙령 제41호(1900. 10. 25.)**를 통해 울도 군수가 울릉전도와 죽도 및 **석도(독도)**를 **관할**한다고 규정하였다.

(4) 일본의 독도 강탈❺

일본은 러·일 전쟁 중 **독도를 무주지(無主地)**라는 **명목으로 일본 영토에 편입**시키는 불법 행위를 저질렀다. 일본의 독도 강탈 사실은 1년 뒤 대한 제국 정부에 알려졌다. 이에 당시 참정대신 박제순은 독도의 일본 영토설이 사실 무근이므로 일본인의 행동을 조사·보고하라는 지시를 내렸다.

❹ 조선 정부의 울릉도 경영

조선은 1882년 이규원을 울릉도 감찰사로, 1883년 김옥균을 동남제도 개척사로 임명하여 울릉도 등을 개척하도록 명하였다.

❺ 일본의 독도 영유권 주장

1905년 시마네 현 고시 제40호의 '독도가 주인 없는 땅이므로 일본 시마네 현 소속의 도서로 편입시킨다.'는 내용을 독도 영유권 주장의 문헌 근거로 제시하고 있다.

심화사료 百出

2017. 지방직 7급, 2015. 사회복지직 9급

칙령 제41호(1900)❻

제1조 **울릉도를 울도라고 개칭하여 강원도에 부속**하고 도감을 군수로 개정하여 관제 중에 편입하고 군의 등급은 5등으로 할 것

제2조 군청의 위치는 태하동으로 정하고 구역은 **울릉전도와 죽도·석도(독도)를 관할**할 것 ……

– 『관보』 제1716호, 1900년(광무 4년) 10월 27일

『은주시청합기』

은주(隱州)는 북해 가운데 있으므로 은기도(隱岐島, 오키섬)라고 한다. …… 북서쪽으로 배로 두 낮 하루 밤 거리를 가면 송도(松島, 독도)가 있고, 송도로부터 하루 낮거리에 죽도(竹島, 울릉도)가 있으며, …… 이 두 섬은 사람이 살지 않는 땅으로, **이 두 섬에서 조선을 보는 것이 마치 운주(雲州)에서 은주를 보는 것과 같다. 그러한즉 일본의 서북 경계지는 이 주❼로 한계를 삼는다.**

❻ 칙령 제41호

울릉도를 울도로 개칭하고 울도 군수의 관할 구역을 울릉전도와 죽도, 석도(독도)로 명시하였다.

❼ '이 주(此州)'의 해석

일본 정부는 독도 영토 귀속 논쟁을 일으킬 때마다 이 문구를 울릉도와 독도로 해석하였다. 이러한 일본 측 해석은 『은주시청합기』의 전체 내용과 맥락을 무시한 왜곡된 해석이다.

대표 기출문제

(가)에 대한 설명으로 가장 옳은 것은?

2020. 법원직 9급

(가) 의 목적은 한국의 부패한 사상과 습관을 혁신하여 국민을 유신케 하며, 쇠퇴한 발육과 산업을 개량하여 사업을 유신케 하며, 유신한 국민이 통일 연합하여 유신한 자유 문명국을 성립케 한다고 말하는 것으로서, 그 깊은 뜻은 열국 보호 하에 공화정체의 독립국으로 함에 목적이 있다고 함.

– 일본 헌병대 기밀 보고(1908)

① 해외 독립운동 기지 건설에 앞장섰다.
② 고종이 퇴위당하자 의병 투쟁에 앞장섰다.
③ 입헌 군주제 수립을 목표로 활동하였다.
④ 5적 암살단을 조직하였다.

해설

제시된 자료는 1908년 일본 헌병대에서 신민회에 대해 조사한 내용이다.
① 국권 피탈 직전 신민회는 국외 무장 투쟁 노선을 채택하여 장기적인 독립운동을 계획하였다. 이에 따라 만주 등지에 독립운동 기지를 건설하였다.
② 정미의병에 대한 설명이다. ③ 헌정 연구회에 대한 설명이다. ④ 5적 암살단은 신민회와는 관련이 없다.

정답 ①

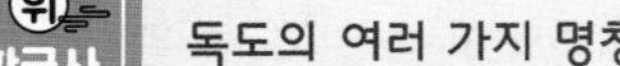

독도의 여러 가지 명칭

- 한국: **독도(돌섬⇨독섬⇨독도), 우산도(于山島, 전통적으로 불러오던 이름)**, 삼봉도(三峰島, 세 개의 봉우리), 가지도[可支島, 가지(강치)가 많이 서식함], 자산도(子山島, 울릉도의 子島), **석도(石島, 대한 제국 칙령 제41호에 표기)**
- 일본: 마쓰시마(松島) 또는 **다케시마(竹島)**
- 서양: **리앙쿠르 섬(Rochers de liancourt': 프랑스, 1849)**, 마날라이 및 올리부차 섬(Manalai and Olivutsa Rocks': 독도의 동도와 서도, 러시아, 1854), 호네트 섬(Hornet Rocks': 영국, 1855)

조선 시대 지도에는 울릉도와 독도의 위치가 뒤바뀌어 나타난 경우가 많았다. 그러나 **안용복 사건** 이후 정부는 실태 조사 파악에 나섰으며, 이후 **정상기의 「동국지도」**에서 독도가 제자리에 표시되었다.

「팔도총도」의 독도

울릉도(무릉도)와 독도(우산도)의 위치가 뒤바뀌어 나타났다.

정상기의 「동국지도」의 독도

울릉도와 독도가 제자리에 표시되었다.

조선의 것

삼국접양지도(1785)

독도가 조선의 영토임을 기록한 일본 측 기록물

- **삼국접양지도(1785)**: 일본의 하야시 시헤이가 그린 지도로, 울릉도와 독도를 조선의 영토 색인 노란색으로 색칠하였고, '조선의 것'으로 명시하였다.
- **일본여지노정전도(1779)**: 울릉도와 독도가 일본 경위도 선 밖에 그려져 있다.
- **조선국교제시말내탐서(1870)**: 1870년 외무성에 제출된 보고서로 "다케시마(울릉도)와 마쓰시마(독도)가 조선 부속이 된 사정"이 언급되어 있어 당시 일본 외무성이 두 섬을 조선 영토로 인식했다는 것을 알 수 있다.
- **조선전도(1876)**: 일본 육군 참모국에서 발행한 지도로, 울릉도와 독도를 지도 오른쪽 외곽선 근처에 따로 표시하여 일본이 두 섬을 조선 영토로 간주했음을 알 수 있다.
- **태정관 지령문(1877)**: 1876년 일본이 전국의 지적도를 편찬하고 있을 때 시마네 현이 '울릉도 외 한 섬'에 대한 기록과 「기죽도(울릉도)약도」❶라는 지도를 내무성에 제출하면서 '울릉도 외 한 섬'을 시마네 현 지적도에 올릴 것인지 문의하였다. 일본 내무성은 조사 결과 '울릉도 외 한 섬'은 일본과 관계없다고 결론지었으나, 사안이 중대하다고 판단되어 최고 정무 기관인 태정관에 재차 문의하였다. 이에 태정관은 '울릉도 외 한 섬'은 자국의 영토가 아님을 명시하라는 지시를 내렸다.

❶ 기죽도략도

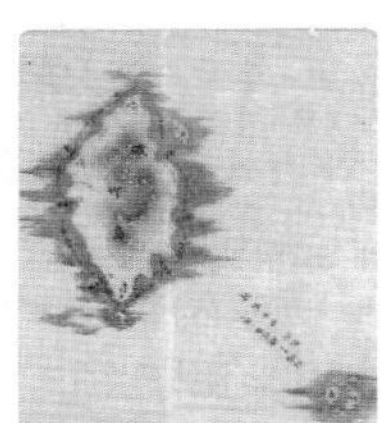

왼쪽에 있는 섬이 기죽도(울릉도)이고, 오른쪽에 있는 섬이 송도(독도)이다. 이를 통해 태정관 지령문에서 언급한 '울릉도 외 한 섬'이 독도인 것을 확인할 수 있다.

샌프란시스코 강화 조약을 둘러싼 일본의 독도 영유권 주장

제2차 세계 대전 종결 이후 연합국은 제주도·울릉도·독도 등을 일본으로부터 분리시켰다. 그런데 일본은 1951년 체결된 샌프란시스코 강화 조약의 "일본은 한국의 독립을 승인하고 제주도·거문도·울릉도를 포함하는 한국에 대한 모든 권리·권원 및 청구권을 포기한다."는 내용을 가지고 독도가 빠져 있으니 연합국이 독도를 일본 영토로 인정하였다고 주장한다.

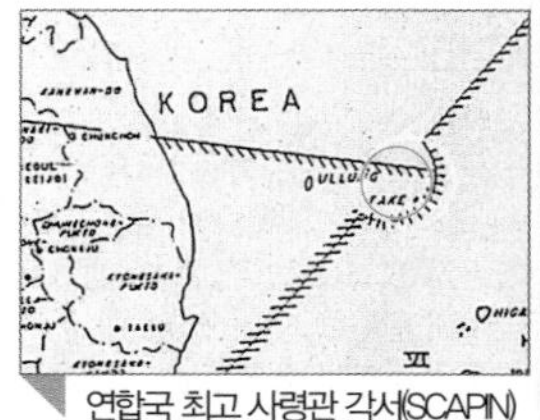

연합국 최고 사령관 각서(SCAPIN) 제677호 군령 발표 당시 첨부된 지도

「인접 해양에 대한 주권에 관한 선언」(일명 평화선) 공포

1952년 이승만 정부는 UN군 사령부와 협의하여 「인접 해양의 주권에 관한 선언」을 발표하여 독도가 한국의 영토임을 분명히 하였다. 이에 일본 정부는 독도에 대한 한국 영유권을 부정하는 외교 문서를 보냈다.

3 CHAPTER 개항 이후의 경제 · 사회 · 문화

解·法·기·출·진·맥

9급 국가직

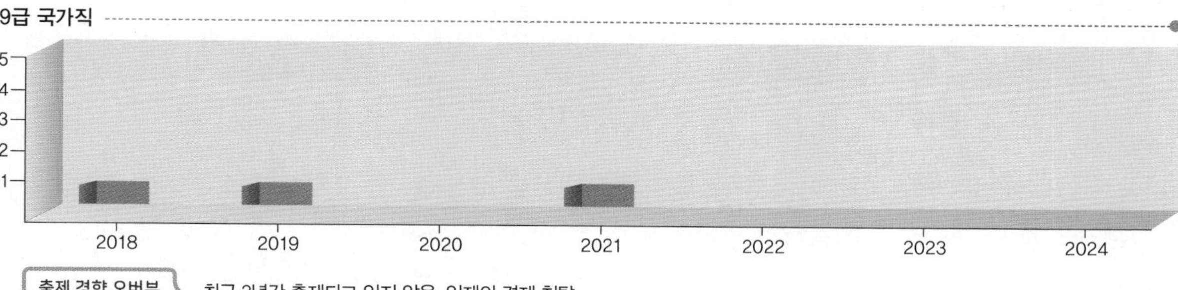

출제 경향 오버뷰 최근 3년간 출제되고 있지 않음. 일제의 경제 침탈

9급 지방직

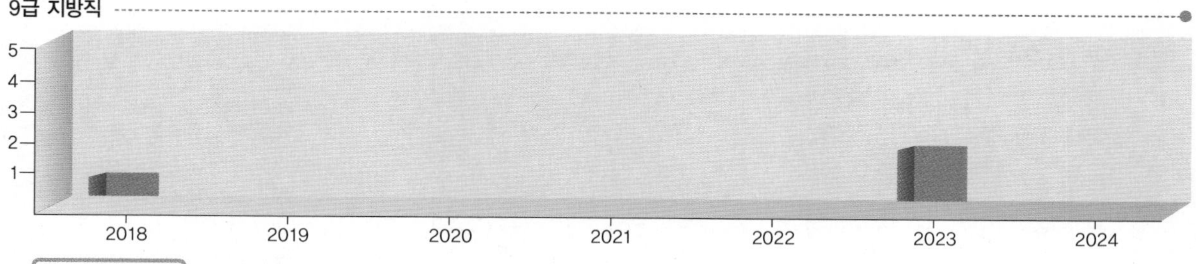

출제 경향 오버뷰 거의 출제되고 있지 않다가 2023년에 2문제 출제됨.

9급 법원직

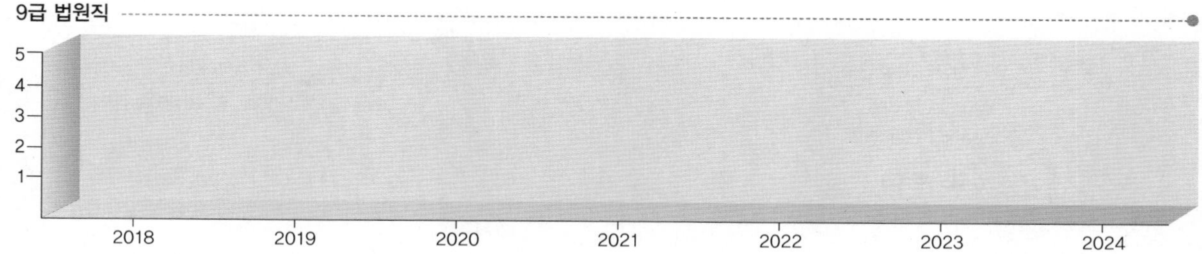

출제 경향 오버뷰 최근 7년간 출제되고 있지 않음.

01강 열강의 경제 침탈과 경제적 구국 운동의 전개

구 분		2008~2017	2018	2019	2020	2021	2022	2023	2024
9급	국가직	화폐 정리 사업		일제의 경제 침탈		개항기 무역			
	지방직	대일 무역						국채 보상 운동	
	법원직	경제적 구국 운동(2)							

열강의 경제 침탈과 경제적 구국 운동의 전개

열강의 경제적 침탈	경제적 구국 운동 전개
1. 금융 지배 제일 은행 설립 화폐 정리 사업(1905, 메가타)	**1. 민족 은행** 조선 은행, 대한 천일 은행
2. 차관 제공 시설 개선 명분	**2. 국채 보상 운동** 서상돈, 양기탁 대구에서 시작(1907) 국채 보상 기성회 금주 · 단연 운동
3. 토지 약탈 러 · 일 전쟁 ─ 황무지 개간권 요구 / 군용지와 철도 부지 확보	**3. 보안회** 황무지 개간권 요구 반대 농광 회사
4. 내륙 통상 토착 상인의 몰락 (보부상, 객주)	**4. 1880년대 상회사 설립 1890년대 상권 수호 운동** 대동상회, 장통회사, 종삼회사 황국 중앙 총상회(1898)
5. 각종 이권 침탈 러: 삼림 채벌권(압록강, 울릉도, 두만강) 미: 금광 채굴권(운산), 전차 · 전기 부설권 일: 철도 부설권	**5. 이권 수호 운동** 독립 협회, 활빈당
6. 일본 상인의 곡식 반출 입도선매, 고리대 일본인 대농장 경영(전라도)	**6. 방곡령** 함경도(1889), 황해도(1890) 선포
7. 철도 부설권 경인선: 미국 ⇨ 일본 경부선: 일본 경의선: 프랑스 ⇨ 일본	

01 열강의 경제 침략

1. 불평등 조약 체결 이후의 경제 변화

(1) 무관세·무항세: 조·일 통상 장정에는 관세 부과에 관한 규정이 없었으며, 일본 정부에 소속된 선박들은 항세를 내지 않았다.

(2) 외국 화폐 사용❶: 조·일 수호 조규 부록의 체결로 개항장 내 **일본 화폐의 유통**이 허용되었다.

(3) 무역 구조: 국내의 곡물이 대량으로 유출되고, 외국의 공산품이 들어오는 무역 구조가 형성되었다.

2. 개항 직후(1870년대)❷

(1) 일본 상인의 주도: 강화도 조약과 그 부속 조약들에 규정된 **영사 재판권, 일본 화폐 사용권,❸** 무관세 등의 불평등한 조항들을 통해 일본 상인들은 **약탈적인 무역 활동**을 전개하였다.

(2) 거류지 무역❹: 개항 직후 일본 상인의 활동 범위는 개항장에서 10리(약 4km) 이내로 제한되었다. 이에 따라 조선의 객주·여각·거간·보부상 등을 매개로 내륙 시장에 침투하였다.

❶ **조·일 수호 조규 부록(1876) 제7조**
일본국 국민은 본국에서 사용되는 화폐로 조선국 국민이 보유하고 있는 물자와 마음대로 교환할 수 있다.

❷ **통상 교역의 시작**
개항 이후 조선 정부는 개화 정책을 추진하였으나, 재정 및 경험의 부족으로 인해 많은 어려움을 겪었다.

❸ **일본 화폐의 사용**
1876년 8월에 체결된 조·일 수호 조규 부록에 따라 개항장에서는 일본 화폐가 유통되었다.

❹ **거류지 무역**

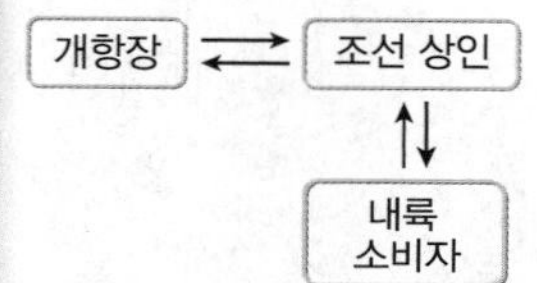

❺ **거류지**
개항장에서 외국인의 거주와 무역을 인정한 지역이다. 이곳은 치외 법권 지역으로 열강의 경제·정치·문화적 침략의 거점이 되었다.

解法 도움닫기 일본을 비롯한 열강의 경제 침탈 과정

시기	특징	내용
개항 이후	거류지 무역	일본 상인들은 개항장의 거류지❺에서 치외 법권, 일본 화폐 사용, 무관세 등의 특권을 누리며 무역을 독점. 개항 초기에는 거류지 내에서만 무역을 할 수 있었음.
임오군란 이후	청·일 상인의 내륙 진출	조·청 상민 수륙 무역 장정으로 청 상인의 내륙 통상이 허용됨. 일본도 최혜국 대우 조항을 근거로 내륙에 진출
청·일 전쟁 이후	일본 상인의 국내 상권 독점	청·일 전쟁에서 승리한 일본이 조선의 무역 독점 ⇨ 조선은 일본에 곡물류를 수출, 면포와 면사 등 일본산 물품을 수입
아관 파천 이후	열강의 이권 침탈	러시아, 일본, 미국 등 열강이 경쟁적으로 광산 채굴권, 철도 부설권, 삼림 벌채권 등 수많은 이권을 탈취

면제품의 수입 경로(미·면 교환 체제)
일본 상인들은 상하이나 홍콩의 영국 상인들로부터 면제품을 사서 조선에 비싼 값으로 파는 중계 무역으로 막대한 이익을 남겼다.

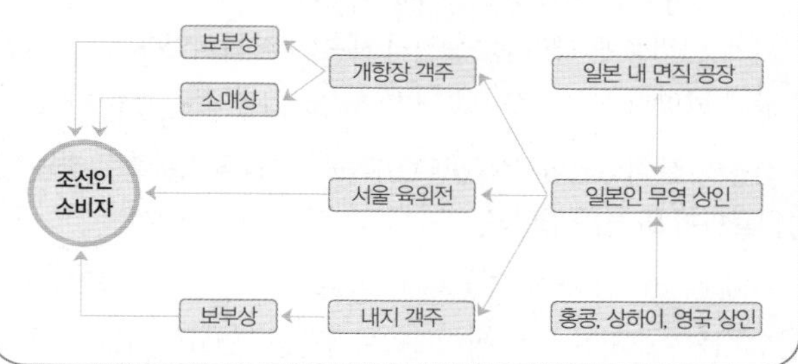

곡물의 수출 경로(미·면 교환 체제)
일본 상인들은 조선의 곡물을 싼값에 매입하여 일본에 팔아 많은 이익을 남겼고, 조선은 식량 부족으로 물가가 폭등하였다.

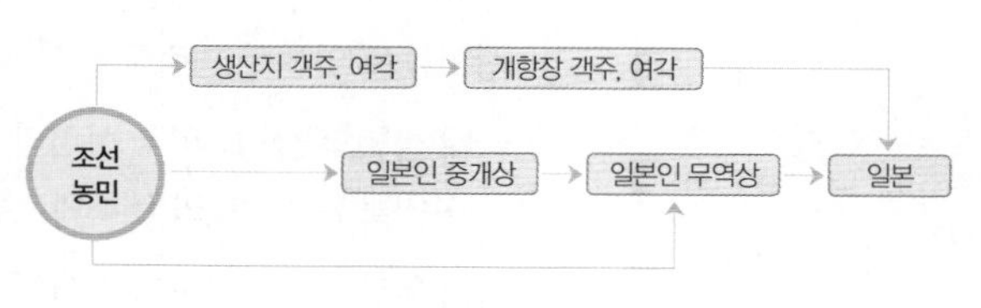

3. 임오군란 이후 무역 형태(1880년대)

(1) 외국 상인의 내륙 진출

조·청 상민 수륙 무역 장정으로 청 상인은 허가만 받으면 개항장 밖에서도 활동할 수 있게 되었다. 이후 **최혜국 대우 규정**에 따라 다른 나라 **상인들도 동일한 권리를 보장**받았다.

(2) 청·일본 간 상권 경쟁

개항 초기에는 일본 상인이 무역을 주도하였다. **임오군란 이후 청 상인이 활발하게 진출하여 조선의 상권을 둘러싸고 일본과 청 상인이 치열하게 경쟁**하였다. 청과의 무역량이 꾸준히 증가하여 청·일 전쟁이 일어나기 직전에는 청과 일본에서 수입한 총액이 거의 비슷해졌다.

① **청나라 상인의 조선 진출**: 조·청 상민 수륙 무역 장정(1882)에서는 서울 지역 내에서의 상점 개설과 내지 통상 등의 특권을 청 상인들에게 보장하였다.

② **일본 상인의 상권 확대**

㉠ **내지 통상권[1] 획득**: 일본은 조·일 수호 조규 속약(1882)에서 간행이정 50리 확대를 획득하였고, **1883년 개정 조·일 통상 장정의 최혜국 대우를 통해 내륙 진출이 가능**해졌다.

㉡ **교역 형태**: 일본 상인들은 주로 영국에서 수입한 면제품을 조선에 팔고, 조선의 곡물 등을 싼값에 매입하여 많은 이익을 남기는 **중계 무역**을 하였다(미·면 교환 체제).

❶ 내지 통상권
내륙으로 진출해 상업 활동을 전개할 수 있는 권한을 말한다.

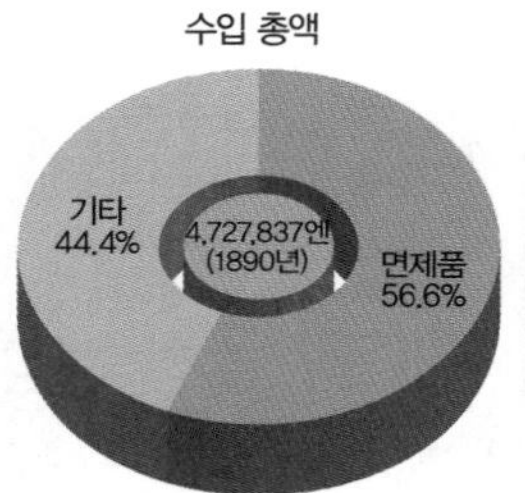

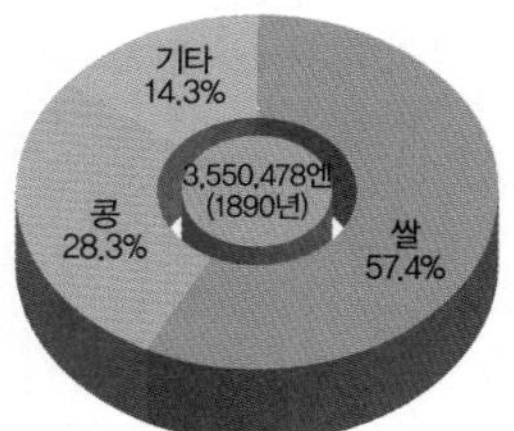

대일 수출, 수입 품목 비교

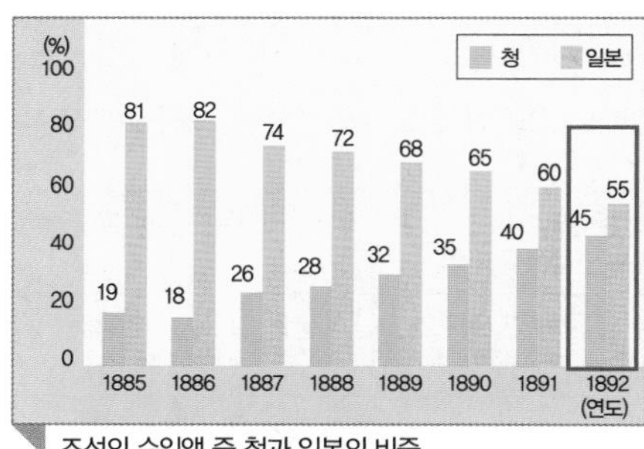

조선의 수입액 중 청과 일본의 비중

청 상인과 일본 상인의 상권 경쟁

1880년대 이후 한성에 청·일 상인의 거주지가 형성되어 시전 상인의 상권을 위협하였다.

4. 청·일 전쟁 이후의 무역 형태

(1) **일본의 상권 장악**: 일본이 청·일 전쟁에서 승리함에 따라 청 상인의 세력은 약화되었다. 이후 일본 상인들은 일본산 면직물을 가져와 싼값에 팔았다. 이에 조선의 면방직 수공업은 점차 몰락하였다.

(2) **국내 상인의 몰락**: 외국 상인의 내륙 진출이 본격화되면서 객주와 여각 등 **개항장에서 활동하던 중개 상인들뿐만 아니라 내륙의 조선 상인들까지 타격**을 입었다.

(3) **쌀의 유출 증가**: 일본으로 쌀 유출이 크게 늘어나 쌀값이 폭등하자, 빈농과 도시 빈민은 더욱 생활이 어려워졌다. 그러나 일부 지주와 상인[2]들은 오히려 쌀을 팔아 많은 이익을 얻었고, 이를 다시 토지 매입에 투자하였다(지주제 확대).

❷ 일부 지주와 상인의 성장
곡물 가격 폭등 등으로 많은 이익을 챙긴 일부 부유층을 중심으로 사치 풍조가 확산되기도 하였다.

5. 아관 파천 이후 열강의 이권 침탈

(1) 배경: 아관 파천 이후 러시아·일본 등 열강들은 최혜국 대우 규정을 이용하여 각종 이권을 침탈하였다.

(2) 이권 침탈

① **러시아:** 아관 파천을 기회로 삼아 조선에 정치적 영향력을 강화하면서 **삼림 채벌권(압록강·두만강·울릉도)**, 광산 채굴권 등의 이권을 획득하였다.

② **미국:** 황실의 신임을 받고 있던 선교사와 외교관을 이용하여 **전기, 전차, 광산, 철도** 등의 개발권을 획득하였다.

③ **일본: 철도 부설권 획득**에 주력하여 1897년 미국으로부터 경인선 부설권을 사들이고, 1898년 경부선 부설권을 획득하였다. 러·일 전쟁 중 군용 철도 명목으로 경의선 부설권과 경원선 부설권을 대한 제국으로부터 인수하였다.

④ **영국, 독일, 프랑스: 최혜국 대우(균점의 예)**를 내세우며 각종 이권을 획득했다.

열강의 이권 침탈

❈ 열강의 주요 이권 침탈

구분	연도	내용
러시아	1896	경원 · 종성 광산 채굴권, 울릉도 · 압록강 유역 삼림 채벌권
미국	1896	• 경인선 철도 부설권(1897, 일본에 양도, 완공은 1899), 갑산 광산 · 운산 금광 채굴권(1896) • 전등 · 전화 · 전차 부설권(1896)
프랑스	1896	경의선 철도 부설권(1899년 대한 제국에 환수되었다가 일본에 넘어감.)
독일	1897	강원도 당현 금광 채굴권
영국	1900	평안도 은산 금광 채굴권
일본	1897	경인선 철도 부설권 인수(1899 완공)
	1898	경부선 철도 부설권(1904 완공)
	1900	직산 금광 채굴권
	1904	러 · 일 전쟁 중 경원선 부설권을 대한 제국으로부터 인수(1914 완공)
	1904	러 · 일 전쟁 중 경의선 부설권을 대한 제국으로부터 인수(1906 완공)

6. 일본의 금융 장악과 토지 약탈

(1) 금융 지배

① **대한 제국의 재정**[3] **장악:** 궁내부에 소속되어 있던 많은 세목을 탁지부로 돌려 황실 재정을 대폭 축소하였다. 또한, 일본은 내정 간섭과 이권 획득을 목적으로 **대규모 차관을 강요했으며**, 징세[4]와 재정 관련 업무도 일본인이 장악하게 하였다.

❸ 일본의 재정 장악
통감부 설치 이후, 일본은 내장원이 관리하던 홍삼 전매와 역둔토 등에서 나오는 수입을 국고로 귀속시켰다.

❹ 일본의 징세 업무 장악
일본은 전국 주요 도시에 제일은행을 설치한 뒤, 제일은행이 조선의 세관 업무를 위탁받게 하였다. 이에 따라 관세를 일본 화폐로 징수하면서 일본 화폐의 유통이 더욱 활발해졌다.

② 화폐 정리 사업(1905)

㉠ **배경**: **제1차 한·일 협약**으로 부임한 일본인 재정 고문 **메가타**는 대한 제국 정부의 백동화 남발로 인한 물가 상승을 재정 문란의 이유로 지적하면서 화폐 정리 사업을 단행하였다.

㉡ **과정**: 일제는 **일본 제일은행권**을 **본위 화폐**(**교환용 화폐**)로 삼고(**금 본위제**), 새로운 보조 화폐를 발행하여 대한 제국의 화폐 발행권을 빼앗았다. 일제는 **백동화의 액면가**를 **무시**하고 **화폐의 질**에 따라 **갑·을·병종**으로 나누어 일본의 새 화폐로 교환해 주었다(비등가 교환).

㉢ **결과**: 대부분 가치가 절하된 을종이나 병종 판결을 받았기 때문에(병종은 교환에서 제외) **국내의 중소 상공업자들은 큰 타격을 입었다.**❶ 또한 사업 추진에 필요한 자금을 대느라 거액의 국채가 발생하였다.

❶ **일본의 금융 지배**
일본 제일은행이 조선의 중앙 은행 지위를 확보하여 조선의 재정·화폐·금융 등을 지배하였다.

엽전(좌)과 백동화(우)

제일은행 화폐

심화사료 百出 — 2022. 소방, 2019. 국가직 7급, 2013. 국가직 9급

화폐 정리 사업

제1조 구 백동화 교환에 관한 사무는 금고로 처리하게 하여 탁지부 대신이 이를 감독한다.
제2조 교환을 위해 제출한 구 백동화는 모두 화폐 감정인이 감정하도록 한다. 화폐 감정인은 **탁지부** 대신이 임명한다.
제3조 **구 백동화의 품질, 무게, 무늬, 형체가 정식 화폐 기준을 충족할 경우, 1개당 금 2전 5리로 새로운 화폐와 교환**한다.
…… 단, **형태나 품질이 조악한 백동화는 매수하지 않는다.** – 「관보」 제3178호, 1905년(광무 9년) 6월 29일

화폐 정리 사업의 방식

당시 조선인들은 상평통보(엽전)와 백동화를 주로 사용하였는데, 일제는 이들의 사용을 점차 중지하고 새로운 화폐로 교환해 주었다. 백동화의 질에 따라 갑종·을종·병종으로 구분하여 갑종은 2전 5푼, 을종은 1전으로 교환하였다. 다만 병종은 악화(惡貨)라고 하여 교환해 주지 않았다. 이와 같이 일제는 조선인들이 소유한 백동화 중 상당수를 액면가 이하로 교환해 주거나 너무 소액이라는 이유를 들어 교환을 거부하였다. 화폐를 교환하는 기간도 3일 정도로 매우 짧아 조선인들의 피해는 더욱 컸다.

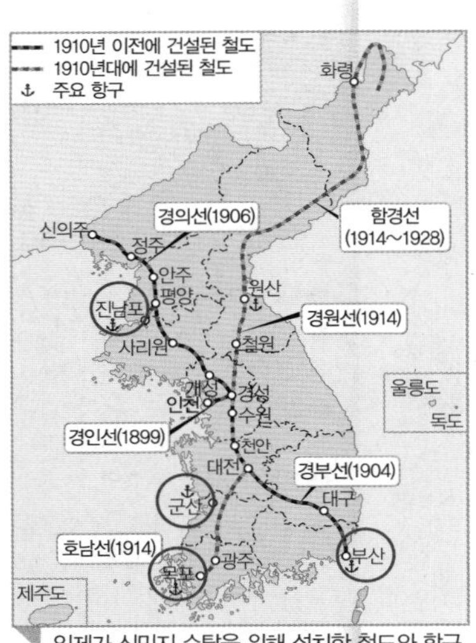

일제가 식민지 수탈을 위해 설치한 철도와 항구

(2) **토지 약탈**: 개항 이후 조선에서 일본인의 토지 소유가 점차 확대되었다.

① **임오군란 이후(1880년대)**: 활동 범위가 개항장 밖으로 확대된 일본인들은 고리대를 통해 사정이 어려운 농민들의 토지를 헐값에 사들였다.

② **청·일 전쟁 이후**: 일본인들은 호남 지방에서 대규모의 농장을 경영하였다.

③ **러·일 전쟁 이후**: 러·일 전쟁을 계기로 일본의 토지 약탈이 본격화되었다.

㉠ **철도 부설에 따른 약탈**: 일본은 철도 부설 공사를 구실로 실제 필요한 면적의 수십 배를 약탈하였다.

㉡ **군용지 확보**: 군용지를 확보할 목적으로 군대 주둔지 근처의 토지를 강탈하였다.

㉢ **황무지 개간권 요구**: 러·일 전쟁 당시 일본은 전 국토의 30%에 달하는 국가 소유 황무지의 개간권을 요구했다. 이에 **보안회**가 반대 운동을 전개함에 따라 황무지 개간권 요구는 **실패**로 끝났다.

④ 통감부 설치 이후❷

㉠ 토지 가옥 증명 규칙(1906): 종래 개항장으로 제한되었던 외국인의 부동산 소유를 확대하도록 한 법령이다. 일본인 토지 소유의 합법화를 목표로 하였다.

㉡ 동양 척식 주식회사(동척): 1908년에 설립된 국책 회사다. 궁장토·역둔토·국유미개간지 등 토지 약탈을 본격화했으며, 일본인의 토지 투자와 농업 이민을 적극 후원하였다.

동양 척식 주식회사

❷ 통감부 설치 이후
1906년 통감부 설치 이후 일제는 토지가옥전당집행규칙, 국유미간지이용법, 토지가옥증명규칙 등을 잇달아 제정하였다.

02 근대적 산업 자본의 육성

1. 정부의 식산흥업 정책

(1) 배경: 정부는 외세의 경제 침탈을 막고 근대 경제를 수립하고자 하였다.

(2) 정책

① 금융 개혁: 1883년에 전환국을 설치하여 화폐를 발행하였다. 또한, 화폐 제도 개혁과 중앙은행 설립을 추진하였다.

② 농업 진흥: 농무 목축 시험장이 설치되어 서양 농법을 연구하고 농업 관련 서적을 편찬하였다.

③ 근대적 기업 설립: 정부는 민간 자본과 함께 근대적 기업 설립에 나섰다.

2. 산업 자본의 성장

(1) 상회사의 설립

1880년대부터 대동상회(평양),❸ 장통 회사(서울), 종삼 회사(개성) 등의 상회사가 설립되기 시작했다.

(2) 면직물 공업

정부는 민간인과 합자하여 대한 직조 공장을 설립하였다. 또한, 상인들은 근대적 생산 체제를 갖춘 직조 회사❹를 세웠다.

(3) 유기 공업: 이승훈은 정주에 유기 제조 공장을 세웠으며, 서울에 조선 유기 상회라는 합자 회사가 설립되었다.

(4) 한계: 자금 부족과 기술 및 경영의 미숙으로 도산하거나, 일본인에게 인수되는 경우가 많았다.

3. 금융 자본의 성장

(1) 배경

일본 금융의 침투와 일본인에 의한 고리대 피해 등으로 은행 설립에 대한 필요성이 점차 커졌다.

(2) 민간 은행

① 조선 은행: 전현직 관료들이 중심이 되어 1896년 최초로 설립한 근대적인 민간 은행이다.

② 기타 은행의 설립: 한성 은행(1897), 대한 천일 은행(1899)❺ 등의 민간 은행이 설립되었다.

③ 한계: 이들 은행은 자금의 부족, 운영 방식의 미숙, 일본의 방해 공작으로 발전할 수 없었다. 특히 화폐 정리 사업을 계기로 몰락하거나 자주성이 변질되었다.

❸ 대동상회
평양 상인들의 합자 회사로, 자본금이 수십만 냥에 달할 정도로 규모가 컸다. 또한 인천에 지점을 설치하여 운영하였다.

❹ 직조 회사
서울에는 종로 직조사, 한성 제직 회사, 김덕창 직조 공장 등이 설립되어 근대적 직기로 제품을 생산하였다. 특히 1900년에 설립된 종로 직조사는 종로의 백목전 상인(면포 판매)이 주도가 된 직조 회사이다.

❺ 대한 천일 은행

고종의 지원 아래 1899년에 설립되었다. 백동화의 유통, 상인들에게 자금 대출 등의 역할을 담당하였다.

03 경제적 이권 수호를 위한 노력

❶ **방곡령(防穀令)**

흉년 등으로 쌀이 부족해질 경우, 지방관이 쌀의 수출을 금지하던 명령이다. 1883년 개정 조·일 통상 장정 이후부터 1894년까지 지방관들은 방곡령을 여러 차례 발동하였다.

❷ **함경도의 방곡령(1889)**

함경도 관찰사 조병식은 개정 조·일 통상 장정에 따라 1개월 전에 외교 담당 관청에 통고하고 방곡령을 선포하였다(1889). 그러나 이에 불복한 일본 상인들이 손해 배상을 요구하였다. 1889~1890년 함경도·황해도 지역의 방곡령은 규모가 매우 컸기 때문에 조선과 일본 간의 외교적 분쟁으로 확대되었다.

❸ **청·일 상인의 상권 잠식**

청 상인들은 주로 남대문로와 수표교 일대를 중심으로, 일본 상인들은 진고개와 남산 일대를 중심으로 상권을 형성해 갔다.

❹ **황국 중앙 총상회**

1898년 10월에는 독립 협회와 함께 상권 수호 운동을 전개하였으나 12월에 독립 협회와 함께 수구파 정부에 의해 탄압받았으며, 이후 강제로 해산되었다.

1. 방곡령❶

(1) **배경**: 개항 이후 일본으로의 곡물 유출이 급증하자, 조선의 **곡물 가격이 폭등**하였다. 여기에 흉년까지 들어 도시와 농촌의 빈민들은 생계유지마저 어려웠다.

(2) **방곡령 선포**: 조선은 1883년 일본과 조·일 통상 장정을 개정하여 **방곡령 조항**을 추가하였다. 이에 따라 함경도(1889),❷ 황해도(1890) 등의 지방관들은 방곡령을 70여 차례 발동하였다.

(3) **결과**: 일본은 방곡령 실시 1개월 전에 일본 측에 미리 통고해야 한다는 **통상 장정(1883)의 규정을 악용**하여, 통보를 늦게 받았다는 구실로 방곡령 철회를 요구하며 거액의 배상금까지 받아냈다.

2. 상인들의 상권 수호 노력

1880년대 들어와 외국 상인들은 전국의 주요 상권에 적극적으로 진출하였다. 특히, 서울 지역에서 청나라와 일본 상인들의 침탈이 극심❸하였다.

(1) 시전 상인

① **1880년대**: 외국 상점들의 철거를 요구했으며, 서로 동맹하여 상가의 문을 닫기도 하였다.

② **1890년대**: 시전 상인들을 중심으로 **황국 중앙 총상회(1898)**❹를 조직하였다. 이들은 외국 상인들의 불법적인 상업 활동을 엄단할 것을 요구하며 상권 수호 운동을 전개하였다.

(2) 경강 상인

일본인들이 증기선을 이용하여 정부의 세곡 운반을 독점함에 따라 큰 타격을 받게 되었다. 이에 증기선을 구입하여 상권을 유지하려 했으나 점차 위축되었다.

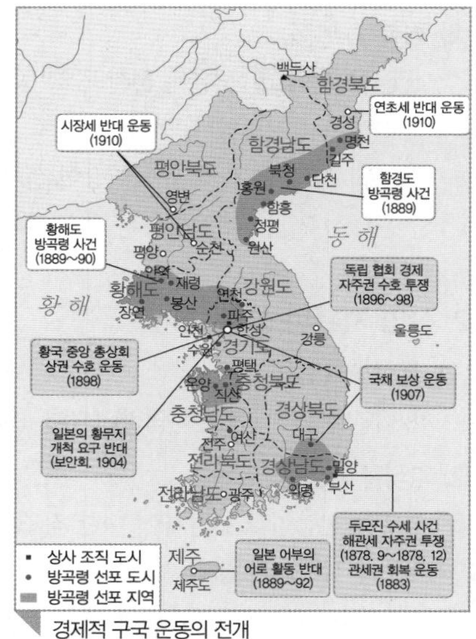

경제적 구국 운동의 전개

(3) 객주·보부상

외국 상인들의 내륙 진출이 가능해지면서 중계 무역을 하던 객주와 보부상은 큰 타격을 입었다. 이에 일부 객주들은 상회사 등을 만들어 외국 상인과 경쟁하였으나, 대부분 일본 자본에 편입되었다.

심화사료 百出

황국 중앙 총상회의 상권 수호 운동

요새 외국 상인은 발전하고 우리나라 상인의 생업은 쇠락하여 심지어 점포 자리를 외국 사람에게 팔아 버리는 지경에 이르렀다. 이렇게 되면 중앙의 점포 터도 보호하기 어렵게 되며, 이것은 다만 상인들의 실업일 뿐만 아니라 국고와 민생이 어려움에 처할 것이다. …… **본회 이름은 황국 중앙 총상회로 하고** …… **외국인의 상업 행위를 허락하지 말고**, 그 경계 밖의 우리나라 각 점포는 본회에서 관할할 것이다.

–『독립신문』, 1898년 9월 30일

3. 독립 협회의 이권 수호 운동

(1) 러시아의 경제 침략 저지

① **절영도 조차 요구**: 러시아는 저탄소[5] 설치를 위해 부산 **절영도의 조차**를 요구하였다. 이에 독립 협회는 **만민 공동회**를 개최하여 러시아의 요구를 물리쳤다.

② **한·러 은행 폐쇄**: 대한 제국의 화폐 발행권 등을 획득할 목적으로 설립한 **한·러 은행**을 **폐쇄**시켰다.

③ **목포와 증남포 도서 매입 저지**: 러시아는 목포, 증남포(진남포) 부근의 섬들을 팔 것을 요구하였다. 이에 독립 협회가 반대하여 러시아의 요구를 철회시켰다.

(2) 기타 열강의 경제 침략 저지

독립 협회는 **프랑스**의 광산 채굴권 요구와 **독일**의 금광 채굴권 요구를 저지하였다.

고등사료 百出 　 2011. 법원직 9급

독립 협회의 이권 수호 운동

- **현재 러시아가 우리 대한을 향하여 절영도를 요구하고 있습니다.** …… 그 신하(臣下)된 자가 만약 조그마한 땅이라도 타국인에게 주면 이는 황제 폐하의 역신(逆臣)이며 역대 임금의 죄인이며 우리 대한 2천만 동포 형제의 원수입니다.
- 만약 조선은행과 한성은행 두 곳의 은화와 탁지부(度支部) 현존의 은을 한·러 은행에 옮겨 두고 차차 각 부에 한·러 은행 지소까지 설치하여 전국 납세의 수입과 수출을 오로지 관장시킨다면 이는 전국 재정권을 타국 사람에 양여하는 것이 되고 탁지부는 유명무실하게 되고 따라서 독립 자주의 권리도 스스로 잃게 되는 것이다.
- 국내에 금·은·석탄광이 있으면 마땅히 스스로 취하여 그 이익을 얻을 것이지 하필 외국에 넘겨 본국은 날로 가난케 하고 타인으로 하여금 부강케 하리오.

– 정교, 『대한계년사』

4. 황무지 개간권 반대 운동(1904)

(1) 전개

일본의 황무지 개간권 요구가 알려지자 전 국민은 거족적인 반대 운동[6]을 전개하였다.

① **농광 회사**[7] **설립**: 일부 민간 실업가와 관리들은 황무지를 개간하고자 농광 회사를 설립하였다.

② **보안회의 활동**: 원세성, 송수만이 중심이 되어 1904년 조직되었다. 일제의 황무지 개간 요구 철회를 주장하며 가두집회를 열고 일제의 침략적 요구를 규탄하였다.

(2) 결과

일본의 황무지 개간 요구는 철회되었으나, 보안회는 일본 측의 압력으로 해산되었다.

심화사료 百出 　 2018. 국가직 9급

농광 회사 규칙

궁내부와 농상공부에 청원하여 승인을 받은 후 국내 농광 사업의 회사를 설립할 것

一. 본사(本社)는 농광 회사(農鑛會社)라 칭할 것

一. 주가는 액면 50원씩, 총 1천만 원을 발행하고, 주당 불입금은 5년간 총 10회 5원씩 나눠서 낼 것

一. 본사(本社)는 국내의 황무지 개간·관개 사무와 산림·천택·식양·벌채 등의 사무 외에 금·은·동·철·석탄·운모·석유 등 각종 광물 채굴 등의 사무에 담당 종사할 것

[5] **저탄소(貯炭所)**
석탄 저장소를 말한다.

[6] **황무지 개간권 반대 운동**
관리와 유생들의 반대 상소가 잇달았고, 『황성신문』 등 언론도 논설과 기사로 일본의 요구를 규탄하였다.

[7] **농광 회사(農鑛會社)**
일본의 황무지 개간권 요구에 대응하여, 정부의 허락을 받아 설립된 특허 회사였다.

04 국채 보상 운동(1907) ☆

1. 배경

러·일 전쟁 이후 일본은 대한 제국에게 거액의 차관❶을 강요했는데, 대한 제국의 1년 예산과 맞먹는 1,300만 원에 이르렀다. 이러한 일제의 경제 예속화 정책에 저항하여 국민의 힘으로 차관을 갚아 국권을 회복하자는 국채 보상 운동이 일어났다.

❶ **차관의 용도**
화폐 정리 사업의 추진과 식민지 시설을 갖추는 데 사용되었다. 국내에 거주하는 일본인을 위한 하수도·도로·학교·병원 등을 마련하는 데 사용되기도 하였다.

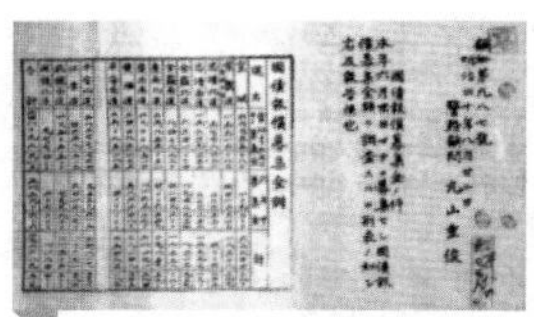
국채 보상 모금표(도별 모금액)

국채 보상 의연금 영수증

2. 전개

1907년 서상돈, 김광제 등의 발의로 대구에서 시작되었다. 서울에서는 국채 보상 기성회 등이 조직되어 모금 운동을 전개하였다.

3. 확산

대한 자강회 등 애국 계몽 단체와 『황성신문』, 『대한매일신보』, 『제국신문』 등이 호응하여 전국적으로 확산되었다. 모금을 위해 금연 운동을 전개했으며, 부녀자들은 비녀나 가락지 등을 내놓기도 하였다.

4. 일제의 방해

국채 보상 운동의 성공적인 진행에 놀란 **통감부**는 이 운동을 주도한 『대한매일신보』❷를 탄압하였다. 발행인이었던 영국인 베델의 추방 공작을 전개하고, 양기탁을 국채 보상금을 횡령하였다는 구실로 구속하였다.

❷ **『대한매일신보』**
『대한매일신보』는 성금을 낸 사람들을 신문에 게재하여 광고하기도 하였다.

5. 의의

일제의 탄압으로 인해 국채를 상환하는 데는 실패하였으나, 국민들을 단합시키고 애국심을 크게 고취시켰다.

고등사료 百出 2023. 지방직 9급, 2016. 사회복지직 9급, 2013. 경찰 2차, 2012. 지방직 7급

국채 보상 운동의 취지문

지금은 우리들이 정신을 새로이 하고 충의(忠義)를 떨칠 때이니 **국채(國債) 1,300만 원**은 바로 우리 대한 제국의 존망에 직결된 것이라. **이것을 갚으면 나라가 존재하고 갚지 못하면 나라가 망할 것은 필연적인 사실이나, 지금 국고는 도저히 상환할 능력이 없고** 만일 나라에서 갚는다면 그때는 이미 삼천리 강토는 내 나라 내 민족의 소유가 못 될 것이다. 국토는 이미 한 번 잃어버리면 다시는 찾을 길이 없는 것이다. …… 그러므로 국채를 갚는 방법으로 2,000만 인민들이 3개월 동안 흡연을 금하고 그 대금으로 한 사람이 매달 20전씩 거둔다면 1,300만 원을 모을 수 있으며, 만일 그 액수가 미달할 때에는 1환, 10환, 100환의 특별 모금을 해도 될 것이다.

– 『대한매일신보』, 1907년 2월 21일자

02강 근대 사회의 변화

구분		2008~2017	2018	2019	2020	2021	2022	2023	2024
9급	국가직								
	지방직								
	법원직	근대의 사회 모습							

평등 사회로의 지향(신분제 폐지 과정)

갑신정변	동학 농민 운동	갑오개혁	독립 협회
민중 지지 X	근대 국가 목표 제시 X	민중과 유리	평등 의식 확산 근대적 민권 의식 출현

의식주 생활 모습의 변화

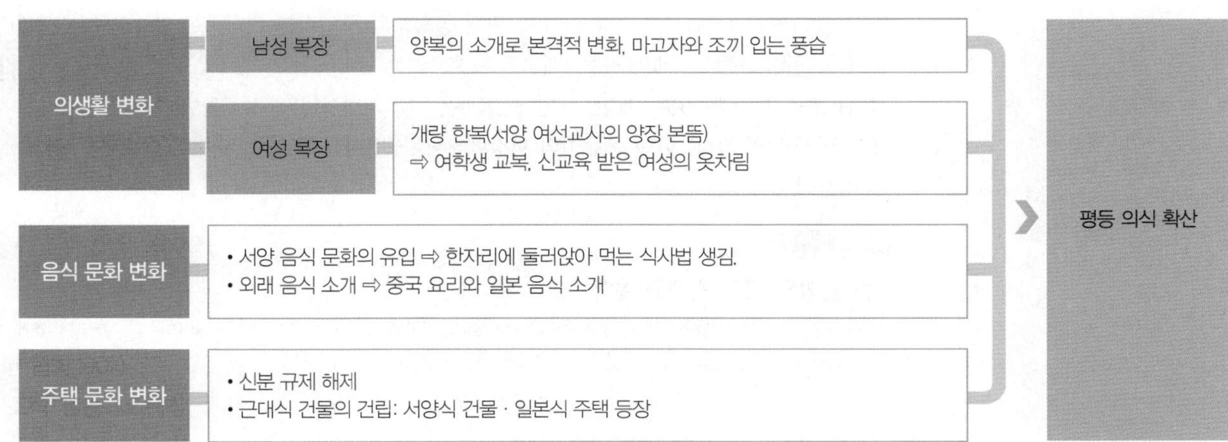

의생활 변화
남성 복장
양복의 소개로 본격적 변화, 마고자와 조끼 입는 풍습
여성 복장
개량 한복(서양 여선교사의 양장 본뜸)
⇨ 여학생 교복, 신교육 받은 여성의 옷차림
음식 문화 변화
• 서양 음식 문화의 유입 ⇨ 한자리에 둘러앉아 먹는 식사법 생김.
• 외래 음식 소개 ⇨ 중국 요리와 일본 음식 소개
주택 문화 변화
• 신분 규제 해제
• 근대식 건물의 건립: 서양식 건물 · 일본식 주택 등장
평등 의식 확산

01 근대 의식의 성장

1. 근대 사회로의 진전

서학과 동학의 교세 확장, 개신교의 전래 등으로 민중 사이에 **평등 의식**이 확산되었다. 개항 무렵에 일부 양반과 중인 출신의 인사들이 **개화 세력**을 형성하여 **위로부터의 사회 개혁**을 추진하였다.

2. 갑신정변과 동학 농민 운동

갑신정변 때 급진 개화파는 **문벌의 폐지·인민 평등권의 확립** 등을 주장하였다. 이후 동학 농민군은 **노비 문서의 소각, 천인 차별 개선, 지벌을 타파한 인재 등용**, 청상과부의 개가 허용 등을 주장하였다.

3. 갑오개혁과 법제적 신분 평등

갑신정변, 동학 농민 운동에서 제기된 개혁 요구들은 갑오개혁 때 일부 수용되었다.

(1) 제도의 개편

① **신분제 폐지**: 신분제가 폐지되어 **법제상으로 신분 차별이 없어졌다.** 1896년 호적을 개편하여 신분란을 없애고 대신 직업란을 기재하였다(호구 조사 규칙).

② **과거제 폐지**: 과거 제도를 **폐지**하고, 근대적 관리 임용 제도를 마련하였다.

(2) **봉건적인 악습❶의 폐지**: 조혼, 과부의 재가 금지, 고문과 연좌제 등 전통 사회의 악습을 없앴다.

4. 독립 협회의 사회 개혁 운동

(1) 배경

갑오개혁으로 신분 제도가 폐지되었으나, 봉건적 신분 의식은 여전히 존재하였다. 이에 독립 협회는 민권 운동을 전개하여 대중의 의식 변화를 꾀하였다.

(2) 활동

① **민중 계몽**: 신문과 잡지를 간행하고, 만민 공동회와 강연회를 개최하여 민중을 계몽하였다.

② **자유 민권 운동**: 신체의 자유, 재산권 보호, 언론·출판·집회·결사의 자유를 요구하는 자유 민권 운동을 전개하였다. 또한, 국민 참정권 운동과 의회 설립 운동❷을 전개하였다.

③ **민권 의식의 성장**: 만민 공동회의 회장에 시전 상인이 선출되고, 관민 공동회에 백정 출신인 박성춘이 연사로 나섰다.

심화사료 百出 2014. 법원직 9급

독립 협회의 국민 참정권 운동

바라건대 **정부에 계신 이들은 관찰사나 군수들을 자기들이 천거하지 말고 각 지방 인민으로 하여금 그 지방에서 뽑게 하면**, 국민 간에 유익한 일이 있는 것을 불과 1~2년 동안이면 가히 알리라. – 『독립신문』, 1896년 4월 14일

5. 애국 계몽 운동의 전개

애국 계몽 운동가들은 근대적인 국민 국가 건설 등을 주장하였으며, 전국 각지에 사립 학교를 설립하여 근대적 사회 의식의 확산에 기여하였다.

평등 사회의 추구

갑신정변 때의 14개조 정강 일부

2. **문벌을 폐지**하여 **인민 평등의 권리**를 세워 능력에 따라 관리를 임명한다.

동학 농민군의 폐정 개혁안 12조 일부

5. **노비 문서를 소각**한다.
6. **7종의 천인 차별을 개선**하고 백정이 쓰는 평량갓을 없앤다.
9. 관리 채용에는 **지벌(地閥)을 타파**하고 인재를 등용한다.

갑오개혁 때의 개혁 법령 일부

2. **문벌과 양반, 상민 등의 계급을 타파**하여 귀천에 구애됨이 없이 인재를 뽑아 쓸 것
8. **공사노비법을 혁파**하고 인신의 판매를 금할 것

노비 제도의 변천

고려~조선 전기	일천즉천(一賤則賤)
영조	노비종모법
순조(1801)	공노비 해방
고종(1886)	노비 세습제 폐지
갑오개혁(1894)	노비 신분제 폐지(공·사노비법 폐지)

❶ 태형의 폐지

태형은 사람 몸에 직접 매질을 하는 신체 형벌로 갑오개혁 때 폐지되었다.

❷ 의회 설립 운동

갑오개혁 때 제 기능을 발휘하지 못하였던 중추원을 개편하여 의회로 만들고, 의원의 반수는 독립 협회 회원들이 선발하여 구성하고자 하였다.

6. 여성의 사회 운동

(1) 여성 교육[3]의 강조: 찬양회[4] 등 여성 단체들이 조직되어 의무 교육, 여성 교육의 실시를 주장하는 신교육 운동을 전개하였다. 이에 따라 **1898년 조선인이 세운 최초의 사립 여학교인 순성 여학교가**, 1908년에 최초의 관립 여학교인 한성 고등 여학교가 문을 열었다.

(2) 애국 계몽 운동: 1905년 이후 여러 애국 계몽 운동 단체들과 함께 여자 교육회, 진명 부인회 등 여성 단체들도 결성되었다. 이들 단체는 양규 의숙, 진명 여학교 등 여학교[5]를 설립하였다.

(3) 국채 보상 탈환회[6](반지 빼기): 국채 보상 운동의 일환으로 조직된 여성 단체로, 기금 마련에 기여하였다. 이와 같이 국채 보상 운동은 남녀평등 및 여성의 사회 참여를 독려하는 계기가 되었다.

심화사료 百出 2022. 서울시 9급, 2017. 경찰 2차

여권통문(1898)

북촌의 어떤 여자 중에서 군자(君子) 수 삼 인이 개명(開明)에 뜻이 있어 **여학교를 설립하라는 통문**(通文)이 있기에 놀랍고 신기하여 우리 논설을 삭제하고 다음에 기재한다.

…… 이목구비와 사지 오관 육체가 남녀가 다름이 있는가. …… 어려서부터 각각 학교에 다니며 각종 학문을 다 배워 이목을 넓혀 장성한 후에 사나이와 부부 관계를 맺어 평생을 살더라도 그 사나이에게 조금도 압제 받지 않고 후대를 받음은 다름 아니라 그 **학문과 지식이 사나이에 못지않은 고로 권리도 동일하니 어찌 아름답지 않으리오.** -『황성신문』

02 의식주 생활의 변화

1. 의생활의 변화

의복의 변화는 평등 의식의 확산에 기여하였다.

(1) 법령

갑오개혁으로 관복이 대폭 간소화되고, 을미개혁 때는 민관 구별 없이 예복으로 검정 두루마기만을 입도록 하였다. 1900년에는 문관 복장 규칙이 반포되어 문관의 예복도 양복으로 바뀌었다.

(2) 남성복의 변화

일부 상류층과 개화 인사들이 양복을 입는 경우가 있었으나, 서민들은 대개 한복을 개량하여 저고리 위에 마고자와 조끼를 입었다. 이 무렵 두루마기도 널리 유행하였다.

(3) 여성복의 변화

서양 여선교사들이 입은 양장의 영향을 받아 일부 여학생과 신여성 사이에 개량 한복이 자리 잡았다. 또한 여성 단체들과 언론 기관들은 여성의 얼굴을 가리던 장옷(쓰개치마)의 폐지를 주장하였다.

2. 식생활의 변화

서양과의 통상 조약 체결로 외국인과의 교류가 활발해지면서 외국의 음식 문화가 유입되었다.

---

❸ 여성 교육의 활성화
갑오개혁 이후 소학교령이 발표되어 남녀 교육의 기회 균등이 법제화되자, 여성 교육과 관련된 활동이 활발히 전개되었다.

❹ 찬양회
1898년 여권통문의 발표를 계기로 서울 북촌에 사는 양반층 부인들이 중심이 되어 조직한 우리나라 최초의 여권 운동 단체이다. 정기적인 연설회와 토론회를 개최하였으며 독립 협회의 만민 공동회에도 참여하였다. 1898년에는 순성 여학교를 설립하고 후원하였다.

❺ 여성의 사회 진출
여성들은 여학교를 통해 사회에 진출하였다. 대부분 여학교의 교사나 교회의 전도부인으로 활동하였고, 최초의 여의사 박에스더와 같은 전문직 여성들도 등장하였다.

❻ 국채 보상 탈환회의 설립 취지서
"반지를 빼서 국채를 여성의 힘으로 갚아 국권을 회복할 뿐 아니라 여성의 힘을 과시해 남녀 동등권을 찾자."는 내용으로, 『대한매일신보』에 기고하였다.

양복 차림의 서광범[7]

❼ 서광범
1883년 미국에 파견되었던 서광범은 처음으로 양복을 입고 돌아왔다.

장옷을 입은 여인들

서양식 오찬을 즐기고 있는 장면

(1) 상차림의 변화

서양인들의 영향을 받아 겸상 또는 여럿이 한 상에서 먹는 두레상이 보급되었고, 이러한 식생활의 변화는 평등 의식의 확산에 기여하였다.

(2) 외국 음식의 전파

① 서양 음식의 전파: 서양식 연회를 통해 왕실과 고위 관리들 사이에서 커피, 홍차, 케이크, 빵 등의 서양 음식이 전해졌다.

② 중국 음식의 전파: 임오군란 이후 청나라 군인들과 함께 중국 상인들이 들어오면서 '청요릿집'이라는 이름의 중국 음식점이 들어서기 시작하였다.

③ 일본 음식의 전파: 우동·어묵·유부 등 일본 음식이 소개되었다.

3. 주거 생활의 변화

신분제 폐지로 가옥의 규모에 따른 규제가 사라져 누구나 자유롭게 주택을 지을 수 있었다.

(1) 서양식 건물

공공 건물, 상업(손탁 호텔❶), 종교, 주거 시설 등이 서양식으로 축조되었다. 명동 성당·정동 교회 등 종교 건물들은 주로 고딕 양식으로, 덕수궁 석조전·러시아 공사관 등은 르네상스 양식으로, 프랑스 공사관은 바로크 양식으로 건립되었다. 한편 독립문은 프랑스의 개선문을 본뜬 건물이다.

❶ 손탁 호텔

독일인 여성인 손탁은 러시아 외교관 베베르의 추천으로 궁중에서 양식 조리와 귀빈 접대를 담당하였다. 손탁은 고종의 재정적 후원으로 1902년에 손탁 호텔을 지었는데, 이곳은 각국 외교관과 외국인들의 사교 장소로 이용되었다.

명동 성당

1898년에 완공된 우리나라 최초의 순수 고딕 양식 건축물이다. '뾰족집'이라는 이름으로 장안의 명물이 되어 매일 많은 구경꾼이 몰려왔다고 한다.

덕수궁 정관헌

로마네스크 양식으로 지어졌으며 발코니가 화려하고, 회색과 붉은색 벽돌로 벽면이 장식되어 있다.

덕수궁 석조전

1910년에 완공하였다. 유럽 궁전의 건축 양식(르네상스 양식)을 따른 것으로 당시 건축된 서양식 건물 가운데 규모가 가장 큰 건물이다.

(2) 민간 주택: 민간의 상류 주택에서는 한옥과 양옥을 절충한 양식이 나타나기도 하였다.

대표 기출문제

다음과 같은 취지로 전개된 운동에 대한 설명으로 옳은 것은? 2023. 지방직 9급

지금 우리들은 정신을 새로이 하고 충의를 떨칠 때이니, 국채 1,300만 원은 우리 대한 제국의 존망에 직결된 것입니다. 이것을 갚으면 나라가 보존되고 이것을 갚지 못하면 나라가 망할 것은 필연적인 사실이나, 지금 국고에서는 도저히 갚을 능력이 없으며, 만일 나라에서 갚지 못한다면 그때는 이미 삼천리 강토는 내 나라 내 민족의 소유가 못 될 것입니다.

– 「대한매일신보」

① 조선 형평사를 조직하였다.
② 조선 물산 장려회를 조직하였다.
③ 신사 참배 거부 운동을 전개하였다.
④ 1907년 대구에서 시작되어 전국으로 확산되었다.

해설

제시된 자료는 국채 보상 운동의 취지문이다. ④ 국채 보상 운동은 1907년 대구에서 시작되어 전국으로 확산되었다.
① 조선 형평사는 1923년에 조직된 단체로, 형평 운동을 전개하였다. ② 조선 물산 장려회는 1920년대 물산 장려 운동과 관련된 단체이다. ③ 신사 참배 강요는 1930년대 이후 민족 말살 통치 시기의 일이다.

정답 ④

강

근대의 문화

解/法 기출분석

구분		2008~2017	2018	2019	2020	2021	2022	2023	2024
9급	국가직	•대한매일신보 •근대 문화 •종교계 민족 운동							
	지방직	•근대 교육 기관 •박은식	•근대 건축물 •근대 교육 기관					독립신문	
	법원직	•명동 성당, 원각사 •원산 학사 •육영 공원							

解法 요람

근대 시기 언론 활동

	발행	기간	활동과 성격
한성순보	박문국	1883~1884	최초의 신문(관보 성격), 순 한문
독립신문	독립 협회	1896~1899	• 최초의 민간 신문, 정부의 지원 • 대중 계몽 위한 한글판과 국내 사정을 외국에 알리는 영문판 발행
황성신문	남궁억	1898~1910	• 장지연, 시일야방성대곡 • 양반 유생 대상 국한문 혼용체 • 황무지 개간권 반대 운동 전개, 보안회 후원
제국신문	이종일	1898~1910	순 한글, 부녀자와 서민층 대상
대한매일신보	베델 양기탁	1904~1910	• 고종의 을사조약 부당성 폭로 친서 발표 • 국문/영문 ⇨ 국문/국한문/영문, 박은식, 신채호 활약 • 항일 논조 강함, 의병에 대해서도 호의적 • 황무지 개간권 반대 운동, 국채 보상 운동 주도
만세보	천도교	1906~1907	천도교 기관지, 국한문 혼용
경향신문	천주교	1906	가톨릭(천주교)계의 기관지

* 신문지법(1907) · 출판법 제정(1909): 언론 활동 탄압 강화

01 근대의 언론

1. 한성순보(1883~1884)

(1) **창간**: 수신사로 일본에 갔던 **박영효**가 귀국하여 고종에게 신문 발행을 건의한 것을 계기로 **박문국**이 설치되었다. 1883년 박문국에서 한성순보가 창간되었다.

(2) **특징**: **최초의 신문**으로 **순한문**으로 발간되었다. **10일에 한 번**, 즉 한 달에 세 번씩 간행하였다. 일종의 관보로, 정부의 개화 정책을 홍보하고 국내외 정세❶를 소개하는 역할을 하였다.

(3) **폐간**: **갑신정변**으로 박문국 건물이 파괴되면서 자동 폐간되었다.

(4) **한성주보**: 1886년에 한성주보를 발간하였다. 한성주보는 국한문 혼용체로 발행되었으며 최초로 상업 광고를 게재하였다. 그러나 1888년 박문국❷이 다시 폐지되면서 폐간되었다.

❶ **국제 정세 홍보**
한성순보에 실린 기사 중에는 국제 기사가 가장 많았다. 외국 관련 기사 중 60% 이상이 강대국과 약소국 사이의 갈등, 서양 열강의 국방 정책에 관한 것이었다.

❷ **박문국 재설치**
박문국은 1885년에 다시 설치되었다.

심화사료 百出 2020. 지방직 7급, 2017. 서울시 사회복지직 9급

박영효의 신문(한성순보) 발행 건의

우리 조정에서도 박문국을 설치하고 관리를 두어 외국의 기사를 폭넓게 번역하고 아울러 국내의 일까지 기재하여 국중에 알리는 동시에 열국에까지 널리 알리기로 하고, 이름을 순보(旬報)라 하며 ……

한성순보 발간

오늘날 풍기는 점차 열리고 인간의 지혜는 날로 발전하여 화륜선이 대양을 달리고 전선이 사방에 연결되고 있다. …… 그리고 이상한 모습을 한 외국인과 만나게 되었다. 사물의 변화와 문물제도의 발전에 대해 사무에 관심을 가진 자들은 반드시 알아야 할 것이다. 이 때문에 우리 조정에서는 **박문국**을 설치하고 직원을 두었다. …… **외국 소식을 번역하고 국내 소식을 실어 국내외에 반포하는 것이다.**

– 한성순보 창간호, 1883년 9월

한성순보

2. 독립신문(1896~1899)

(1) **창간**: 정부의 지원으로 **서재필**은 **1896년 4월**에 독립신문을 창간하였다.

(2) **특징**: **최초의 순 한글** 신문으로, 한글판에서는 서양 문물과 제도를 소개하였고 **한 면은 영문판**으로 발행❸하여 국내의 사정을 외국인에게도 알렸다. 정부의 정책을 국민들에게 전달하고 **자주독립**을 역설하면서 **근대적 민권 사상의 확산**에 주력하였다.

(3) **폐간**: 독립 협회가 해산된 이후 독립신문은 명맥만 유지하다가 결국 폐간되었다.

❸ **독립신문 발간**
독립신문은 이후 한글판과 영문판으로 각각 발행되었다.

심화사료 百出 2013. 경찰 1차

독립신문의 성격

우리는 첫째, 편벽되지 아니한 고로 무슨 당에도 상관이 없고 상하 귀천을 달리 대접 아니하고 …… 정부에서 하시는 일을 백성에게 전할 터이요, 백성의 정세를 정부에 전할 터이니 만일 백성이 정부 일을 자세히 알고 정부에서 백성의 일을 자세히 아시면 피차에 유익한 일이 많이 있을 터이오. …… 우리가 또 **외국 사정도 조선 인민을 위하여 간간이 기록할터이니** 그걸 인연하여 외국은 가지 못하더라도 조선 인민이 외국 사정도 알 터임. …… 우리 신문이 **한문은 아니 쓰고 다만 국문으로만 쓰는 것은** 상하귀천이 다 보게 함이라. 또 **국문을 이렇게 구절을 띄어쓴즉** 아무라도 이 신문 보기가 쉽고 신문 속에 있는 말을 자세히 알아보게 함이라. ……

– 독립신문 창간 논설

독립신문에 실린 상업 광고
회사 설립이나 상품과 서적 등에 대한 상업 광고를 게재하였다.

3. 제국신문[4](1898~1910)

(1) **창간**: 개신 유학자 이종일이 **부녀자, 서민층**을 주 대상으로 삼아 발행하였다.

(2) **특징**: 순 **한글**만을 사용하였다. 지식 습득과 한글 사용의 중요성을 널리 알렸다.

4. 황성신문(1898~1910)

(1) **특징**: 남궁억 등이 **국한문 혼용체**로 발행하였다. 주로 양반 지식인들이 보았다.

(2) **활동**: 광무개혁을 널리 알리고자 했으며, 애국적인 논설을 게재하였다. 또한, 1904년 일제가 황무지 개간권을 요구하자 그 부당성을 지적하며 반대 운동을 이끌었다.

(3) **「시일야방성대곡」**[5]: 주필이었던 **장지연**은 「시일야방성대곡」을 실어 **을사조약**의 부당성을 비판하였다.

5. 대한매일신보(1904~1910) ☆

(1) **창간**: 영국인 **베델**이 **양기탁**과 함께 창간하였으며, 국한문·영문·순 한글 세 종류로 발행되었다.

(2) **특징**: **영국인을 발행인으로 내세워 일본도 함부로 검열할 수 없었다.** 따라서 **을사조약이 무효임을 천명한 고종의 친서를 싣는** 등 일제의 침략상을 폭로할 수 있었다. **신채호·박은식 등이 쓴 애국적인 논설을 통해 항일 의식을 고취했**으며, 다른 언론과는 달리 **의병에 대해서도 긍정적**이었다.

(3) **국채 보상 운동 적극 지원**: 1907년 **국채 보상 운동**이 일어나자 운동의 취지를 소개하고 온 국민이 적극적으로 동참할 것을 호소하여 많은 호응을 이끌어 내기도 하였다.

(4) **일제의 탄압**: 1910년 국권 강탈 이후 대한매일신보는 총독부의 기관지인 매일신보로 전락하였다.

심화사료 百出

2011. 국가직 9급

대한매일신보

신문으로는 대한매일신보, 황성신문, 기타 여러 가지 신문이 있었으나, 제일 환영을 받기는 영국인 베델이 경영하는 대한매일신보였다. 당시 정부의 잘못과 시국 변동을 여지없이 폭로하였다. 관 쓴 노인도 사랑방에 앉아서 이 신문을 보면서 혀를 툭툭 차고 각 학교 학생들은 주먹을 치고 통론하였다.

– 유광열, 「별건곤」

解法 도움닫기 베델(Ernest Thomas Bethell, 1872~1909)

러·일 전쟁이 일어나자 1904년에 베델은 영국의 런던 데일리 뉴스의 특파원으로 우리나라에 왔다. 그는 같은 해 7월에 양기탁과 함께 대한매일신보와 영문판 코리아 데일리 뉴스를 창간하여 사장이 되었다. 당시 일제는 한국인이 발행하는 모든 신문을 철저하게 검열하였다. 그러나 베델이 사장으로 있던 대한매일신보는 영국인으로서의 치외 법권을 이용하여 일본의 침략 정책을 과감하게 비판하고 배일 사상을 고취하였다. 이에 일제는 베델을 국외로 추방하는 외교 공작을 벌였다. 이후 베델은 1909년 37세의 젊은 나이로 병사했는데, "나는 죽더라도 신문만은 오래 살려 한국 동포를 구원해야 된다."라는 유언을 남겼다.

❹ 제국신문

민족적인 자주 정신의 배양과 대중의 지식 계발을 창간 취지로 내세웠다.

황성신문

❺ 시일야방성대곡

시일야방성대곡 게재 사건으로 황성신문이 정간되자, 대한매일신보는 시일야방성대곡과 을사조약 체결 과정에 대한 기사들을 연이어 게재하여 여론을 이끌었다.

대한매일신보

베델

제6편 근대 사회의 전개

6. 기타 신문❶

천도교의 기관지인 만세보(1906), 천주교 기관지인 경향신문(1906), 대한 협회의 기관지인 대한민보(1909), 최초의 지방 신문인 경남일보(1909) 등이 창간되었다. 이들 신문은 민중 계몽에 힘썼으며, 민족 의식을 고취시키는 데 기여하였다. 이밖에 친일 신문❷으로는 국민신보, 대한신문 등이 있다.

7. 일제의 언론 탄압

(1) **신문지법(1907)과 출판법(1909) 제정**: 일제는 **신문지법과 출판법**을 제정해 기사 내용을 사전에 검열하는 등 언론 활동을 탄압하였다.

(2) **신 신문지법(신문지법 개정, 1908)**: 신문지법 제정에도 불구하고 외국인이 발행인이었던 대한매일신보에 대한 검열이 어렵자 신 신문지법(1908)❸을 제정하였다.

❶ **해외에서 발행한 신문**
- 연해주: 해조신문, 대동공보
- 미주: 공립신문, 신한민보
- 하와이: 한인합성신보, 신한국보

❷ **친일 신문**
- 국민신보(1906): 일진회에서 발간한 친일 신문으로, 1910년에 폐간되었다.
- 대한신문(1907): 이인직이 만세보를 인수한 뒤 재간한 신문이다.

❸ **신(新) 신문지법(1908)**
외국의 한국인 교포들이 발행하는 신문뿐만 아니라 국내에서 외국인이 발행하는 신문도 단속 대상에 포함시켰다. 이는 베델의 대한매일신보를 탄압할 목적으로 제정된 것이다.

02 근대 문물의 수용

1. 개항 이후, 근대 문물의 도입

(1) **과학 기술의 수용**: 정부는 양잠, 방직, 제지 등에 관한 기계를 도입하고 외국 기술자를 초빙하였다.

(2) **유학생 파견**: 1880년대에 정부는 해외에 시찰단과 유학생을 파견하여 근대 시설과 문물 제도를 파악하도록 하였다. 이에 따라 **박문국·기기창·전환국** 등이 설치되고, 각종 기술 학교의 설립에 영향을 미쳤다.

서울에 설치된 새로운 시설들(1876~1910)

2. 통신·교통 시설

(1) 통신 수단의 발달

① **전신의 가설❹**: 1885년 서울과 인천 간의 전신을 가설하고 한성 전보 총국을 개설하여 전신 사업을 시작하였다.

② **전화**: 1898년 전화가 경운궁에 최초로 설치되었고, 1902년 한성 전화소에서 서울 시내 전화 교환 업무를 시작하였다. 이후 서울과 인천 사이의 시외선도 개통되었다.

③ **우편**: 1884년 우정국이 설치되었으나 갑신정변으로 폐쇄되었다. 을미개혁 때 우체사가 설치되어 우편 사무가 시작되었다. 1900년에는 만국 우편 연합에 가입하여 여러 나라와 우편물을 교환하였다.

(2) 교통 수단의 발달(철도)

① **경인선❺**: 제물포와 노량진 구간에 경인선이 **1899년 최초로 완공**되었다.

② **부설권의 이동**: 경부선 부설권은 일본에, 경의선 부설권은 프랑스에 주어졌으나 결국 경부선과 경의선은 러·일 전쟁 중에 일본이 군사적 목적에 따라 부설하였다.

❹ **최초의 전신 가설**
1884년 일본의 나가사키와 부산 사이에 해저 전선을 개통하였다. 이후 서울과 인천을 연결하는 전신이 개통되어 조선과 청, 일본을 연결하는 국제 통신망이 형성되었다.

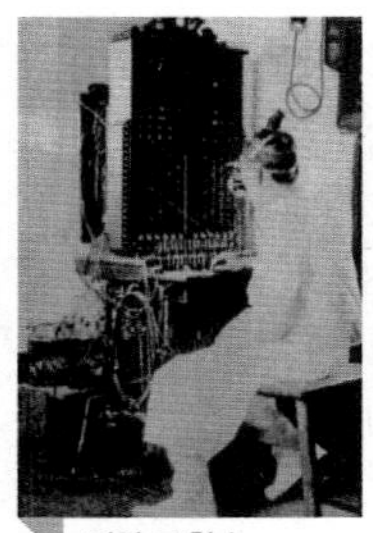
전화 교환수

❺ **경인선**
미국인 모스가 경인선 부설권을 획득하였으나 이후 일본에 전매되었다.

(3) 전기 시설의 등장

① 전등의 설치 : 1887년 경복궁 건청궁 내에 처음으로 전등이 설치되었다.

② 전기 회사의 설립 : 황실과 미국인 콜브란의 합자로 한성 전기 회사가 1890년대 설립되었으며, 서대문과 청량리 사이를 운행하는 전차가 1899년 처음 운행되었다.

서울의 전차

일본의 침략에 항거하여 철도를 파괴한 죄로 처형되는 3명의 한국인(르 크로와 일뤼스트레, 1905. 5. 21.)

3. 의료 시설의 발달

(1) 근대적 의료 시설

① 광혜원(1885) : 정부는 미국 선교사 알렌의 요청으로 근대적 의료 시설인 광혜원을 세웠다.

㉠ 제중원 : 설립 이후 광혜원은 '제중원'으로 개칭되었다.

㉡ 세브란스 병원[6](1904) : 재정 문제로 인해 미국 선교부에 넘어간 제중원은 1904년 세브란스 병원으로 새로이 개원하였다.

② 광제원(1900) : 일반 백성의 진료를 위하여 국립 병원인 광제원을 설립하였다.

③ 적십자 병원(1905) : 고종의 칙령으로 경복궁 후문에 설립된 종합 병원이었다.

(2) 의료 정책

① 위생국 신설 : 갑오개혁 시기에 위생국을 설치하여 의료 및 위생 사업을 실시하였다.

② 종두법의 시행(1895) : 1880년 2차 수신사의 일원으로 일본에 간 지석영이 우두법을 직접 배워왔다. 이후 을미개혁(1895) 때 종두법을 시행·보급하여 천연두 예방과 치료에 공헌하였다.

❻ 세브란스 병원
1894년 갑오개혁 당시, 조선 정부는 제중원을 미국 북장로교 선교부로 넘겼다. 미국 선교부의 애버슨은 미국인 실업가 세브란스의 재정 지원을 받아 1904년 서울역 앞에 제중원을 새로 짓고 병원의 이름을 세브란스 병원이라 불렀다.

9급 위 한국사

알렌
미국인 알렌은 1884년 8월, 의료 선교사로 한국에 왔다. 초기에 미국·영국 등 외국 공사관의 담당 의사로 활동하였다. 갑신정변 때 중상을 입은 민영익을 치료한 것을 계기로 왕실의 신임을 얻어 고종의 진료를 담당하였다.

지석영

❖ 근대 문물과 시설

구분	시설	내용
출판	박문국(1883)	『한성순보』 발행(1883~84)
	광인사(1884)	최초의 민간 출판사
화폐	전환국(1883)	당오전 · 백동화[7] 주조
무기	기기창(1883)	최초의 근대식 무기 제조 공장
전기	전등(1887)	경복궁의 건청궁에서 최초 가설 및 점등
통신	전신(1885)	서울~의주 간, 서울~인천 간 가설
	우편(1895)	3차 갑오개혁(을미개혁)으로 실시, 만국 우편 연합에 가입(1900)
	전화(1898)	경운궁에서 최초 설치, 민간에 한성 전화소(교환소, 1902) 설치
교통	경인선(1899)	서울~인천 최초 부설(미국 ⇨ 일본)
	경부선(1904) · 경의선(1906)	러 · 일 전쟁 중 일본의 군사적 목적으로 부설
	전차(1899)	서대문~청량리, 최초의 전차 운행(한성 전기 회사-미국 콜브란과 합자)
의료	광혜원(1885)	최초의 근대식 병원(알렌), 이후 제중원으로 이름 변경 ⇨ 1904년 세브란스
	광제원(1900)	1899년 대한 제국이 설립한 국립 병원이 1900년 광제원으로 개칭
건축	독립문(1897)	프랑스의 개선문을 모방, 영은문을 허물고 건립하여 독립의식 고취
	덕수궁 석조전(1910)	르네상스식(그리스 열주식 + 로마 돔식) 건축 양식, 미 · 소 공동위 회담 장소
	명동 성당(1898)	중세 유럽 고딕 양식

❼ 백동화
1892년부터 1904년까지 전환국에서 발행한 동전이다. 일본은 널리 유통되던 백동화 대신 일본 제일은행에서 만든 화폐를 강압적으로 사용하게 하였다.

근대 시설 수용의 평가
조선의 경제·사회적 생활 여건을 개선하는 데 이바지했으나, 국가 재정에 큰 부담이 되었다. 또한, 경제적 침탈과 식민 지배의 편의성을 제공한 측면도 있었다.

03 근대 교육과 학교의 설립

근대 교육의 발전

1880년대

1. 근대 교육 시작: 원산 학사(1883) – 최초, 신학문 + 무술
육영 공원(1886) – 최초의 관립
* 외국인 선교사: 배재 학당(1885), 이화 학당

1890년대

2. 근대 교육 제도 마련: 관립 학교 설립 ↑
(교육 입국 조서) 한성 사범 학교, 한성 중학교, 소학교
* 광무개혁: 실업 학교(상공 학교, 광무 학교)

1900년대

3. 애국 계몽 운동 ↑: 사립 학교 설립 ↑
(국권 피탈 위기감 고조) 대성 학교, 오산 학교, 보성 학교
* 사립 학교령(1908): 사립 학교의 설립과 운영 통제

1. 근대 교육의 시작

(1) 원산 학사(1883) ☆

① 설립: 덕원 부사 정현석을 중심으로 함경도 원산 덕원의 주민들이 기금을 조성하여 **최초의 근대적 사립 학교**인 원산 학사를 설립하였다.

② 특징: **문예반**과 **무예반**을 두었다. 문예반은 외국어·법률·국제법 등을, 무예반은 병서를 가르쳤다.

(2) 동문학(1883)

묄렌도르프가 통상아문의 부속 기관으로 설립하였다. **영어 강습 중심의 통역관 양성소**이다.

(3) 육영 공원[1](1886)

최초의 관립 학교로 헐버트,[2] 길모어 등 미국인 교사를 초빙하여 젊은 관리나 상류층 자제들을 대상으로 영어·수학·정치학 등의 근대 학문을 가르쳤다.

❶ 육영 공원
좌원과 우원의 두 반으로 나누어 입학생을 받았다. 좌원은 현직 관료 중에서 선발했으며, 우원은 과거에 오르지 못한 양반 자제들 중에서 선발하였다.

❷ 헐버트의 『사민필지』
육영 공원의 교사로 있던 헐버트가 각국의 역사와 지리를 순국문과 한문으로 번역하여 소개한 역사 지리서이다.

육영 공원에서 사용한 영어 교재

심화사료 百出 2017. 법원직 9급, 2009. 법원직 9급

원산 학사

의정부에서 아뢰기를, "방금 **덕원** 부사 정현석(鄭顯奭)의 장계를 보니, '덕원부는 해안의 요충지에 위치하고 아울러 개항지입니다. 이를 빈틈없이 잘 운영해 나가는 방도는 인재를 선발하여 쓰는 데 달려 있으며, 선발하여 쓰는 요령은 그들을 가르치고 기르는 데 달려 있습니다. 그래서 원산사(元山社)에 글방을 설치하여, **문사(文士)**는 먼저 경의(經義)를 가르치고, **무사(武士)**는 먼저 병서(兵書)를 가르친 다음, ……

–『고종실록』

육영 공원

문·무관, 유생 중에 어리고 총명한 자 40명을 뽑아 입학시키고 벙커와 길모어 등을 교사로 초빙하여 서양 문자를 가르쳤다. 문관으로는 김승규와 신대균 등 여러 명이 있고, 유사로는 이만재와 서상훈 등 여러 명이 있었다. 사색 당파를 골고루 배정하여 당대 명문 집안에서 선발하였다.

–『매천야록』

2. 근대적 교육 제도와 관립 학교의 설립

(1) 학무아문의 설치(1894)

갑오개혁 때 **교육 행정 기구**로 설립되어 근대식 교육 제도를 마련하고 각종 관립 학교를 설립하였다.

(2) 교육 입국 조서의 반포(1895)

"국가의 부강은 국민의 교육에 있다."는 내용의 교육 입국 조서가 반포되었다. 또한 지·덕·체를 중시하는 정신에 입각하여 다양한 관립 학교가 설립되었다.

(3) 근대적 관립 학교의 설립❸

① **갑오개혁기**: 1895년 한성 사범 학교❹가 개교되어 교원을 양성하였으며 외국어 학교와 소학교가 설립되었다. 1900년에 최초의 중등 교육 기관으로 한성 중학교가 설립되었다.

② **광무개혁기**: 식산흥업 정책의 일환으로 상공 학교, 광무 학교 등 각종 실업 학교를 설립하였다.

③ **근대적 교과서 편찬**: 『국민소학독본』, 『조선 역사』 등의 각종 교과서를 편찬하였다.

(4) 국비 유학생의 파견

1881년 최초의 국비 유학생으로 **유길준**이 선발되었다. 이후 1895년에는 약 200여 명의 유학생을 선발해 일본에 파견하였다.

고등사료 百出

교육 입국 조서

세계의 형세를 두루 살피건대, 부하고 강하며 독립하여 웅시하는 모든 나라는 다 국민의 지식이 개명하였다. 이 지식의 개명은 교육의 선미로 되었으니, **교육은 실로 국가를 보존하는 근본이다.** …… **짐은 정부에 명하여 학교를 널리 세우고 인재를 양성**하며, 그대들 신민의 학식으로써 국가 중흥의 큰 공을 찬성하게 하겠다. 그러니 그대들 신민은 충군하고 애국하는 심성으로 그대의 덕과 몸과 지를 기를지어다. …… 왕실의 안전은 그대들 신민들의 교육에 있고, 국가의 부강도 그대들 신민의 교육에 있다.

3. 민족 지도자들의 학교 설립

1905년 을사조약 전후로 민족 지도자들은 다수의 사립 학교를 세웠다.

(1) 대표적 학교

민영환이 서양 여러 나라들을 방문하고 돌아온 뒤 흥화 학교(1898)를 설립하였다. 이후 **안창호**는 점진 학교와 **대성 학교**❺를 설립하였고, 이승훈은 정주에 **오산 학교**를 설립하였다. 뿐만 아니라 순성 여학교 등 여성을 위한 학교들도 세워졌다.

(2) 학회❻ 설립

애국 계몽 단체들은 서북 학회, 기호 흥학회 등을 만들어 교육을 통해 민족의 실력을 양성하고자 하였다.

심화사료 百出

애국 계몽 운동과 교육 활동

지금 나라가 기울어져 가는데 우리가 그저 앉아 있을 수는 없다. 아름다운 강산, 선인들이 지켜 온 강토를 원수인 일본인들에게 내어 맡긴다는 것이 차마 있어서는 안 된다. **총을 드는 사람, 칼을 드는 사람도 있어야 할 것이다. 그러나 그보다 더 중요한 일은 백성들이 깨어나는 일이다.** 세상이 어떻게 돌아가는 것인지를 모르고 있으니 그들을 깨우치는 것이 제일 급무이다. …… 내가 오늘 이 학교를 세우는 것도 후손을 가르쳐 만분의 일이라도 나라에 도움이 되기를 원하기 때문이다.

– 오산 학교 개교식 식사, 이승훈

❸ **관립 학교의 설립**

교육 입국 조서의 반포를 계기로 사범 학교와 외국어 학교의 관제가 공포되었고, 각종 관립 학교들이 세워졌다.

❹ **한성 사범 학교**

15세 이상 20세 이하의 남자를 선발하여, 언문·논설·역사·지리·산수 등 학문을 강습하였다. 이들은 학교를 졸업한 뒤에 각지에 설치된 소학교에 부임하여 학생들에게 신교육을 실시하였다.

❺ **대성 학교의 설립**

1907년에 안창호가 독립 의식 고취와 민중 계몽을 위하여 평양에 대성 학교를 설립하였다.

❻ **학회의 활동**

학교를 세우고, 민족의식을 고취하는 교과서를 보급했으며, 월보를 발행하여 민중을 계몽하였다. 그 결과 1910년경에는 전국에 2,000여 개나 되는 사립 학교가 세워졌다.

근대 사립 학교의 설립

학교명	시기	설립자(단체)
원산 학사	1883	관청+민간
흥화 학교	1898	민영환
순성 여학교	1898	찬양회
점진 학교	1899	안창호
보성 학교	1905	이용익
양정의숙	1905	엄주익
서전서숙	1906	이상설
진명 여학교	1906	엄준원
중동 학교	1906	오규신 등
오산 학교	1907	이승훈
대성 학교	1907	안창호

4. 개신교 선교사들의 학교 설립

(1) 배재 학당(1885)

아펜젤러가 서울에 세운 남자 학교로, **외국 선교사가 설립한 최초의 사립 학교**이다. 1886년에 고종으로부터 '배재 학당'이라는 교명과 현판을 받았다.

(2) 이화 학당(1886)

스크랜턴은 여성들을 교육시키기 위해 이화 학당을 세웠다. 이는 외국 선교사가 세운 최초의 여자 사립 학교[1]였다.

(3) 다수 학교 설립

언더우드는 1886년에 경신 학교를 세웠다. 이 외에 정신 여학교(엘러스), 숭실 학교[2](베어드) 등 많은 학교들이 선교사에 의해 설립되었다.

5. 일제의 민족 교육 억압

일제는 **사립 학교령(1908)**을 제정하여 사립 학교의 설립과 운영을 통제하였다. 또한, 교과서의 검정 규정을 만들어 민족 의식을 고취시킬 내용이 서술된 교과서를 규제하였다.

배재 학당

❶ 순성 여학교
조선인이 세운 최초의 사립 여학교는 순성 여학교(1898)이다.

❷ 평양의 숭실 학교
1910년대 재학생과 졸업생이 주축이 되어 비밀 결사인 조선 국민회를 조직했으며, 일제 말에는 신사 참배 거부로 자진 폐교하였다.

04 국학 연구

1. 국학 연구의 배경

을사조약 이후에 애국 계몽 운동의 일환으로 **우리 역사와 언어 등을 연구**하는 **국학 운동**이 전개되었다.

2. 국어 연구

(1) 문체의 변혁

① **국·한문 혼용**: 갑오개혁 이후 관립 학교의 설립과 함께 국한문 혼용의 교과서가 간행되면서 **국·한문체와 국문체의 문장**이 보급되어 갔다. 또한 유길준은 1895년 **『서유견문』**[3]을 출간하여 국·한문체의 보급에 기여하였다.

② **순국문의 사용**: **독립신문**이 국문체로 발행되었으며 뒤를 이어 **제국신문과 대한매일신보**도 순 한글을 사용하였다. 특히 독립신문은 띄어쓰기를 사용하는 등 획기적인 문체 변혁을 이룩하였다.

(2) 국문 연구

① **국문연구소(1907)**: 정부는 **국문연구소**를 세워 우리말 체계[4]를 바로잡고자 하였다. 주시경·지석영 등이 여기서 국문의 발음, 글자체, 철자법 등을 연구·정리하였다.

② **유길준**: 『대한문전』[5]을 저술하여 한글 표기법을 통일시키려고 하였다.

③ **주시경**: 국어 표기법과 음운에 대해 연구했으며, 『국어문법』·『말의 소리』 등을 저술하여 국어 연구의 기초를 확립하였다.

❸ 『서유견문』
유길준이 유럽을 순방하고 느낀 것들을 기록한 책이다. 이 책의 출간 이후 신문과 잡지는 국·한문 혼용체를 많이 사용하게 되었다.

❹ 우리말 표기법 통일
한글 사용이 늘어남에 따라 언문일치 원칙에 따른 우리말 표기법의 통일 필요성이 높아졌다.

❺ 『대한문전』
유길준은 『대한문전』의 4번째 원고가 유출되어 다른 애서가(최광옥)에 의해 출판되었다고 주장하였다.

심화사료 百出 2008. 지방직 7급

유길준의 『서유견문』

무릇 개화란 인간의 온갖 만물이 가장 아름다운 경지에 이르는 것을 일컫는데 개화에는 인륜 개화, 학술 개화, 정치 개화, 법률 개화, 기계 개화, 물품 개화가 있다. …… 그런고로 **옛날에는 맞았지만 지금은 맞지 않으며, 저쪽에는 좋지만 이쪽에는 좋지 않은 것도 있어, 곧 고금의 형세를 살피고 피차 사정을 비교하여 장점을 취하고 단점을 버리는 것이 개화의 대도(大道)다.**

주시경[6]의 한글 수호 정신

나라를 빼앗게 하는 자는 그 나라의 글과 말을 먼저 없이하고 자기 나라의 글과 말을 전파하며, 자기 나라를 흥성하게 하고자 하거나 나라를 보존하고자 하는 자는 자국의 글과 말을 먼저 닦고 백성의 지혜로움을 발달하게 하고 단합을 공고하게 한다.

– 주시경 선생 유고

3. 국사 연구

(1) 역사에 대한 관심 고조

국권 상실의 위기에 처하자 민족 지도자들은 **역사를 통해 민족 의식을 고취**시키려고 하였다. 신채호·박은식 등은 구국 위인의 전기를 저술했으며, 외국 흥망의 역사(『이태리 건국 삼걸전』·『미국독립사』·『월남망국사』 등)를 번역하여 소개하였다.

(2) 역사학자들의 활동

① 신채호☆

㉠ **각종 애국서의 편찬**: 「을지문덕전」, 「강감찬전」, 「최도통전」,[7] 「이순신전」 등 애국 명장에 대한 전기를 저술하고, 『이태리 건국 삼걸전』 등을 번역해서 애국심을 고취시켰다.

㉡ **독사신론(1908)**: 『대한매일신보』에 연재한 것으로, 고대사 연구에 집중하면서 사대주의를 비판하였다. 그는 역사 서술상의 주체를 민족으로 설정하여 **민족주의 사학의 연구 방향을 제시**하였다.

② 박은식☆

㉠ **각종 애국서의 편찬**: 『동명성왕실기』, 『발해태조건국지』, 『몽배금태조』, 『명림답부전』, 『천개소문전』 등 애국적인 인물들에 대한 전기를 저술하였다.

㉡ **국혼 강조**: 국권이 상실되는 상황 속에서 국혼을 강조하여 민족의 정신을 일깨우고자 하였다.

③ **현채[8]**: 대표적인 역사 교과서로 1907년 『유년필독』을 저술하였다. 역사, 지리 등의 내용을 다룬 아동용 교과서였으나 성인들 사이에서도 널리 읽혔다.

④ **정교**: 정교는 편년체 사서인 『대한계년사』를 저술하였는데, 1864년부터 1910년 국권 상실 때까지의 역사를 기록하였다.

⑤ **황현**: 우국 시인으로, **『매천야록』**을 저술하여 근대 역사를 기록하였다. 1910년 한·일 병합 조약이 체결되자 **절명시**를 남기고 자결하였다.

(3) 조선 광문회(1910)

민족의 고전을 보전하고 이해를 돕기 위해 **최남선, 박은식** 등이 조선 광문회를 설립하였다. 이곳에서 『동국통감』, 『해동역사』 등 17종의 **고전을 간행하여 보급**하였다.

❻ 주시경

독립신문 발간에 관여했으며 독립신문사 안에 '국문 동식회(1896)'를 조직하였다. 국문 동식회는 최초의 국문 연구회로, 국문 철자법의 통일을 목적으로 하였다. 1897년에는 '국문론'을 발표했다. 또한, 그는 당시의 문장들이 한문에 토를 다는 형식에 그치고 있다면서 실제로 말하는 대로 글을 쓰는 '언문일치'가 필요하다고 주장하였다.

「을지문덕전」(좌)과 「이순신전」(우)

❼ 「최도통전」

고려 말 무신 최영의 전기(傳記)로, 대한매일신보에 연재되었다.

신채호

❽ 현채

중등용 교과서로 『동국사략』 등을 저술하였고, 『월남 망국사』 등을 번역하였다.

✎ 황현의 「절명시」

1. 난리가 물밀듯 거듭 몰아닥쳐 머리는 새고 나이는 늙어버렸네. / 몇 번이나 죽으려 했건만 아직도 그뜻을 이루지 못하였는데 / 어떻게도 돌이킬 수 없는 오늘 / 가물거리는 촛불만이 푸른 하늘을 비추네.
2. 요기가 하늘을 가려 임금의 별을 옮기니 / 대궐은 침침한데 시각이 더디구나. / 조칙은 이제부터 다시 내리지 않으리니 / 구슬 같은 눈물이 주룩주룩 조칙에 얽히는구나.
3. 새 짐승도 슬피 울고 산악 해수다 찡기는 듯 / 무궁화 삼천리가 이미 영락되다니 / 가을밤 등불 아래 책을 덮고서 옛일 곰곰이 생각해 보니 / 이승에서 지식인 노릇하기 정히 어렵구나.
4. 일찍이 나라를 지탱할 조그마한 공도 없었으니 / 단지 인(仁)을 이룰 뿐이요, 충(忠)은 아닌 것이로다. / 겨우 능히 윤곡(尹穀)을 따르는 데 그칠 뿐이요 / 당시의 진동(陳東)을 밟지 못하는 것이 부끄럽구나.

심화사료 百出 2018. 국가직 7급, 2016. 서울시 7급, 2010. 법원직 9급, 2007. 국가직 7급, 2007. 법원직 9급

신채호의 「독사신론(讀史新論)」

국가의 역사는 민족의 소장성쇠(消長盛衰)의 상태를 서술할지라. 민족을 빼면 역사가 없으며 역사를 빼어 버리면 민족의 그 국가에 대한 관념이 크지 않을지니, 오호라 역사가의 책임이 그 역시 무거울진저 …… **내가 지금 각 학교 교과용의 역사를 보건대, 가치가 있는 역사는 거의 없다. 제1장을 펴보면 우리 민족이 중국 민족의 일부분인 듯하며, 제2장을 펴보면 우리 민족이 선비족의 일부인 듯하며, 끝까지 전편을 다 읽어보면 때로는 말갈족의 일부분인 듯하고, 때로는 몽고족의 일부분인 듯하고, 때로는 여진족의 일부분인 듯하고, 때로는 일본족의 일부분인 듯하다.** 오호라, 과연 이 같을진대 우리 수만 리의 토지가 이들 남만북적의 수라장이며, 우리 4천여 년의 산업이 이들 조량모초의 경매물이라 할지니, 어찌 그렇다고 할 것인가. 즉, 고대의 불완전한 역사라도 이를 상세히 살피면, 동국 주족 단군 후예의 발달한 실제 자취가 뚜렷하거늘 무슨 까닭으로 우리 선조들을 헐뜯음이 이에 이르렀는가. …… 만일 그렇지 않으면 이는 무정신의 역사이다. **무정신의 역사는 무정신의 민족을 낳으며, 무정신의 국가를 만들 것**이니 어찌 두렵지 아니하리오.

05 근대 문학·예술

1. 새로운 문학의 등장

(1) **신소설**[1]: 언문일치의 문장을 사용하고, 봉건적 가치관을 비판하며 미신 타파, 남녀평등과 자유연애, 신교육의 필요성 등을 주로 다루고 있다. 대표적인 신소설로는 이인직의 「혈의 누」, 이해조의 「자유종」, 안국선의 「금수회의록」 등이 있다.

심화사료 百出 2011. 지방직 9급

신소설

지금 세상 사람들은 외국의 세력을 빌어 의뢰하여 몸을 보전하고 벼슬을 얻으려 하며, 타국 사람을 부동하여 제 나라를 망하게 하고 제 동포를 압박하니, 그것이 우리 여우보다 나은 일이오? 결단코 우리 여우만 못한 물건들이라. 또, 나라로 말할지라도 대포와 총의 힘을 빌려서 남의 나라를 위협하여 속국도 만들고 보호국도 만드니, 불한당이 칼이나 육혈포를 가지고 남의 집에 들어가서 재물을 탈취하고 부녀를 겁탈하는 것이나 다를 것이 무엇이오.

– 안국선, 「금수회의록」

(2) **신체시**: 최남선은 1908년 『소년』 창간호에 「해에게서 소년에게」라는 신체시를 발표하였다. 구어체를 사용하고 개화 사상, 신교육, 남녀평등, 자주독립 등 계몽적 내용을 다루었다.

(3) **애국 가사**: 4·4조의 애국 가사들이 독립신문이나 대한매일신보 등을 통해 발표되었다.

(4) **외국 문학의 번역**: 기독교 계통의 서적이나 외국 문학 작품들이 번역되어 국내에 소개되었는데 외래 문화에 대한 막연한 동경심을 유발하는 부작용을 낳기도 하였다.

[1] 신소설과 신소설의 한계
고전 소설과 구별되는 새로운 소설이라는 의미이다. 1906년 『만세보』에 연재된 이인직의 「혈의 누」에서 처음 사용되었다. 그러나 국가와 민족의 위기 상황을 간과했으며, 통속적인 흥미에 치중하는 한계를 보이기도 하였다.

「혈의 누」(좌), 「자유종」(우)

「금수회의록」

2. 음악

(1) 서양 음악의 보급: 기독교 선교사들의 활동으로 찬송가가 널리 보급되면서 서양 음악이 소개되었다.

(2) 창가: 전통적인 4음보의 가사조 노랫말을 서양 악곡에 맞추어 부르는 창가가 유행하였다. 특히 '애국가', '독립가', '권학가'❷ 등의 창가는 민족 의식 고취에 이바지하였다.

(3) 전통 음악: 1890년대 전후 김창조가 가야금 산조를 확립하였다.

3. 연극

(1) 판소리와 창극: 신재효가 판소리를 여섯 마당으로 정리하였다. 또한 한 사람이 부르는 판소리를 1인 1역의 공연 형태로 변화시킨 창극이 유행하였다.

(2) 산조: 장구의 반주로 가야금, 거문고, 대금 등을 연주하는 기악 독주곡인 산조가 나타났다.

(3) 극장의 건립: 19세기 말부터 협률사 등의 극장이 생기기 시작하였다. 20세기 초에는 최초의 서양식 극장인 원각사(1908)❸에서 은세계, 치악산 등의 작품이 공연되었다.

4. 미술

서양의 화풍이 소개되어 서양식 유화를 그리기 시작하였다.

✎ 대한 제국 애국가

하느님은 우리 황제를 도우사
만수무강하사
큰 수명의 수를 산같이 쌓으시고
위엄과 권세를 천하에 떨치사
오천만세에 기쁨과 즐거움이
날로 새롭게 하소서
하느님은 우리 황제를 도우소서.

❷ 권학가

학도야 학도야 청년 학도야.
벽상의 괘종을 들어 보시오.
한 소래 두 소래 가고 못 오니
인생 백 년이 주마 같도다.

❸ 원각사

이인직이 1908년 설립한 국내 최초의 서양식 극장으로, 1909년 폐쇄되었다.

06 종교계의 변화

1. 천주교

(1) 포교의 자유 허용: 1886년에 프랑스와의 수교로 포교와 신앙의 자유가 허용되었다.

(2) 각종 사회 활동

① 자선 활동: 고아원과 양로원을 설립·운영하여 소외된 계층을 돌보는 일에도 적극 참여하였다.

② 언론: 경향신문을 발행하여 언론을 통한 주권 회복 운동을 전개하였다.

③ 사회 활동: 국채 보상 운동에도 적극 참여하였다.

심화사료 百出

조·불 수호 통상 조약(1886)

제9조 2항 조선에서 언어와 문자를 배우거나 가르치며[敎誨],❹ 법률과 기술을 연구하는 프랑스 인들은 우호의 표시로 언제든지 보호와 원조를 받아야 한다.

❹ 교회(敎誨)의 이중적 의미

제9조 2항에서 가르친다는 의미의 교회(敎誨)라는 단어에 천주교를 전파한다는 뜻도 포함시켜 해석하여 천주교 포교의 자유를 인정받았다.

2. 개신교

(1) 수용 및 활동: 1880년대 이후 본격적으로 수용되었다. 선교사들은 선교 사업과 함께 교육, 의료 및 사회봉사 활동을 전개하였다.

(2) 대부흥 운동: 1900년대 초 일종의 영적 각성 운동으로, 기독교계의 대부흥 운동❺이 일어났다.

❺ 대부흥 운동

기독교가 토착화되는 중요한 계기가 되었다.

『만세보』

❶ 대종교

일본은 대종교를 일본의 신도(神道)와 일치시켜 친일에 이용하기도 하였다.

❷ 유교의 3대 문제(유교구신론 中)

1. 지배층만 생각하여 일반 백성을 생각하는 것이 부족함.
2. 공자처럼 세상을 돌아다니며 바꾸려는 노력을 하지 않음.
3. 오직 주자 성리학에만 빠져 있음.

3. 동학(천도교)

(1) **변화**: 동학의 3대 교주인 손병희는 이용구 등 친일 세력을 내쫓고 1905년에 천도교를 창설하였다.

(2) **활동**: **보성사**라는 출판사를 세우고, **『만세보』**를 창간하였다. 또한 보성 학교와 동덕 여학교를 운영하였다.

4. 대종교(단군교)

(1) **창시**: 1909년에 **나철, 오기호** 등이 창시한 단군교는 일제의 탄압으로 1910년에 대종교로 개칭하였다.

(2) **활동**: 애국 지사들은 대종교❶에 가담하여 간도와 연해주 등지에서 독립운동을 전개하였다.

5. 유교

(1) **대동교**: **박은식**과 장지연은 양명학과 사회 진화론의 원리를 조화시킨 대동 사상을 주창하고 대동교를 창건하여 유교계를 친일화하려는 일제에 대항하였다.

(2) **박은식의 유교구신론(1909)**: 박은식은 새로운 시대에 맞게 유교를 전승시키려면 양명학을 보급해야 한다고 강조하였다. 이에 **실천적인 유교 정신**을 강조한 **유교구신론**❷을 주장하였다.

심화사료 百出 2019. 국가직 9급, 2016. 경찰 2차, 2014. 지방직 9급, 2013. 서울시 9급

박은식의 유교구신론(儒敎求新論)

무릇 동양의 수천 년 교화계(敎化界)에서 바르고 순수하며 광대 정미하며 많은 성인이 뒤를 이어 전하고 많은 현인이 강명(講明)하는 **유교가** …… 근세에 이르러 **침체 부진이 극도에 달하여** 거의 회복할 가망이 없는 것은 무슨 까닭이. …… 여기에 감히 외람됨을 무릅쓰고 **3대 문제**를 들어서 개량 구신의 의견을 바치노라.

첫째는, 유교파의 정신이 전적으로 **제왕(帝王) 측에 존재하고 인민 사회에 보급할 정신이 부족함**이오. 둘째는, 여러 나라를 돌아다니면서 세계의 주의(主義)를 바꾸려는 생각을 강론하지 아니하고, 또한 내가 동몽(童蒙)을 찾는 것이 아니라 **동몽이 나를 찾는 주의를 지킴이오**. 셋째는, 우리 대한 유가(儒家)에서 간이직절(簡易直切)한 법문**(양명학)을 구하지 아니하고** 질질 끌고 되어 가는 대로 내버려 두는 공부**(주자학)를 전적으로 숭상함**이라.

– 박은식, 『서북 학회 월보』 제1권, 1909년

6. 불교

통감부의 탄압과 일본 불교의 침투가 본격화되면서 위기를 맞았다. 이에 **한용운** 등은 **'조선 불교 유신론'**을 내세워 조선 불교의 전통을 확립하고자 하였다.

대표 기출문제

다음에서 설명하는 신문은? 2023. 지방직 9급

- 서재필이 정부 지원을 받아 창간하였다.
- 한글판을 발행하여 서양의 문물과 제도를 소개하였다.
- 영문판을 발행하여 국내 사정을 외국인에게도 전달하였다.

① 제국신문 ② 독립신문
③ 한성순보 ④ 황성신문

해설

제시된 자료는 서재필이 창간한 독립신문에 대해 서술한 것이다. 언론의 중요성을 인식한 정부의 지원으로 서재필은 1896년 4월에 독립신문을 창간하였다. 독립신문은 한글판과 영문판으로 각각 발행되었다. 한글판은 서양의 문물·제도를 국내에 소개했으며, 영문판을 통해 국내 사정을 외국인들에게 알렸다.

정답 ②

MEMO

PART

7

일제의 침략과 민족의 독립운동

1 CHAPTER 일제 식민 통치와 민족의 수난

01강 _ 식민 통치 체제의 구축과 경제 수탈

❶ 1910년대 무단 통치
❷ 1910년대 일제의 경제 수탈
❸ 1920년대 문화 통치
❹ 1920년대 일제의 경제 수탈
❺ 1930년대 이후 민족 말살 정책
❻ 1930년대 이후 일제의 경제 수탈
❼ 일제의 교육 정책
❽ 일제의 언론 탄압
❾ 일제의 종교 탄압과 종교계의 대응

02강 _ 3·1 운동과 대한민국 임시 정부

❶ 3·1 운동의 배경
❷ 3·1 운동의 전개 과정
❸ 3·1 운동의 영향
❹ 임시 정부의 통합
❺ 임시 정부의 활동
❻ 임시 정부의 시련과 재정비

解·法·기·출·진·맥

9급 국가직

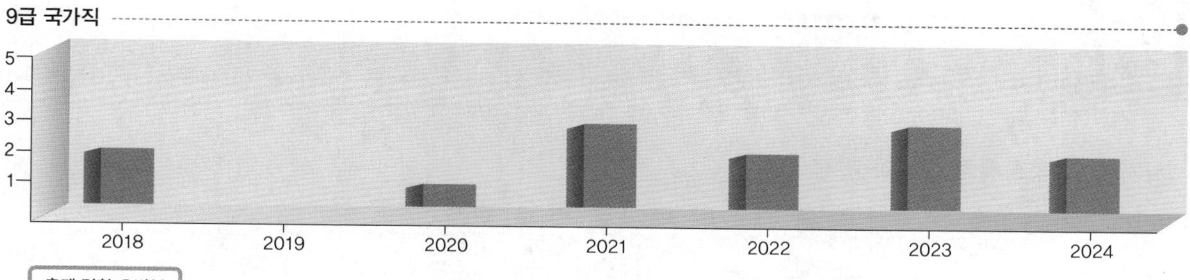

출제 경향 오버뷰 거의 매년 1~3문제 이상씩 출제되고 있음. 시기별 일제 정책, 토지 조사 사업, 국민 대표 회의

9급 지방직

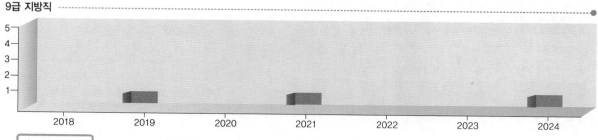

출제 경향 오버뷰 거의 3년에 1번꼴로 출제되고 있음. 시기별 일제 정책

9급 법원직

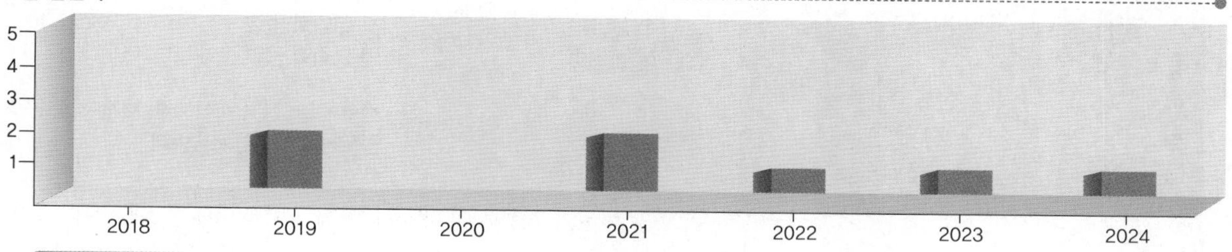

출제 경향 오버뷰 거의 매년 1문제 이상씩 출제됨. 토지 조사 사업, 1930년대 일제 정책, 임시 정부

01 강

식민 통치 체제의 구축과 경제 수탈

제1장 일제 식민 통치와 민족의 수난

구 분		2008~2017	2018	2019	2020	2021	2022	2023	2024
9급	국가직	•식민 통치(3) •경제 수탈 •토지 조사 사업	식민 통치(2)		치안 유지법	•토지 조사 사업 •식민 통치	식민 통치	식민 통치(2)	식민 통치
	지방직	•식민 통치(3) •경제 수탈 •산미 증식 계획 •국가 총동원령		식민 통치					
	법원직	•무단 통치 •토지 조사 사업(2) •산미 증식 계획 •1930년대 일제 정책(3) •2차 교육령		토지 조사 사업		1930년대 이후 일제 정책		토지 조사 사업	

시기별 일제의 통치 방식과 경제 수탈

	통치 방식	경제 수탈
1기	무단 통치(헌병 경찰)	토지 조사 사업 / 안정적 지세 확보 + 토지 약탈 + 재정 확보: 전매 제도(소금, 인삼 등) 삼림령(1911), 어업령(1911) 광업령(1915), 임야조사령(1918)
	3·1 운동	
2기	문화 통치(기만적) ⇨ 이간, 분열	산미 증식 계획 / 식량 사정 악화 / 만주에서 잡곡 수입 + 일본의 산업화: 회사령 철폐(⇨ 신고제) 일본 상품의 관세 철폐(1923)
	만주 사변	
3기	민족 말살 통치 (황국 신민화) ⇨ 전쟁 동원	만주 사변(1931): 병참 기지화 정책 [남면북양 정책 / 중화학 공업 강화(북부 지방)] 중·일 전쟁(1937): 국가 총동원법 [물적 수탈: 산미 증식 계획 재개, 각종 공출제 / 인적 수탈: 징용, 지원병제] 태평양 전쟁(1941): 전쟁 동원: 학도 지원병제, 징병제, 여자 정신대 근로령

01 1910년대 무단 통치

1. 식민 통치 제도❶

(1) 조선 총독부 설치: 일제는 식민 통치의 중추 기관으로 조선 총독부를 설치하였다.

① **총독의 권한**: 조선 총독은 육·해군 대장 출신들로만 임명됐으며, 일본 국왕에게 직속되어 **조선의 입법권·사법권·행정권 및 군대 통솔권까지 장악**하였다. 일본 내각의 통제도 받지 않는 식민지 조선의 최고 통치자였다.

② **조직**: 총독 아래에는 행정을 담당하는 정무총감과 치안을 담당하는 경무총감❷을 두었다. 또한, 지방의 행정 구역을 통폐합하여 전국을 13도로 나누고 도 밑에 부·군·면을 두었다.

(2) **중추원**: 총독부는 **자문 기관인 중추원**을 두고 친일 인사들에게 참의라는 일종의 명예직을 주었다. 그러나 한국인들을 포섭하기 위한 이름뿐인 기관이었고 아무런 실권이 없었다.

중추원의 변천

- 고려: 왕명 출납·군국 기무 등을 담당한 핵심 기구였다.
- 조선: 기능이 약화되었다. 세조 때, 중추부라 명칭을 바꾸었는데 관장하는 업무는 특별히 없었다.
- 근대: 독립 협회는 중추원을 개편하여 의회를 만들고자 하였다.
- 일제 강점기: 1910년 총독부는 한국인을 정치에 참여시킨다는 명분을 내세워 중추원을 설치하였다. 1915년 이후 중추원은 우리나라의 옛 관습과 제도에 관한 조사 및 연구, 각종 역사 자료 발행 등을 담당하였다.

2. 민족 억압 정책

(1) **헌병 경찰제의 실시**: 현역 군인인 **헌병에게 경찰 업무를 부여**하였다. 이에 헌병 경찰은 치안, 사법뿐만 아니라 세금 징수, 검열, 언론 지도 등 **일반 행정 업무까지 담당**하였다.

① **범죄 즉결례(1910)**: 헌병 경찰은 **정식 법 절차나 재판을 거치지 않고** 벌금, 구류, 태형 등을 재량으로 **즉결 처분**할 수 있었다.

② **경찰범 처벌 규칙(1912)**: 항일 투쟁뿐만 아니라 **일상 생활까지** 통제하였다. 이를 어기는 자는 구류 또는 벌금으로 처벌하였다.

③ **조선 태형령(1912)**: **갑오개혁 때 폐지된 태형을 조선인에 한하여 부활**시켰다.

④ **무관 복제**: 공포 분위기 조성을 위해 **일반 관리나 교원에게도 제복과 칼을 착용**하게 하였다.

(2) **교육 통제**: 일제는 **1911년 제1차 조선 교육령을 제정**하여 식민 통치에 순응하는 인간 육성을 목표로 하는 한편, 낮은 수준의 실업 교육을 실시하였다. 또한, 민족 교육을 탄압하였다.

(3) **언론·출판·집회·결사의 자유 박탈**❸: 일제는 1910년 보안법·신문지법·출판법을 확대 적용하여 언론·출판·집회·결사의 자유를 극도로 제한하였다.

(4) **민족 운동의 탄압**: 민족 지도자들을 무차별 체포하여 고문하는 등 민족 운동을 탄압하였다. **105인 사건(1911)**이 대표적인 사건으로, 이로 인해 **신민회가 해체**되었다.

❶ 일제의 통치 방식
일본은 자국의 헌법과 법률을 그대로 조선에 적용하지 않았다. 대표적으로 총독의 명령으로 특별 발표되는 '제령(制令)'이라는 것이 있었다.

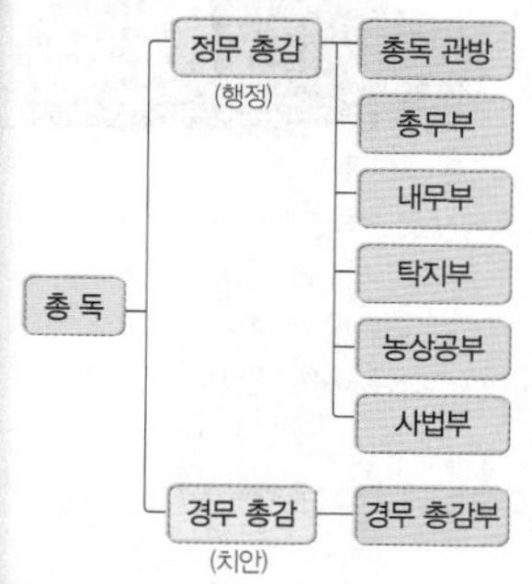

초기 조선 총독부의 기구표

❷ 경무총감
경찰 최고 책임자로, 헌병 사령관이 임명되었다.

헌병 경찰의 모습

❸ 언론·출판·집회·결사 자유 억압
『황성신문』, 『대한매일신보』 등 민족 신문들이 폐간되었다. 또한 대한 협회 등 계몽 단체들도 해산당하였다.

❶ 조선 태형령

조선인에게만 차별적으로 적용된 법령으로, 헌병 경찰은 즉결 심판을 통해 태형을 가할 수 있었다. 이후 1920년에 폐지되었다.

조선 총독부

남산 통감부 건물을 사용하다가 경복궁 내의 정문과 일부 건물을 허물고 조선 총독부 건물을 지었다. 1916년 착공하여 1926년 완공하였다.

고등사료 百出

2016. 지방직 9급, 2011. 법원직 9급

조선 태형령(1912)❶

제1조 **3월 이하의 징역 또는 구류에 처하여야 할 자는 그 정상에 따라 태형에 처할 수 있다.**

제6조 태형은 태로서 볼기를 치는 방법으로 집행한다.

제11조 태형은 감옥 또는 즉결 관서에서 비밀리에 집행한다.

제13조 **본령은 조선인에 한하여 적용한다.**

시행 세칙 1조 태형은 형을 받는 자의 양손을 좌우로 벌려 형틀 위에 거적을 펴고 엎드리게 하고, 양손 관절 및 양다리에 수갑을 채우고 옷을 벗겨 엉덩이를 드러나게 하여 집행하는 것이다.

–「조선 총독부 관보」

경찰범 처벌 규칙(1912)

제1조 다음의 각 호에 해당하는 자는 구류 또는 과료에 처한다.

2. **일정한 주거 또는 생업 없이 이곳저곳 배회하는 자**
8. **단체 가입을 강요**하는 자
14. **신청하지 않은 신문, 잡지, 기타의 출판물을 배부**하고 그 대금을 요구하거나 억지로 그 구독 신청을 요구하는 자
19. **함부로 대중을 모아** 관공서에 청원 또는 진정을 남용하는 자
20. **불온한 연설**을 하거나 또는 **불온 문서, 도서, 시가(詩歌)를 게시, 반포, 낭독**하거나 큰 소리로 읊는 자
21. **남을 유혹하는 유언비어 또는 허위 보도**를 하는 자
32. 경찰 관서에서 특별히 지시 또는 명령한 사항을 위반한 자
50. 돌 던지기(石戰) 등 위험한 놀이를 하거나 시키는 자, 또는 길거리에서 공기총류나 활을 갖고 놀거나 놀게 시키는 자

–「조선 총독부 관보」

解法 도움닫기 20세기 전반의 세계 정세

02 1910년대 일제의 경제 수탈

1. 토지 조사 사업(1910~1918) ☆☆

(1) 준비 과정

일제는 1910년에 **토지 조사국**을 설치하고, 1912년에 **토지 조사령**을 공포하여 토지 조사 사업을 추진하였다.

23. 법원직 9급, 21. 국가직 9급, 19. 법원직 9급, 18. 국가직 9급, 16. 국가직 9급, 15. 경찰 3차, 13. 법원직 9급, 12. 지방직 7급, 09. 법원직 9급, 08. 법원직 9급

토지 조사령(1912)

제4조 토지 소유주는 **조선 총독이 정하는 기간 내에 주소, 씨명, 명칭 및 소유지의 소재, 지목, 자번호, 사표, 등급, 지적, 결수를 임시 토지 조사국장에게 신고**해야 한다. 단, 국유지는 보관 관청이 임시 토지 조사국장에게 통지해야 한다.

제17조 임시 토지 조사국은 토지 대장 및 지도를 작성❷하고, 토지의 조사 및 측량한 것을 사정하여 확정한 사항 또는 재결을 거친 사항을 이에 등록한다.

(2) 목적

일제는 토지 조사 사업이 **근대적인 토지 소유권을 확립**하기 위한 것이라고 선전하였다. 그러나 이는 **식민지 통치에 필요한 재정을 확보❸하고 일본인 및 일본 자본의 토지 소유를 확대**하려는 것이었다.

(3) 시행

① **신고주의**: 정해진 기간 내에 절차에 따라 신고한 토지만 신고자의 소유로 인정하였다. 그러나 토지 신고가 널리 알려지지 않았고, 기간은 짧은 반면 절차는 복잡했기 때문에 신고가 제대로 이루어지지 않아 토지를 빼앗기는 경우가 많았다.

② **토지의 약탈**: **궁방전**(대한 제국 황실 소유지), **역둔토**(관유지), 마을이나 **문중의 공유지** 등 특정 소유자가 없는 토지는 **국유지의 명목**으로 **총독부의 소유**가 되었다. 총독부는 이러한 토지들을 동양 척식 주식회사나 일본인 지주 등에게 헐값에 넘겨주었다.

③ **식민지 지주제 성립**

㉠ **농민의 권리 부정**: **농민의 도지권,❹ 입회권❺ 등은 인정되지 않았고 지주의 소유권만 인정**되어 지주제가 강화되었다. 또 토지에 대한 권리가 **소유권 중심으로 단순화**되었다.

㉡ **농민 몰락**: 많은 조선의 농민들은 토지를 잃고, 관습상 인정받던 권리마저 상실하였다. 이에 **기한부 계약에 의한 소작농으로 전락**하였고, 화전민이 되거나 **국외로 이주**하였다.

2. 산업 침탈

(1) 회사령(1910)

① **내용**: 회사의 설립은 **조선 총독의 허가제**로 하였다. 허가 조건을 어겼을 경우, 총독은 회사를 해산할 수 있었다.

② **결과**: 소규모의 제조업과 매매업만 허용하여 **한국인의 기업 활동을 억압**하였다.

심화사료 百出

2024. 법원직 9급, 2023. 국가직 9급, 2019. 국가직 7급, 2017. 국가직 9급(하), 2011. 지방직 9급

회사령(會社令, 1910. 12. 19. 제정)

제1조 **회사의 설립**은 **조선 총독의 허가**를 받아야 한다.

제5조 회사가 이 법령 또는 이 법령에 의한 명령과 허가의 조건을 위반하거나 공공질서 및 선량한 풍속에 반하는 행위를 한 때에는 **조선 총독은 사업의 정지·금지, 지점의 폐쇄 또는 회사의 해산을 명할 수 있다.**

(2) 금융 독점

1912년 은행령을 제정하여 총독부가 은행의 설립과 운영을 허가·감독하였다. 1918년 **조선 식산 은행❻**을 만들어 총독부의 경제 정책을 뒷받침하였다.

❷ 토지 대장·지적도 작성

일제는 토지 조사 사업 당시 조사한 토지의 지적도와 토지 대장을 작성하였다. 지적도는 전국 토지를 대상으로 측량한 지도이다.

❸ 재정 확보

일제는 지세 부과 대상을 안정적으로 확보하기 위해 토지 조사 사업을 실시하였다. 그리고 1918년 일제는 지세령을 개정하여 지역별 지가와 그것의 1.3%를 지세로 하는 과세 표준을 마련하였다. 일제의 지세 수입은 1920년대에 이르러 약 2배로 늘어났다.

토지 신고

❹ 도지권(영구 소작권)

경작지에 대해 소작인이 행사할 수 있는 권리로, 소작지에서의 부분 소유권을 인정해 주는 것이다. 영구적으로 경작을 할 수 있는 권리로, 타인에게 매매, 양도, 저당, 상속할 수 있었다.

❺ 입회권

마을 공동 이용지에서 땔감이나 풀을 채취하고 가축을 방목할 수 있는 권리를 말한다.

❻ 조선 식산 은행

1906년부터 설립된 6개 농공은행을 합병한 은행으로 총독부 산하의 금융 기관이었다. 조선 총독부가 은행의 인사권과 경영권을 장악하였다.

(3) 전매 제도

소금, 인삼, 담배 등을 **전매**하여 총독부의 수입을 증대시켰다. 담배의 경우 **1921년**에 **연초 전매령**을 **공포**하여 연초 전매제를 실시하였다.

(4) 기간 시설 정비

1910년대 일제는 한반도에서 거둔 세금으로 철도(**호남선·경원선**[1]), 도로(신작로), 항만 등의 기간 시설을 새로 건설하고 정비하였다. 이를 통해 자원의 일본 유출과 일본 상품의 판매가 더욱 쉬워졌다.

(5) 어업의 침탈

1911년 어업령의 실시에 따라 어업 활동을 하려면 조선 총독의 허가를 받아야 했다. 이에 따라 주요 어장은 일본인 어부가 차지하였다.

(6) 광업의 침탈

일제는 **1915년 조선 광업령**[2]을 제정하고 광업권에 대한 허가제를 실시하였다.

(7) 임업의 수탈

일제는 한반도의 삼림 자원을 독점하기 위해 삼림법(1908)과 삼림령(1911)[3]을 제정하였다. 이어서 **임야 조사령(1918)**[4]을 만들고 임야 조사 사업(1918~1935)을 실시하였다. 이에 따라 **많은 임야**가 **국유림으로 귀속**되었고, 농민들의 관습적인 산림 이용도 제한되었다.

[1] **호남선, 경원선(1914)**
호남선은 전라도의 쌀과 면화를, 경원선은 함경도의 광산물을 일본으로 가져갈 목적에서 건설되었다.

[2] **광업 침탈**
1911년부터 1917년까지 약탈 대상 광물을 대상으로 광상 조사를 실시하였다.

[3] **삼림법과 삼림령**
일제는 삼림법을 만들어 삼림 소유자는 농상공부 대신에게 신고하도록 하였다. 또한, 삼림령을 제정하여 삼림의 소유 및 운영을 철저하게 조선 총독부가 통제하였다.

[4] **임야 조사령**
신고주의를 적용하여, 소유 관계가 불분명했던 공유림과 미신고 임야는 국유림으로 편입되었다.

03 1920년대 문화 통치

1. 배경

일제는 3·1 운동을 계기로 **무단 통치의 한계**를 깨달았다. 또한, 악화된 국제 여론으로 인해 일제는 통치 방식을 바꿀 필요성을 절감하였다.

2. 문화 통치

(1) 문화 통치 표방

3·1 운동 이후 새로 부임한 사이토 마코토 총독은 문화 통치를 표방하였다. 문관 총독 임명,[5] 보통 경찰제 실시, 관리와 교원의 제복 착용 폐지 등을 내세웠다. 문관 총독을 임명할 수 있게 했지만, **실제로 문관이 총독으로 임명된 경우는 없었다.**

(2) 문화 통치의 본질

친일파를 적극 육성하여 우리 민족을 이간·분열시키려는 기만적인 통치 방식이었다.

[5] **문관 총독 임명**
일제는 조선 총독에는 무관만 임명될 수 있다는 조항을 삭제하였다. 그러나 일제가 패망할 때까지 조선 총독에 임명된 사람들은 모두 육·해군 대장 출신이었다.

심화사료 百出 2016. 경찰 2차

사이토 마코토 총독의 조선 민족 운동에 대한 대책(친일파 육성안 6개 항목)

1. **핵심적 친일 인물**을 골라 그 인물로 하여금 **귀족, 양반, 유생, 부호, 교육가, 종교가에 침투**하여 계급과 사정을 참작하여 **각종 친일 단체를 조직**하게 한다.
3. **조선 문제 해결의 성공 여부는 친일 인물을 많이 얻는 데에 있으므로,** 친일 민간인에게 편의와 원조를 주어 **수재 교육의 이름 아래 많은 친일 지식인을 긴 안목으로 키운다.**

(3) 보통 경찰제 실시

① **보통 경찰제**: 헌병 경찰제를 **보통 경찰제**로 바꾸어 **경찰 업무와 군대 업무를 분리**하였다. 그러나 헌병 출신이 보통 경찰로 전환되는 경우가 많았다.

② **경찰 병력 증가**: **경찰 관서와 인원, 비용 등을 3배 이상 늘렸다.** 또한 1군(郡) 1경찰서, 1면(面) 1주재소 제도를 확립하여 한국인에 대한 감시를 더욱 철저히 하였다.

③ **고등 경찰 제도**: 특별 고등계 형사라는 경찰이 파견되어 독립운동에 대한 탄압을 강화하였다.

(4) 치안 유지법 제정❻(1925): 사회주의 사상과 독립운동을 탄압하는 데 이용하였다.

심화사료 百出 2018. 서울시 9급(상)

치안 유지법(1925)

제1조 **국체를 변혁하거나 사유 재산 제도를 부인하는 것을 목적으로 결사를 조직하거나 또는 사정을 알고 이에 가입한 자는 10년 이하의 징역 또는 금고에 처한다.**

제6조 전 5조의 죄를 범한 자가 자수한 때에는 그 형을 감경 또는 면제한다.

제7조 이 법은 누구를 막론하고 이 법의 시행 구역 외에서 죄를 범한 자에게도 적용한다.

(5) 언론·출판·집회·결사의 자유 일부 허용

1920년 **『동아일보』·『조선일보』 등 한글 신문이 발행되었다.** 그러나 심한 검열❼을 받아 삭제, 압수, 정간되는 경우가 많았다. 집회와 단체 활동도 식민 지배를 인정하는 범위에서만 허용되었다.

(6) 지방 자치제❽ 실시

조선인이 정치에 참여할 수 있는 것처럼 선전하기 위해 지방 제도를 개편하였다. 도 평의회와 부·면 협의회 등을 두고 일부 지역에 선거제를 도입하였다. 이 기구들은 **형식적인 자문 기구**였으며, 선거권도 일부 부유층에게만 주어졌다.

(7) 교육 제도

1922년 **제2차 조선 교육령**을 발표하여 일본인과 조선인을 동등하게 교육하겠다고 하였다. 학교 수가 늘어나기는 했으나, 1920년대 조선인 아동의 보통학교 취학률❾은 약 20%를 넘지 못하였다.

04 1920년대 일제의 경제 수탈

1. 산미 증식 계획(1920~1934)

(1) **배경**: 일본은 급격한 인구 증가와 산업화에 따른 도시화로 인해 식량이 부족해졌다. 이러한 **자국의 식량 문제를 해결하기 위해 일제는 1920년부터 산미 증식 계획을 실시**하였다.

(2) **내용**: 일제는 쌀 생산을 대폭 늘리기 위해 농지 확장, 수리 시설의 확대, 종자 개량 등을 추진하였다.

❻ 치안 유지법(1925)

일본의 국가 체제(천황 제도)를 부정하는 행위와 사회주의 사상을 탄압하기 위해 만든 법률이다. 민족의 독립운동을 탄압하는 데 악용되었는데, 이에 따라 처벌된 사건으로는 조선 공산당 사건, 수양 동우회 사건, 조선어 학회 사건 등이 있다.

❼ 신문 검열

일제는 검열 제도를 만들어 일제 통치에 비판적이거나 민족 의식을 고취시키는 기사를 삭제하거나 심한 경우 신문을 정간·폐간하였다.

❽ 지방 자치제

일제는 한국인에게 참정권을 주고, 지방 자치제를 실시하겠다고 선전하였다. 이는 자치 운동을 유도하여 민족을 분열시키려는 의도였다.

❾ 낮은 취학률

학교는 여전히 부족하였고, 학비도 비싼 편이었다. 이에 조선인의 취학률은 일본인의 1/6 정도였으며, 상급 학교로 올라갈수록 그 비율은 더욱 낮아졌다.

(3) 결과

① **식량 부족**: 쌀 증산은 계획대로 이루어지지 않았으나 수탈은 계획대로 진행되어 **증산량보다 수탈량이 훨씬 많았다.** 따라서 한국의 식량 사정은 극도로 악화되었고, 일제는 한국의 부족한 식량을 보충하기 위하여 **만주에서 조, 콩 등 잡곡을 수입**하였다.

② **농민 몰락**: 농민들은 **높은 소작료**, 세금뿐만 아니라 비료 대금·수리 조합비·토지 개량비 등 **쌀 증산 비용까지 부담**하였다. 그 결과 자작농들은 **소작농·화전민·도시 빈민**으로 전락했으며 국외로 이주하는 농민들도 늘어났다. 반면 지주들의 토지 겸병은 더욱 확대되었다.

③ **농업 구조**: 일제가 미곡 생산을 강요함에 따라 농업 구조는 **쌀 농사 중심**으로 단순하게 개편되었다.

(4) **중단**: 1929년 경제 대공황 이후 일본 농민들을 보호하기 위해 **1934년 산미 증식 계획을 중단**하였다. 그러나 중·일 전쟁 이후 군량미 확보가 시급해지자 산미 증식 계획을 재개하였다.

일본으로 반출될 쌀이 쌓여 있는 군산항

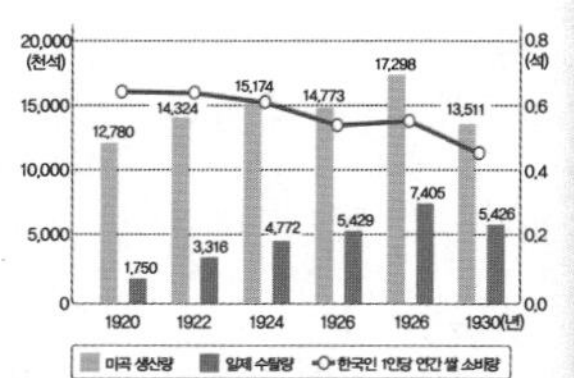

1920년대 미곡 생산량과 일제의 수탈량

심화사료 百出 2011. 지방직 9급

조선 산미 증식 계획

일본에서의 쌀 소비는 연간 약 6,500만 석인데, 일본 내 생산고는 약 5,800만 석을 넘지 못해 해마다 그 부족분을 다른 제국 판도 및 외국의 공급에 의지하는 형편이다. …… 따라서 **장래 쌀 공급은 계속 부족해질 것이고 그러므로 지금 미곡의 증수 계획을 수립하여 일본 제국의 식량 문제를 해결하는 데 도움을 주는 것은 진실로 국책상 급무라고 믿는다.**

– 조선 총독부 농림국, 조선 산미 증식 계획 요강, 1926년

2. 일본 자본의 조선 침투

(1) 회사령 폐지(1920)

회사령을 폐지하여 **회사 설립**을 허가제에서 **신고제**로 완화하였다. 회사 설립이 한층 쉬워져[1] 미쓰비시·미쓰이 등 일본 기업들이 조선에 본격적으로 진출하였다.

(2) 한·일 간 관세[2] 철폐(1923)

일제는 1923년부터 조선에 들어오는 **일본 상품들에 대한 관세를 철폐**하였다. 이 결과, 일본 상품들이 이전보다 싼값에 팔렸기 때문에 한국인 기업들은 타격을 입었다.

(3) 신은행령(1928)

일제는 신은행령을 발표하여 한국인 소유의 은행을 합병하였다.

(4) 산업의 변화

1920년대 중반 이후 일본의 자본 투자는 경공업에서 중공업 분야로 이동하였다. 1926년 함경도에 부전강 수력 발전소가 완성되고, 1927년 이 전력을 이용한 조선 질소 비료 공장(흥남)이 세워졌다. 이에 따라 중공업에 대한 투자가 활기를 띠기 시작하였다.

❶ 한국인의 회사 설립

회사령 폐지로 한국인의 회사 설립도 늘어났지만 대부분 소규모 제조업이나 유통 관련 분야에 그쳤다.

❷ 한·일 간 관세 변천

- 무관세 – 조·일 무역 규칙(1876)
- 관세 – 개정 조·일 통상 장정(1883)
- 관세 철폐 – 1923년

05 1930년대 이후 민족 말살 정책

1. 배경

1929년 경제 공황의 영향으로 일본도 경제가 침체되었다. 일본 군부는 이를 구실로 정권을 장악하고 **만주와 중국 대륙을 침략**하였다. 이에 따라 **한국인을 전쟁에 동원하기 위한 정책들이 실시되었다.**

2. 내용

(1) **민족 정신 말살**: 한국인의 민족 정신을 말살하고, 일본 천황에게 충성하는 백성으로 만들어 침략 전쟁에 동원하고자 하였다. 이를 위해 한국인과 일본인이 하나라는 **내선일체**[3]와 **일선동조론**[4]을 내세웠다.

(2) **황국 신민화 정책**[5]: 일본 궁성을 향하여 절을 하는 궁성 요배를 강요하고, 전국에 신사[6]를 세워 **일본 국가 종교인 신도**를 억지로 권하였다. 1937년에는 일본 왕의 백성으로 충성을 다하겠다는 **황국 신민의 서사**를 만들어 일본어로 외우도록 하였다.

(3) **창씨개명**[7]: 일제는 창씨개명을 실시하여 우리의 **성과 이름을 일본식으로 바꾸도록 강요**하였다.

(4) **조선어 금지**: 일제는 학교와 관공서에서 **조선어 사용을 금지**하고 대신 일본어를 사용하게 하였다.

(5) **언론 폐간**: 1940년에는 이미 친일 언론으로 변질된 **『동아일보』, 『조선일보』**마저 **강제 폐간**하는 등 한글을 사용하는 모든 신문과 잡지를 없애버렸다.

심화사료 百出

황국 신민 서사(아동용)

1. 우리는 **대일본 제국의 신민(臣民)**입니다.
2. 우리는 마음을 합하여 **천황 폐하에게 충의(忠義)를 다합니다.**
3. 우리는 괴로움을 참고 몸과 마음을 굳세게 하여[忍苦鍛鍊] 훌륭하고 강한 국민이 되겠습니다.

창씨개명

1. 창씨를 안 한 자들의 자녀에 대해서는 **각급 학교의 입학과 진학을 거부**한다.
2. 창씨를 안 한 어린이들은 일본인 교사들이 구타·질책함으로써 어린이로 하여금 애소로써 부모들에게 창씨를 하게 한다.
3. 창씨를 안 한 자는 공사 간 그들을 일체 채용 안한다. 또 현직자도 점차 해임 조치한다.
4. 창씨를 안 한 자는 행정 기관에서 다루는 모든 사무를 취급해 주지 않는다.
5. 창씨하지 않은 사람은 **비국민 또는 불령선인**(후테이센징)으로 단정해 경찰 수첩에 기입하고, 사찰·미행 등을 철저히 함과 동시에 필요에 따라서는 **우선적으로 노무 징용의 대상으로 하고, 식량 및 기타 물자의 보급 대상에서 제외**한다.

(6) **병력 강화**: 만주 침략 이후 경찰 병력이 대폭 늘어났으며, 정규 경찰 이외에 비밀 고등 경찰·헌병 스파이·경찰 보조 기관인 경방단 등을 두어 우리 민족을 감시하였다.

(7) **독립운동 탄압**[8]: 일제는 1936년 조선 사상범 보호 관찰령[9]을 제정하여 사회주의자와 독립운동가들을 지속적으로 감시하였다. 이후 1941년 조선 사상범 예방 구금령을 만들어 이들을 재판없이 체포·구금했으며, 전국에 대화숙을 설치하여 독립운동가 등 사상범들을 관리·감시하였다.

내선일체 포스터

❸ 내선일체(內鮮一體)
일본과 조선은 한 몸이라는 뜻으로 한국인을 일본인으로 동화시키려는 것이었다.

❹ 일선동조론(日鮮同祖論)
일본인과 조선인은 조상이 같다는 이론이다.

❺ 국민학교(1941)
소학교의 명칭도 '황국 신민의 학교'라는 의미인 '국민학교'로 바꾸었다.

❻ 신사 참배
전국에 신사(일본 왕실의 조상신을 둔 곳)를 세우고 신사 참배를 의무화하였다. 이를 거부하는 사람은 처벌했고, 학교는 폐교시켰다.

❼ 창씨개명(創氏改名)
초기에는 장려하는 형식을 취했으나, 사실상 강제로 이루어졌다. 창씨개명을 하지 않으면 학교 입학이나 공문서 발급이 금지되고, 식량과 물자 배급에서 제외되었다.

황국 신민 서사를 외우도록 강요 받은 학생들

❽ 조선어 학회 사건(1942)
우리말 큰 사전의 편찬을 준비하고 있었던 조선어 학회 회원들을 치안 유지법 위반으로 구속하였다.

❾ 조선 사상범 보호 관찰령
치안 유지법을 위반했던 사람들을 대상으로 2년간 보호 관찰을 하게 하였다.

06 1930년대 이후 일제의 경제 수탈(병참 기지화 정책) ☆

1. 배경

일제는 1931년 만주 사변, 1937년 중·일 전쟁, 1941년 태평양 전쟁을 일으켰다. 한편, **한반도를 침략 전쟁에 필요한 인적·물적 자원을 공급하는 병참 기지**로 만들고자 하였다.

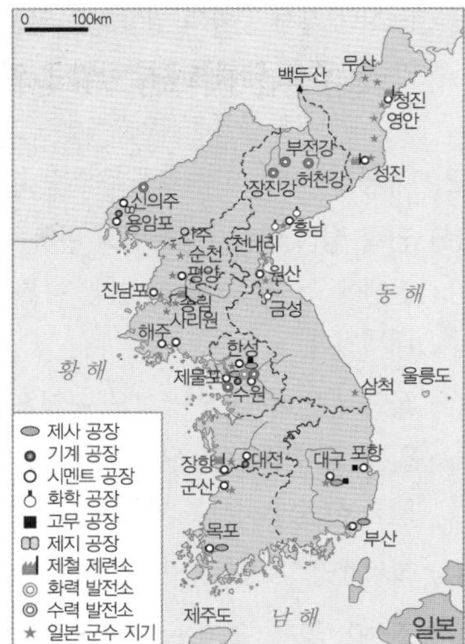

일제의 병참 기지화 정책

2. 전개 과정

(1) 만주 사변(1931) 이후❶

① **중화학 공업 강화**: 일제는 만주를 점령하여 농업·원료 지대로 삼고, 한반도를 중화학 공업 지대로 설정하였다. 이에 따라 석탄과 철 등 자원이 풍부한 북부 지방에 발전소와 공장을 집중적으로 세우고 중화학 공업을 육성하였다.

② **남면북양 정책**: 일제는 1930년대부터 공업 원료의 수탈을 위해 남면북양 정책을 추진하였다. **한반도 남부에는 면화 재배를, 북부에는 양(羊) 사육을 강요**한 것이다.

❶ **대외 침략에 따른 경제 개편**
일본은 만주–한반도–일본을 연결하는 경제 블록을 형성하여 수탈을 강화하였다. 또한 소비재 생산은 이전보다 위축되었으며, 경제 체제가 군수 산업 위주로 개편되었다.

면화 재배

심화사료 百出

병참 기지화 정책

첫째는 **제국의 대륙 병참 기지**로서 조선의 사명을 명확히 파악해야 하겠습니다. 이번 사변(중·일 전쟁)에 있어 우리 조선은 대중국 작전국에게 **식량, 잡화 등 상당량의 군수 물자를 공출**하여 …… 조선 산업 분야를 다각화해야 합니다. 특히 **군수 공업 육성**에 역점을 두어 모든 준비를 해야 할 필요가 있는 것입니다.

– 미나미 총독 훈시, 1939년 9월

③ **농촌 진흥 운동**❷(1932~1940): 일제는 춘궁 퇴치·차금 퇴치·차금 예방을 목표로 **조선 농촌의 자력갱생을 도모**하는 농촌 진흥 운동을 추진하였다. 그러나 본질은 **조선 농촌을 통제하고 소작 쟁의를 약화**시키는데 있었다.

❷ **농촌 진흥 운동**
가난의 원인을 게으름이나 낭비 탓으로 돌려 일본인을 본받고 한국인의 민족성을 개조해야 한다는 정신 운동으로 추진되었다.

심화사료 百出

조선 농지령(1934)❸

제1조 본령은 경작을 목적으로 하는 토지의 임대차에 적용한다.

제4조 부윤·군수 또는 도사가 마름이나 기타 소작지의 관리자를 부적당하다고 인정할 때에는 소작위원회의 의견을 듣고 임대인에 대해 그 변경을 명령할 수 있다.

제7조 소작지의 임대차 기간은 3년 이상으로 해야 한다. 단, 다년생 작물의 재배를 목적으로 하는 임대차는 7년 이상으로 해야 한다.

– 조선 총독 우가키 가즈시게, 제령 제 5호 조선 농지령

❸ **소작 조정령·조선 농지령**
일제가 소작농 보호를 명분으로 발표한 법령들이다. 조선 총독부는 1932년 소작인이 지주와 분쟁이 있을 때 당국에 조정을 요청하도록 하는 소작 조정령을 시행하였다. 이후, 1934년에는 고율의 소작료를 제한하는 조선 농지령을 제정하였다.

(2) 중·일 전쟁(1937) 이후

① 국가 총동원법(1938): 한반도의 인적·물적 자원 수탈에 주력하고, 전시 통제 체제를 강화하였다.

② 식량 공출[4]: 일제는 1939년에 군량미 조달을 위해 **산미 증식 계획을 재개**하고 식량 배급 제도를 실시하였다. 1940년부터 **미곡 공출제**를 실시하여 미곡의 시장 유통을 금지하였다.

③ 금속 공출: 일제는 1941년 금속류 회수령을 제정하여 주요 군수 물자를 공출하였다. 무기를 만들 수 있는 금속 제품이라면 놋그릇, 농기구, 식기, 제사 도구, 사찰과 교회의 종까지 빼앗았다.

④ 인적 자원의 수탈

㉠ 국민 정신 총동원 조선 연맹[5](1938): 일제는 중·일 전쟁 직후 전쟁 협력을 위해 **국민 정신 총동원 조선 연맹**을 조직하였다. 이 단체는 10호 단위로 편성되는 애국반을 두고 반상회를 열어 일상 생활을 통제하였다.

㉡ 육군 특별 지원병제(1938. 2.): 특별 지원병제 실시 이전에 조선인은 일본 군대에 입대할 수 없었다. 일제의 침략 전쟁 확대에 따른 병력 부족을 해소하기 위해 실시되었다.

㉢ 국민 징용령(1939): 일제는 징용령을 실시하여 조선인 청장년들을 **전쟁을 위한 노동자**로 끌고 갔다. 이들은 탄광·군수 공장 등에 투입되었다. **1939년**부터 **'모집'** 형식으로, 1940년부터 '알선' 형식으로, **1944년**부터는 **'징용'** 형식으로 수많은 한국인을 전쟁에 동원하였다.

㉣ 기타 인력 동원[6]: 일제는 '근로 동원'이라 하여 어린 학생들의 노동력을 착취하였다. 1938년 **근로 보국대**를 조직하여 학생, 여성, 농촌 노동력까지 각종 작업장에 투입하였다.

(3) 태평양 전쟁(1941) 이후

① 학도 지원병 제도(1943): 일제는 학도 지원병 제도를 강행하여 **학생들까지 전쟁터로 내몰았다.**

② 징병제(1944): **절박해진 병력 부족을 해소**하기 위해 징병제가 도입되었다. 이를 통해 한국인 청년들을 전쟁에 동원하였다.

③ 여자 정신 근로령(1944): 일제는 정신대라는 이름으로 **여성들을 동원**하였다. 일부는 일본과 조선의 군수 공장에 보내 강제 노역을 시키고, 일부는 전쟁터로 보내 **일본군 '위안부'**로 이용하였다.

(4) 일본군 위안부 문제

한국 정신대 문제 대책 협의회는 일본 정부의 범죄 인정, 진상 규명 등 7개 요구 사항을 제기하였다. '위안부'의 존재 자체를 인정하지 않던 일본 정부는 국제 여론이 악화되자, 위안부 모집의 강제성과 일본군의 개입을 인정하였다. 그러나 지금은 다시 부정하고 있다.

일본군 '위안부'

일제는 전선이 확대되고 전쟁이 장기화되면서 늘어나는 주민 강간과 성병을 막고, 군의 사기를 진작한다는 명목하에 '군 위안부' 제도를 만들었다. 일본군이 군 위안소를 만든 시기는 상하이 사변 직후인 1932년 무렵으로 추정되며, 본격적으로 설치한 것은 중·일 전쟁이 일어난 1937년 말이다. 일본군은 위안소의 설치 목적, 관리 감독, 위안부 동원에 명확한 원칙을 가지고 체계적으로 실행했다. 국제적으로는 영어 표현인 'Military Sexual Slavery by Japan(일본군 성노예)'으로 불린다. 약 20여만 명으로 추정되는 조선 여성들은 일제에 의해 중국, 동남아시아, 태평양 제도 등의 전선에 '일본군 위안부'로 보내져 갖은 수난과 희생을 겪었다.

❹ 식량 수탈의 확대
일제는 1939년 조선 미곡 배급 조정령을 제정하여 이듬해부터 미곡 공출제를 실시하였다. 식량의 자유로운 유통을 통제하고 농민에게 농산물을 싼 값에 의무적으로 팔도록 한 제도이다. 이후 1941년 물자 통제령을 공포하여 배급제를 확대하였다. 1943년에는 조선 식량 관리령을 제정하여 공출의 범위를 미곡에서 전체 식량으로 확대하였다.

❺ 국민 정신 총동원 조선 연맹
각 직장 단위로도 조직되었다. 1940년 10월에 국민 총력 조선 연맹으로 개편하고 총독이 총재로 취임하여 관의 통제를 한층 강화하였다.

❻ 인적 수탈 강화
일제는 각종 통제 법령의 대상에 포함되지 않는 임시 요원인 학생, 여성, 농촌 노동력까지 강제 동원하였다.

놋그릇 공출

징용된 청년들

심화사료 百出 22. 서울 9급, 21. 법원 9급, 19. 지방 9급, 18. 국가 9급, 17. 국가 9급(하), 15. 지방 9급, 14. 법원 9급, 13. 지방 9급, 13. 서울 7급, 10. 법원 9급

국가 총동원법(1938년 5월 5일부터 시행)

제1조 국가 총동원이란 **전시에 국방 목적을 달성**하기 위하여 국가의 전력을 가장 유효하게 발휘하도록 **인적 및 물적 자원을 운영**하는 것이다.

제4조 정부는 **전시에 국가 총동원상 필요한 때**에는 칙령이 정하는 바에 따라 **제국 신민을 징용하여 총동원 업무에 종사**할 수 있게 할 수 있다.

제8조 정부는 전시에 국가 총동원상 필요한 때는 칙령이 정하는 바에 따라 **물자의 생산·수리·배급·양도 및 기타의 처분·사용·소비·소지 및 이동**에 관해 필요한 명령을 내릴 수 있다.

신고산 타령

신고산이 우루루 화물차 가는 소리에 **지원병** 보낸 어머니 가슴만 쥐어뜯고요. – 육군 특별 지원병제 등 군인 동원
어랑어랑 어허야
양곡 배급 적어서 콩깻묵만 먹고 사누나. – 미곡 공출제와 식량 배급제에 따른 식량 부족
신고산이 우루루 화물차 가는 소리에 **정신대** 보낸 어머니 딸이 가엾어 울고요. – 여자 정신 근로령 등 여성의 전쟁 동원
어랑어랑 어허야
풀만 씹는 어미소 배가 고파서 우누나.
신고산이 우루루 화물차 가는 소리에 **금붙이 쇠붙이 밥그릇마저 모조리 긁어 갔고요.** – 금속류 공출제를 통한 물적 자원 수탈
어랑어랑 어허야
이름 석 자 잃고서 족보만 들고 우누나.
└ 창씨 개명

일제의 교육 정책

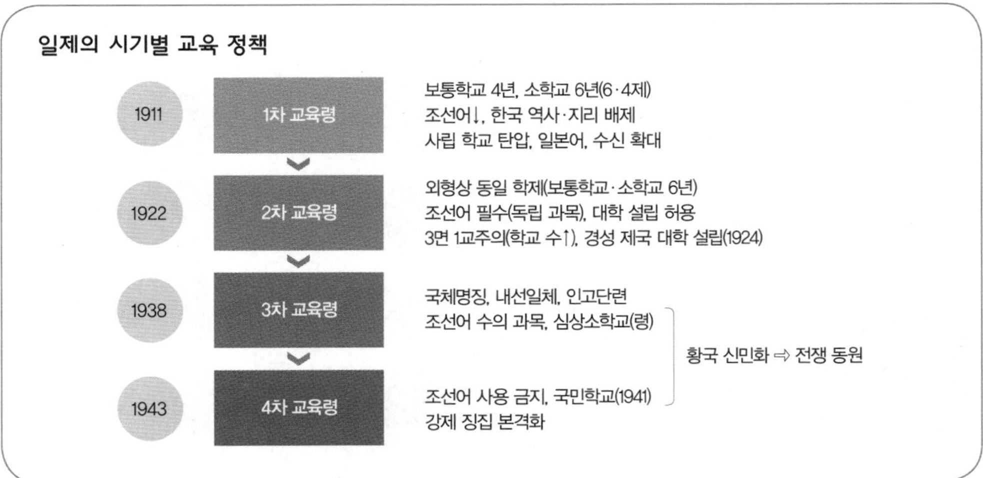

일제의 시기별 교육 정책
1911
1차 교육령
보통학교 4년, 소학교 6년(6·4제)
조선어↓, 한국 역사·지리 배제
사립 학교 탄압, 일본어, 수신 확대
1922
2차 교육령
외형상 동일 학제(보통학교·소학교 6년)
조선어 필수(독립 과목), 대학 설립 허용
3면 1교주의(학교 수↑), 경성 제국 대학 설립(1924)
1938
3차 교육령
국체명징, 내선일체, 인고단련
조선어 수의 과목, 심상소학교(령)
1943
4차 교육령
조선어 사용 금지, 국민학교(1941)
강제 징집 본격화
황국 신민화 ⇨ 전쟁 동원

1. 목표

식민 통치에 순응하도록 만들고, 식민지 공업화에 필요한 노동력을 양성하는 데 그 목적이 있었다. 이를 위해 '천황에 충성하는 선량한 국민을 육성'하는 데 교육의 주안점을 두었다.

2. 1910년대 교육 정책

(1) 제1차 조선 교육령(1911)

① **우민화 교육[1]**: 시대의 추세와 국민 수준에 맞는 교육을 실시한다는 명분을 내세웠다. 고등 교육을 제한하고, **보통 교육과 실업 교육에 치중**하였다. 또한 일본어 교육과 수신 교육(천황에 대한 충성심 배양)을 중시하였다.

② **교육 연한 단축**: 보통학교[2](국어를 상용하지 않는 자)의 수업 연한을 **4년**으로 하고 실정에 따라 1년을 단축할 수 있게 하였다.

(2) **민족 교육 억압**: 1910년대 초반에는 사립학교와 개량 서당이 민족 교육 기관으로 중요한 역할을 하고 있었다. 이에 일제는 **사립학교와 서당에 대한 탄압을 강화**하였다.

① **사립학교 통제**: 사립학교령(1908)·사립 학교 규칙(1911)을 만들어 학교의 설립과 교육 내용을 통제하였다. 1915년 개정 사립학교 규칙을 통해 학교의 설립을 총독의 허가제로 하였다.

② **서당 통제**: 사립학교가 탄압을 피하기 위해 개량 서당으로 전환하자, **1918년 서당 규칙**을 만들었다. 서당을 열 때 도지사의 허가를 받게 하고, 일본어를 가르치게 한 것이다.

심화사료 百出

제1차 조선 교육령(1911)

제1조 조선에 있는 조선인의 교육은 본령에 따른다.
제2조 교육은 **충량한 국민을 육성**하는 것을 본위로 한다.
제3조 교육은 **시세와 민도에 적합하게 함**을 기한다.
제9조 보통학교 수업 연한은 **4년**으로 한다.

3. 1920년대 교육 정책

(1) **제2차 조선 교육령(1922)**: 일본인과 조선인의 동등한 교육, 조선인의 교육 기회 확대 등을 표방하였다.

① **수업 연한 연장**: 일제는 보통 교육의 수업 연한을 늘려 일본과 외형상 동일 학제로 편제하였다. **보통학교의 수업 연한을 4년에서 6년으로 연장**하고, 학교 수를 증가[3]시켰다(3면 1교주의).

② **교육 기회 확대**: 초등 교육과 실업 교육 기관을 확대하고, 보통학교와 고등 보통학교를 증설하였다. 그러나 일본어를 사용하는 학교와 조선어를 사용하는 학교를 따로 나누어 차별하였다.

③ **교육 내용**: 조선어[4]를 필수 과목으로 지정하고 한문을 선택 과목으로 정하였다. 또한 일본 역사 과목에서 한국사를 부분적으로 다루도록 하였다.

④ **고등 교육**: 2차 조선 교육령에 따라 사범 교육과 고등 교육이 가능해졌다. 그러나 사범 교육은 보통학교 교원 양성에만 한정했으며, 한국인의 대학 설립도 여전히 억제하였다.

(2) **대학 교육 실시**: 이상재 등은 조선 교육회를 조직(1920)하여 **민립 대학 설립 운동을 전개**하였다. 이를 무마하기 위해 일제는 **최초의 대학인 경성 제국 대학(1924)을 설립**하고, 학생의 3분의 1 정도를 한국인에게 할당하였다.

---

❶ 우민화(愚民化) 교육
조선인의 취학률은 일본인의 6분의 1에 지나지 않았다. 이러한 현상은 상급 교육 기관으로 올라갈수록 더욱 심하였다. 또한 조선어는 한문과 함께 교육하고, 국어 시간에는 일본어를 가르치는 등 민족 교육이 부재하였다.

❷ 보통학교와 소학교
보통학교에서는 조선인 학생들이 주로 교육을 받았고, 소학교에서는 일본인 학생들이 주로 교육을 받았다. 1차 교육령 당시 이러한 상황을 바탕으로 보통학교는 4년으로 수업 연한을 단축시켰고 소학교는 기존 방침 그대로 6년으로 유지시켰다. 2차 교육령으로 인해 보통학교가 다시 6년으로 수업 연한이 연장되었으나 여전히 차별은 존재하였다.

1920년대 민족 교육 운동
조선교육회·조선여자교육회 등의 단체들이 조직되었고, 야학 활동이 활발히 전개되었다. 이를 통해 민족 의식과 반일 사상을 고취하고, 사람들을 계몽하였다.

❸ 학교 수의 증대
일제의 문화 통치 표방에 따라 1923년에는 3면 1교제가, 1929년에는 1면 1교제가 등장하였다. 그러나 제대로 시행되지 못하였다.

❹ 조선어 교육 실태
일본어 습득을 주요 목적으로 규정하고, 조선어를 한문과 분리(1차 교육령에서는 조선어와 한문을 1과목으로 합침)하였다. 그러나 조선어 수업은 조선어를 일본어로 해석하는 방식으로 운영하였다.

Now Event ▶▶
- 1916 박중빈, 원불교 창시
- 1920 『조선일보』, 『동아일보』 창간
- 1921 조선어 연구회 설립
- 1922 조선 민립 대학 기성 준비회 결성
- 1924 발명학회 설립
- 1931 조선어 학회 설립

~1910 전일 ▶▶
- 1883 원산 학사 설립
- 1885 배재 학당 설립
- 1886 육영 공원 설립
- 1906 서전서숙 설립

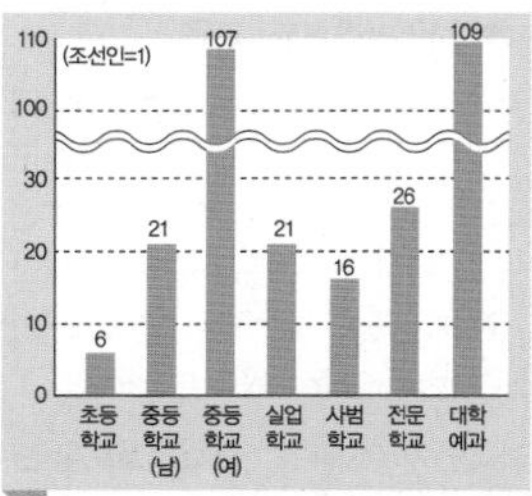

조선인 대비 일본인 취학자 비율 (1925)

심화사료 百出 2021. 경찰 1차, 2012. 법원직 9급

제2차 조선 교육령(1922)

제2조 **국어를 상용하는 자의 보통 교육은 소학교령**, 중학교령 및 고등 여학교령에 의함.

제3조 **국어를 상용치 아니하는 자의 보통 교육을 하는 학교는 보통학교**, 고등 보통학교 및 여자 고등 보통학교로 함.

제5조 **보통학교의 수업 연한은 6년**으로 함. 보통학교에 입학하는 자는 연령 6년 이상의 자로 함.

제7조 고등 보통학교의 수업 연한은 5년으로 함. 고등 보통학교에 입학하는 자는 수업 연한 6년의 보통학교를 졸업한 자 또는 조선 총독이 정하는 바에 의하여 이와 동등 이상의 학력이 있다고 인정된 자로 함.

4. 1930년대 교육 정책❶

(1) **황국 신민화 교육 실시**: 황국 신민 서사를 암송하게 하였고 신사 참배를 강요하였다.

(2) 제3차 조선 교육령(1938)

① 3대 교육 강령❷: 국체명징, **내선일체**, 인고단련을 내세웠다.

② **학제상 차별 철폐**: 학교 명칭과 교육 과정을 **일본과 동일하게 고쳤다**. 이에 따라 보통학교와 소학교는 **심상소학교**로, 고등 보통학교는 중학교 등으로 학교 명칭을 고쳤다. 또한 조선어 외 모든 교과목의 수업은 일본어로 할 것을 명시하였다.

③ **조선어 교육 축소**: **조선어를 수의 과목(선택 과목)으로 지정**하였는데, 실제 선택하는 경우는 거의 없었기 때문에 **사실상 폐지**나 다름이 없었다.

심화사료 百出 2018. 경찰 2차, 2008. 법원직 9급

제3차 조선 교육령(1938)

제1조 소학교는 국민 도덕의 함양과 국민 생활의 필수적인 보통의 지능을 갖게 함으로써 **충량한 황국 신민을 육성**하게 하는 데 있다.

제13조 **심상소학교의 교과목**은 국어(일어), 산술, 국사, 지리, 이과, 직업, 도화, 수공, 창가, 체조이다. **조선어는 수의(隨意, 선택) 과목으로 한다.**

5. 1940년대 교육 정책

(1) **전시 동원 체제**: 군사 교육 강화·학생의 전쟁 동원 등을 위한 법적인 장치들을 마련하였다.

(2) **국민학교령(1941)**: **심상소학교의 명칭**을 '황국 신민 학교'의 줄임말인 **'국민학교'로 개칭**하였다.

(3) **제4차 조선 교육령(1943)**: 일제는 조선어 교육뿐만 아니라 **조선어 사용을 금지**하였다.

❶ **1930년대 교육 정책**
일제는 한국인을 침략 전쟁의 협조자로 만들고 한국과 일본과의 정신적 유대를 일치시키고자 동화주의 교육을 더욱 강화하였다.

❷ **3대 교육 강령**
- 국체명징(國體明徵): 국체를 명확히 한다는 의미이다. 국체(나라의 본질)는 일본 조상신이 나라를 세우고 천황이 지켜나간 정신을 말한다. ⇨ 교육의 목표
- 내선일체(內鮮一體): 내지(일본)와 조선은 하나라는 뜻이다. ⇨ 교육의 운용
- 인고단련(忍苦鍛鍊): 어려움을 참고 몸과 마음을 단련한다는 의미이다. ⇨ 교육의 방법

08 일제의 언론 탄압

1. 1910년대

언론의 암흑기로 민족 언론이 자취를 감춘 시기였다. **총독부 기관지인 『매일신보』만 존속**하였다.

2. 1920년대

1920년에는 **문화 통치의 일환**으로 **『조선일보』, 『동아일보』 등 한글 신문**의 발행이 허가되었다. 그러나 사전 검열·정간·기사 삭제 등으로 언론으로서의 역할을 충실히 하기가 어려웠다.

3. 1930년대

일제의 언론 탄압 강도는 점차 높아져 **많은 언론인이 체포·투옥**되었다. 대표적인 사건이 손기정의 마라톤 우승 사진에서 일장기를 지우고 보도한 『동아일보』에 대한 탄압(**일장기 삭제 사건,**[3] 1936)이었다.

4. 1940년대

신문에 보도할 기사를 계속 통제해 오다가 **『조선일보』와 『동아일보』마저 폐간**(1940)하였다.

❸ 일장기 삭제 사건

1936년 8월에 열린 베를린 올림픽 대회에서 마라톤 선수로 출전한 손기정이 1위, 남승룡이 3위를 차지하였다. 이때 『동아일보』가 손기정 시상식 사진을 게재하면서 가슴에 붙은 일장기(일본 국기)를 삭제하였다.

09 일제의 종교 탄압과 종교계의 대응

1. 일제의 기독교 탄압

(1) 1910년대: 기독교 계통의 민족주의 세력을 탄압하기 위하여 소위 **안악 사건,**[4] **데라우치 총독 암살 음모 사건을 날조**하여 신민회와 기독교를 망라한 민족 인사들을 검거하였다.

(2) 1920년대: 3·1 운동에서 기독교도들의 활동이 두드러지자 일제는 수많은 교회와 학교를 파괴하였다.

(3) 1930~1940년대: 중·일 전쟁 이후 일제는 **신사 참배**를 강요하였는데, 이를 거부하다가 수많은 종교 지도자들이 투옥·살해되고 기독교 계통 학교들이 많이 폐교되었다.

❹ 안악 사건(안명근 사건)

안중근 의사의 사촌 동생인 안명근이 황해도 안악 지방을 중심으로 독립운동 자금을 모금하였는데, 일제는 이와 관련된 황해도 지방의 기독교 세력을 탄압하였다.

2. 기독교(개신교)의 대응

천도교와 함께 3·1 운동을 주도하였다. 조선 중앙 기독교 청년회(YMCA)와 조선 기독교 여자 청년회 연합회(YWCA)는 신문화 운동을 전개하면서 민족 운동을 도모하였다.

3. 일제의 불교 탄압

1911년 **사찰령**[5]**을 공포**하여 한국 불교를 통제하는 한편, 불교계의 친일화를 추진하였다. 1915년 포교 규칙을 제정·공포하여 포교의 자유를 억압하였고, 불교 교육 기관인 중앙 학림을 폐지하였다.

❺ 사찰령

조선 총독이 사찰 주지 임명권과 사찰의 재산권을 통하여 불교계를 장악하려는 법령이었다.

4. 불교계의 대응

한용운은 1921년에 조선 불교 유신회를 만들어 총독부의 간섭에 맞섰으며, 친일 주지 성토 운동을 전개하였다. 1930년에 한용운을 당수로 하여 조직된 항일 비밀 결사 조직인 만당(卍黨)은 독립을 위한 지하 운동을 전개하였으나, 1938년 당원들이 검거되면서 해체되었다.

5. 일제의 천도교 탄압

3·1 운동 이후 일제의 탄압과 감시를 받아 많은 지도자들이 체포되었으며, 다수의 지방 교구들이 폐쇄되었다.

6. 천도교의 대응

(1) 1920년대: 3·1 운동의 준비와 실행에 크게 기여하였다. 1922년 3·1 운동 3주년을 맞이하여 **제2의 3·1 운동을 계획**하였으나 일제에 발각되어 실패하였다.

(2) 1930년대: 1930년대에는 비밀 결사를 만들고 독립운동 자금을 모금하였다. 또한 『**개벽**』, 『신여성』, 『**어린이**』, 『학생』 등의 잡지를 간행하여 민중의 계몽과 근대 문물의 보급에 기여하였다.

7. 대종교

(1) 성격: **단군**을 섬기는 대종교는 **민족주의 성격**이 강하여 일제의 탄압이 심하였다.

(2) **활동**: 국권 피탈 이후 본거지를 만주로 옮겼다. 비밀 결사인 **중광단**을 결성했는데, 3·1 운동 이후 북로 군정서군에 합류하여 항일 무장 투쟁을 전개하였다.

8. 원불교

1916년 박중빈이 창시한 원불교는 불교의 생활화,[❶] 대중화를 주장하였다. 허례의식 폐지와 남녀평등 등 새 생활 운동을 전개하였다. 또한 개간 사업과 저축 운동을 통하여 자립 의식을 고취시켰다.

❶ 생활 불교

원불교는 시주·불공 대신에 각자가 정당한 직업에 종사하면서 교화 사업을 전개하여야 한다는 생활 불교를 내세웠다.

9. 천주교

고아원과 **양로원**을 세우는 등 사회 사업에 주력하였다. 일부 천주교도들은 만주에서 항일 운동 단체인 의민단을 조직하여 무장 항일 투쟁에 나서기도 하였다.

대표 기출문제

(가) 시기에 있었던 사실로 옳은 것은? 2022. 국가직 9급

> 한국을 식민지로 삼은 일제는 헌병에게 경찰 업무를 부여한 헌병 경찰제를 시행했다. 헌병 경찰은 정식 재판 없이 한국인에게 벌금 등의 처벌을 가하거나 태형에 처할 수도 있었다. 한국인은 이처럼 강압적인 지배에 저항해 3·1 운동을 일으켰으며, 일제는 이를 계기로 지배 정책을 전환했다. 일제가 한국을 병합한 직후부터 3·1 운동이 벌어진 때까지를 (가) 시기라고 부른다.

① 토지 조사령이 공포되었다.
② 창씨개명 조치가 시행되었다.
③ 초등 교육 기관의 명칭이 국민학교로 변경되었다.
④ 전쟁 물자 동원을 내용으로 한 국가 총동원법이 적용되었다.

해설

제시된 자료는 1910년대 무단 통치 시기에 대해 설명하고 있다. ① 일제는 무단 통치 시기인 1912년에 토지 조사령을 공포하여 토지 조사 사업을 추진하였다.
② 1930년대 중·일 전쟁 이후인 민족 말살 통치 시기에 추진된 정책이다. ③ 일제는 1941년 국민학교령을 제정하여 심상소학교의 명칭을 '국민학교'로 개칭하였다. ④ 일제는 1938년에 국가 총동원법을 만들어 한반도의 인적·물적 자원 수탈에 주력하였다.

정답 ①

02 강

3·1 운동과 대한민국 임시 정부

제1장 일제 식민 통치와 민족의 수난

구 분		2008~2017	2018	2019	2020	2021	2022	2023	2024
9급	국가직	•3·1 운동(2) •국민 대표 회의				국민 대표 회의	임시 정부	임시 정부	임시 정부
	지방직	임시 정부				임시 정부			3·1 운동
	법원직	•3·1 운동 •임시 정부		임시 정부		임시 정부	3·1 운동		

대한민국 임시 정부

▶ 대한 국민 의회(연해주): 대통령(손병희)
⇩
▶ 한성 정부(국내): 국민 대회(13도 대표)
⇧
▶ 대한민국 임시 정부(상하이)

만주 중심론	상하이 중심론
국경선에 근접 조선인 많음. 무장 투쟁에 유리	국제적 도시(각국의 조계지) 안전함. 외교 활동에 유리

1919. 9. **상하이 정부** 정통성: 한성 정부 / 위치: 상하이

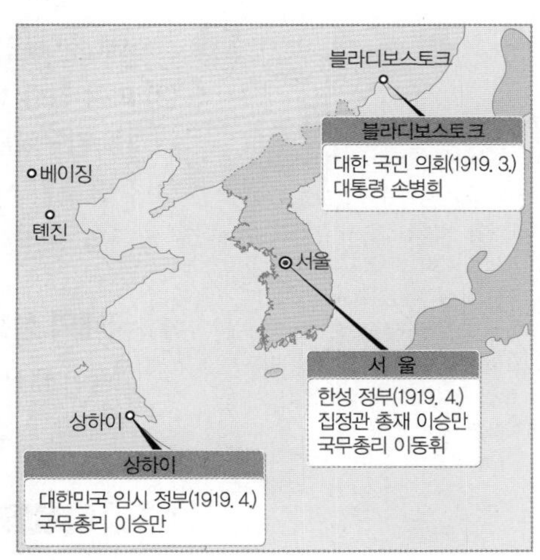

형 태 3권 분립, 민주 공화제, 대통령 – 이승만 / 국무총리 – 이동휘

활 동 군자금 모금: 연통제, 교통국, 이륭양행, 백산상회, 독립(애국) 공채, 국민 의연금
군사: 광복군 사령부(총영), 육군 주만 참의부
문화: 『독립신문』, 사료 편찬소(『한·일 관계 사료집』)
외교: 파리 강화 회의에 김규식 파견, 구미 위원부 설치 ⇨ 성과 없음.

임정 침체 →  ← 노선 갈등

1923 **국민 대표 회의**

창조파 VS 개조파 ⇨ 성과 없음.
⇨ 많은 독립운동가들 이탈 ⇨ 침체
⇩
임정 옹호파(김구): 한인 애국단 활약(이봉창, 윤봉길)
⇩
임시 정부 이동(1932~1940)
⇩
충칭 정부

주석제(김구), 한국 광복군 창설
건국 강령(삼균주의) 발표, 대일 선전 포고
김원봉 계열 합류 ⇨ 주석·부주석제(5차 개헌)

01 3·1 운동의 배경

1. 윌슨의 민족 자결주의[1]

제1차 세계 대전 이후 미국의 대통령 윌슨은 **자기 민족의 운명은 스스로 결정한다는 민족 자결주의**를 주장하였다. **패전국의 식민지에만 적용된다**는 사실을 제대로 알지 못한 국내에서는 국제 사회에 조선의 독립을 청원하자는 여론이 거세게 일어났다.

❶ 민족 자결주의
독일 등 1차 세계 대전의 패전국이 지배하던 식민지에만 적용된 원칙으로, 미국과 일본 등 승전국의 식민지는 그 대상에서 제외되었다.

2. 레닌의 민족 자결 선언: 러시아 혁명에 성공한 레닌은 식민지의 민족 해방 운동 지원을 선언하였다.

3. 국외 민족 독립의 움직임

(1) 대동단결 선언(1917)[2]: 상하이에서 **신규식, 신채호, 조소앙** 등이 발표하였다. '한국 병합 조약'이 무효임을 밝히고, 순종의 주권 포기로 주권은 2,000만 동포에게 넘어갔다고 하였다. 이 같은 주권 행사를 위해 임시 정부를 만들어야 한다고 하였다(**임시 정부 수립의 정당성**).

(2) 무오 독립 선언서: 만주 길림에서 39명의 독립운동가들이 **무장 투쟁의 의지를 담은 무오 독립 선언서**(대한 독립 선언서)를 발표하였다. 대종교 계열의 중광단이 주도했으며, 조소앙이 작성하였다.

(3) 파리 강화 회의 파견: 중국 상하이에서 **여운형**을 중심으로 신한 청년당(단)이 조직되었다. 1919년 1월 **김규식을 파리 강화 회의에 대표로 파견**하여 민족의 독립 의지를 알렸다.

(4) 2·8 독립 선언서(1919. 2. 8.): 일본 유학생들이 최팔용을 중심으로 **조선 청년 독립단**을 조직한 뒤, '독립 선언서'를 작성하여 도쿄에서 발표하였다.

❷ 대동단결 선언
공화주의와 복벽주의 논쟁이 종지부를 찍게 되었으며, 상하이 임시 정부 수립에 영향을 끼쳤다.

✎ 3·1 운동 직전의 국내 상황
고종의 서거를 계기로 독자적으로 독립운동을 준비하던 천도교계, 기독교계와 학생들이 손을 잡았고, 불교계도 가세하였다. 그리하여 민족 대표들과 학생들은 사람들이 많이 모이는 고종의 국장일 즈음하여 대규모 비폭력 평화 시위를 벌여 민족의 독립 의지를 전 세계에 알릴 것을 계획하였다.

4. 국내의 상황

고종이 급작스럽게 승하하면서 일본에 의한 **독살설이 제기**되었다. 이 소식을 접한 민중들은 일본에 대해 크게 분노하였다.

심화사료 百出

대동단결 선언(1917)

융희 황제가 삼보(토지, 인민, 정치)를 포기한 8월 29일은 바로 우리 동지가 삼보를 계승한 8월 29일이니, 그간에 한순간도 숨을 멈춘 적이 없음이라. 우리 동지는 완전한 상속자이니 **저 황제의 소멸한 때가 곧 민권이 발생한 때요. 구한국 최후의 날은 곧 신한국 최초의 날**이니 무슨 까닭이오. …… **비한국인에게 주권을 양여하는 것은 근본적으로 무효요.** 한국인의 국민성이 절대 불허하는 바이라. 따라서 **경술년 융희 황제의 주권 포기는 곧 우리 국민 동지에 대한 묵시적 선위니 우리 동지는 당연히 삼보를 계승하여 통치할 특권이 있고 대통을 상소할 의무가 있도다.**

무오 독립 선언서

무오 독립 선언서(대한 독립 선언서)

우리 강토의 한 뼘이라도 이민족이 점령할 권한이 없으며, …… 우리 민족의 땅은 완전한 한국인의 한국 땅이다. …… 살신 성인하면 2천만 동포는 같이 부활할 것이다. **육탄혈전으로 독립을 완성하자.**

2·8 독립 선언의 도쿄 유학생

2·8 독립 선언서

본단은 **한·일 병합이 우리의 자유 의사로 된 것이 아닐 뿐 아니라 우리의 생존과 발전을 위협하여 동양의 평화를 위협하는 원인이 되는 이유로 인하여 독립을 주장한다.** …… 위의 요구가 거절될 때에는 우리는 일본에 대하여 **영원히 혈전을 선포**할 것이며 이로 인하여 생겨나는 참화는 우리 민족에게 책임이 없도다.
– 재일본 동경 조선 청년 독립단 대표, 1919년 2월 8일

02 3·1 운동의 전개 과정

	만세 시위 운동의 특징	주도 계층
1단계	서울에서의 독립 선언(비폭력주의 표방)	태화관 단계: 종교계 대표 탑골 공원 단계: 학생, 시민
2단계	주요 도시로 확산 (상인들의 철시 운동, 노동자들의 시위)	교사, 학생, 상인, 노동자 등
3단계	농촌으로 확산(전국적 확산) (무력 저항주의 – 폭력 투쟁 전개)	농민층

1. 3·1 운동의 준비 과정❸

고종의 서거와 2·8 독립 선언에 영향을 받아 종교계 인사들과 학생들은 대규모 만세 시위를 계획하였다. 이에 **천도교의 손병희, 기독교의 이승훈, 불교의 한용운** 등 총 33명의 민족 대표가 구성되었다. 이들은 대외적으로 우리의 독립을 청원하고, 대중적인 비폭력 운동을 전개한다는 방침을 세웠다.

2. 만세 시위의 전개 과정

(1) 1단계 – 독립 선언서 발표, 시위의 시작

① **독립 선언서 작성**: **최남선**이 초고를 완성하였고, **한용운**이 공약 3장을 추가하였다. **일원화, 대중화, 비폭력화의 원칙**을 정하고 우리 민족의 강렬한 독립 의지를 전 세계에 알렸다.

② **독립 선언서 발표**: 1919년 3월 1일❹ 손병희, 이승훈, 한용운 등 민족 대표들은 탑골 공원에서 독립 선언서를 발표하려고 했었다. 그러나 시위가 과격해질 것을 우려하여 **태화관**(요릿집)에서 독립 선언서를 낭독한 후 **자진 체포**되었다.

③ **시위의 시작**: **탑골 공원**에 모인 학생과 시민들은 따로 독립 선언식을 하였다. 이후 서울 시가지에서 비폭력 평화 만세 시위를 전개하였다.

심화사료 百出 2024. 지방직 9급, 2011. 지방직 9급

3·1 독립 선언서(기미 독립 선언서)

오등(吾等)은 이에 **아(我) 조선의 독립국임과 조선인의 자주민임을 선언**하노라. 이로써 세계만방에 고하여 인류 평등의 대의를 극명하며 …… 민족자존의 정권을 영유하게 하노라. 반만년 역사의 권위를 장하여 이를 선언함이며, 2천만 민중의 충성을 합하여 이를 표명함이며, …… 금일 우리의 이 거사는 정의, 인도, 생존, 존영을 위하는 민족적 요구이니 오직 자유적 정신을 발휘하는 것이요, 결코 배타적 감정으로 치닫지 말라. 최후의 일인까지 최후의 시간까지 민족의 정당한 의사를 시원하게 발표하라.

[공약 3장]

1. 금일 오인의 이 거사는 정의, 인도, 생존, 존영을 위하는 민족적 요구이니, 오직 자유적 정신을 발휘할 것이요, 결코 배타적 감정으로 일주하지 말라.
1. 최후의 한 사람까지, 최후의 한 순간까지 민족의 정당한 의사를 쾌히 발표하라.
1. 일체의 행동은 가장 질서를 존중하여 오인의 주장과 태도로 하여금 어디까지든지 광명정대하게 하라.

❸ **국내 민족 운동의 움직임**
- 천도교: 민족 운동의 행동 강령으로 대중화·일원화·비폭력의 3대 원칙을 내세웠다.
- 학생: 독자적으로 시위 운동을 계획하면서 각 학교별 대표를 선임하고 세부 계획을 수립하고 있었다.
- 유생: 한국 독립의 정당성과 당위성을 주장하는 장문의 편지를 파리 강화 회의에 간 김규식에게 전달하려다 발각되었다(파리 장서 사건).

❹ **독립운동 거사일(3월 1일) 결정**
민족 대표들은 거사일을 당초에는 3월 3일로 정하였다. 그러나 이날이 고종 황제의 인산일이고 3월 2일은 일요일이라 3월 1일로 결정하였다.

독립 선언서

만세를 부르는 군중들

(2) 2단계 – 도시에서의 만세 시위

지방의 주요 도시에서 독립 선언과 함께 만세 시위가 전개되었다. 학생뿐만 아니라 교사·상인·노동자들이 시위에 가담하였다.

(3) 3단계 – 농촌 지역으로 시위 확산

3월 중순을 지나면서 만세 시위는 농촌과 산간벽촌으로 확산되었다. 토지 조사 사업으로 피해를 본 농민들은 시위에 적극 참여하였다. 이에 따라 비폭력 평화 시위는 점차 민중이 주도하는 무력 투쟁 운동으로 전환되어 갔다.

3. 국외에서의 만세 시위

간도,❶ 연해주 지역 등에서 대규모 시위가 전개되었다. 미주의 교포들은 필라델피아에 모여 독립 선언식을 거행했으며, 일본 도쿄에서도 유학생들이 만세 시위를 전개하였다.

4. 일제의 탄압

초기에는 평화적인 만세 시위를 전개했기 때문에 일제는 한국에 있는 병력만으로 시위를 저지하였다. 그러나 시위가 전국으로 확산되자 총독부는 일본에서 2개 사단의 병력을 불러들여 시위를 진압하였다. 헌병 경찰은 주동자를 체포하고 무차별 사격을 가하는 등 무자비하게 탄압하였다.

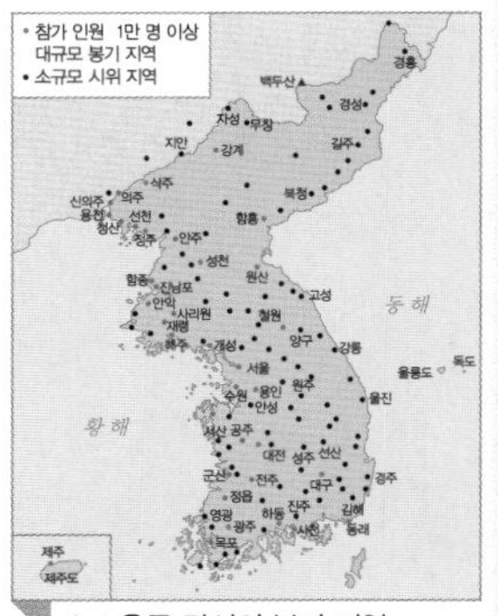

3·1 운동 당시의 봉기 지역

❶ 간도 지역에서의 만세 시위

서간도에서는 부민단이 중심이 되어 만세 시위를 전개하였다. 북간도 용정에서는 1만여 명의 한인들이 모여 독립 선언을 하고 만세 시위를 벌였다.

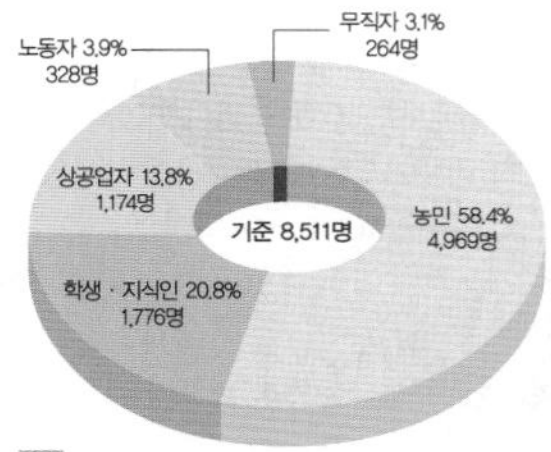

투옥자의 직업별 분포

유관순

1916년 미국인 선교사의 추천으로 이화 학당에 입학하였다. 1919년 3·1 운동 당시, 천안 아우내 장터 만세 운동을 주도하다가 체포되어 모진 고문 끝에 서대문 형무소에서 순국하였다.

03 3·1 운동의 영향

1. 일제의 통치 방식 변화

3·1 운동은 비록 일제의 무자비한 탄압으로 좌절되었지만 일제가 통치 방식을 무단 통치에서 문화 통치로 바꾸는 계기가 되었다.

2. 대한민국 임시 정부의 수립

3·1 운동을 계기로 간도와 연해주 지역에 많은 독립군 단체들이 결성되었다. 또한 독립운동을 이끌어 갈 통일된 지도부에 대한 필요성이 대두되는 과정에서 대한민국 임시 정부가 수립되었다.

3. 독립운동 주체의 확대

3·1 운동은 신분, 직업, 종교의 구별 없이 모든 계층이 참여한 우리 역사상 최대 규모의 민족 운동이었다. 민족 운동의 주체가 학생·농민·노동자 등으로 확대되었다.

4. 세계 약소 민족 해방 운동에 영향

3·1 운동은 1차 세계 대전 승전국의 식민지에서 일어난 최초의 반제 민족 운동이다. 또한, 중국의 5·4 운동, 인도 간디의 비폭력 저항 운동 등에 영향을 미쳤다.

고등사료 百出 2022. 법원직 9급, 2014. 국가직 9급, 2013. 법원직 9급

3·1 운동의 발발

동대문 밖에서 다시 한 번 일대 시위 운동이 일어났다. 이날은 태황제(고종)의 인산날이었으므로 망곡하러 모인 군중이 수십 만이었다. 인산례(因山禮)가 끝나고 융희제(순종)와 두 분의 친왕 이하 여러 관료와 궁속들이 돌아오다가 청량리에 이르렀다. 이때 곡소리와 만세 소리가 일시에 폭발하여 천지가 진동하였다.

일제의 3·1 운동 탄압

• 오늘은 한국의 위대한 날이다. …… 오후 2시, 중학교를 비롯한 각급 학교들이 일본의 한국 지배에 항거하는 시위를 벌였고, 거리로 나가 양손을 위로 올리고 모자를 흔들며 '대한 독립 만세'를 외치며 행진을 하기 시작했다. 거리의 사람들 역시 이 대열에 합류했고, …… 최근 일본 정부는 소위 '역도들'을 제압할 수 있는 더 '근본적인 대책'을 마련했다고 한다. …… 보병대 2사단, 포병대 1사단, 기병대 2사단이 일본으로부터 파병되고 난 후 …… 마을들이 불타고 있다는 소문이 무성하다는 것이다.

– 『노블일지』

• **만세 시위가 확산되자, 일제는 헌병 경찰은 물론이고 군인까지 긴급 출동시켜 시위 군중을 무차별 살상**하였다. 정주, 사천, 맹산, 수안, 남원, 합천 등지에서는 일본 군경의 총격으로 수십 명의 사상자를 냈으며, **화성 제암리❷에서는 전 주민을 교회에 집합, 감금하고 불을 질러 학살**하였다. 시위에 참가하였다는 이유로 무수한 사람들이 투옥되었고 일본 경찰에게 비인도적인 악형을 당하여 수많은 사람들이 목숨을 잃었다. 당시 만세 시위에 참가한 인원은 총 200여만 명이며, 일본 군경에 피살당한 사람은 7,509명, 부상당한 사람은 15,850명, 체포된 사람은 45,306명이었다.

– 박은식, 『한국독립운동지혈사』

❷ 제암리 학살 사건

1919년 4월 15일 일본 군경은 경기도 화성 제암리에 도착하여 마을 사람 30여 명을 제암리 교회에 감금 후 학살을 저지르고 증거 인멸을 위하여 교회당에 불을 질렀다. 부근의 교회 건물과 민가 등에도 불을 질러 사상자가 다수 발생하였다.

04 임시 정부의 통합

1. 국내외의 임시 정부 수립

3·1 운동을 계기로 좀 더 조직적으로 독립운동을 추진하기 위해 각지에서 정부를 수립하였다.

(1) **대한 국민 의회**: 연해주에서 조직된 전러 한족 중앙 총회가 **대한 국민 의회❸**로 개편되었다. **손병희**를 대통령, 이승만을 국무총리로 선임하였다.

(2) **대한민국 임시 정부**: **중국 상하이**에서는 4월 9일 신한 청년당(단)을 중심으로 **임시 의정원을 구성**하고, 4월 11일 이승만을 국무총리로 하는 대한민국 임시 정부를 수립하였다.

(3) **한성 정부**: **국내**에서는 4월 23일 서울에서 13도 대표가 모여 이승만을 집정관 총재로, 이동휘를 국무총리로 하는 한성 정부가 수립되었다.

❸ 대한 국민 의회
헌법은 제정하지 않았으나 3권 분립의 형태를 갖추고 있었다.

심화사료 百出 2023. 국가직 9급, 2011. 법원직 9급

대한민국 임시 헌장(1919. 4. 11.)

제1조 대한민국은 **민주 공화제**로 함.
제2조 대한민국은 임시 정부가 임시 의정원의 결의에 따라 이를 통치함.
제3조 대한민국의 인민은 남녀의 귀천 및 빈부의 계급이 없고, 일체 평등함.

…(중략)…

민국 원년 3월 1일 우리 대한 민족이 독립을 선언한 뒤 …… 이제 본 정부가 전 국민의 위임을 받아 조직되었으니 전 국민과 더불어 전심(專心)으로 힘을 모아 국토 광복의 대사명을 이룰 것을 선서한다.

상하이 대한민국 임시 정부의 청사

❶ 통합 정부의 성립

한성 정부의 정통성을 계승하고, 헌법과 조직은 대한 국민 의회와 상하이 임시 정부의 것을 참고하였다. 외교론자·무장투쟁론자·실력양성론자 등 다양한 주장을 가진 인물들이 존재하였다.

❷ 상하이

서양 열강의 조계 지역이 많아 외교 활동에 유리하기 때문이었다.

❸ 김구

김구는 초대 내무 총장이었던 안창호를 찾아가 자신을 임시 정부의 문지기라도 시켜달라고 부탁하여 초대 경무국장에 임명되었다.

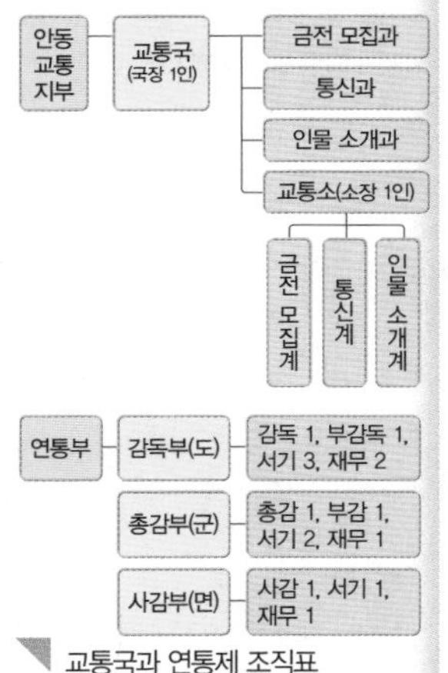

교통국과 연통제 조직표

독립 공채(애국 공채)

❹ 이륭양행

영국인 조지 루이스 쇼가 1919년 중국 단둥에 설립한 회사로, 독립운동가의 망명, 독립 자금 모집, 무기 반입, 연통제 운영 등의 역할을 담당했다.

❺ 백산상회

백산 안희제가 1914년 부산에 세운 민족 기업이다. 국내와 만주 지역에 지점을 설치하고 독립운동 자금을 지원하였으며, 3·1 운동 이후에는 임시 정부의 모든 경비를 조달하였다.

2. 통합 정부[1]의 성립: 각지의 여러 임시 정부를 통합하여 단일 정부를 수립하자는 움직임이 일어났다.

(1) 임시 정부의 위치 문제: 대한 국민 의회는 **무장 투쟁에 유리한 간도나 연해주**에 정부를 두어야 한다고 제안했다. 그러나 상하이 정부는 **외교 활동에 유리한 상하이**에 정부를 두자고 주장하였다.

(2) 통합 정부(1919. 9.): 통합 정부는 정부의 명칭을 **대한민국 임시 정부**라 하고, 정부의 위치는 **중국 상하이**[2]로 정하였다.

05 임시 정부의 활동 ☆☆

1. 임시 정부의 체제

(1) 공화주의: 대한민국 임시 정부는 민주주의에 입각한 **근대적 헌법**을 갖추고, **민주 공화제**와 **대통령제**를 채택하면서도 내각 책임제를 절충하였다. 임시 정부는 **우리나라 역사상 최초의 공화정 정부**이다.

(2) 3권 분립: 외교 노선을 추구해 온 이승만이 대통령에, 무장 투쟁을 주장한 이동휘가 국무총리에 선임[3]되었다. 행정 기관인 **국무원(행정)**과 이를 견제하는 역할을 맡은 **임시 의정원(입법)**을 두었으며, 사법 기관인 **법원(사법)**을 두어 민주 정치의 핵심인 **3권 분립**을 이룩하였다.

심화사료 百出

대한민국 임시 헌법(1919. 9.)

제1조 대한민국은 대한 인민으로 조직한다.
제2조 **대한민국의 주권은 대한 인민 전체에 있다.**
제4조 대한민국의 인민은 **일체 평등**하다.
제5조 대한민국의 **입법권은 의정원이, 행정권은 국무원이, 사법권은 법원이 행사**한다.

– 대한민국 임시 정부 의정원 문서

2. 임시 정부의 주요 활동

(1) 국내와의 연결: 비밀 행정 조직인 연통제를 만들었으며, 정보 수집 기관인 교통국을 두었다.
① **연통제**: 국내 각 도·군·면에 독판·군감·면감 등 정부의 연락 책임자를 두어 정부 문서 전달과 **군자금 조달, 정보 보고** 등의 업무를 담당하게 하였다.
② **교통국**: **정보 수집 기관**으로, 정보의 수집·분석과 독립운동 자금 모집 등을 담당하였다.

(2) 군자금 조달: 독립운동 자금은 **독립 공채(애국 공채)**나 **의연금** 등으로 충당되었다. 국내외에서 모아진 자금은 연통제나 교통국 또는 **이륭양행**[4]과 **부산의 백산상회**[5]를 통하여 정부에 전달되었다.

(3) 군사 활동: 중국 내에서의 군사 활동에는 제약이 많았다.
① **무장 독립 투쟁**: 군무부를 두어 **만주의 서로 군정서·북로 군정서 등과 연결**하였다. 1920년에는 광복군 사령부가 결성되었고 전투를 담당할 광복군 총영도 설치하였다. 1923년에는 남만주의 독립군을 통합하여 **육군 주만 참의부를 편성**하였다.
② **육군 무관 학교**: 초급 지휘관 양성을 위해 상하이에 설립한 학교이다.
③ **비행 학교**: 미주에 윌로스 비행 학교를 설립하여 비행 지도자를 양성하였다.

(4) **외교 활동**[6] : 독립을 위하여 외교 분야에 주력했으나, 성과는 미미하였다.

① **프랑스**: 임시 정부는 **김규식**을 외무총장 겸 **파리 위원부**의 대표로 임명하여 **파리 강화 회의에 독립 청원서를 제출**하게 하였다.

② **미국**: 워싱턴에 **이승만**을 중심으로 **구미 위원부를 설치**하고, 외교 활동을 전개하였다.

③ **소련**: 국무총리 이동휘 등이 모스크바에 가서 소련으로부터 독립운동 지원을 약속받았다.

(5) 문화 사업[7]

임시 정부의 기관지로 **독립신문**을 발행하였다. 이광수 등이 주필이 되어 국제 정세, 임시 정부 활동 등을 국내외 동포에게 알렸다. 또한 **임시 사료 편찬 위원회**를 두어 일제의 침략, 우리 민족의 독립운동과 관련된 사료를 모아 **『한·일 관계 사료집』**을 간행하였다.

❻ 임시 정부의 외교 활동

초기에 임시 정부는 열강으로부터 임시 정부를 승인받고, 독립에 대한 국제 사회의 지원을 이끌어 내기 위해 외교 활동에 주력하였다. 그리하여 여러 국제 회의에 대표를 보냈으며, 미국에 구미 위원부를 설치하였다.

❼ 임시 정부의 교육 활동

상하이에 초등 과정의 인성 학교, 중등 과정의 삼일 중학을 설립·운영했다. 국어·국사 교육에 중점을 두었다.

『한·일 관계 사료집』

06 임시 정부의 시련과 재정비 ☆

1. 국민 대표 회의(1923)

(1) 임시 정부의 위기

① **자금난과 인력난**: 일제의 탄압에 따라 1921년을 고비로 **연통제와 교통국의 조직이 철저하게 파괴되**면서, 자금과 인력 조달에 어려움을 겪었다.

② **내부 갈등**: 외교 활동의 성과가 없자 **무장 독립 투쟁론, 외교 독립론, 실력 양성론** 등 임시 정부의 활동 방향을 두고 노선 갈등이 일어났다. 또한 **외교 활동에 대한 무장 투쟁론자의 비판**이 거세졌으며, 민족주의 계열과 사회주의 계열 간의 갈등도 드러났다.

③ **이승만의 위임 통치 청원**: 이승만은 1919년 대한인 국민회의 이름으로 **미국 대통령에게 국제 연맹의 위임 통치를 청원하는 문서**를 일방적으로 제출하였다. 이 사실이 박용만 등에 의해 알려지면서 임시 정부의 인사들이 분노하였다.[8]

(2) 국민 대표 회의의 전개

① **개최**: **신채호, 박용만** 등은 베이징에서 군사 통일 주비회를 열어 **국민 대표 회의 소집**, 이승만의 사임, 신정부 수립 등을 요구하였다. 안창호와 박은식 등이 여기에 호응하자, 1923년 1월 상하이에서 **국민 대표 회의**가 개최되었다.

❽ 이승만에 대한 반발

1921년 4월 신채호, 박용만 등은 이승만이 미국 대통령에게 우리나라를 국제 연맹에서 위임 통치하도록 요청한 사실을 들면서 임시 정부와 의정원의 해산을 요구하였다.

심화사료 百出 2021. 국가직 9급

국민 대표 회의

본 회의는 2천만 민중의 공정한 뜻에 바탕을 둔 국민적 대화합으로 최고의 권위를 가지고 국민의 완전한 통일을 공고하게 하며, 광복 대업의 근본 방침을 수립하여 우리 민족의 자유를 만회하며 독립을 완성하기를 기도하고 이에 선언하노라. …… 본 대표 등은 국민이 위탁한 사명을 받들어 국민적 대단결에 힘쓰며 독립운동이 나아갈 방향을 확립하여 통일적 기관 아래에서 대업을 완성하고자 하노라.

– 국민 대표 회의 준비 위원회 선언서

② **창조파와 개조파의 대립**: 현 임시 정부를 해산하고 새로운 정부를 세우자는 **창조파**와, 현재의 임시 정부의 조직을 개편하여 존속시키자는 **개조파**로 양분되어 대립하였다. 결국 국민 대표 회의는 소기의 성과를 거두지 못하고 결렬되었다.

❖ 정치 세력 분화

정치 세력	특징
창조파	• 신채호와 연해주 공산주의자들(문창범 등) • 현재의 임시 정부 부정, 연해주로 이동하여 새로운 정부 수립 주장, 무장 투쟁 강조
개조파	• 안창호, 박은식 등 민족주의자와 일부 사회주의자(이동휘) • 현 임시 정부 개편하여 독립운동의 중심 역할 담당, 실력 양성 강조
현상 유지파	김구 등 임시 정부 유지, 국민 대표 회의 불참❶

(3) 국민 대표 회의 결렬 이후의 상황

① **임시 정부의 위축**: 다수의 독립운동가들이 떠나면서 **임시 정부 세력은 크게 약화되었다.**

② **독립운동가들의 이탈**: 이승만과 안창호는 미국으로 건너갔으며, 무장 투쟁 계열의 인사들도 만주와 연해주로 이동했다. 일부는 소련으로 가서 '한' 정부❷를 수립하였으나 소련에게 배신을 당하였다. 이후 신채호는 아나키즘(무정부주의)❸ 운동에 가담하게 되었다.

2. 임시 정부의 재정비

임시 정부의 이동로

(1) **이승만의 탄핵**: 임시 정부는 대통령의 직무를 다하지 않고 미주 지역의 독립 자금을 독점한다는 이유 등으로 이승만을 탄핵하여 파면하였다(1925).

(2) **지도 체제의 변천**: 1925년 2대 **대통령**으로 **박은식**이 취임하였다. 헌법을 고쳐 대통령 중심제에서 **국무령 중심의 내각 책임제로 개편**하고 이동녕·김구 등을 중심으로 체제를 재정비하였다. 이후 1927년 **국무 위원 중심의 집단 지도 체제**로 전환하여 보다 많은 독립운동가의 참여를 유도하였다.

(3) **한인 애국단**: 김구는 침체에 빠진 임시 정부를 재정비할 방안으로 **한인 애국단을 설립**(1931)하여 **의열 투쟁**을 전개하였다.

(4) **임시 정부의 이동**: 임시 정부는 1932년부터 중국 내의 여러 지역으로 옮겨 다니다가 중·일 전쟁 중인 1940년 충칭에 정착하였다.

❖ 임시 정부의 개헌 과정

제1차 개헌(1919)	대통령 지도 체제(대통령이 국정 총괄), 3권 분립 체제(국무원 · 임시 의정원 · 법원)
제2차 개헌(1925)	국무령 중심의 내각 책임 지도 체제
제3차 개헌(1927)	국무 위원 중심의 집단 지도 체제
제4차 개헌(1940)	주석 단일 지도 체제(주석: 김구)
제5차 개헌(1944)	주석 · 부주석 체제

심화사료 百出 2018. 서울시 9급(상), 2014. 경찰 1차

『백범일지』에 나타난 임시 정부의 고난

이렇게 하여 정부는 자리가 잡혔으나 경제 곤란으로 정부의 이름을 유지할 길도 막연하였다. …… 정부의 집세가 30원, 심부름꾼 월급이 20원 미만이었으나 이것도 지불할 여력이 없어서 집주인에게 여러 번 송사를 겪었다.

❶ **내무부령 제1호(국민 대표 회의 해산령)**
1923년 당시 내무총장이었던 김구는 국민 대표 회의의 해산을 명하는 내무부령을 공포하였다.

❷ **한(韓) 정부**
창조파가 1923년 소련에서 조직한 정부로 국호를 '한(韓)'으로 정했다. 그해 8월 한 정부는 연해주로 위치를 옮겼으나, 소련 정부(레닌)의 승인을 얻지 못했다.

❸ **아나키즘(무정부주의)**
개인의 자유를 최우선으로 하며, 모든 정치 조직·권력·사회적 권위를 부정하는 사상이다. 신채호, 이회영 등이 이 사상을 받아들였다.

解法 도움닫기 상하이 임시 정부의 3대 거두

이승만(1875~1965)

1896년	독립 협회의 간부로 활동
1898년	정부 전복 획책 혐의로 한성감옥 투옥(이후 사형 선고)
1904년	미국 선교사들의 구명 활동으로 감형 후 석방, 미국으로 가서 수학하여 학위 취득
1915년	대한인 국민회에서 박용만과 대립, 교포 사회 분열 초래
1919년	상하이 임시 정부 1대 대통령 취임, 워싱턴에 구미 위원부 설치
1925년	탄핵을 받아 대통령직에서 면직됨.
1945년	해방 이후 독립 촉성 중앙 협의회 총재 역임
1946년	남한만의 단독 정부 수립 주장(정읍 발언)
1948년	제헌 국회 의원으로 당선, 초대 국회의장, 국회 간선으로 대한민국 초대 대통령에 당선
1952년	발췌 개헌을 통해 대통령에 재당선(2대 대통령)
1956년	제3대 대통령에 당선
1960년	4 · 19 혁명으로 하야하고 하와이로 망명

안창호(1878~1938)

1897년	독립 협회 가입, 만민 공동회 연설
1899년	점진 학교 설립
1907년	신민회 조직, 대성학교 설립
1909년	청년 학우회 조직
1912년	대한인 국민회 중앙 총회 조직
1913년	흥사단 조직(샌프란시스코)
1919년	대한민국 임시 정부 참여(노동국)
1923년	국민 대표 회의에서 개조파로 활동
1926년	한국 독립 유일당 북경 촉성회 발표
1932년	윤봉길 의거로 상하이에서 체포(35년 가출옥)
1937년	수양 동우회❹ 사건으로 다시 체포됨.

이동휘(1873~1935)

1899년	강화 진위대에서 근무
1902년	이준 등과 개혁당 조직(비밀 결사)
1905년	강화도에 보창 학교(육영 학교) 설립
1907년	정미의병 도모, 신민회 조직
1911년	105인 사건으로 투옥, 러시아 망명
1914년	대한 광복군 정부 수립(부통령)
1918년	한인 사회당 조직(하바롭스크)
1919년	대한민국 임시 정부에 참여(임시 정부 국무총리)

이승만

안창호

이동휘

❹ **수양 동우회**

안창호의 흥사단 계열 단체이다. 인격 수양과 민족 실력 배양을 표방하며 1920년대 초부터 계몽 운동을 전개하였다. 1937년 일제는 치안 유지법의 위반을 구실로 수양 동우회 회원들을 검거하여 재판에 회부하였다(수양 동우회 사건, 1937~38).

다음과 같은 선포문을 발표하면서 성립한 정부의 정책으로 옳지 않은 것은? 2023. 국가직 9급

> 제1조 대한민국은 민주 공화제로 함.
>
> …(중략)…
>
> 민국 원년 3월 1일 우리 대한민족이 독립을 선언한 뒤 …(중략)… 이제 본 정부가 전 국민의 위임을 받아 조직되었으니 전 국민과 더불어 전심(專心)으로 힘을 모아 국토 광복의 대사명을 이룰 것을 선서한다.

① 독립 공채를 발행하였다.
② 기관지로 『독립신문』을 발간하였다.
③ 비밀 행정 조직인 연통부를 설치하였다.
④ 재정 확보를 위하여 전환국을 설립하였다.

해설

제시된 자료는 1919년에 발표된 대한민국 임시 헌장의 내용이다. ④ 화폐 주조 기관인 전환국이 설치된 것은 근대 시기인 1883년의 일이다. ① 임시 정부는 독립 공채를 발행하여 독립운동 자금을 충당하였다. ② 임시 정부는 임시 정부의 기관지로 독립신문을 간행하였다. ③ 임시 정부는 비밀 행정 조직인 연통제를 만들어 국내와 연락하였다.

정답 ④

2 CHAPTER 국내외 항일 운동

01강 _국내의 항일 운동

❶ 1910년대 국내의 민족 운동
❷ 1920년대 국내의 민족 운동
❸ 민족 유일당 운동
❹ 의열단
❺ 한인 애국단
❻ 기타 의거 활동

02강 _무장 독립 전쟁의 전개

❶ 1910년대 국외 독립운동 기지 건설
❷ 1920년대 무장 독립 전쟁
❸ 1930년대 무장 독립 전쟁
❹ 1940년대 무장 독립 전쟁
❺ 동포들의 국외 이주

解·法·기·출·진·맥

9급 국가직

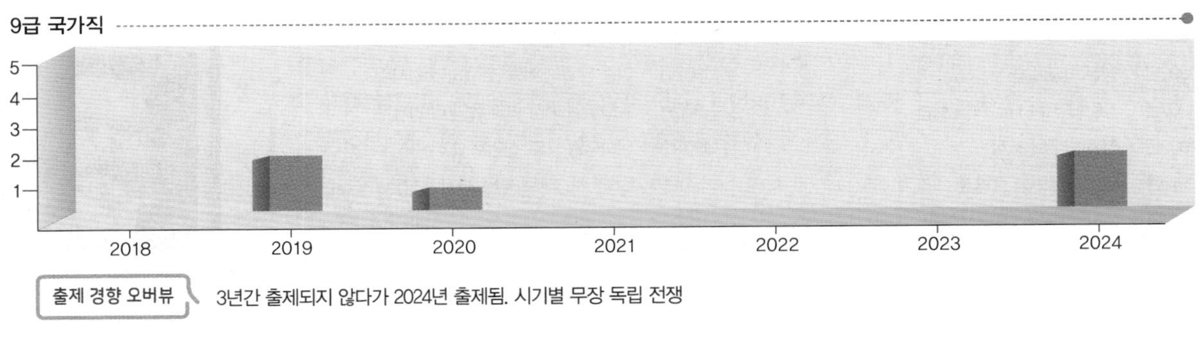

출제 경향 오버뷰 3년간 출제되지 않다가 2024년 출제됨. 시기별 무장 독립 전쟁

9급 지방직

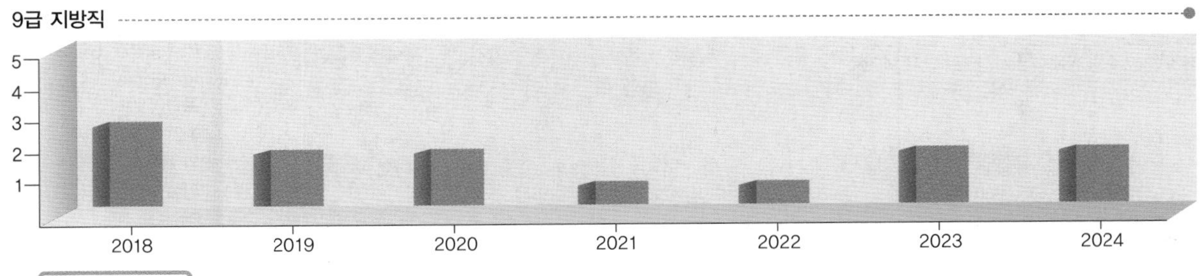

출제 경향 오버뷰 매년 1~3문제씩 출제되고 있음. 신간회, 의열단

9급 법원직

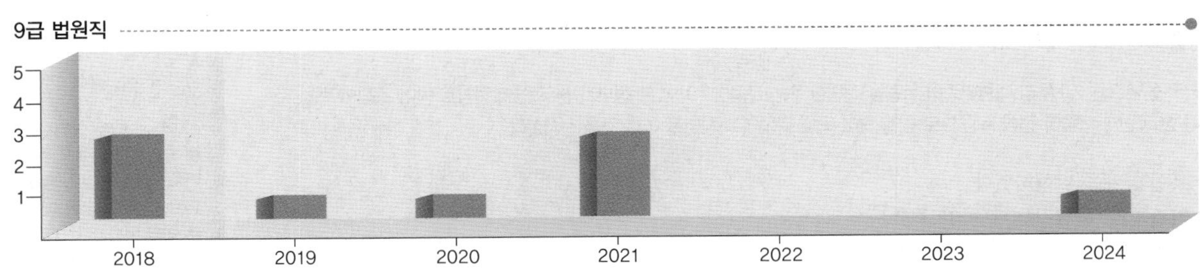

출제 경향 오버뷰 2년간 출제되지 않다가 2024년 출제됨. 신간회, 광주 학생 항일 운동, 무장 독립 전쟁

01강 국내의 항일 운동

구분		2008~2017	2018	2019	2020	2021	2022	2023	2024
9급	국가직	• 독립 의군부와 대한 광복회 • 신간회 • 의열단 • 한인 애국단 • 이동휘 • 독립운동(1920')		독립운동 (1920')					신간회
	지방직	• 신간회 • 의열단(2) • 한인 애국단 • 이상설	의열단	의열단	근우회	신간회	의열단	• 독립운동 (1910') • 신간회	• 근우회 • 한인 애국단
	법원직	• 독립 의군부 • 국내 민족 운동(3) • 광주 학생 항일 운동 • 신간회(2)	자치 운동			광주 학생 항일 운동			

국내의 항일 만세 운동

6·10 만세 운동
1926
- 순종(융희) 인산일
- 조선 공산당 + 천도교 + 학생, 노·농 단체
- 조선 학생 과학 연구회 주도
- **민족주의와 사회주의 연대 계기**

⇨

⇨

광주 학생 항일 운동
1929
- 민족 차별 교육 + 학생 운동 역량↑ + 신간회 활동
- 학생 투쟁 + 일반 국민 ⇨ 전국 규모 확대
- **3·1 운동 이후 최대 민족 운동**

7월 조선 민흥회

11월 정우회 선언

① 창립(1927): 이상재, 홍명희
- 중앙 본부: 민족주의 주도
- 지방 지회: 사회주의 중심

② 주요 활동(1929)
- ▶ 광주 학생 항일 운동 지원
- ▶ 원산 노동자 총파업 지원

⇨ 일제 탄압 ⇨ 지도부 검거

③ 해체(1931)
- 새 지도부 우경화(타협적 민족주의자↑) ⇨ 중앙 본부 VS 지방 지회 갈등 증폭
- 코민테른 노선 변경

의열단과 애국단

1920년대

약산 김원봉

- 김상옥: 종로 경찰서 폭탄 투척
- 나석주: 동척, 식산 은행, 철도 회사 폭탄 투척
- 의열단 선언문(1923): 신채호 '조선 혁명 선언'

1926년 황포 군관 학교 입학
1935년 민족 혁명당
1938년 조선 의용대
1942년 충칭 정부에 합류

VS

1930년대

백범 김구

- 이봉창: 일본 국왕(도쿄) 투탄 의거
- 윤봉길: 상하이 훙커우 공원 투탄 의거
  ⇨ 중국 국민당의 임정 지원 계기

1932년 1월 이봉창 의거
1932년 1월 상하이 사변
1932년 4월 29일 윤봉길 의거
⇨ 임시 정부 이동 시작

Now Event ▶▶
•1914 대한 광복군 정부 수립
•1919 3·1 운동 / 대한민국 임시 정부 수립
•1920 봉오동 전투 / 청산리 대첩
•1926 6·10 만세 운동

~1900 전일 ▶▶
•1866 병인양요, 병인박해
•1876 강화도 조약
•1882 임오군란
•1884 갑신정변

01 1910년대 국내의 민족 운동

❶ 채응언

서북 지방의 대표적인 의병장으로 1915년 일제에 체포될 때까지 국내에서 의병 항쟁을 전개하였다. 평안도 성천에서 군자금 모금 활동 중 일본 경찰에게 체포된 후 사형당하였다.

1. 의병 항쟁

국권 피탈을 전후하여 많은 의병들이 만주, 연해주 등 국외로 이주하였으나 국내에 남아 있던 의병❶들도 소규모·산발적으로 항전하였다.

2. 국내 비밀 결사의 활동

일제의 무단 통치로 인한 탄압으로 국내에서는 **비밀 결사의 형태**로 투쟁 방법을 바꾸었다.

(1) 독립 의군부(1912)

① **조직**: 의병장으로 활동하였던 **임병찬**이 고종의 비밀 지령을 받아 **의병들을 규합**하여 결성하였다. 나라를 되찾아 임금을 다시 세우겠다는 **복벽주의**를 내세워, 고종의 복위를 목표로 하였다.

② **활동**: 일본 정부의 총리대신과 조선 총독에게 국권 반환을 요구하는 서신(국권 반환 요구서)을 보내려고 계획하였다. 그러나 사전에 발각되어 지도부가 체포당하였다.

박상진

❷ 대한 광복회의 해체

대한 광복회는 군자금을 마련하던 중 일제 경찰에게 조직이 드러나 해체되었다.

(2) 대한 광복회❷(1915)

① **조직**: **박상진의 조선 국권 회복단**이 채기중의 대한(풍기) 광복단과 조직한 **비밀 결사 단체**이다. 군대식 조직을 갖추었으며 **총사령관으로 박상진, 부사령관으로 김좌진**을 두었다.

② **활동**: **공화주의를 표방**하였다. **무력 투쟁을 통한 독립**을 목표로 하였고, 군자금 모집·독립군 양성·친일 부호 처단 등의 활동을 하였다. 또한, 만주에 독립군 사관 학교를 설립하려 하였다.

심화사료 百出 — 2018. 경찰 2차

대한 광복회 회원의 서약문

우리는 대한의 독립 광복을 위하여 우리의 생명을 희생에 바침은 물론 우리들이 일생의 목적을 달성하지 못할 때에는 자자손손이 계승하여 원수 일본을 완전히 구축하고 국권을 광복하기까지 절대로 변하지 않고 한마음으로 힘을 다할 것을 천지신명에게 맹서함.

대한 광복회 강령

1. **부호의 의연 및 일본인이 불법 징수하는 세금을 압수하여 무장을 준비한다.**
2. 만주에 사관 학교를 설치하여 독립 전사를 양성한다.
4. 무력이 준비되는 대로 일본인 섬멸전을 단행하여 최후 목적을 달성한다.

❸ 기타 비밀 결사 조직

기성단(1914)	대성학교 출신
선명단(1915)	유학자들, 복벽주의
자립단(1915)	청년 교육, 실력 배양
민단조합(1915)	유생들, 의병 단체
조선산직장려계(1915)	경성고등보통학교 교사와 학생, 실력 배양

❹ 조선 국민회

조선 국민회의 창립 시기를 1917년으로 보는 견해도 있다.

(3) 기타 비밀 결사 조직❸

조선 국권 회복단(1915)	• 시 모임을 가장하여 조직, 이시영, 서상일, 윤상태 등 경북 유생 중심 • 3·1 운동 주도 및 파리 강화 회의에 제출할 독립 청원서 작성, 대한 광복회의 기반이 된 단체
조선 국민회❹(1915)	• 장일환이 숭실 학교 재학생과 기독교 청년들을 중심으로 조직 • 하와이의 대조선 국민군단의 국내 지부, 군자금 모금과 무기 구입
송죽회(1913)	평양 숭의 여학교 교사 중심, 여성 계몽 활동 및 해외 독립운동 자금 지원

02 1920년대 국내의 민족 운동

1. 6·10 만세 운동(1926)

(1) 배경

일제의 식민 지배에 대한 반발과 1926년 4월 **순종의 사망**을 계기로 민족 감정이 고조되었다.

(2) 전개 과정

① **시위 준비**: **조선 공산당, 천도교 청년회**, 그리고 학생 대표들은 6월 10일인 순종의 인산일(장례일)에 만세 시위를 하기로 합의하였다. 조선 공산당과 천도교 민족주의자들이 시위를 준비하던 중 일본 경찰에게 **발각**되었다. 특히 조선 공산당은 지도부가 체포되어 큰 타격을 입었다.

② **학생 주도의 시위 전개**: 1926년 6월 10일 **조선 학생 과학 연구회**[5]를 비롯한 학생 단체들은 시위를 계획대로 진행하였다. 서울 시내 곳곳에 격문을 뿌리며 만세 시위를 전개하였다. 시민들도 합세했으며, 각지의 학생들도 **동맹 휴학 투쟁**을 벌여 이에 동참하였다.

(3) 의의

6·10 만세 운동을 계기로 학생들은 항일 민족 운동의 주체로서 자신들의 역할을 자각하였다. 또한 사회주의 계열과 민족주의 계열과의 협력 경험은 **민족 유일당 운동**에 기폭제로 작용하였다.

순종의 장례 행렬

심화사료 百出

권오설[6]의 6·10 만세 운동 격문

우리들의 국권과 자유를 회복하려 함에 있다. 우리는 결코 일본 전 민족에 대한 적대가 아니요, 다만 일본 제국주의의 야만적 통치로부터 탈퇴하고자 함에 있다. …… 식민지에 있어서는 **민족 해방**이 곧 **계급 해방**이고 **정치적 해방**이 곧 **경제적 해방**이라는 것을 알지 않으면 안 된다. 즉, **식민지 민족이 모두가 무산 계급**이며 **제국주의가 곧 자본주의**이기 때문이다. …… 형제여! 자매여! 눈물을 그치고 절규하자! ……

6·10 만세 운동의 격문[7]

우리는 벌써 민족과 국제 평화를 위하여 1919년 3월 1일에 우리의 독립을 선언하였다. 우리의 독립 요구는 실로 정의의 결정으로 평화의 실현인 것이다.

조선은 조선인의 조선이다.
학교의 용어는 조선어로
학교장은 조선 사람이어야 한다.
동양 척식 회사를 철폐하자.
일본인 물품을 배격하자.
8시간 노동제를 실시하라.
동일 노동 동일 임금
소작제를 4·6제로 하고 공과금은 지주가 납부한다.
소작권을 이동하지 못한다.
일본인 지주에게 소작료를 바치지 말자.

조선 민중아! 우리의 철천지 원수는 자본 제국주의 일본이다. 2천만 동포야! 죽음을 각오하고 싸우자!

2. 광주 학생 항일 운동(1929)

(1) 배경

① **민족 차별 교육에 대한 저항**: 학생들은 식민지 교육 철폐, 한·일 학생 간의 차별 철폐, 한국인 본위의 교육 제도 확립 등을 주장하며 동맹 휴학 등의 형태로 저항하였다.

② **학생 조직**: 전국 각지의 중·고등학교에는 학생들의 비밀 결사인 독서회 등이 다수 조직되어 있었다. 광주 지역은 비밀 결사 조직인 성진회 외에도 독서회 중앙 본부가 존재하였다.

[5] **조선 학생 과학 연구회**
1925년 9월 사회 과학의 보급 등을 목적으로 만들어진 학생 운동 조직으로, 6·10 만세 운동을 주도하였다.

[6] **권오설**
조선 노농 총동맹의 집행 위원으로 활동했으며, 1925년 조선 공산당의 간부가 되었다. 1926년 6·10 만세 운동을 계획하여 시위를 위해 태극기와 수만 장의 격문을 준비하다가 체포되었다.

[7] **6·10 만세 운동의 격문**
일제 타도를 위한 구체적 실천 방법을 제시했다는 점에서 큰 의미가 있다. '납세 거부', '노동자 총파업', '소작료 납부 거부' 등 경제 투쟁의 지침도 등장하였다.

(2) 전개 과정

① **한·일 학생의 충돌**: 1929년 10월 광주발 열차가 나주에 도착했을 때 **일본인 학생이 한국인 여학생을 희롱하는 사건**이 발생하였다. 이 사건은 **한국인과 일본인 학생들 사이의 편싸움**으로 확대되었다.

② **시위의 전개**: 경찰이 일본 학생만 두둔하자, **민족 차별**에 **분노**한 광주 지역의 학생들이 대규모 가두 시위를 전개하였다(11. 3.).

③ **신간회의 후원**: 광주 학생 운동 당시 **신간회**는 현지에 진상 조사단을 파견하고 **진상 보고를 위한 민중 대회를 개최**하려고 하였다.

④ **시위의 확산**: 성진회·독서회 중앙 본부와 같은 광주 지역 비밀 결사의 조직적인 지원에 힘입어 **시위는 전국적으로 확대**되어 이듬해 봄까지 계속되었다. 장기간 시위가 전개되면서 일반 시민들까지 합세했으며, **일본과 만주 지역 등 국외로 확산**되었다.

(3) **의의**: 일제의 차별 교육에 저항한 학생 운동으로 시작했으나, 항일 민족 운동으로 발전하였다. 학생들이 앞장서고 시민·노동자들이 참여한 **3·1 운동 이후 최대 규모의 민족 운동**이었다.

광주 학생 항일 운동의 도화선이 된 박기옥(오른쪽)

심화사료 百出 2021. 법원직 9급, 2017. 법원직 9급

광주 학생 항일 운동의 격문[1]

학생, 대중이여 궐기하라!
경찰의 교내 진입을 절대 반대한다.
식민지 교육 제도를 철폐하라.
전국 학생 대표자 회의를 개최하라.
검거된 학생은 우리 손으로 탈환하자.
언론, 결사, 집회, 출판의 자유를 획득하라.
조선인 본위의 교육 제도를 확립하라.

❶ 광주 학생 항일 운동의 격문

운동 초기에는 주로 검거된 학생의 석방이나 조선인 본위의 교육 실시를 주장하는 내용의 격문이 많았다. 이후 시위가 확대되면서 일본 제국주의 타도를 내세우는 방향으로 발전하였다. "우리의 투쟁 대상은 광주 중학교의 일본 학생이 아니라 일본 제국주의이니 투쟁 방향을 일제로 돌리자." 라고 결의한 것이다.

03 민족 유일당 운동

1. 국내적 배경

(1) 국외의 민족 유일당 운동 전개

중국에서 국민당과 공산당이 협력하여 1차 국·공 합작[2]을 이루었다. 이에 영향을 받은 국외의 독립운동 단체들도 이념과 노선을 초월한 **민족 유일당 건설**을 추진하였다. 베이징에서 안창호의 요청으로 한국 독립 유일당 북경 촉성회(1926)가 개최되었고, 만주에서는 **3부 통합 운동**이 전개되었다.

(2) 국내의 자치 운동 전개

① **등장**: 물산 장려 운동·민립 대학 설립 운동 등 민족 실력 양성 운동이 큰 성과 없이 실패로 돌아가자 민족주의계는 실망하여 방향을 잃고 분열하였다.

② **전개**: 타협적 민족주의자들은 자치 운동을 전개하여 **일제가 허락하는 범위에서 정치적 권리(참정권·자치권)를 획득**하고자 하였다. 이들은 연정회[3]를 결성하려 했으며, **이광수**는 '민족개조론(1922)'과 '민족적 경륜(1924)'을 저술하였다.

❷ 1차 국·공 합작

1924년 중국에서 국민당과 공산당이 군벌과 제국주의 세력에 맞서기 위해 힘을 합쳤다.

❸ 연정회

김성수, 송진우 등 동아일보계와 최린 등 천도교 신파 등이 자치 운동을 위해 결성하려 했던 단체로, 결국 조직의 결성은 실패하였다.

심화사료 百出 2018. 법원직 9급, 2012. 국가직 9급, 2008. 법원직 9급

이광수의 민족적 경륜

그러면 지금의 조선 민족에게는 왜 정치적 생활이 없는가? …… 일본이 조선을 병합한 이래로 조선인에게는 모든 정치 활동을 금지한 것이 첫째 원인이다. 또 병합 이래로 조선인은 일본의 통치권을 승인해야만 할 수 있는 모든 정치적 활동, 즉 참정권, 자활권 운동 같은 것은 물론이요, 일본 정부를 상대로 하는 독립운동조차 원치 아니하는 강렬한 절개 의식이 있었던 것이 둘째 원인이다. …… 지금까지 해 온 정치적 운동은 모두 일본을 적대시하는 운동뿐이었다. 이런 종류의 정치 운동은 해외에서나 할 수 있는 일이고, **조선 내에서는 허용되는 범위 내에서 일대 정치적 결사를 조직해야 한다는 것이 우리의 주장이다.**

–「동아일보」, 1924년

2. 민족주의 세력과 사회주의 세력의 연대 형성

(1) 국내의 사회주의 세력[4]

사회주의가 유입되어 조선 청년 총동맹, 조선 공산당 등 많은 단체가 조직되었다. 그러나 치안 유지법의 시행으로 활동에 어려움을 겪으면서 민족주의 세력과 연합할 필요성이 대두되었다.

(2) 국내의 민족주의 세력: 안재홍·백남운 등 **비타협적 민족주의자들은 자치 운동을 비판하면서 사회주의 세력과 연대**하여 민족 운동을 강화하고자 하였다. 이에 따라 조선 사정 연구회(1925) 등이 조직되어 민족 유일당 운동을 위한 준비 작업을 추진하였다.

(3) 민족 협동 전선의 형성: 1926년 **6·10 만세 운동**을 계기로 사회주의 세력과 민족주의 세력이 협력할 수 있는 공감대가 형성되었다. 6·10 만세 운동 직후, 일부 사회주의자들과 비타협적 민족주의자들이 제휴하여 조선 민흥회가 조직되었다.

(4) 정우회 선언(1926. 11.): 사회주의 계열의 단체인 정우회는 정우회 선언[5]을 발표하여 **비타협적인 민족주의 세력과의 협력**을 강조하였다. 이는 **신간회 창립의 기폭제 역할**을 하였다.

고등사료 百出 2017. 국가직 9급(하), 2012. 국가직 7급, 2008. 지방직 7급

정우회 선언

우리가 승리를 향해 나아가기 위해서는 현실적으로 가능한 모든 조건을 충분히 이용하지 않으면 안 될 것이며, …… 아니 그것보다도 먼저 우리 운동 자체가 벌써 종래에 국한되어 있던 경제적 투쟁의 형태에서 보다 더 계급적, 대중적, 의식적 정치 형태로 비약하지 아니하면 아니 될 전환기에 달할 것이다. 따라서 **민족주의적 세력**에 대하여는 그 부르주아 민주주의적 성질을 명백하게 인식하는 동시에 또 **과정적, 동맹자적 성질도 충분히 승인**하여, **그것이 타락하는 형태로 출현되지 아니하는 것에 한하여는 적극적으로 제휴**하여, 대중의 개량적 이익을 위하여서도 종래의 소극적 태도를 버리고 분연히 싸워야 할 것이다.

–「조선일보」, 1926년 11월 17일

3. 신간회(1927~1931)[6] ☆☆

(1) 결성: 자치 운동을 비판하던 이상재, 안재홍 등 **비타협적 민족주의 세력은 사회주의 세력과 연대**하여 서울에서 신간회를 결성하였다. 창립 대회에서 회장은 이상재, 부회장은 홍명희가 선출되었다.

(2) 조직[7]: 전국 각지에 조직을 확산시켜 **140여 개의 지회**를 두었고, 만주와 일본에도 지회를 조직하였다. 4만의 회원을 확보하여 **일제 치하 최대 규모의 합법적 민족 운동 단체**로 성장하였다.

(3) 강령: **민족의 단결과 정치적 각성을 촉구**하고 **기회주의자를 배격**하는 것을 내세웠다.

❹ 사회주의 세력

국내 사회주의자들은 일제로부터 독립과, 자본주의 체제를 부정하고 노동자와 농민이 중심이 되는 사회를 만들려고 하였다.

❺ 정우회 선언

정우회는 합법적 운동 공간을 확보하기 위해 비타협적 민족주의 세력과 적극 제휴하겠다는 정우회 선언을 발표하였다. 이는 국내외의 민족 유일당 운동에 영향을 받은 것으로, 이후 신간회 창립의 계기가 되었다.

❻ 신간회(新幹會)

신간회의 명칭은 '신간출고목(新幹出古木: 고목에서 새 가지가 솟는다.)'이라는 말에서 그 명칭을 정하였다.

❼ 신간회의 조직

신간회는 단체 가입을 허용하지 않는 개인 본위의 조직이었다.

(4) 신간회의 활동

① **활동**: 신간회는 전국 각지를 돌며 **민중을 계몽**하고, **민족 의식을 고취**시켰다. 또한, 한국인 본위의 교육 시행, 착취 기관 철폐 등을 주장하면서 **일제의 식민 통치 정책을 비판**하였다.

② **복대표 대회**: 사회주의자들이 주도하는 지방 지회의 활동이 활발하였다. 그러나 일제의 탄압으로 정기 대회가 금지되자, 몇 개의 지방 지회가 모여서 **복대표 대회를 개최**하였다.

심화사료 百出 2023. 지방직 9급, 2019. 서울시 9급(상), 2017. 지방직 9급(하), 2013. 지방직 7급, 2012. 경찰 1차, 2011. 서울시 9급

신간회 강령

- 우리는 **정치적, 경제적 각성**을 촉구한다.
- 우리는 **단결을 공고히** 한다.
- 우리는 **기회주의를 일체 부인**한다.

신간회

신간회가 조직되었다. **각 당파가 망라된 통일 조직**인 신간회는 **전국 각지에 150여 개의 지회**를 두고 활발한 활동을 전개하였다. **부녀자들의 통일 단체인 근우회** 역시 이 무렵 창설되었다. – 『조선 민족해방운동 30년사』, 『구망일보』

신간회 전국 지회

(5) 대중 운동 지도: 노동 운동·농민 운동·청년 운동·여성 운동 등 사회 운동을 적극 지원하였다.

① **광주 학생 항일 운동 후원**: 1929년에 **광주 학생 항일 운동**이 발생하자 신간회는 **조사단을 파견하고 민중 대회를 계획**하였다. 그러나 민중 대회는 **사전에 발각**되었고 이 사건으로 지도부가 교체(허헌[1] ⇨ 김병로)되었다.

② **원산 노동자 총파업 지원**: 원산 노동자 총파업(1929)이 장기화되자 신간회는 격문을 발송하여 이 운동을 지지하였다.

③ **갑산 화전민 추방에 대한 항의 운동(1929)**: 함경남도 갑산 지역의 화전민들이 일제의 추방 정책에 저항하자, 신간회는 진상 보고 대회를 개최하여 총독부에 항의하였다.

④ **단천 산림 조합 시행령 반대 운동 지원**: 일제의 산림 벌채 규제 정책에 반발하여 일어난 운동으로, 신간회에서 지원하였다.

[1] **허헌**
법조인 출신의 사회주의 계열 인사로, 1929년 6월 신간회의 초대 집행 위원장으로 당선되었다. 그러나 광주 학생 항일 운동 당시 일제에 의해 구속되었다.

(6) 해체(1931): 일제의 탄압과 내부 갈등, 코민테른의 노선 변경 등에 영향을 받았다.

① **내부 갈등**: 김병로 등 새로운 지도부는 **합법적인 범위 내에서 활동**할 것을 추구하면서 자치 운동 세력과도 손을 잡았다. 지방 지회의 사회주의 세력이 온건 노선에 반발하면서, **중앙 본부와 지방 지회 사이에 갈등이 커졌다.**

② **코민테른의 노선 변경**: 1928년 코민테른은 노동 계급의 투쟁 강화와 **민족주의자와의 분리 투쟁을 권고**하였다. 이러한 노선 변화는 **사회주의자들이 신간회의 해소를 주장**하는 근거가 되었다.

③ **해소[2] 과정**: 1930년 사회주의자들이 해소론을 제기하자, **비타협적 민족주의 세력은 해소 반대를 주장**하며 격렬한 논쟁이 전개되었으나, 결국 1931년 전체 대회에서 신간회 해소안이 가결되었다.

④ **신간회 해소 이후**: 사회주의자들은 혁명적 노동·농민 조합 운동에 주력하였고, 비타협적 민족주의 세력은 조선학 운동 등을 통해 새로운 활로를 모색하고자 하였다.

[2] **해소**
사회주의자들은 '해소'란 '해체'가 아니며 한 운동에서 다른 운동으로 진화하는 자기 발전을 의미한다고 주장하였다. 그러나 '해소'는 현실적으로 해체가 되었다.

심화사료 百出

2018. 서울시 9급(상), 2014. 경찰 1차

신간회 해체에 대한 찬·반 대립

사회주의 계열: 신간회 해소 주장

소시민의 개량주의적 정치 집단으로 변질한 현재의 **신간회는 무산 계급의 투쟁력 성장에 장애**가 되고 있다. 노동자 투쟁과 농민 투쟁을 강력하게 펼치기 위해서는 **신간회를 해소**하고 노동자는 노동조합으로, 농민은 농민 조합으로 돌아가야 한다.

– 「삼천리」, 1931년 4월호

민족주의 계열: 신간회 해소론 반대

조선인의 대중적 운동의 목표는 정면의 일정한 세력을 향해 집중되어야 할 것이니, **민족 운동과 계급 운동은 동지적 협동으로 나아가야 할 것이요.** …… **역량을 분산**시키거나 제 살 깎아 먹는 식의 과오를 범하지 않도록 하는데 주력해야 한다.

– 「비판」, 1931년 7월호

4. 근우회(1927~1931)❸

(1) 설립: 신간회의 창립은 여성 운동에도 영향을 미쳐 **여성 운동의 통합과 단일화**를 촉진하였다. 그리하여 국내의 여성 단체들이 모여 근우회를 조직하였다.

(2) 활동: 근우회는 **여성들의 공고한 단결과 지위 향상**을 창립 이념으로 삼았다. 이에 따라 남녀평등과 **여성 교육의 확대**, 여성 노동자의 권익 옹호(임금 차별 철폐 등), 봉건적 인습(구습) 타파 등을 주장하였다.

(3) 해체: 1931년에 신간회가 해체되면서 자매 단체인 근우회도 해체되었다.

고등사료 百出

2024. 지방직 9급, 2020. 지방직 9급, 2013. 경찰 3차

근우회 창립 취지문

우리는 운동상(運動上) 실천으로부터 배운 것이 있으니 우리가 실지로 우리 자체를 위하여 우리 사회를 위하여 분투하려면 **우리 조선 자매 전체의 역량을 공고히 단결하여** 운동을 전반적으로 전개하지 아니하면 아니 된다. **일어나라! 오너라! 단결하자! 분투하자! 조선의 자매들아! 미래는 우리의 것이다.**

– 「한국 근대 민족 해방 운동사」

❸ **근우회(槿友會)**

근우회의 중심 인물은 김활란, 유영준, 박원민 등이었다.

근우(근우회 기관지)

04 의열단 ☆☆

1. 조직

(1) 결성: 1919년 11월 **만주 길림성**에서 **김원봉, 윤세주** 등 **신흥 무관 학교 출신**의 청년들이 의열단을 조직하였다.

(2) 목적: 일제를 타도하기 위해 **일제 요인 암살과 식민 통치 기관 파괴**에 주력하였다. 이를 위해 '공약 10조'를 정하고, 파괴 대상으로 오파괴❹·암살 대상으로 칠가살❺을 채택하여 활동 지침으로 삼았다.

(3) 조선 혁명 선언(1923)❻: **신채호**는 **김원봉의 요청**으로 **'조선 혁명 선언'**을 작성하여 의열단의 투쟁 노선과 행동 강령을 제시하였다. **외교론·자치론·준비론·문화 운동론의 한계를 비판**하면서 **민중의 직접 혁명**을 통한 독립의 쟁취를 주장하였다.

❹ **오파괴(五破壞)**

조선 총독부, 동양 척식 회사, 매일신보사, 각 경찰서, 기타 일제의 주요 기관을 일컫는다.

❺ **칠가살(七可殺)**

조선 총독과 고관, 일본 군부 수뇌, 대만 총독, 매국노, 친일파 거두, 밀정, 반민족적 악덕 지방 유지를 말한다.

❻ **조선 혁명 선언의 작성 배경**

황포탄 의거 당시, 권총 오발로 미국인 여성 여행객이 사망하면서 상하이에서 의열단에 대한 여론이 나빠졌다. 이에 지도부는 신채호에게 의뢰하여 조선 혁명 선언을 작성하게 하여 투쟁 노선의 정당성을 밝혔다.

조선 혁명 선언

✎ 조선 혁명 선언(1923)의 요지

첫째, 일본을 강도로 규정하고 이를 타도하기 위한 혁명이 정당한 수단임을 천명하였다.

둘째, 자치론, 내정 독립론, 참정권론 및 문화 운동을 일제와 타협하려는 '적'으로 규정하였다.

셋째, 임시 정부의 외교론, 독립 전쟁 준비론 등을 비판하였다.

넷째, 민중의 직접 혁명을 강조하였다.

다섯째, 다섯 가지 파괴와 다섯 가지 건설 목표를 제시하였다.

❶ 황포탄 의거

1922년 3월 오성륜, 김익상, 이종암이 상해 황포탄에서 일본 육군 대장 다나카 기이치를 저격했으나 실패하였다.

나석주 의거를 다룬 「동아일보」 기사

❷ 나석주 의거

임시 정부의 김구 등은 국내에 의열 활동을 할 계획을 세우고 나석주 등을 추천하였다. 나석주는 거사 목표로 동양 척식 주식회사와 조선 식산 은행을 제안하였다. 계획을 의논하던 중 나석주는 의열단에 가입하였고 이후 거사를 실행하였다. 따라서 나석주 의거는 임시 정부와 의열단의 연합 작전이라 할 수 있다.

심화사료 百出 2017. 서울시 사회복지직 9급, 2017. 경찰 2차

의열단의 칠가살(七可殺)

이제 폭력의 목적물을 대략 열거하건대, 조선 총독 및 각 관공리, 일본 천황 및 각 관공리, 정탐노·매국적, 적의 일체 시설물, 이 밖에 각 지방의 신사나 부호가 비록 현저히 혁명 운동을 방해한 죄가 없을지라도 언어 혹 행동으로 우리의 운동을 완화하고 중상하는 자는 폭력으로써 대응할지니라.

의열단의 공약 10조

1. 정의로운 일을 맹렬히 실행하기로 함.
2. 조선의 독립과 세계의 평등을 위하여 신명을 희생하기로 함.

9. 1이 9를 위해, 9가 1을 위해 헌신함.
10. 단의에 배반한 자는 처살함.

심화사료 百出 22. 지방 9, 19. 지방 9, 19. 법원 9, 18. 서울 9(상), 16. 국가 9, 16. 경찰 1차, 15. 국가 7, 14. 지방 9, 13. 서울 9, 13. 법원 9, 13. 국가 7, 12. 지방 9

신채호의 「조선 혁명 선언」

강도 일본이 우리의 국호를 없이 하며, 우리의 정권을 빼앗으며, 우리의 생존적 필요조건을 다 박탈하였다. …… 이상의 사실에 의하여 우리는 일본 강도 정치, 곧 다른 민족의 통치가 우리 조선 민족 생존의 적임을 선언하는 동시에 우리는 혁명 수단으로 우리 생존의 적인 강도 일본을 살상하는 것이 곧 우리의 정당한 수단임을 선언하노라. …… **내정 독립이나 참정권이나 자치를 운동하는 자가 누구냐? 너희들이 '동양 평화', '한국 독립 보전' 등을 담보한 맹약이 먹도 마르지 않은 채 삼천리 강토를 집어먹던 역사를 잊었느냐?** …… **일본 강도 정치하에서 문화 운동을 부르는 자 누구이냐?** …… **생존권이 박탈된 민족은 그 종족의 보존도 의문이거든 하물며 문화 발전의 가능성이 있으랴?** …… 강도 일본을 내쫓자고 주장하는 가운데 또 다음과 같은 논자들이 있으니, 첫째는 **외교론**이니 최근 3·1 운동에 일반 인사의 '평화 회의, 국제 연맹'에 대한 과신의 선전이 이천만 민중의 힘 있는 전진의 기운을 없애버리는 계기가 될 뿐이었도다. 둘째는 **준비론**이니, …… 각 지사들이 국내외 각지에 출몰하여 십여 년 안팎을 준비를 불렀지만 그 소득이 몇 개 불완전한 학교와 실력 없는 단체뿐이었다. …… **이상의 이유에 의하여 우리는 '외교', '준비' 등의 미련한 꿈을 버리고 민중 직접 혁명의 수단을 취함을 선언하노라.** …… 우리의 민중을 깨우쳐 강도의 통치를 타도하고 우리 민족의 신생명을 개척하자면 양병(養兵) 10만이 폭탄을 한 번 던진 것만 못하며, 천억 장의 신문, 잡지가 한 번의 폭동만 못할지니라. …… **민중은 우리 혁명의 대본영(大本營)이다. 폭력은 우리 혁명의 유일한 무기이다.** 우리는 민중 속으로 가서 민중과 손을 맞잡아 끊임없는 폭력, 암살, 파괴, 폭동으로써 강도 일본의 통치를 타도하고 우리 생활에 불합리한 일체의 제도를 개조하여, 인류로써 인류를 압박하지 못하며, 사회로써 사회를 박탈하지 못하는 이상적 조선을 건설할지니라.

2. 주요 활동: 1920년대 국내와 상하이를 중심으로 활발한 의거 활동을 전개하였다.

박재혁(1920)	부산 경찰서에 폭탄 투척
최수봉(1920)	밀양 경찰서에 폭탄 투척
김익상(1921)	• 조선 총독부에 폭탄 투척(1921) • 상하이에서 일본 육군 대장 다나카 저격(1922)❶
김상옥(1923)	**종로 경찰서에 폭탄 투척**
김지섭(1924)	일본 도쿄 궁성 앞 이중교(다리)에 폭탄 투척
나석주❷(1926)	**동양 척식 주식회사와 철도 회사 및 식산 은행에 폭탄 투척**

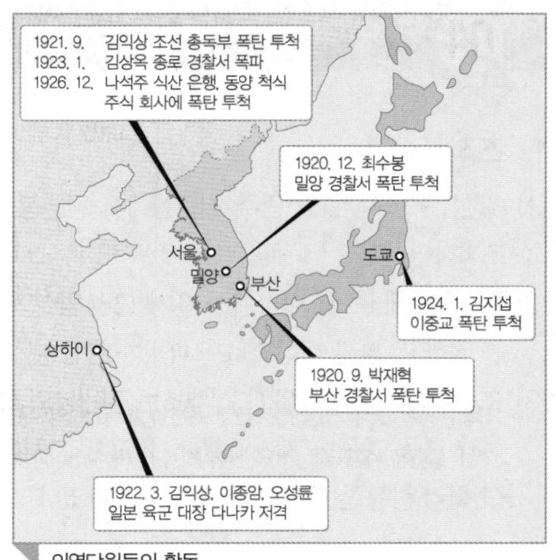

의열단원들의 활동

3. 활동의 변화

의열단은 1920년대 중·후반에 들어와 **조직적인 무장 투쟁 노선으로 전환**을 모색하였다.

(1) **지도자 양성**: 김원봉 등 일부 단원들은 **황포 군관 학교**[3]**에 입학**(1926)하여 군사 훈련을 받았다. 이후 의열단은 중국 국민당 정부의 지원을 받아 난징에 **조선 혁명 간부 학교를 세웠다**(1932).

(2) **민족 혁명당 결성**(1935): 의열단을 중심으로 민족 연합 전선 형성에 나서 민족 혁명당을 결성하였다. **민족 독립운동의 단일 정당**을 목표로, 중국 관내의 민족주의계와 사회주의계가 참여[4]하였다.

(3) **조선 의용대 조직**(1938): **중국 관내**(한커우)에서 조직된 **최초의 한인 무장 부대**이다. 주로 일본군에 대한 심리전이나 후방 공작 활동을 전개하였다.

❸ **황포 군관 학교**
장제스가 교장이었고, 저우언라이가 정치부 부주임이었다. 이 학교 출신들이 나중에 중국 국민당 군대의 요직을 차지하였다.

❹ **민족 혁명당에 참여한 단체**
의열단, 지청천의 조선 혁명당, 조소앙의 한국 독립당, 신한 독립당, 대한 독립당 등이 참여하였다.

김원봉(1898~1958): 제국주의 일본에게 공포의 대명사(일제 강점기 현상 금액 최고)

1919년	• 신흥 무관 학교에 입학 • 만주 길림에서 의열단 조직	1937년	조선 민족 전선 연맹 결성
		1938년	조선 의용대 조직
1923년	신채호에게 의열단 선언서 의뢰 ⇨ '조선 혁명 선언' 발표	1942년	한국 광복군 부사령관 임명
		1944년	임시 정부 국무 의원 및 군무부장 역임
1932년	조선 혁명 간부 학교 설립	1948년	남북 협상 때 월북
1935년	민족 혁명당 조직	1958년	연안파 제거 작업 때 숙청됨.

김원봉

05 한인 애국단☆

1. 배경

1920년대 중반 이후 임시 정부의 활동은 크게 위축되었다. 여기에 만보산 사건[5]과 만주 사변이 일어나면서 중국에서 독립운동 활동이 더욱 힘들어졌다. 이에 김구는 **상하이에서 1931년 한인 애국단을 결성**하여 의열 활동을 통해 임시 정부의 침체를 극복하고자 하였다.

2. 활동

(1) 이봉창 의거(1932)

① **전개**: 1932년 1월 이봉창은 일본 도쿄에서 **일왕이 탄 마차 행렬에 폭탄**을 던졌으나 의거는 **실패**하였다.

② **결과**: 만주 사변으로 일제와 적대 관계에 있던 중국은 한국인에 대하여 호의적인 태도를 보이기 시작하였다. 그러나 일제는 이 사건을 빌미로 **상하이 사변**[6]을 일으켰다.

(2) 윤봉길 의거(1932)

① **전개**: 일제는 **상하이 훙커우 공원**에서 일왕의 생일과 상하이 사변의 승리를 축하하는 기념식을 열었다. 윤봉길은 여기에 폭탄을 던져 **일본군 장성과 고위 관리들을 처단**하였다.

② **결과**: 윤봉길의 의거는 국내외에 큰 반응을 불러일으켰다. 장제스[7]가 이끄는 국민당 정부가 대한민국 **임시 정부에 대한 지원을 강화**하는 계기가 되었다. 이후 한국 광복군을 창설할 때도 국민당 정부가 적극 협조하였다.

❺ **만보산 사건**
길림성 만보산 지역에서 일어난 한·중 농민 간에 수로(水路)를 둘러싸고 일어난 유혈 충돌 사건이다. 이 사건을 계기로 한·중 사이의 민족 감정이 더욱 악화되었다.

❻ **상하이 사변**
상하이의 중국 신문들이 일제히 이봉창의 의거를 보도하면서 '일본 국왕이 불행히도 명중되지 않았다.'라고 표현하자 이에 격분한 일본군이 상하이를 공격한 사건이다.

❼ **윤봉길 의거에 대한 장제스의 반응**
윤봉길의 의거에 대해 "중국의 1억 인구가 해내지 못한 일을 한국의 한 청년이 해내었다."라고 극찬하였다. 이후 장제스는 김구를 만나 임시 정부에 대한 지원과 더불어 우리 민족이 중국 내에서 무장 투쟁을 준비하는 것을 허용해 주었다.

심화사료 百出 2014. 경찰간부, 2012. 법원직 9급, 2006. 국가직 7급

한인 애국단의 결성

당시 정세로 말하자면, **우리 민족의 독립사상을 떨치기로 보나, 만보산 사건, 만주 사변 같은 것으로 우리 한인에 대해 심히 악화된 중국인의 악감정을 풀기로 보나, 무슨 새로운 국면을 타개할 필요가 있었다. 그래서 우리 임시 정부에서 회의한 결과 한인 애국단을 조직**하여 암살과 파괴 공작을 하되, 돈이나 사람이나 내가 전담하고, 다만 그 결과를 정부에 보고하도록 위임을 받았다.

– 『백범일지』

한인 애국단 선서문

나는 적성(赤誠)으로서 조국의 독립과 자유를 회복하기 위하여 **한인 애국단**의 일원이 되어 중국을 침략하는 적의 장교를 도륙(屠戮)하기로 맹세하나이다.

이봉창의 의거

아침 일찍 프랑스 공무국에서 비밀리에 통지가 왔다. 과거 10년간 프랑스 관헌이 나(김구)를 보호하였으나, 이번에 **나의 부하가 일왕에게 폭탄을 던진 것**에 대해서는 일본의 체포 및 인도 요구를 거절할 수 없다는 것이다. **중국 국민당 기관지 「국민일보」는 "한국인이 일왕을 저격했으나 불행히도 맞지 않았다."고 썼다.**

– 『백범일지』

이봉창

윤봉길

06 기타 의거 활동

1919년 러시아에서 조직된 **대한 노인단**의 65세 **강우규**는 남대문 정거장에서 조선 총독으로 새로 부임하는 사이토에게 폭탄을 투척하였다. 이외에도 상하이에서 일본 공사를 사살하려 했던 흑색 공포단의 백정기,❶ 일본 왕족의 암살을 시도한 박열, 타이완에서 일본 왕족을 칼로 찌른 조명하 등이 있다.

❶ **육삼정 의거**
흑색 공포단의 단원인 백정기, 이강훈, 원심창 등은 상하이의 음식점인 육삼정에서 주중 일본 공사 아리요시를 암살하려고 시도하였다.

조명하

경성 부민관 의거(1945. 7.) – 일제 강점기 마지막 의거

1945년 7월 경성 부민관에서 박춘금 등 친일파들이 '아시아 민족 분격 대회'를 열었다. 이때 비밀 결사인 대한 애국 청년단(조문기, 유만수, 강윤국 등)은 폭탄을 던져 대회를 무산시켰다. 거사의 주인공들이 일제 강점기에 태어난 청년이라는 점에서 30년이 넘는 식민지 지배에도 불구하고 조선의 독립 의지를 보여주었다는 의의를 지닌다.

대표 기출문제

다음 글은 (가)의 부탁을 받고 (나)가 지은 것이다. (가)와 (나)에 대한 설명으로 옳은 것은? 2022. 지방직 9급

> 우리는 '외교', '준비' 등의 미련한 꿈을 버리고 민중 직접 혁명의 수단을 취함을 선언하노라. 조선 민족의 생존을 유지하자면 강도 일본을 쫓아내야 하고, 강도 일본을 쫓아내려면 오직 혁명으로써만 가능하니, 혁명이 아니고는 강도 일본을 쫓아낼 방법이 없는 바이다.

① (가)는 조선 의용대를 결성하였고, (나)는 '국혼'을 강조하였다.
② (가)는 신흥 무관 학교를 세웠고, (나)는 형평사를 창립하였다.
③ (가)는 조선 건국 동맹을 조직하였고, (나)는 식민 사학의 한국사 정체성론을 반박하였다.
④ (가)는 황포 군관 학교에서 훈련받았고, (나)는 민족주의 역사 서술의 기본 틀을 제시하였다.

해설
(가)는 김원봉이고, (나)는 신채호다. ④ 김원봉을 비롯한 일부 의열단원들은 황포 군관 학교에 입교하여 훈련을 받았다. 또한, 신채호는 「대한매일신보」에 '독사신론'을 연재하여 민족주의 사학의 발판을 마련하였다.
① 김원봉의 주도 아래 조선 의용대가 결성된 것은 맞지만, '국혼'을 강조한 사람은 박은식이다. ② 신흥 무관 학교를 세운 사람은 이동녕·이회영 등이고, 형평사를 창립한 사람은 백정 출신인 이학찬이다. ③ 조선 건국 동맹을 조직한 사람은 여운형이고, 식민 사학의 한국사 정체성론을 반박한 사람은 백남운 등이다.

정답 ④

02강 무장 독립 전쟁의 전개

구분		2008~2017	2018	2019	2020	2021	2022	2023	2024
9급	국가직	• 무장 독립 전쟁(2) • 한국 광복군 • 해외 이주		한국 독립군	무장 독립 전쟁			무장 독립 전쟁(1910')	무장 독립 전쟁(1930')
	지방직	• 무장 독립 전쟁(3) • 한국 광복군 • 화북 조선 독립 동맹 • 조소앙	• 김구 • 한국 독립군	임시 정부 (1940')	이회영				
	법원직	• 무장 독립 전쟁(8) • 김원봉 • 의열단 • 한인 애국단 • 조선 의용대 • 한국 광복군	• 이상설 • 조선 혁명군	무장 독립 전쟁	무장 독립 전쟁	무장 독립 전쟁(2)			임시 정부 (1940')

1910년대 국외 독립운동 기지 건설

지역	기지	단체
남만주	삼원보	경학사 ⇨ 부민단 ⇨ 한족회 ⇨ 서로 군정서, 신흥 무관 학교(신흥 강습소)
북간도	용정 연길 왕청	• 서전서숙(이상설) • 간민회 ⇨ 대한 국민회 ⇨ 국민회군 • 중광단(대종교) ⇨ 북로 군정서(대한 군정서)
연해주	신한촌 (블라디보스톡)	• 해조신문(1908), 13도 의군(1910, 유인석) • 권업회(1911, 이상설), 권업신문 • 대한 광복군 정부(1914): 최초의 국외 정부, (정) 이상설, (부) 이동휘 • 대한 국민 의회(1919): 임시 정부, (정) 손병희
북만주	밀산부	한흥동(이상설), 집단 한인촌
중국	상하이	• 동제사(1912): 신규식 · 박은식, 한인 규합 • 신한 청년당(1919): 여운형, 파리 강화 회의에 김규식 파견
미국 (미주)		• 대한인 국민회(1910): 미주 일대 한인 통합 단체 • 대조선 국민군단(1914): 박용만이 하와이에서 조직하여 군사 훈련 • 흥사단(1913): 안창호가 샌프란시스코에서 조직

무장 독립 전쟁 전개 과정

1920년대

1. 독립군의 편성 (⇦ 3·1 운동)

2. 독립군의 활약

봉오동 전투(1920. 6.): 대한 독립군(홍범도) 外

청산리 전투(1920. 10.): 북로 군정서(김좌진) 外 6일간의 혈전, 독립군 항전 사상 최대 승리

3. 독립군의 시련

간도 참변(1920. 10.~1921. 4.) ⇨ 밀산부 한흥동 ⇨ 대한 독립군단(서일) ⇨ 소련

자유시 참변(1921): 소련 적색군의 배신

4. 독립군의 재편성

3부의 성립: 민정 + 군정 – ㊀참의부(임정 직할 부대), 정의부, 신민부

5. 미쓰야 협정 (1925) 만주 독립군 큰 시련

6. 독립군의 통합 3부 통합 운동 ⇨ 한국 독립 유일당 북경 촉성회(1926, 민족 유일당)

북만주 – **혁신 의회**(1928) ⇨ 한국 독립당(한국 독립군, 지청천)

남만주 – **국민부**(1929) ⇨ 조선 혁명당(조선 혁명군, 양세봉)

1930년대

한·중 연합 작전

7. 만주 – 한·중 연합

한국 독립군(지청천) + 중국 호로군 ⇨ **쌍성보, 대전자령, 사도하자** 전투 外

조선 혁명군(양세봉) + 중국 의용군 ⇨ **영릉가, 흥경성** 전투

8. 중국 – 한·중 연합

민족 혁명당 **조선 의용대(김원봉)**

조선 의용대(김원봉) VS 조선 의용대(화북 지방) ⇨ 조선 의용군(김두봉)

충칭 정부 **한국 광복군(지청천)**

대일 선전 포고(1941), 인도·미얀마 전선 파견(+ 영국), 국내 진입 작전 준비(+ 미국)

01 1910년대 국외 독립운동 기지 건설

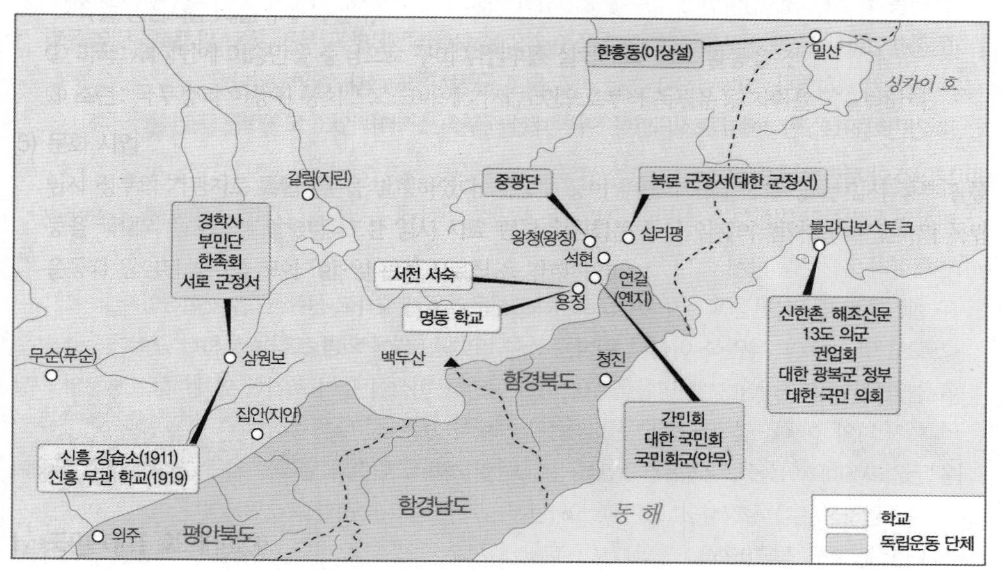

1. 독립운동 기지 건설

국권 피탈 이후 국내에서 항일 운동이 어려워졌다. 이에 민족 지도자들은 우리 동포가 많이 살고 있는 만주와 연해주로 이주하였다. 이들은 장기적인 독립운동의 기반을 마련하기 위해 독립운동 기지 건설을 추진하였다.

2. 지역별 독립운동

(1) 남만주(서간도) – 삼원보❶ 지역의 독립운동 단체

① 경학사(1911): 이회영, 이상룡 등 **신민회 간부들을 중심으로 남만주에 설립한 최초의 자치 단체**이다. 이후 **신흥 강습소**를 세워 독립군 양성에 주력하였다.

② **부민단(1912)**: **경학사를 계승**한 단체로, 백서 농장을 세워 훈련과 농사를 병행하였다.

③ **한족회(1919)**: 3·1 운동 직후 **부민단은 한족회로 확대·개편**되었다. **한족회는 군사 기관인 서로 군정서(1919)**를 설립하고, 지청천을 사령관에 임명하였다.

④ **신흥 강습소(신흥 무관 학교)**: 1911년 **신흥 강습소**❷가 설립되어 군사 교육을 실시하였다. 1919년 **신흥 무관 학교로 개편**되었고, 지청천·이범석 등이 교관이 되어 많은 독립군을 양성하였다.

⑤ **대한 독립단(1919)**: 위정척사 계열이 설립한 단체로, 복벽주의를 내세웠다.

解法 도움닫기 이회영과 형제들의 삶(한국의 노블레스 오블리주)

이회영 집안은 백사 이항복의 후손으로 9대가 정승, 판서를 지낸 명문가였다. 국권이 피탈되자 우당 이회영을 비롯해 형 건영, 석영, 철영과 아우 시영, 호영 등 6형제는 전 재산(오늘날 수백억)을 처분하고 함께 만주로 망명하였다. 이들은 만주에 경학사와 신흥 강습소(신흥 무관 학교) 등을 세웠다. 특히 이회영은 신민회의 중심 인물로 활동했으며, 상하이 임시 정부에도 참여하였다. 그의 거처에는 독립운동을 위해 중국으로 망명한 젊은이들로 붐볐으며, "우당 집에서 밥을 얻어먹지 않는 사람은 독립운동가가 아니다."라고 할 정도였다.

❶ 삼원보

이회영, 이동녕, 이상룡 등의 신민회 인사들이 남만주에 만든 독립운동 기지이다. 한인의 이주와 정착, 항일 의식 고취 등을 위해 노력하였다.

❷ 신흥 강습소

신흥 강습소에서 신흥 중학교로 개편되었다. 3·1 운동 이후 신흥 무관 학교로 이름을 바꾸어 1920년 8월에 폐교될 때까지 약 3천 명의 독립군을 양성하였다.

(2) 북간도[1] 지역의 독립운동 단체

① **서전서숙(1906)**[2]: **이상설**, 이동녕이 **용정**에 설립한 **최초의 국외 학교**로, 민족 교육을 실시하였다.

② **명동 학교(1908)**: 김약연이 명동촌에 설립한 학교이다. 윤동주, 나운규 등이 여기서 공부했다.

③ **중광단(1911)**: 1911년 북간도로 거점을 옮긴 **대종교**(서일)가 만든 무장 독립 단체로, 무오 독립 선언을 발표하였다. 1919년 3·1 운동 이후 **북로 군정서**[3]로 확대·개편되었다.

④ **간민회(1913)**: 연길에서 조직되었다. 이후 대한 국민회로 개편되었고 **국민회군**을 편성하였다.

(3) 북만주의 독립운동 단체

대한인 국민회와 **이상설** 등 신민회 간부들은 북만주 밀산에 독립운동 기지인 한흥동을 건설하였다.

(4) 연해주의 독립운동 단체

① **한민회(1905)**: 한인들의 자치 기관으로, **『해조신문』**[4]을 발행하고 **신한촌**[5]을 건설하였다.

② **13도 의군(1910)**: **유인석, 이상설, 이범윤** 등이 1910년 6월에 **의병 조직을 통합**한 것이다.

③ **성명회(1910)**: 한·일 강제 병합을 규탄하며 **유인석·이상설** 등이 조직한 단체이다. "광복의 그날까지 피의 투쟁을 결행하겠다."는 선언문을 채택하였다.

④ **권업회(1911)**: 이상설, 홍범도, 유인석 등이 한인 사회의 단결과 권익을 위해 조직한 자치 단체이다. **『권업신문』**을 창간하였고(1912), **1914년**에는 **대한 광복군 정부**를 수립하였다.

⑤ **대한 광복군 정부(1914)**: 블라디보스토크에 세운 망명 정부이다. **이상설을 대통령, 이동휘를 부통령**으로 선출하였다. 그러나 모체인 권업회가 해산당하자 크게 타격을 받고 해체되었다.[6]

⑥ **한인 사회당(1918)**: **이동휘**를 중심으로 조직된 **최초의 국외 사회주의 정당**이다.

⑦ **대한 국민 의회(1919)**: 전러 한족 중앙 총회(1917)[7]가 정부 형태로 개편된 것으로 **손병희를 대통령**으로 하였다. 1919년 8월 **상하이 임시 정부에 합병을 결정하고 해산**하였다.

심화사료 百出

대한 광복군 정부

1914년 러시아 전역에서 러·일 전쟁 10주년을 맞아 반일 감정이 고조되고 있는 상황에서 **이상설, 이동휘, 이종호, 정재관의 주도로 러시아와 중국에 흩어져 있는 동지들을 규합하여 대한 광복군 정부를 조직**하고 정통령을 선거하여 군사 업무를 통합하여 지휘하게 하니 **정통령은 이상설 씨가 되었고, 부통령은 이동휘 씨가 당선되었다.** …… 같은 해 8월 뜻밖에 **제1차 세계 대전**이 일어남에 따라 일제의 간섭이 심해졌다. **권업회가 마침내 해산**되고 아울러 신문까지 정간을 당하니 그 신문은 126호로 끝나게 되었다.

– 뒤바보, 『아령실기』

---

[1] **북간도**
19세기 후반부터 농민들이 삶의 터전을 찾아 많이 이주한 지역으로, 국권 피탈 전후한 시기에 이민이 증가하였다.

[2] **서전서숙**
1907년 간도 출장소가 설치된 후 일제의 감시와 방해로 폐교되었다.

[3] **북로 군정서군**
서일을 총재로, 김좌진을 군사령관으로 삼아 독립군을 양성하고, 군비와 무기 확충에 노력하였다.

[4] **『해조신문』**
1908년 연해주에서 창간된 신문으로, 일제의 침략상을 폭로하였다. 일제의 압력으로 창간된 해에 폐간되었다.

[5] **신한촌**
19세기 말부터 많은 동포들이 이주한 연해주에는 한인 집단 거주지인 신한촌이 형성되었다.

[6] **대한 광복군 정부의 활동 제한**
당시 일제와의 관계 악화를 꺼린 러시아가 한국인의 무장 활동을 금지하여 본격적으로 활동하기는 어려웠다.

[7] **전러 한족 중앙 총회(1917)**
1917년 러시아 혁명이 일어났다. 이틈을 타 러시아에 거주하고 있는 한인들의 대표자 회의가 열렸고, 전러 한족 중앙 총회가 조직되었다. 1919년 대한 국민 의회로 개편되었다.

이상설

9급 위 한국사

이상설(1870~1917)

연도	내용	연도	내용
1905년	을사늑약 체결 무효 상소	1910년	13도 의군 편성, 성명회 조직, 러시아에 망명 정부 수립 시도
1906년	서전서숙 설립		
1907년	헤이그 만국 평화 회의 참석	1911년	권업회 조직, 『권업신문』 발행(1912)
1909년	독립운동 기지인 한흥동을 밀산부에 건설	1914년	대한 광복군 정부 수립(정통령 선임)
		1915년	북경에서 신한 혁명당 조직

(5) 중국(본토)의 독립운동 단체

① **동제사(1912)**: **상하이**에 모인 민족 운동가들(신규식, 박은식, 조소앙 등)이 조직하였다. 이후 이들 중 일부가 주축이 되어 신한 청년당(단)을 결성하였다.

② **대동 보국단(1915)**: 신규식과 박은식이 조직한 단체로, 잡지 『진단』을 발행하였다.

③ **신한 청년당(단)(1918)**: **상하이**에서 **여운형**을 중심으로 조직되었다. 파리 강화 회의에 **김규식**을 대표로 파견했으며, **임시 정부** 수립을 주도하였다.

(6) 미주의 독립운동 단체[8]

① **국권 피탈 이전**: 1900년대 초반, 하와이 이주를 계기로 미주 지역에 한인 동포 사회가 형성되었다. 이에 신민회(1903), 공립협회(1905) 등 여러 독립운동 단체들이 조직되었다.

② **대한인 국민회(1910)**: 1908년 **장인환·전명운 의거**를 계기로 미주의 한인 단체들은 통합의 움직임[9]을 보였다. 그 결과, 1910년 **박용만·이승만**을 중심으로 대한인 국민회를 조직하였다. 독립운동 자금을 모아 만주와 연해주의 독립운동을 지원하였다.

③ **흥사단(1913)[10]**: 샌프란시스코에서 안창호가 조직하였다. 교육, 문화 활동을 통해 민족의 실력을 배양하고자 하였다.

④ **대조선 국민군단(1914)**: **박용만[11]**이 하와이에서 조직한 단체이다. **독립군 양성**을 위해 군사 훈련을 실시하였다.

⑤ **구미 위원부(1919)**: **이승만**이 워싱턴에 설치한 **임시 정부의 외교 사무소**이다.

(7) 일본에서의 독립운동

조선 청년 독립단은 **최팔용** 등 일본 유학생들이 조직한 단체로, 2·8 **독립 선언**을 발표하였다.

⑧ 미주에서의 독립운동
한반도와 멀리 떨어져 있기 때문에 재정 지원이나 외교 활동에 주력하였다.

⑨ 대한인 국민회 결성 과정
공립 협회와 한인 합성 협회가 합쳐져 1909년 국민회가 조직되었다. 1910년 국민회는 대동 보국회를 흡수하여, 대한인 국민회로 개칭하였다.

대한인 국민회 하와이 총회(1915)

⑩ 흥사단
교포들의 계몽에 힘을 쓴 민족 운동 단체로, 광복 후 서울로 본부를 옮겼다.

⑪ 박용만
독립을 위해 군대를 길러 일본 본토를 공격하자고 주장하였다.

02 1920년대 무장 독립 전쟁 ☆

1. 독립군의 형성과 활동

(1) 국내 무장 항일 투쟁

3·1 운동 이후 국내에서 천마산대(1919),[12] 구월산대(1920) 등 독립군 부대가 결성되었다. 이들은 만주의 독립군 부대들과 긴밀히 연락하면서 일제의 통치 기관 파괴·군자금 모금 등의 활동을 하였다.

(2) 남만주(서간도) 일대

① **서로 군정서(1919)**: 한족회 산하의 군정부가 서로 군정서로 발전하였다. 지청천과 신흥 무관 학교 출신들이 주력으로 활동한 무장 독립군 부대이다.

② **대한 독립단[13](1919)**: 의병 계열이 중심이 되어 조직한 항일 무장 투쟁 단체이다.

③ **임시 정부**: 임시 정부는 남만주에 광복군 사령부, 광복군 총영 등을 두고 무장 투쟁을 지원하였다.

(3) 북간도 일대

① **국민회군(1920)**: **안무**를 중심으로 하여 대한 국민회(간도 국민회)의 직할 부대로 창설되었다.

② **대한 독립군(1919)**: **홍범도**가 창설한 항일 독립군 부대로, 활발한 국내 진공 작전을 펼쳤다.

③ **북로 군정서(대한 군정서, 1919)**: **중광단이 북로 군정서로 개편**되었다. 서일을 총재로, **김좌진**을 **군사령관**으로 하였다. 또한, 사관 연성소를 설립하여 독립군을 훈련하였다.

⑫ 천마산대
천마산대는 유격전을 전개하여 일본군을 상대로 상당한 전과를 거두었다. 또한 만주의 광복군 사령부와 긴밀하게 협조하였다. 이후, 천마산대는 만주로 이동하여 대한 통의부에 편입되었다.

⑬ 대한 독립단의 분열
복벽주의를 지지하는 세력과 공화주의를 추구하는 세력으로 나뉘어 분열하였다.

2. 봉오동 전투(1920. 6.)

(1) 배경

1920년 만주와 연해주에서는 수많은 독립군 부대가 활동하고 있었다. 일부 부대는 압록강·두만강을 건너와 일본군을 공격하였다.

(2) 전개 및 결과

국내 진입 작전[1]에 시달리던 일본군은 두만강을 건너 독립군을 공격하였다. **홍범도의 대한 독립군**, 안무의 국민회군, 최진동의 군무 도독부군 등 연합 부대는 일본군을 **봉오동으로 유인·기습**하여 크게 승리하였다.

홍범도

[1] 국내 진입 작전
홍범도와 최진동의 독립군 부대들은 국경 일대를 넘나들며 일본군을 공격하고 식민 통치 기관을 파괴하였다.

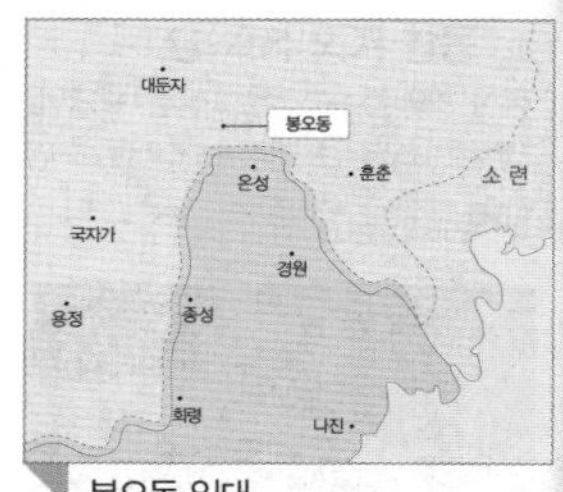

봉오동 일대

심화사료 百出 2019. 경찰 2차

봉오동 전투

6월 7일 상오 7시 북간도에 주둔한 아군 7백은 **북로 사령부 소재지인 왕청현 봉오동**을 향하여 행군하다가 뜻하지 않게 같은 곳을 향하는 적군 3백을 발견하였다. 아군을 지휘하던 **홍범도, 최진동** 두 장군은 즉시 적을 공격하였다. 급사격으로 적 1백 20명의 사상자를 내게 하고 도주하는 적을 즉시 추격하여 현재 전투 중에 있다.

－『독립신문』, 1920년 6월 12일

3. 청산리 대첩(1920. 10.)

(1) 배경

일본은 봉오동 전투 패배 이후 **만주에 대규모 병력을 투입**하기 위해 훈춘 사건을 조작하였다. 이는 일제가 만주의 마적들을 매수하여 길림 훈춘에 있는 일본 영사관과 일본 경찰을 공격한 사건이다. 일제는 이를 독립군의 소행이라 주장하면서 약 2만 명의 병력을 동원하여 독립군을 공격하였다.

(2) 전개 과정

청산리 일대에서 일본군과 독립군 간의 전투가 벌어졌다. 10월 21일 **김좌진의 북로 군정서군**이 주도한 **백운평 전투**를 시작으로, **천수평과 어랑촌 전투**에서 독립군이 승리하였다. **홍범도의 대한 독립군**, 군무 도독부군, 국민회군 등 독립군 연합 부대도 **완루구**에서 대승을 거두었다.

(3) 결과

백운평 전투를 시작으로 **고동하** 전투까지 6일간 10여 회의 전투를 벌였다. 1,200~1,500명의 일본군을 사살하여 **독립군 항전 사상 최대의 전과**를 거두었다.

김좌진

청산리 대첩 일정

전투명	전투일
백운평 전투	10월 21일
완루구 전투	10월 21~22일
천수평 전투	10월 22일
어랑촌 전투	10월 22일
고동하 전투	10월 26일

심화사료 百出 2019. 경찰 2차

청산리 대첩

- 생명을 돌보지 않고 떨쳐 일어나 용감히 싸우는, 독립에 대한 군인 정신이 먼저 적의 사기를 압도하였다.
- 양호한 진지를 먼저 차지하고, 완전한 준비를 하여 사격 성능을 극도로 발휘할 수 있었다.
- 기회에 따라 바뀌는 전술과 예민 신속한 활동이 모두 적의 의표를 찔렀다.

－북로 군정서 총재 서일이 대한민국 임시 정부에 보고한 내용, 『독립신문』, 1921년

4. 독립군의 시련

(1) 간도 참변(경신 참변, 1920)

봉오동·청산리에서 대패한 일본군은 **독립군의 근거지를 없앤다는 명분**으로 **간도의 한인 마을을 습격**하였다. 남녀노소를 가리지 않고 우리 동포들을 무차별 살해했으며, 학교·교회·집 등을 불태웠다.

고등사료 百出 2007. 법원직 9급

간도 참변의 실상

용정촌에서 40리가량 떨어져 있는 한 마을은 왜군이 야간에 습격하여 청년을 모조리 죽였으니 밤마다 죽는 사람이 2, 3명씩 되었다. 이는 **1920년 10월의 일이다.** 당시의 참사를 현지에 있던 미국인 선교사 마틴은 다음과 같이 기록하고 있다.

"10월 31일, 연기가 자욱하게 낀 찬랍파위(瓚拉巴威) 마을에 가 보았다. 사흘 전 새벽에 무장한 일개 대대가 이 기독교 마을을 포위하고 남자라면 늙은이, 어린이를 막론하고 끌어내어 때려죽이고 때려죽이지 않으면 불타고 있는 집과 짚더미에 던져 타 죽게 하였다. ……"

– 조지훈, 『한국 민족 운동사』

(2) 독립군의 이동❷

일본의 공세를 피해 **밀산부**에 집결한 독립군 부대들은 병력을 통합하여 **서일**을 총재로 하는 **대한 독립군단**을 조직하였다. 그리고 러시아 영토인 **자유시(알렉세예프스크)**로 이동하였다.

(3) 자유시 참변❸

독립군의 통합 과정에서 **지휘권을 둘러싼 분쟁**이 발생했으며, 소련 공산당(적색군)의 배신으로 무장 해제를 당하였다. 수백 명의 독립군이 희생되었고, 일부는 다시 만주로 돌아왔다.

5. 3부의 성립

(1) 독립군 재정비

간도 참변과 자유시 참변으로 흩어졌던 독립군은 지속적인 항일 투쟁을 위해 부대를 재정비하였다. 남만주에서는 서로 군정서·대한 독립단 등이 통합하여 1922년 대한 통의부❹가 조직되었다.

(2) 3부(참의부·정의부·신민부)

독립군의 재정비에 따라 만주에서는 참의부·정의부·신민부가 성립되었다. 이들 3부는 **삼권 분립의 통치 기구**와 **군사 조직**을 갖춘 **자치 정부**였다.

① **육군 주만 참의부(1923)**: **임시 정부의 직할 부대**로, 압록강 건너 집안을 중심으로 활동하였다.

② 정의부(1924): 지청천을 중심으로 **남만주**에서 조직되었다.

③ 신민부(1925): 자유시 참변 이후 돌아온 **김좌진** 등을 주축으로 **북만주**를 근거지로 활동하였다.

9급 위 한국사

3부 운영

동포 사회를 이끌어 가는 민정 조직과 독립군의 훈련을 담당하는 군정 조직을 갖추었다. 또한, 임원을 선출하여 행정·입법·사법부를 구성하고, 동포들에게 세금을 거두어 정부를 운영하였다.

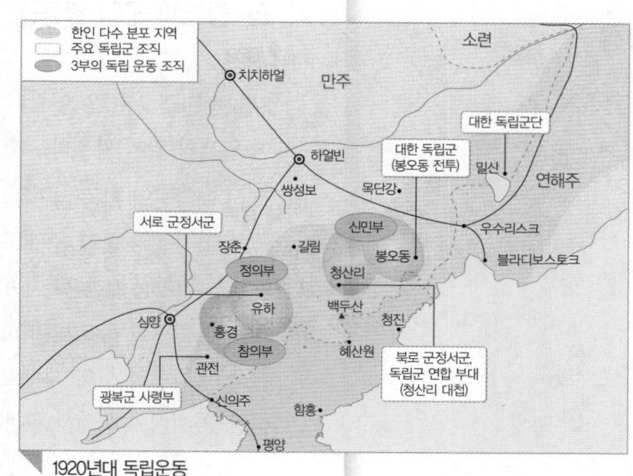

1920년대 독립운동

❷ **독립군의 이동**
대한 독립군단은 약소 민족의 민족 운동을 지원하겠다는 러시아 적색군(소련 공산당)의 약속을 믿고 러시아로 이동하였다.

❸ **자유시 참변**
독립군 부대들은 군사 지휘권을 둘러싸고 분쟁이 일어났다(상하이파 고려 공산당 vs 이르쿠츠크파 고려 공산당). 이르쿠츠크파 공산당은 소련의 지지를 바탕으로 지휘권을 장악하고자 하였다. 게다가 소련 정부는 일본의 요구에 따라 독립군 부대에게 무장 해제를 지시하였다. 이 과정에서 수백 명의 독립군이 희생되었다.

❹ **대한 통의부의 분열**
1923년 공화주의와 복벽주의 간의 갈등으로 대한 통의부 세력은 분열되었다.

❶ 미쓰야 협정(三矢協定, 1925)
중국 관리가 만주에서 활동하는 한국인 독립 운동가를 체포할 경우, 반드시 일본에 넘기기로 하였다. 일본은 이에 대한 보상금도 지급할 것을 약속하였다.

(3) 미쓰야 협정(1925)❶

만주의 군벌 장쭤린(장작림)과 총독부의 경무국장 미쓰야 사이에서 미쓰야 협정이 체결되었다. 이로 인해 만주의 독립군은 큰 타격을 받게 되었다.

심화사료 百出 　　2012. 경북 교행

미쓰야 협정(재만 한인 단속 방법에 관한 협약, 1925)

제2조 중국 관헌은 각 현에 통고하여 **재류 조선인이 무기를 휴대하고 조선에 침입하는 것을 엄금한다.** 이를 어긴 자는 체포하여 일본 관헌에게 인도한다.

제3조 불령선인 단체는 해산하고 소지한 무기는 몰수하고 무장을 해제한다.

제4조 **일본 관헌에서 지명한 불령단 수령은 중국 관헌에서 신속히 체포하여 인도한다.**

6. 3부 통합 운동

✎ 만주의 독립군 통합

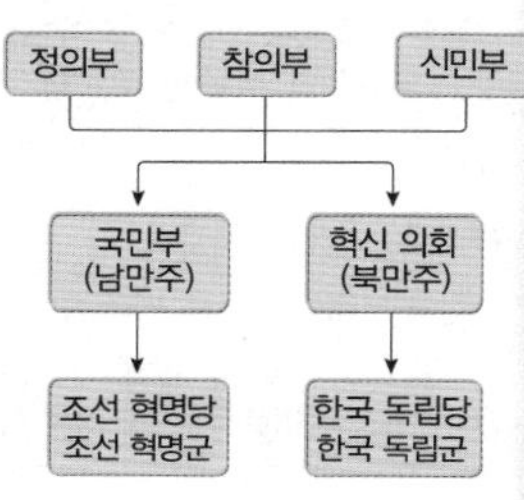

안창호의 요청으로 1926년 북경에서 **한국 독립 유일당 북경 촉성회**가 개최되어 민족 유일당 운동이 더욱 촉진되었다. 이에 만주의 3부 단체들은 통합 운동을 전개하였다. 그런데, 통합 방법을 둘러싸고 대립(개인 VS 단체)함에 따라 **북만주**의 **혁신 의회**와 **남만주**의 **국민부**로 재편되었다.

(1) 혁신 의회(1928)

주로 **북만주** 일대에서 활동하였다. 혁신 의회는 해체되어 1930년 **한국 독립당**으로 개편되었고, 산하 군대로 **한국 독립군**을 두었다.

(2) 국민부(1929)

주로 **남만주** 지역에서 활동하였다. 국민부는 조선 혁명당을 조직하였고, 산하 군대로 **조선 혁명군**을 편성하였다.

03 1930년대 무장 독립 전쟁

1. 한·중 연합군의 활동(만주)

(1) 배경

1931년 **만주 사변**을 일으킨 일제는 이듬해 만주국을 세웠다. 이후 독립군은 중국인 부대와 연합하여 일제와 맞서 싸웠다.

(2) 조선 혁명군의 활동(남만주) ☆

조선 혁명당의 산하 부대로 **양세봉**이 지휘하였다. **중국 의용군**과 연합하여 **영릉가 전투**, **흥경성 전투**에서 일본군을 크게 격파하였다.

(3) 한국 독립군의 활동(북만주) ☆

한국 독립당의 산하 부대로 지청천이 이끌었다. **중국의 호로군**과 연합하여 **쌍성보**, **대전자령**, **사도하자**, **동경성 전투**에서 일본군을 크게 격파하였다.

(4) 조선 혁명군·한국 독립군의 약화

① **조선 혁명군**: 1934년 **양세봉이 살해**되고 간부들이 체포당하면서 세력이 크게 약화되었다.

② **한국 독립군**: 한국 독립군은 일본군의 공세 속에서 임시 정부의 요청으로 **중국 관내로 이동**하였다.

(5) 항일 유격대의 활동(사회주의 계열)

만주의 사회주의자들은 중국 공산당과 함께 동북 인민 혁명군(1933)을 조직하였다. 이후 동북 인민 혁명군은 **모든 반일 세력을 받아들인다는 원칙**을 내세워 **동북 항일 연군**으로 개편하였다. 동북 항일 연군 안의 한인 유격대❷는 조국 광복회(1936)를 조직하여 활동하였다. 그러나 1930년대 말, 일제의 토벌 작전으로 세력이 크게 약화되어 소련으로 이동하였다.

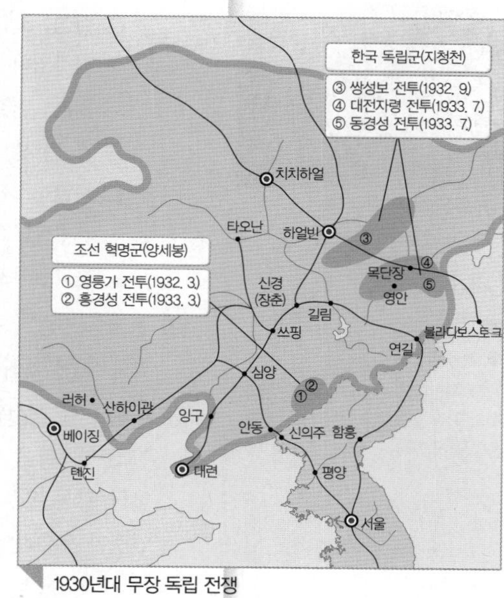

1930년대 무장 독립 전쟁

심화사료 百出

2019. 국가직 9급, 2018. 법원직 9급

한·중 연합군의 결성

[한국 독립군과 중국 호로군의 합의 내용]

- **한·중 양군은 최악의 상황이 오는 경우에도 장기간 항전할 것을 맹세한다.**
- 전시의 후방 전투 훈련은 한국 장교가 맡고 한국군에 필요한 군수품 등은 중국군이 맡는다.

[조선 혁명군과 중국 의용군의 합의 내용]

중국과 한국 양국의 군민은 한뜻으로 일제에 대항하여 싸우고, 인력과 물자는 서로 나누어 쓰며, 합작의 원칙하에 국적에 관계없이 그 능력에 따라 항일 공작을 나누어 맡는다.

사도하자 전투

1933년 3월까지 독립군은 사도하자(四道河子)에 주둔하여 병력을 증강시키면서 훈련에 여념이 없었다. …… 일본군은 독립군을 일거에 섬멸하려고 만주군과 연합하여 공격을 취하였다. …… 적은 약 1개 사단의 병력으로 황가둔(黃家屯)에서 이도하 방면을 거쳐 **사도하자에 진격**하여 왔다. 이것은 적이 아군의 작전에 빠져들어 온 것이었다. 때를 기다리던 아군이 일제히 포문을 열어 급습하니 적군은 미처 응전하지도 못한 채 쓰러져 갔다.

– 독립운동사 편찬위원회, 독립운동사

❷ **보천보 전투(1937)**

동북 항일 연군 소속의 조선인 유격대 대원들이 압록강을 건너 함경남도 보천보를 습격하였다. 이들은 국내 조직의 도움을 받아 경찰 주재소와 면사무소 등을 불태우고 철수하였다.

2. 민족 연합 전선 형성(중국 본토)

(1) 민족 혁명당(1935)❸

① **조직**: 항일 세력들을 하나로 통합하기 위해 결성되었다. **의열단**을 중심으로 민족주의계와 사회주의계가 참여한 **중국 관내 최대 규모❹의 통일 전선 정당**이었다. 그러나 **김구 등 임시 정부 세력은 참가하지 않았다.**

② **변화**: 의열단 계통의 인사들이 민족 혁명당을 주도하자 지청천, 조소앙 등 민족주의 계열의 일부 세력이 탈퇴하였다.

③ **개편**: 민족 혁명당은 조선 민족 혁명당으로 개편되었다. 이후 연합 전선을 강화하기 위해 다른 좌익 계열 단체들과 함께 **조선 민족 전선 연맹(1937)**을 결성하였다.

❸ **민족 혁명당 창당 배경**

1930년대 일제의 중국 침략이 본격화되자, 여러 단체의 인사들이 난징에서 회의를 열고 민족 혁명당을 창당하였다.

❹ **민족 혁명당에 참여한 여러 단체**

의열단, 지청천의 조선 혁명당, 조소앙의 한국 독립당, 신한 독립당, 대한 독립당 등의 단체들이 참여하였다. 창설 당시 김구 세력은 임시정부 해체를 전제로 하는 민족 혁명당에 참여하지 않았다.

④ 조선 의용대(1938)

㉠ **결성**: 조선 민족 전선 연맹은 중국 국민당 정부의 지원을 받아 군사 조직인 조선 의용대를 조직하였다. 이는 **중국 관내(우한)에서 결성된 최초의 한인 군사 조직**이었다.

㉡ **활동**: 대일 심리전과 후방 공작 활동을 전개하는 한편, 일본군 포로를 심문하고 일본군 문서를 번역하기도 하였다. 또한 일본군 점령 지역에 파견되어 첩보 활동 등의 활동을 하였다.

㉢ **분열**: 조선 의용대의 일부는 화북 지방(연안)으로 이동하여 **조선 의용대 화북 지대**가 되었고 1942년 조선 독립 동맹의 예하 부대인 **조선 의용군으로 개편**되었다. 한편 남아 있던 조선 의용대는 1942년 한국 광복군에 합류하였다.

조선 의용대 창립 1주년

(2) 한국 국민당❶(1935)

임시 정부를 고수하려는 김구는 민족 혁명당에 참가하지 않고, 1935년에 한국 국민당을 창당하였다.

❶ **한국 국민당**
한국 국민당은 1930년대 중국 관내에서 민족 혁명당과 함께 민족 운동을 이끌어 간 주요 세력이 되었다.

(3) 민족 연합 전선을 위한 노력

민족 혁명당을 이탈한 조소앙의 한국 독립당·지청천의 조선 혁명당은 김구의 한국 국민당과 함께 한국 광복 운동 단체 연합회(1937)를 조직하였다. 한국 광복 운동 단체 연합회와 조선 민족 전선 연맹이 제휴하여 전국 연합 진선 협회(1939)가 조직되었으나 성과 없이 해체되었다.

04 1940년대 무장 독립 전쟁

1. 중·일 전쟁 이후 임시 정부의 활동

(1) 한국 독립당❷(1940)

김구의 한국 국민당·조소앙의 한국 독립당·지청천의 조선 혁명당 등의 민족주의 정당들은 통합을 결정하고, 1940년 **임시 정부의 여당**으로서 한국 독립당을 창당하였다.

김구

❷ **한국 독립당 정강**
한국 독립당은 보통 선거제에 의한 정치 균등, 토지와 대기업 국유화를 통한 경제 균등, 국비 의무 교육제에 의한 교육 균등의 실시를 정강으로 택하였다.

(2) 헌법 개정

임시 정부는 충칭에 정착하면서 **1940년 제4차 개헌**을 통해 국무 위원제를 **주석제**(주석 김구)로 바꾸었다. **주석이 행정·군사를 총괄**했으며, 행정부의 기능이 강화되었다.

(3) **대한민국 건국 강령 발표(1941)**: 조소앙의 삼균주의에 바탕을 둔 건국 강령을 발표하였다.

(4) 민족 통일 전선 구축(1942)

1942년 김원봉이 이끄는 조선 민족 혁명당이 임시 정부에 합류하고 조선 의용대 일부가 한국 광복군에 편입되었다. 그 결과 민족주의 계열과 사회주의 계열이 통합된 임시 정부가 수립되었다.

심화사료 百出 2024. 법원직 9급, 2019. 국가직 7급, 2019. 법원직 9급

대한민국 건국 강령(1941)

우리나라의 건국 정신은 삼균 제도의 역사적 근거를 두었으니 …… 이는 사회 각 계급·계층이 지력과 권력과 부력의 향유를 균평하게 하여 …… 홍익인간과 이화세계(이치로 세상을 다스림)하자는 우리 민족의 지켜야 할 최고의 공리임. …… **삼균 제도를 골자로 한 헌법을 실시**하여 **정치와 경제와 교육의 민주적 시설로 실제상 균형을 도모**하며 전국의 토지와 대생산 기관의 국유가 완성되고 전국 학령 아동의 전체가 고급 교육의 무료 수학이 완성되고 보통 선거 제도가 구속 없이 완전히 실시되어 전국 각 리(里) 동(洞) 촌(村)과 면(面) 읍(邑)과 도(島) 군(郡) 부(府)와 도(道)의 자치 조직과 행정 조직과 민중 단체와 민중 조직이 완비되어 삼균 제도와 배합 실시되고 경향 각층의 극빈 계급의 물질과 정신상 생활 정도와 문화 수준이 제고 보장되는 과정을 건국의 제2기라 함.

解法 도움닫기 조소앙[3](1887~1958)의 약력

1917년	대동단결 선언 발표에 참여
1919년	대한민국 임시 정부 국무위원 역임
1930년	상하이에서 이동녕 등과 한국 독립당 결성
1945년	대한민국 임시 정부 외무부장 역임
1950년	제2대 국회 의원 선거 때 최다 득표로 당선

2. 한국 광복군(1940) ☆☆

(1) 창설

임시 정부는 중국 국민당 정부의 지원을 받아 1940년 충칭에서 **지청천(이청천)**을 총사령관, **이범석**을 **참모장**으로 하여 한국 광복군을 창설하였다.

(2) 강화[4]

화북으로 이동하지 않았던 김원봉의 **조선 의용대가 1942년 흡수·통합**되면서 군사력이 증강되었다.

심화사료 百出 2021. 경찰 1차, 2016. 지방직 7급, 2014. 법원직 9급

한국 광복군 선언문(1940)

대한민국 임시 정부는 **대한민국 원년(1919)에 정부가 공포한 군사 조직법에 의거하여 중화민국 총통 장제스 원수의 특별 허락으로 중화민국 영토 내에서 광복군을 조직하고 대한민국 22년 9월 17일, 한국 광복군 총사령부를 창설함**을 이에 선언한다. …… 공동의 적인 **일본 제국주의자들을 타도하기 위하여 연합군의 일원으로 항전을 계속한다.** …… 우리들은 한·중 연합 전선에서 우리 스스로의 부단한 투쟁을 감행하여 동아시아를 비롯한 아시아 민중들의 자유와 평등을 쟁취할 것을 약속하는 바이다.

한국 광복군의 행동 준승 9개항

1. 한국 광복군은 아국(중국)의 항일 작전 기간에는 본회에 직예(直隸)하고, 참모 총장이 장악 운용한다.
2. 한국 광복군은 본회에서 통할 지휘하되 아국이 항전을 계속하는 기간 및 한국 독립당·임시 정부가 한국 국경 내로 추진하기 전에는 아국 최고통수부의 군령만을 접수할 뿐이고, 기타의 군령이나 혹은 기타 정치적 견제를 접수하지 못한다. 한국 독립당·임시 정부와의 관계는 아국의 군령을 받는 기간에 있어서는 고유한 명의(名義) 관계를 보류한다.

(3) 연합 작전 수행

① **대일 선전 포고:** 태평양 전쟁이 일어나자 **1941년 12월 대한민국 임시 정부는 대일 선전 포고**를 발표하고 한국 광복군을 연합군의 일원으로 참전시켰다.

② **인도·미얀마 전선 파견:** 1943년 인도·미얀마 전선에 광복군을 파견하여 **영국군**과 함께 대일 투쟁을 전개하였다.

③ 조소앙의 삼균주의

조소앙이 쑨원의 삼민주의에 영향을 받아 만든 이론으로, 독립운동의 기본 방향과 향후 세울 독립 국가의 지침을 제시하였다. 삼균이란, 정치적 균등(보통 선거)·경제적 균등(생산 기관 국영화)·교육적 균등(의무 교육)을 바탕으로 개인과 개인, 민족과 민족, 국가와 국가 사이의 완전한 균등을 이루는 것을 의미한다. 개인 사이의 균등은 정치·경제·교육을 통해, 민족끼리의 균등은 민족 자결을 통해, 국가 사이의 균등은 제국주의 배격·침략 전쟁 금지를 통해 이룩된다고 보았다.

④ 한국 광복군의 편성

조선 의용대를 흡수한 한국 광복군은 김원봉과 이범석 등을 지대장으로 하는 1, 2, 3지대로 개편하면서 병력이 증강되었다. 이후 2·3지대는 미국 전략 정보국(OSS)과 합작하여 국내 투입을 위한 훈련을 하였다.

지청천(이청천, 지대형)

한국 광복군 총사령부 성립식

인도·미얀마 전선에 파견된 한국 광복군

(4) 국내 진공 작전

① **준비**: 임시 정부와 한국 광복군은 국내 진공 작전을 계획하였다. **지청천·이범석** 등을 중심으로 중국에 주둔하고 있던 **미국 전략 정보국(OSS)과 연합**하여 비행 편대를 편성하고 **국내에 침투하여 활동할 정진군을 훈련**시켰다.

② **결과**: 1945년 8월 15일에 일본이 무조건 항복함으로써 한국 광복군은 그해 9월에 추진하려고 준비 중이었던 **국내 진입 계획을 실행하지 못하였다.**

고등사료 百出 2021. 법원직 9급, 2013. 지방직 9급, 2008. 국가직 9급

대한민국 임시 정부의 대일본 선전 포고(1941. 12.)

우리는 3천만 한국 인민과 정부를 대표하여 삼가 **중·영·미·소·캐나다 기타 제국의 대일 선전이 일본을 격패(擊敗)하게 하고** 동아를 재건하는 가장 중요한 수단이 됨을 축하하여 이에 특히 다음과 같이 성명한다.

2. **1910년의 합방 조약과 일체의 불평등 조약의 무효를 거듭 선포**하여, 아울러 반침략 국가인 한국에 있어서의 합리적 기득권은 존중한다.
3. **한국·중국 및 서태평양으로부터 왜구를 완전히 구축하기 위하여 최후 승리를 거둘 때까지 혈전한다.**

한국 광복군의 활동

이번 **연합군과의 작전**에 모든 운명을 거는 듯하였다. **주석(主席)과 우리 부대(한국 광복군)**의 총사령관이 계속 의논하는 것을 옆에서 들었기 때문에 더욱 일의 중대성을 절감하였다. 드디어 시기가 온 것이다! 독립 투쟁 수십 년에 조국을 탈환하는 결정적 시기가 온 것이다. - 장준하, 『장정』

3. 화북 조선 독립 동맹(1942)

(1) **성립**: 화북 조선 청년 연합회[1]가 화북 조선 독립 동맹으로 조직을 확대·개편하고 **김두봉**을 위원장으로 선출하였다.

(2) 조선 의용군(1942)

① **창설**: 화북 조선 독립 동맹의 예하 부대로, **조선 의용대 화북 지대**[2]를 **개편**하여 창설되었다.

② **활동**: 옌안에 본부를 둔 조선 의용군은 **중국 공산당 팔로군과 함께 항일전에 참여**하였다. 일제가 망한 뒤 조선 의용군은 중국의 국공 내전에 참전하였다가 북한 인민군으로 편입되었다.

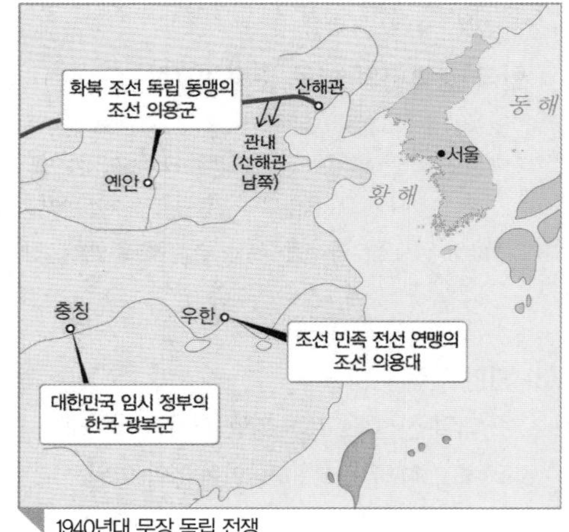

1940년대 무장 독립 전쟁

[1] **화북 조선 청년 연합회(1941)** 중국 공산당의 조선인 간부인 무정이 최창익 등이 이끄는 조선 의용대 화북 지대와 함께한 단체이다.

[2] **조선 의용대 화북 지대** 일본은 화북 지역에 대규모 병력을 동원하여 팔로군과 조선 의용대 화북 지대에 대한 소탕전을 추진하였다. 이에 따라 조선 의용대 화북 지대는 일본군의 공격에 맞서 1941년 12월 호가장 전투, 1942년 5월 반소탕전, 태항산 전투(1941~43년까지 중국 태항산 산맥 일대에서 일본군과 싸운 일련의 전투) 등을 벌였다.

05 동포들의 국외 이주

1. 만주(간도) 이주

(1) **활동**: 만주는 19세기 후반부터 몰락한 농민들이 이주한 지역으로, 국권 피탈 이후 이민이 더욱 증가하였다. 독립운동가들은 이곳에서 **학교**를 세우거나 **독립군을 양성**하여 **독립운동의 기반**을 마련하였다.

(2) 시련

① **간도 참변(1920)**: 일제는 **봉오동 전투와 청산리 대첩에 대한 보복**으로 간도 일대의 조선인 마을을 불태우고 조선인을 학살하는 만행을 저질렀다.

② **만보산 사건(1931)**: 길림성 만보산 부근의 조선인들이 황무지를 개간하기 위해 수로 공사를 한 것이 문제가 되어 중국 농민들과 충돌이 발생하였다. **일제는 이 사건을 이용하여 한·중 간 민족 감정을 자극**하고 일본에 대한 연대 의식을 약화시켜 **만주 침략에 이용**하려 하였다.

2. 연해주[3] 이주

(1) **이주**: 러시아는 **연해주를 개척할 목적으로 한인의 이주를 허가**하였다. 이에 따라 우리 동포는 두만강을 건너가 러시아 정부가 준 토지를 경작하거나 황무지 등을 개간하였다.

(2) **활동**: 연해주의 한인은 집단으로 거주하면서 100여 개에 이르는 **신한촌**을 세웠다.

(3) 시련

① **자유시 참변(1921)**: 볼셰비키 정권은 간도 참변을 피해 이동한 **독립군 부대의 무장 해제를 강요**하였다. 이 과정에서 많은 독립군들이 희생되었다.

② **중앙아시아 강제 이주(1937)**: 제2차 세계 대전의 전운이 감도는 상황에서 아시아 쪽에서 일본과의 갈등을 우려한 소련 정부는 중·일 전쟁이 발발하자 **연해주의 한인들을 중앙아시아로 강제 이주**시켰다(카레이스키).[4]

3. 미주 이주

(1) **이주**: 미주 이주는 1903년 하와이 이민으로 시작[5]되었다. 미국 하와이 농장주들이 노동자를 구하기가 어렵게 되자 대한 제국 정부에 한국 농민의 이민을 요청해 왔다. 그리하여 우리 농민은 정부의 해외 취업 알선을 받아 하와이로 이주하기 시작했다.

(2) **활동**: 하와이로 이민 간 동포[6]는 사탕수수 농장일 등 고된 노동을 하면서 인종 차별까지 당하는 어려운 환경에서도 학교와 교회 등을 세웠다. 또한 **대한인 국민회** 등의 독립운동 단체를 만들어 국권 회복을 위해 노력하였으며 독립운동 자금을 거두어 국내로 송금하였다.

9급 위 한국사

재미 한족 연합 위원회

1941년 제2차 세계 대전이 일어나자 미주 지역의 한인 동포들은 재미 한족 연합 위원회를 결성하였다. 이 단체는 대한민국 임시 정부의 재정을 지원하였고, 로스앤젤레스에서 한인 국방 경위대(맹호군)를 조직하여 대일 항전 의지를 과시하였다.

❸ 연해주

을사조약 이후에 연해주 지역은 국권 회복을 위한 무장 투쟁의 중심지가 되었다.

❹ 카레이스키

고려인(高麗人) 또는 고려 사람이라는 뜻으로, 러시아를 비롯하여 구 소련 영토에 거주하는 한민족을 일컫는 말이다.

❺ 하와이 이민 시작

1902년 인천항에서 떠나는 최초의 이민선이 1903년에 하와이에 도착하였다.

❻ 사진 결혼

하와이에 이주한 청년의 사진만 보고 한국 여성들이 건너가 결혼한 것이다.

미주 지역으로 이주한 농민들

4. 일본 이주

(1) 이주 형태

① **국권 피탈 이전**: 일본으로 건너간 조선인 중 다수는 유학생들이었고 정치적 망명도 있었다.

② **국권 피탈 이후**: 일제의 경제적 수탈이 강화되자 생활 터전을 상실한 많은 농민이 일본으로 건너가 산업 노동자로 취업하였다. 1930년대 이후에는 전시 체제 아래에서 일제가 추진한 동원 정책으로 많은 조선인이 일본에 강제로 끌려갔다.

(2) 관동 대학살(1923)

1923년 일본 관동 지방에서 대규모 지진(관동 대지진)이 일어나 인명·재산 피해가 극심했으며 민심도 크게 동요하였다. 이때 일본 정부와 언론은 **"조선인이 방화했으며, 우물에 독약을 넣어 일본인을 살해한다."** 등의 유언비어를 퍼뜨려 사회 불안의 원인을 한국인 탓으로 돌렸다. 이에 6,000여 명의 한국인들이 일본인에게 학살당하였다.

고등사료 百出

관동 대지진 때의 유언비어

지진과 동시에 시내 각지의 가스관이 파열하여 가스가 분출하고 있다. 이에 조선인들은 단체를 만들어 불을 지르고 다닌다. 그 때문에 시내 120여 지역에서 불이 났으며, 조선인들이 폭탄을 던져 더욱 혼란을 조장하고 있다. 또 각지의 우물에 독약을 넣고, 이재민들의 자녀에게 독약이 든 빵을 준다고 하니 기가 막힐 노릇이다.

– 가와키타 신문, 1923. 9. 7.

대표 기출문제

1930년대에 있었던 사실로 옳은 것은? 2024. 국가직 9급

① 비밀 결사인 조선 건국 동맹이 결성되었다.
② 중국 관내에서 조선 의용대가 창설되었다.
③ 연해주 지역에 대한 광복군 정부가 설립되었다.
④ 서일을 총재로 하는 대한 독립군단이 조직되었다.

해설

② 1938년 중국 관내인 우한에서 조선 의용대가 결성되었는데, 이는 중국 관내에서 조직된 최초의 한인 군사 조직이었다.
① 여운형이 국내에서 조선 건국 동맹을 결성한 것은 1944년의 일이다. ③ 연해주에서 대한 광복군 정부가 세워진 것은 1914년의 일이다. ④ 1920년 청산리 대첩 이후, 일본의 공격을 피해 밀산부에 집결한 독립군 부대들은 병력을 통합하여 서일을 총재로 하는 대한 독립군단을 조직하였다.

정답 ②

3 CHAPTER 일제 강점기의 경제 · 사회 · 문화

01강 _일제 강점기의 경제 · 사회

❶ 민족 기업의 활동
❷ 물산 장려 운동
❸ 민립 대학 설립 운동
❹ 문맹 퇴치 운동
❺ 과학 대중화 운동
❻ 사회주의 사상의 유입
❼ 청년 운동
❽ 여성 운동
❾ 소년 운동
❿ 형평 운동
⓫ 농민 운동
⓬ 노동 운동
⓭ 의식주 생활의 변화(+ 서울의 변화)

02강 _일제 강점기의 문화

❶ 식민 사관의 형성
❷ 한국사의 연구
❸ 한글의 연구와 보급
❹ 문학 활동
❺ 문화·예술 활동

解·法·기·출·진·맥

9급 국가직

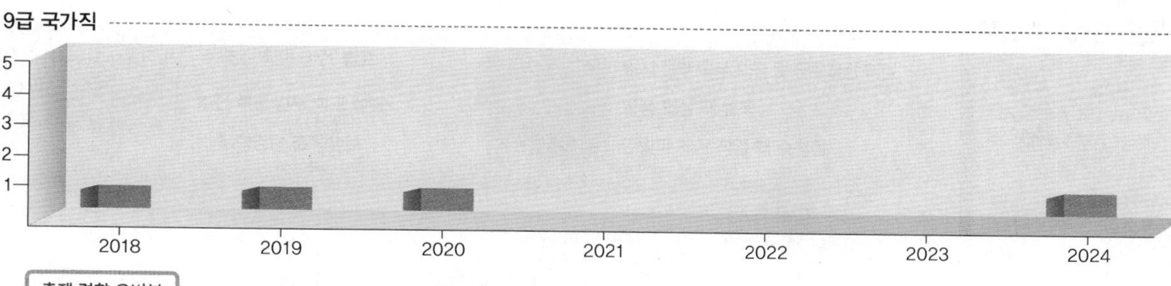

출제 경향 오버뷰 3년간 출제되지 않다가 2024년 출제됨. 역사학자

9급 지방직

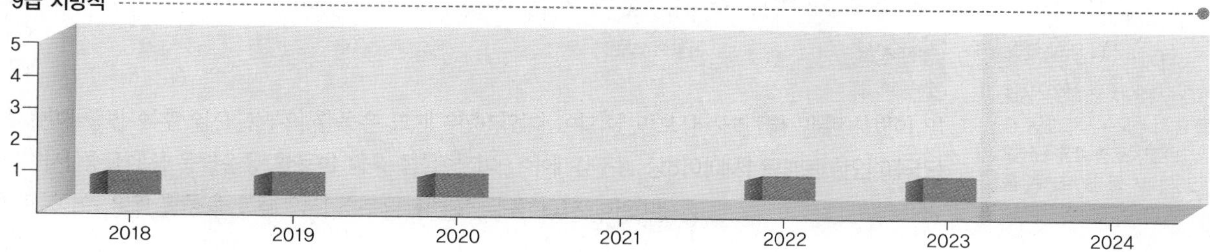

출제 경향 오버뷰 거의 2년에 1번씩 출제되고 있음. 물산 장려 운동, 역사학자

9급 법원직

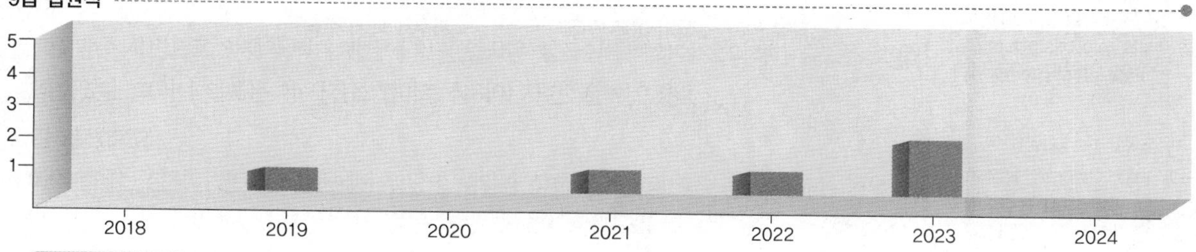

출제 경향 오버뷰 거의 2년에 1번씩 출제되고 있음. 물산 장려 운동, 신채호, 백남운

일제 강점기의 경제·사회

解/法 기출분석

구분		2008~2017	2018	2019	2020	2021	2022	2023	2024
9급	국가직	자치 운동			문맹 퇴치 운동				
	지방직	•물산 장려 운동과 민립 대학 설립 운동 •민족 운동의 전개	물산 장려 운동				물산 장려 운동		
	법원직	•물산 장려 운동(3) •물산 장려 운동과 민립 대학 설립 운동					형평 운동		

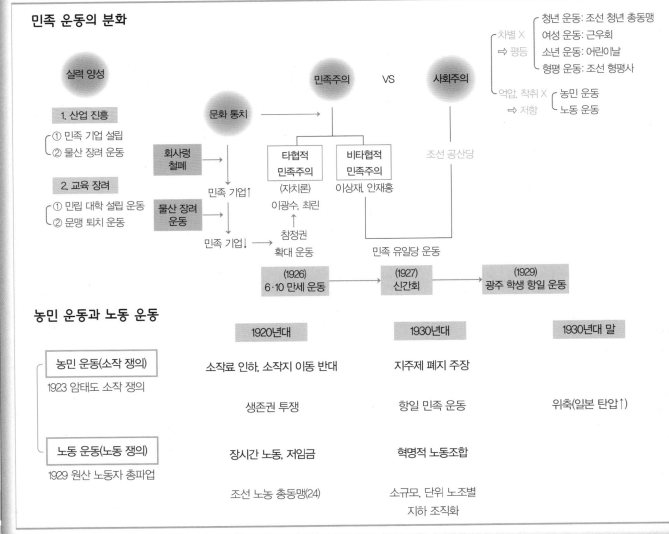

민족 운동의 분화

실력 양성

1. 산업 진흥
   - ① 민족 기업 설립
   - ② 물산 장려 운동
2. 교육 장려
   - ① 민립 대학 설립 운동
   - ② 문맹 퇴치 운동

문화 통치 → 민족주의 VS 사회주의

- 회사령 철폐 → 민족 기업↑
- 물산 장려 운동 → 민족 기업↓ → 참정권 확대 운동

민족주의
- 타협적 민족주의 (자치론): 이광수, 최린 ↑ 참정권 확대 운동
- 비타협적 민족주의: 이상재, 안재홍

사회주의
- 조선 공산당
- 차별 X ⇨ 평등
  - 청년 운동: 조선 청년 총동맹
  - 여성 운동: 근우회
  - 소년 운동: 어린이날
  - 형평 운동: 조선 형평사
- 억압, 착취 X ⇨ 저항
  - 농민 운동
  - 노동 운동

비타협적 민족주의 + 조선 공산당 → 민족 유일당 운동

(1926) 6·10 만세 운동 → (1927) 신간회 → (1929) 광주 학생 항일 운동

농민 운동과 노동 운동

	1920년대	1930년대	1930년대 말
농민 운동(소작 쟁의) 1923 암태도 소작 쟁의	소작료 인하, 소작지 이동 반대	지주제 폐지 주장	
	생존권 투쟁	항일 민족 운동	위축(일본 탄압↑)
노동 운동(노동 쟁의) 1929 원산 노동자 총파업	장시간 노동, 저임금	혁명적 노동조합	
	조선 노농 총동맹(24)	소규모, 단위 노조별 지하 조직화	

01 민족 기업의 활동

1. 실력 양성 운동의 전개[❶]

1920년대 일제가 허용하는 범위에서 **먼저 실력을 키워 독립을 준비**하자는 운동이 전개되었다. 문화면에서는 문맹 퇴치·대학 설립 등을, 경제면에서는 민족 기업 설립·물산 장려 운동 등을 추진하였다.

2. 민족 기업의 활동

(1) 배경: 3·1 운동 이후 **회사령 폐지**를 계기로 한국인이 세우는 기업들이 늘어났다.

(2) 활동: 지주 출신 김성수가 세운 경성 방직 주식회사[❷]와 같은 경우와 서민 출신이 세운 평양 고무신 공장[❸]과 평양 메리야스 공장[❹] 등이 있다.

(3) 한계: 한국인이 만든 기업들은 그 수나 자본금이 일본의 기업에 비해 훨씬 적었고, 일제와 타협하지 않고는 지속적으로 성장하기 어려웠다. 따라서 1930년대 이후 대부분의 민족 기업들은 일제의 교묘한 탄압으로 해체되거나 일본 기업에 흡수되었다.

02 물산 장려 운동

1. 배경: 일제가 일본 상품의 관세를 철폐하려 하자 민족 자본가들은 대책을 강구하였다.

2. 전개 과정

1920년에 **평양에서 조만식을 중심으로 물산 장려 운동이 시작**되었다. 이후 1923년 서울에서 조선물산 장려회가 조직되면서, 물산 장려 운동은 전국으로 확산되었다.

3. 활동

'내 살림 내 것으로', '조선 사람 조선 것', '우리 것으로만 살자' 등의 구호 아래 일본 상품 불매·토산품 애용·근검저축·금주와 단연 등을 주장하였다. 그리고 학생들이 중심이 된 자작회, 여성들이 참여한 토산 애용 부인회 등의 단체들이 조직되어 **토산품 애용 운동**[❺]을 전개하였다.

4. 결과

물산 장려 운동의 결과 국산품 소비가 늘어났으나, 일부 상인들은 물건 값을 올려 폭리를 취하였다. 또한 늘어난 수요를 뒷받침할 만한 생산력 증대가 이루어지지 않은 것도 문제였다. 그리고 **사회주의자들은 자본가 계급의 이익만 추구하는 운동이라고 비판**하였다. 게다가 일제와 타협하는 모습을 보이자, 민중들이 외면하여 이 운동은 흐지부지되었다.

---

❶ 배경

3·1 운동 이후 일제의 통치 방식이 문화 통치로 변경되고 회사령의 폐지로 회사 설립이 신고제로 바뀌는 등 사회·경제적 분위기가 완화되었다.

❷ 경성 방직 주식회사

호남의 대지주인 김성수가 1919년에 세운 회사이다. 상표도 '태극성' '산삼' 등 우리의 것을 사용하였다. 1920년대에 물산 장려 운동에 참가하여 '조선인은 조선인의 광목으로'라는 표어를 걸고 국산품 애용을 호소하였다. 1930년대 후반에는 더욱 성장하여 일본인 방직 업체와 경쟁하였다.

경성 방직 주식회사의 광목 홍보 포스터

❸ 평양 고무신 공장

한국 최초의 고무신 공장이다. 남자 고무신은 짚신을 본떠서, 여자 고무신은 버선코 모양을 본떠서 만들어 큰 인기를 끌었다.

❹ 평양 메리야스 공장

전통적인 직물 제조 기술을 토대로 기계를 수입하여 1920년대에는 공장 공업 단계로 발전하였다. 1933년 이후 전동 직조기를 도입하여 만주와 중국 등지로 제품을 수출하였다.

❺ 토산품 애용 운동

국산품 애용이 민족 산업 육성의 지름길이기 때문에, 불편한 점이 있더라도 모든 일용품을 국산으로 사용할 것을 호소하였다.

~1910 전일 ▶▶
- 1883 대동상회 설립
- 1889 함경도 방곡령
- 1905 화폐 정리 사업
- 1907 국채 보상 운동

Now Event ▶▶
- 1921 서울 청년회 조직
- 1922 물산 장려 운동
- 1923 암태도 소작 쟁의 / 조선 물산 장려회 조직(서울)
- 1924 조선 노농 총동맹 결성 / 조선 청년 총동맹 조직
- 1926 정우회 선언

물산 장려 운동 포스터

고등사료 百出

조선 물산 장려회 궐기문

내 살림 내 것으로!

보아라! 우리가 먹고 입고 쓰는 것이 다 우리의 손으로 만든 것이 아니었다.
이것이 세상에 제일 무섭고 위태한 일인 줄 오늘에야 우리는 깨달았다.
피가 있고 눈물이 있는 형제자매들아, 우리가 서로 붙잡고 서로 의지하여 살고서 볼 일이다.

입어라! 조선 사람이 짠 것을
먹어라! 조선 사람이 만든 것을
써라! 조선 사람이 지은 것을
조선 사람, 조선 것.

경성 방직 주식회사의 국산품 애용 선전 광고

심화사료 百出

2018. 서울시 7급, 2014. 법원직 9급, 2013. 지방직 9급, 2013. 법원직 9급, 2011. 서울시 9급

물산 장려 운동

비록 우리 재화가 남의 재화보다 품질상 또는 가격상으로 개인 경제상 다소 불이익이 있다 할지라도 **민족 경제의 이익에 유의하여 이를 애호하며 장려하여** 수요하며 구매하지 아니치 못할지라. – 『동아일보』, 조선 물산 장려회, 1920년

조선 물산 장려회 취지문

이와 같이 우리가 우리의 쓰는 모든 물건을 집과 땅과 몸뚱이까지 팔아서 남에게 공급을 받으면서도 우리가 여전히 우리 강산에 몸을 붙이고 집을 지키어 살아갈 수가 있을까. …… 우리는 이와 같은 견지에 서서 **우리 조선 사람의 물산을 장려하기 위하여 조선 사람은 조선 사람이 지은 것을 사 쓰고, 둘째 조선 사람은 단결하여 그 쓰는 물건을 스스로 제작하여 공급하기를 목적하노라.** 이와 같은 각오와 노력이 없이 어찌 조선 사람이 그 생활을 유지하고 그 사회를 발전할 수가 있으리오.

– 조선 물산 장려회, 1923년

사회주의 계열의 물산 장려 운동 비판

물산 장려 운동의 사상적 도화수가 된 것은 누구인가? …… 솔선하여 물산 장려 운동의 실행적 선봉이 된 것도 중산 계급이 아닌가. 실상을 말하면 **노동자**에게는 이제 새삼스럽게 물산 장려를 말할 필요가 없는 것이다. 그네는 **벌써 오랜 옛날부터 훌륭한 물산 장려 계급**이다. **그네는 자본가 중산 계급이 양복이나 비단옷을 입는 대신 무명과 베옷을 입었고, 저들 자본가가 위스키나 브랜디나 정종을 마시는 대신 소주나 막걸리를 먹지 않았는가?** – 『동아일보』, 이성태 기고

✎ 학교 설립 운동

3·1 운동 이후 민족주의자들은 교육 진흥을 위한 계몽 운동을 전개하였고, 이에 따라 교육열이 급격히 고조되었다. 하지만 조선인을 위한 학교의 수가 크게 부족하였다. 보통학교는 3면 1교 정책에 따라 증설이 이루어졌으나 여전히 부족하였고, 고등보통학교는 증설이 거의 이루어지지 않았다. 이에 따라 전국 각지에서 사립 학교 설립 운동이 일어났지만, 총독부가 허가를 잘 내주지 않아 대부분 실패로 돌아갔다.

03 민립 대학 설립 운동

1. 배경

제2차 조선 교육령(1922)에 따라 대학 설립이 가능해지자 우리 민족의 힘으로 고등 교육 기관인 대학을 설립하려는 민립 대학 설립 운동이 일어났다.

2. 전개 과정

(1) **조선 교육회**: 이상재, 이승훈 등은 조선 교육회를 만들어 민립 대학 설립 운동을 전개하였다.

(2) **조직**: 조선 교육회의 제안으로 서울에서 조선 민립 대학 기성 준비회가 조직되었다(1922). 이를 바탕으로 1923년 **조선 민립 대학 기성회**가 결성되었다.

(3) **활동**: **'한민족 1,000만이 한 사람이 1원씩'**이라는 구호를 내걸고 모금 운동을 전개하였다.

3. 결과

(1) **일제의 방해**: 일제는 이를 정치 운동이라는 구실로 탄압하면서 대학 설립을 방해하였다. 그리고 **1924년 경성 제국 대학을 설립**하여 조선인의 불만을 무마하려 하였다.

(2) **모금 활동의 어려움**: 1923년 이후 남부 지방의 **가뭄과 전국적인 수해**로 모금 활동에 어려움을 겪으면서 민립 대학 설립 운동은 좌절되었다.

심화사료 百出 2022. 소방직, 2013. 지방직 9급, 2011. 법원직 9급

민립 대학 기성회 취지서(1923)

우리의 운명을 어떻게 개척할까. 정치냐 외교냐 산업이냐. 물론 모두 다 필요하도다. 그러나 그 기초가 되고 요건이 되며 가장 급무가 되고 가장 선결의 필요가 있으며 **가장 힘 있고 가장 필요한 수단은 교육이 아니고는 불가능하도다.** …… 민중의 보편적인 지식은 보통 교육으로 가능하지만, 심오한 지식과 학문적 이치는 고등 교육이 아니면 불가하며 …… **사회 최고의 비판을 구하며 유능유위의 인물을 양성하려면 최고 학부의 존재가 가장 필요**하다. …… 오늘날 우리 조선인이 세계 문화 민족의 일원으로 남과 어깨를 나란히 하고 우리의 생존을 유지하며 문화의 창조와 향상을 기도하려면, **대학의 설립이 아니고는 다른 방도가 없도다.** …… 그러나 유감되는 것은 우리에게 아직도 대학이 없는 일이라. …… 감히 만천하 동포에게 향하여 민립 대학의 설립을 제창하노니 ……

04 문맹 퇴치 운동

1. 문자 보급 운동(1929)

조선일보는 **'아는 것이 힘, 배워야 산다'**는 구호를 내세우며 **문자 보급 운동**을 전개하였다. 한글 교재를 발행하여 농촌 지방에 보급하면서, 전국 순회 강연을 개최하였다.

2. 브나로드(Vnarod) 운동(1931)[1]

동아일보는 문맹 퇴치와 미신 타파를 목표로 **브나로드 운동**을 전개하였다. 문맹자에게 한글을 가르치면서[2] 미신 타파, 구습 제거, 위생 문제, 근검절약 등 생활 개선을 꾀하였다.

3. 중단

조선 총독부의 명령에 의해 **두 운동 모두 1935년에 중단**되었다.

[1] **브나로드(Vnarod) 운동**
브나로드는 러시아어로 '민중 속으로'라는 뜻이다.

브나로드 운동 포스터

[2] **한글 교육**
브나로드 운동에서 한글 교육은 학생들이 방학을 이용하여 농촌에서 한글을 가르치거나, 조선어 학회와 손잡고 한글 강습회를 개최하는 형태로 전개되었다.

문자 보급 운동 포스터

심화사료 百出

문자 보급 운동

오늘날 조선인에게 무엇 하나 필요치 않은 것이 없다. 산업과 건강과 도덕이 다 그러하다. 그러나 **그중에도 가장 필요하고 긴급한 것을 들자면 지식 보급을 제외하고는 다시 없을 것이다.** …… 전 인구의 2할밖에 문자를 이해하지 못하고, 취학 연령 아동의 3할밖에 학교를 갈 수 없는 오늘날 조선의 현실에서 간단하고 **쉬운 문자의 보급은 우리 민족이 해결해야 할 가장 시급한 일**이라 하겠다.

– 『조선일보』(1934. 6. 10.)

안창남의 고국 방문 비행 기사

05 과학 대중화 운동

1. 배경

1920년대 안창남❶의 고국 방문 비행 이후 '우리도 하면 된다.'라는 자신감과 긍지가 생겼다. 또한, 발명 학회·과학 문명 보급회 등의 단체가 조직되어 과학의 중요성을 국민에게 알렸다.

2. 발명 학회(1924)

김용관이 과학 대중화를 목적으로 만들었다. 우리나라 최초의 종합 과학 잡지인 『과학조선』(1933)을 간행했으며, 1934년 과학 지식 보급회를 설립하고 '과학의 날' 행사를 진행하였다.

3. 탄압

과학 대중화 운동은 과학 기술의 필요성을 널리 알렸으나, 일제의 탄압으로 중단되었다.

❶ **우리나라 최초의 비행사 안창남**
비행기에 관심이 많았던 안창남은 1918년에 일본으로 건너가 비행기 조종술을 배우고 1921년 일본에서 최초로 실시된 비행사 시험에 1등으로 합격하였다. 그는 1922년 고국 방문 비행을 하였다. 이후 독립운동에 헌신하기 위하여 상하이로 망명하였으나 비행기 사고로 사망하였다.

06 사회주의 사상의 유입

1. 사회주의 사상의 전파❷

1920년대 일부 청년 지식인들은 각급 학교의 독서회와 토론회, 강연회 등을 통해 사회주의 사상을 연구하고 선전하였다. 이후 노동자와 농민에게까지 확산되었다.

2. 국내외 사회주의 세력의 활동

(1) 국외

1918년 연해주에서 **이동휘**가 조직한 **한인 사회당**을 시작으로 사회주의 단체들이 조직되었다. 1920년대 이동휘 등이 상하이에서 한인 공산당을 조직하였고, 러시아의 이르쿠츠크에서도 또 다른 한인 공산당이 결성되었다. 이후 상하이파❸와 이르쿠츠크파❹는 주도권을 둘러싸고 경쟁을 벌였다.

(2) 국내

1925년에 **조선 공산당이 비밀리에 결성**되어 사회주의 운동의 중심 세력이 되었다. 그러나 조선 공산당은 일제의 탄압과 내부의 파벌 대립으로 **와해와 재건을 반복**하였다(1~4차, 1925~28년).

❷ **사회주의 사상의 수용**
러시아 혁명으로 사회주의 국가를 수립한 레닌은 약소 민족의 독립운동 지원을 약속하였다. 이에 일부 국내외의 지식인들은 민족 운동의 일환으로 사회주의를 수용하였다.

❸ **상하이파 고려 공산당**
민족 해방을 우선 과제로 삼았다.

❹ **이르쿠츠크파 고려 공산당**
사회주의 혁명을 목표로 하였다.

(3) 코민테른의 노선 변화[5]

코민테른의 결정에 따라 국내 공산주의자들은 '계급 대 계급' 전술로 전환하여 민족주의 계열과의 협동 전선을 청산하고자 하였다. 이는 **신간회의 해체**, 혁명적 노동·농민 조합 운동에 영향을 미쳤다.

(4) 영향

사회주의 세력은 이념과 노선을 둘러싸고 민족주의 세력과 대립하기도 하였다. 그러나 이들의 활동은 **노동 운동, 농민 운동, 여성 운동, 청년 운동, 소년 운동 등 사회 운동의 활성화**에 영향을 주었다.

07 청년 운동

1. 배경

3·1 운동 이후 제한적이나마 집회와 결사의 자유가 허용됨에 따라 각종 사회 운동 단체들이 조직되었다.

2. 활동

청년들은 강연회·토론회·야학 등을 개최하여 민중을 계몽하고, 민족의 실력을 양성하고자 하였다. 1920년대 사회주의 사상이 점차 유입됨에 따라 청년 운동은 민족주의 계열(실력 양성)과 사회주의 계열(계급 해방)로 분열되었다.

3. 조선 청년 총동맹(1924)

1924년에 조선 청년 연합회,[6] 서울 청년회[7] 등 **여러 청년 단체들이 통합되어 조선 청년 총동맹**[8]이 결성되었다. 이 단체는 노동 운동과 농민 운동을 적극 지원하는 등의 활동을 하였다.

08 여성 운동

1. 일제 강점기 여성의 지위

일제 강점기에는 **여성의 지위가 오히려 퇴보**하였다. 일제는 **호주제를 법제화**하면서 **종래 가부장제의 전통적인 관습을 가족법에 반영**[9]하였다. 이러한 여성의 낮은 지위는 노동 현장에도 반영되어 여성 노동자들은 열악한 환경에서 장시간 노동과 저임금에 시달렸다.

2. 활동[10]

1920년대 조선 여자 교육회, 대한 애국 부인회[11] 등 많은 단체들이 조직되었다. 이 단체들은 여성들이 인간답게 살기 위해서는 교육이 우선이라고 여겨 강연회 개최, 야학 운영 등의 활동을 하였다. 이후 사회주의 사상[12]에 영향을 받아 여성의 투쟁, 여성 노동자의 해방 등을 요구하였다.

3. 근우회

1927년에 **신간회의 자매 단체**로서 **근우회**가 조직되었다. 근우회는 여성의 계몽을 위해 강연회와 토론회 개최, 야학 설치 등의 활동을 했으며 여성 노동자의 권익 옹호에도 앞장섰다.

---

⑤ 코민테른과 노선 변화
1919년에 조직된 국제 공산주의 운동의 지도 단체로, 소련이 주도하였다. 1920년대 중반 이후, 중국에서 국·공 합작이 실패한 것을 계기로 민족 협동 전선의 해체를 지시하였다.

⑥ 조선 청년 연합회(1920)
실력 양성론을 바탕으로 전국의 청년 단체들이 연합한 것이다.

⑦ 서울 청년회(1921)
사회주의 계열의 청년 단체로, 조선 청년 총동맹 결성에 주도적 역할을 담당하였다.

⑧ 조선 청년 총동맹
'대중 본위의 새 사회 건설을 도모한다.', '민족 해방 운동의 선구자가 될 것을 기약한다.' 등의 강령을 내세웠다.

⑨ 일제 강점기 여성의 법적 차별
여성의 재산 소유권, 처분권을 인정해 주지 않았으며, 재산 상속과 친권 행사 등에서도 차별하였다. 결혼한 여성은 남편의 동의가 있어야만 취업할 수 있었으며, 임금도 남성 노동자의 절반 수준으로 받았다.

⑩ 여성의 사회 참여 확대
여성 단체들이 여성에 대한 기술 교육, 부업 알선 등을 실시함에 따라 많은 여성들이 사회 활동에 참여할 수 있게 되었다.

⑪ 대한 애국 부인회
국외 무장 세력과 손잡고 군자금을 모금하기도 하였다.

⑫ 사회주의계 여성 운동
1924년 결성된 조선 여성 동우회를 중심으로 여성 운동을 전개하였다.

각종 여성 잡지(왼쪽부터 『신가정』, 『신여성』, 『여자시론』)

제7막 일제의 침략과 민족의 독립운동

일제 강점기 여성 노동자들

심화사료 百出

부산 방직 공장 여성 노동자들의 비참한 실태

어두컴컴한 공장에서 감독의 무서운 감시를 받고, 100도에 가까운 뜨거운 공기를 마시며 온몸이 쑤시고 뼈가 으스러지도록 노동을 하는 **여성 노동자는 대개 15, 16세 또는 20세 전후로, 대부분은 각지의 농촌에서 모집되어 온 것이다.** …… **노동 시간은 길고 식사는 형편없어 그들의 영양 상태와 건강은 극도로 나빠지고 있다.** – 『조선중앙일보』, 1936년 7월 27일

도움닫기 일제 강점기 여성의 삶

1. **강주룡**: 한국 최초의 여성 운동가이다. 서간도에서 독립운동을 하다가 평양의 평원 고무 공장에 취직하였다. 1931년 회사의 일방적인 임금 인하에 저항하여 12m 높이의 을밀대 지붕 위로 올라가 농성을 하였다.
2. **나혜석**: 일본에서 서양화를 공부하였다. 유부녀였으나 프랑스 유학 중 만난 최린과 연애를 하면서 이혼하였다. 이때 「이혼고백서」를 발표하여 남성 중심의 사회를 비판하였다.
3. **윤심덕**: 최초의 소프라노 가수였으나, 대중 가수로 전향하여 '사의 찬미'로 인기를 끌었다. 극작가 김우진과 사랑에 빠졌는데, 그는 유부남이었다. 이루어질 수 없는 사랑에 비관하여 김우진과 함께 현해탄에서 자살하였다.
4. **남자현**: 3·1 운동에 참가한 후 만주로 망명하였다. 이후 서로 군정서, 청산리 전투 등에서 활약하였다. 독립군의 어머니라고 불리며 중국·만주 등지에서 활동하였다.

09 소년 운동

1. 배경

일제 식민지 시기 아이들의 처지는 매우 열악하였으며 온전한 인격체로 대접받지 못하였다. 대부분의 아이들이 교육을 받지 못하고, 공장이나 농촌에서 고된 노동에 시달렸다. 1920년대에는 어린이를 하나의 인격체로 바라보고 소중히 여기는 운동이 전개되기 시작했다.

2. 전개

방정환

❶ 어린이날 선전문
- 어린이는 어른보다 더 새로운 사람입니다.
- 어린이를 결코 윽박지르지 마십시오.
- 어린이는 항상 칭찬해가며 기르십시오.

(1) **방정환**: 천도교 계열의 방정환은 인간을 하늘로 여기는 천도교의 가르침을 어린이에게 적용한 '어린이 운동'을 주도하였다. 또한 일본에서 어린이 연구 단체인 색동회를 창립하였다.

(2) **천도교 소년회**: 1921년 방정환의 주도로 천도교 소년회가 조직되었다. 이 단체는 1922년 5월 1일을 우리나라 최초의 어린이날❶로 제정하고 기념 행사를 가졌으며, 잡지 『어린이』를 발간하였다.

(3) **조선 소년 연합회(1927)**: 소년 운동이 확산되면서 1927년 전국적 조직인 조선 소년 연합회가 결성되었다.

(4) **일제의 탄압**: 1930년대가 되면서 일제는 소년 운동을 민족 운동으로 간주하여 탄압하였고, 중·일 전쟁 이후에는 완전히 금지하였다.

어린이날 표어와 잡지 『어린이』

심화사료 百出 2018. 경찰 3차

소년 운동의 기초 조건

첫째, 어린이를 재래의 윤리적 압박으로부터 해방하여 그들에 대한 **완전한 인격적 대우**를 허하게 하라.
둘째, 어린이를 재래의 경제적 압박으로부터 해방하여 **만 14세 이하의 그들에 대한 무상, 유상의 노동을 폐하게 하라.**
셋째, 어린이 그들이 고요히 배우고 즐거이 놀기에 족한 다양한 가정 또는 사회적 시설을 행하게 하라. – 어린이 해방 선언(1923. 5. 1)

10 형평 운동

1. 배경

(1) **사회적 차별**: 오랫동안 **사회적으로 천대를 받아오던 백정**[2]들은 갑오개혁 이후 법제적인 신분 평등을 획득하였다. 그러나 일제의 식민 통치하에서는 오히려 **제도적 차별이 강화**되었다.

(2) **차별 내용**: 호적에 **백정으로 기입(직업)**될 뿐만 아니라, 호적에 올릴 때 이름 앞에 붉은 점 등으로 표시하거나 **'도한(屠漢)'**으로 기재되었다. 또한 **보통학교 입학 원서에도 신분(직업)을 기입**하게 하였다. 이에 따라 백정이라는 신분 때문에 입학이 거부되거나, 설사 입학이 되더라도 주위로부터 배척을 받아 중도에 자퇴하는 경우가 많았다.

2. 활동

1923년 4월에 **경상남도 진주**에서 이학찬을 비롯한 백정들은 **조선 형평사**를 창립하였다. '저울처럼 평등한 세상을 만들자'는 구호를 내걸고, 백정에 대한 사회적 차별 철폐를 요구하는 형평 운동을 전개하였다. 초기에는 백정의 **지위 향상 운동으로 출발**하였으나, 점차 **민족 해방 운동**으로 발전하였다.

3. 결과

백정 표시가 공식적으로 **없어지고** 백정 자녀의 학교 입학도 허용되었다. 그러나 일제의 탄압 속에서 1930년대 이후 '대동사'로 이름을 바꾸고 **경제적 이익 단체**로 변질되었다.

심화사료 百出

2022. 법원직 9급

조선 형평사 창립 취지문(1923)

공평은 사회의 근본이고 애정은 인류의 본령이다. 그러므로 **우리들은 계급을 타파하고 모욕적 칭호를 폐지하고 교육을 장려**하며, 우리들도 참다운 인간이 되는 것을 기대하는 것은 본사의 주된 뜻이다. 지금까지 조선의 백정은 어떠한 지위와 어떠한 압박을 받아왔던가. 과거를 회상하면 종일토록 통곡하여도 피눈물을 금할 길 없다. …… 직업의 구별이 있다고 하면, 짐승의 생명을 빼앗는 자 우리만이 아닌 것이다.

– 『조선일보』, 1923년

❷ 백정

조선 시대의 백정은 소나 돼지를 도살하거나, 가죽신을 만들거나 버드나무로 상자 따위를 만드는 사람들로 천인 중에서도 가장 천시되었다. 백정은 아무리 부자라도 명주나 비단옷을 입지 못하였으며, 갓이나 망건은 커녕 털모자도 쓰지 못했다. 사는 곳을 제한받아서 동구 밖이나 강 건너에 모여 살았으며, 죽어서도 상여를 탈 수 없었다.

형평사의 제6회 전 조선 정기 대회 포스터

11 농민 운동

1. 배경

일제가 토지 조사 사업과 산미 증식 계획 등을 실시하면서 농민들이 몰락하는 경우가 많아졌다. 농민들은 열악해진 상황을 개선하고자 소작 쟁의를 전개하거나 소작인 조합·농민 조합을 만들었다.

2. 1920년대 농민 운동

(1) **초기 소작 쟁의의 성격**: 소작 쟁의는 1920년대에 빈번하게 일어났는데, 초기의 소작 쟁의는 **소작권 이전 반대**나 **고율 소작료의 인하** 등을 요구하는 **생존권 투쟁**이 많았다.

(2) **대표적 농민 운동**: **1923년** 악질 지주를 상대로 전개된 전라남도 신안의 **암태도 소작 쟁의**[3]와 1924년 황해도 재령에서 일어난 동양 척식 주식회사 소작 쟁의가 대표적이다.

❸ 암태도 소작 쟁의

1923년부터 1924년까지 전개되었다. 암태도 소작 농민들은 수확량의 70% 이상을 소작료로 징수하던 문재철에게 소작료를 40%로 내려 줄 것을 요구하였다. 목포까지 나가 단식 투쟁을 벌이는 등 1년 이상 투쟁하여 소작료를 낮추고, 소작권을 인정받는 성과를 거두었다.

(3) **농민 운동의 발전**: 1920년대 농민 운동은 사회주의 사상의 영향을 받아 더욱 발전하였다. 소작인 조합은 자작농까지 참여하는 농민 조합으로 개편되었고, 소작 쟁의 건수도 늘어났다.

(4) **전국적인 조직의 결성**: 전국의 단체들이 모여 **조선 노농 총동맹**[1](1924)이 조직되었다. 이후 농민 운동이 더욱 활성화되자 **조선 농민 총동맹(1927)이 결성**되어 보다 조직적으로 농민 운동을 이끌었다.

❶ 조선 노농 총동맹의 분리

조선 노농 총동맹은 1927년 조선 노동 총동맹과 조선 농민 총동맹으로 분리되었다.

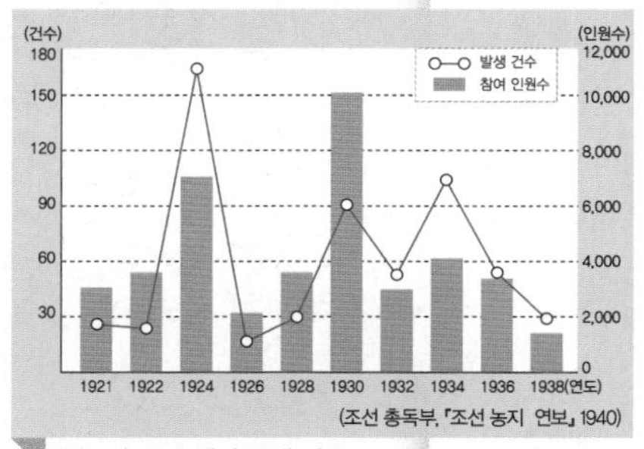

연도별 소작 쟁의 발생 건수

3. 1930년대 농민 운동

(1) **농민 운동의 격화**: 1930년대 농민 운동은 **사회주의 세력과 연결된 비합법적인 혁명적 농민 조합**을 중심으로 전개되었다. 농민 운동은 '식민지 지주제 반대' 등 식민지 수탈 정책에 저항하는 **항일 민족 운동**의 성격까지 띠게 되었다.

(2) **일제의 탄압**: 1930년대 소작 쟁의 약화를 위해 농촌 진흥 운동, 소작 조정령,[2] 조선 농지령[3] 등이 실시되었다. 중·일 전쟁 이후 일제의 탄압은 더욱 강화되어 **농민 운동이 침체되었다.**

❷ 소작 조정령

소작 쟁의를 조정·억제하기 위해 일제가 만든 법령이다. 소작인이 지주와 분쟁이 있을 때 당국에 조정을 요청하도록 하였다.

❸ 조선 농지령

고율의 소작료를 제한하였으며, 작물에 따라 소작 기간을 늘려 주었다.

12 노동 운동

1. 배경

1920년대 회사령이 폐지되고, 식민지 공업화가 진행됨에 따라 **노동자의 숫자가 증가**하였다. 이들은 고강도 노동·저임금·민족 차별이라는 **열악한 환경**에 놓여 있었다.

2. 1920년대 노동 운동

(1) **초기 노동 운동**[4]**의 성격**: 노동자들은 **임금 인상과 노동 시간 단축** 등 경제적 요구를 내걸고 **생존권 투쟁**을 전개하였다.

❹ 최초의 여성 노동자 파업

1923년 경성 고무 공장 여성 노동자들이 임금 삭감에 대항하여 아사 동맹(단식 투쟁)을 맺으며 파업하였다.

(2) **노동 운동의 활성화**: 3·1 운동과 사회주의 사상 등의 영향으로 노동자들의 민족 의식과 계급 의식이 높아졌다. 이에 따라 각종 노동 운동 단체들이 조직되었고, 파업 투쟁이 크게 증가하였다.

(3) **전국적인 조직의 결성**: 전국적 규모의 조선 노농 총동맹(1924)이 결성되었다. 이 단체는 농민·노동 운동의 성장에 따라 **1927년 조선 농민 총동맹과 조선 노동 총동맹으로 분리되었다.**

(4) **원산 노동자 총파업(1929)**

① **전개**: 원산의 영국계 석유 회사 라이징 썬에서 **일본인 감독관이 한국인 노동자를 자주 구타한 사건**이 일어났다. 이에 분노한 노동자들은 열악한 노동 조건 개선과 감독 파면을 요구하면서 파업을 벌였다.

② **발전**: 원산 지역 노동자 전체가 참여하는 대규모 총파업으로 발전했으며, **신간회**를 비롯한 사회 단체들이 지지하였다. 한편, 외국의 노동 단체들까지 지지를 보내와 노동자들의 국제적 연대를 과시했다.

③ **의의**: 파업은 결국 실패로 끝났지만 노동자들이 굳게 단결하여 자본가와 일제에 맞서 장기적인 투쟁을 했다는 점에서 의의가 있다. 일제 강점기, **최대 규모의 노동 쟁의**이자 반제국주의 항일 투쟁이었다.

3. 1930년대 노동 운동

(1) **배경**: 1930년대 이후 전시 동원 체제 아래서 한국인 노동자의 근로 조건은 더욱 나빠졌으며, 이에 저항하는 노동 운동에 대한 탄압도 더욱 강화되었다.

(2) **노동 운동의 격화**: 합법적 노동 운동이 불가능해지자, 사회주의 계열과 연결된 비합법적인 혁명적 노동 조합을 중심으로 운동을 전개하였다. 단순한 생존권 투쟁이 아니라 **반제국주의적 항일 민족** 운동의 성격을 지녔다. 그러나 일제의 가혹한 탄압으로 노동 운동은 점차 위축되었다.

한·일 노동자의 임금 비교

노동 쟁의 발생 횟수

13 의식주 생활의 변화(+ 서울의 변화)

1. 의생활

(1) **변화**: 서양 문물을 접한 사람들이 양복과 양장을 입으면서 점차 보급되었다. 하지만 대다수 사람들은 주로 한복을 입거나 한복에 모자나 구두를 함께 착용하는 경우도 있었다.

(2) **1940년대 이후**: 전시 체제로 접어들면서 조선 총독부는 남자에게 간소한 **'국민복'**을 입고 전투모에 각반을 차게 하였다. 여자에게는 일본 농촌 여성의 작업복인 **몸뻬**[5]라는 바지를 입게 하여 옷감을 절약하고 노동력을 쉽게 동원할 수 있었다. 결과적으로 국민복은 양복 확산의 계기가 되었고, 몸뻬는 여성의 바지 착용을 부추겼다.

⑤ 몸뻬

몸뻬는 긴 윗옷을 집어넣을 수 있도록 허리와 허벅지까지 통이 넓고 바지 아랫단은 좁은 바지이다.

2. 식생활

과자, 빵, 케이크, 카스텔라, 비프스테이크, 수프, 아이스크림 등 서양 음식이 본격적으로 소개되었고, 많은 기호 식품들이 등장하였다. 그러나 **서양 식품의 소비는 도시 상류층에 한정**되었으며, 일반 서민의 식량 사정은 일제의 수탈 정책으로 인해 더욱 열악해졌다.

3. 주거 생활

1920년대 이후에 상류층의 문화 주택, 중류층의 개량 한옥, 중·하류층의 영단 주택이 등장하였다. 한편 서울 변두리에는 빈민이 토막집을 짓고 살았다.

(1) **1920년대**: 당시 지어진 **개량 한옥**은 사랑채가 생략되고, 대청마루에 유리문을 달고 문간에 중문이 달리고 문간방이 생기며 장식적 요소들이 가미된 도시형 주택이었다.

(2) **1930년대**: **문화 주택**은 2층 양옥으로, 내부에는 욕실·복도·응접실·화장실·개인의 독립된 공간(침실, 아이들 방)이 갖추어져 있었다. 문화 주택은 1920년대 후반부터 등장하여 1930년대에 유행하였다.

(3) **1940년대**: 도시민의 주택난을 해결하려고 지은 일종의 연립 주택인 **영단 주택**이 등장하였다.

(4) **서울 변두리**: 도시 빈민들은 **토막집**을 짓고 살았는데, 토막집은 맨땅 위에 자리를 깔고 짚이나 거적때기로 지붕과 출입구를 만든 원시적인 움막집을 말한다.

(5) **농촌**: 여전히 3칸의 초가집이나 구식 기와집이 주거 양식의 대다수를 차지하였다.

국민복을 입은 학생

제7막 일제의 침략과 민족의 독립운동

1920년대 개량 한옥

1930년대 문화 주택

거적을 둘러친 토막집

총독부 부근(1930년경)

본정(현 충무로) 입구(1930년대)

4. 서울(경성)의 변화

(1) 사회, 경제적 변동과 교통, 통신의 발달로 인구가 도시, 특히 경성(서울)으로 집중되었다.

(2) **총독부의 도시 개수 계획**: 경복궁 등의 전통 건물을 헐고, 관공서와 공공시설, 공원 등을 건립함에 따라 서울의 모습은 점차 변하였다.

(3) **도시의 이중적인 모습(남촌과 북촌)**: **청계천을 경계로 남쪽의 일본인 거리는 남촌, 북쪽의 한국인 거리는 북촌**으로 불렸다. 이런 모습은 일본인들이 많이 살던 부산, 인천, 목포 등에서도 나타났다.

① **남촌**: 본정(충무로), 명치정(명동), 황금정(을지로) 등 남산 기슭의 일본인 상가를 중심으로 일본인 거리를 형성하였다. 당시 남촌은 **서울의 정치 및 상업의 중심지로서 역할**을 하였다.

② **북촌**: 조선인 상가가 많았던 종로를 중심으로 하였다.

解法 도움닫기 **일제의 일상생활 통제**

일제 강점기에 경찰은 서민의 일상생활을 폭넓게 규제하였다. 1920년대부터 우리 민족에게 일본과 같은 좌측통행을 강요했으며, 묘지를 만들 때 경찰 서장의 허가를 받도록 하였다. 담배 전매제를 시행하고 민간의 술 제조를 금지하였으며, 개천에 오줌을 누거나 거리에 수레를 놓아두는 것에 대해서 벌금이나 태형을 가하기도 하였다.

대표 기출문제

다음과 관련된 운동에 대한 설명으로 옳은 것은? 2022. 지방직 9급

① 가뭄과 홍수로 인해 중단되었다.
② 조선 총독부의 「회사령」에 맞서기 위해 전개되었다.
③ 일부 사회주의자는 자본가 계급을 위한 운동이라고 비판하였다.
④ 조선에 사는 일본인이 일본 자본에 대항하기 위해 일으켰다.

해설
제시된 자료는 1920년대 물산 장려 운동 때 사용됐던 '조선 물산 장려회 포스터'이다. ③ 일부 사회주의자들은 물산 장려 운동이 상인이나 자본가 계급에게 이용당해 자본가 계급의 이익만 추구한다고 비난하였다. ① 민립 대학 설립 운동에 대한 설명이다. ② 회사령은 1910년에 제정된 법령으로, 물산 장려 운동이 시작되기 이전이다. ④ 물산 장려 운동은 조선인이 주도한 민족 운동이다.

정답 ③

02강 일제 강점기의 문화

解/法 기출분석

구 분		2008~2017	2018	2019	2020	2021	2022	2023	2024
9급	국가직	•역사학(전반) •손진태 •백남운		박은식					조선어 연구회
	지방직	•신채호(2) •박은식 •박은식과 신채호			박은식			백남운	
	법원직	•신채호(2) •백남운		신채호		사회 경제 사학		•사회 경제 사학 •조선어 학회	

1920년대 민족주의 사학

박은식 '국혼(신명)'

- 현대사에 관심
- **『한국통사』**: (일제의 침략 과정), '나라는 형이요, 역사는 혼이다.'
- **『한국독립운동지혈사』**: 독립운동의 과정 서술
- 임시 정부 2대 대통령

정인보 '얼'

『조선사 연구』, 「5천 년간 조선의 얼」

신채호 '낭가사상'

- 고대사 연구에 주력
- **『조선 상고사』**: 단군~백제 멸망, "역사란 아와 비아의 투쟁 기록이다."
- **『조선사 연구초』**: 묘청의 서경 천도 운동을 '조선 역사상 일천년래 제1대 사건'으로 평가, 낭가사상 강조
- **『조선 혁명 선언』**: 의열단 선언문, 자치론과 외교론 비판, 민중 혁명론
- 임시 정부 국민 대표 회의에서 창조파로 활동

1930년대 사회 경제 사학

백남운 사적 유물론

- 『조선 사회 경제사』, 『조선 봉건 사회 경제사』
- 사적 유물론에 입각해 세계사적 보편성을 한국사에 적용, 일제의 정체성론 반박

1930년대 실증주의 사학

실증주의 랑케 학파

- 철저한 객관적 문헌 고증, 있는 그대로의 역사
- 진단 학회(1934): 이병도, 손진태

국어 연구와 한글 보급

구한말	1920년대	1930년대
국문 연구소(1907)	조선어 연구회(1921)	조선어 학회(1931)
주시경, 지석영 • 주시경, 『국어문법』 • 국문 정리와 국어 연구	이윤재, 최현배 등 • 잡지 『한글』 간행 • 한글 기념일인 '가갸날' 지정	조선어 연구회 계승 • 한글 맞춤법 통일안과 표준어 제정 • 『우리말 큰 사전』 편찬 착수 그러나 일제 방해로 실패

01 식민 사관의 형성

1. 목적

일본은 **역사를 왜곡**하여 한국인의 열등감을 조장하고, **일본의 식민 통치를 합리화**하려 하였다.

2. 일제의 한국사 왜곡(식민 사관)

(1) **일선동조론**: 한국과 일본은 시조가 같다고 하여 우리 민족의 뿌리를 없애고자 하였다. 이를 위해 한국사의 근원이 되는 **고대사 부문을 심하게 왜곡하여 단군 조선을 부정**하였다.

(2) **타율성론**: 우리 역사는 우리 민족이 스스로 주도하지 못하고 **다른 나라의 지배와 간섭에 의해 타율적으로 이루어졌다**는 이론이다. 한국 역사의 주체성을 부정하였다.

(3) **반도성론**: 한국은 반도 국가로서 대륙이나 해양 세력의 간섭과 지배를 받을 수밖에 없는 운명을 지녔다는 이론이다.

(4) **정체성론**❶: 한국사에서 왕조 교체는 반복됐지만 내적 발전은 없다고 주장하였다. 따라서 조선은 개항 이전까지 **봉건 사회 단계에 이르지 못하고, 고대 사회에 머물렀다**고 하였다(⇔ 백남운❷ 사회·경제 사학).

(5) **당파성론**: 조선의 역사를 지배자들이 이해 관계로 대립한 '당쟁의 역사'로 파악하였다. 조선 왕조의 멸망 원인도 이러한 당파 싸움에 있다고 보았으며, 이러한 당파성을 한국인의 민족성으로 일반화하여 우리 민족은 **파벌 의식·분열주의**로 인해 단결이 불가능하다고 하였다.

(6) **만선사관**❸: 우리 역사를 만주 역사의 일부로 파악하여 왜곡한 사관이다.

3. 친일 학술 단체

(1) **고적 조사 위원회(1916)**: 한국의 미술품 등을 탈취하기 위하여 각종 문화재를 발굴하였다.

(2) **조선사 편수회(1925)**❹: 조선사 편찬 위원회(1922)를 개편한 것으로, **식민 사관을 체계적으로 날조·유포**하기 위해 조직한 단체이다. 박은식의 『한국통사』 확산에 대응하기 위해 **한국의 역사를 왜곡**하여 『조선사』(1938, 35권) 등을 간행하였다.

(3) **청구 학회(1930)**: **조선사 편수회를 계승**한 것으로 경성 제국 대학 교수가 중심이 되어 결성하였다.

심화사료 百出 2008. 지방직 7급

타율성(他律性)론

아시아 대륙의 중심부에 가까이 부착된 이 반도는 정치적으로도 문화적으로도 필히 대륙에서 일어난 변동의 여파를 입음과 동시에 또 주변적 위치 때문에 항상 그 본류로부터 벗어나 있었다. 여기에 한국사의 두드러진 특징인 부수성(部數性)이 말미암는 바가 이해될 것이다. …… **고대에는 백제나 임나를 보호하여 그들에게 국가를 수립시켰는데 그것은 진실로 평화적이고 애호적인 지배라고 말할 수 있다.** 몽골과 같이 의지적이고 정복적인 것도 아니고, 지나(支那)와 같이 주지적이고 형식적인 것도 아니었다. …… 이제 그 역사를 돌아볼 때, 조선은 지나의 지(智)에 배우고 북방의 의(意)에 굴복하고 최후에 **일본의 정(情)에 안겨져 비로소 반도사적인 것을 지양할 때를 얻었던 것이다.**

– 미시나, 『조선사개론』, 1940년

❶ **정체성(停滯性)론**
일본을 포함한 다른 지역은 세계사적 발전 과정에 따라 단계적으로 발전했으나, 한반도는 발전없이 정체되었다는 논리이다. 이에 따라 일본의 침략을 근대화의 과정으로 미화시켰다(식민지 근대화론).

❷ **백남운의 식민 사관 극복 노력**
백남운은 유물론에 입각하여 한국의 경제적 사회 구성의 발전 과정을 '원시 공산제 사회–노예제 사회(삼한~삼국)–아시아적 봉건제 사회(삼국 말기~조선)–이식 자본주의 사회(일제 강점기)'로 구분하였다. 이를 통해 우리 역사에 봉건제 사회가 존재했음을 입증하였다.

❸ **만선사관(滿鮮史觀)**
일제 강점기 일본 역사학계에서는 조선사를 국사학(일본사)과 동양사학 중 어디에 배속해야 하는지 논쟁이 있었다. 만선사관은 조선사를 동양사의 관점에서 다루는 연구 경향이며, 경성 제국 대학 사학과를 중심으로 활발히 이루어졌다.

❹ **조선사 편수회의 조직**
일제는 조선 총독부 아래 조선사 편수회를 두고 조선사 편수회 회장에 정무총감을 임명하였다. 또한 고문에는 친일 인사를 대거 참여시켰는데, 이는 조선사의 왜곡에 일제가 심혈을 기울였음을 보여 주고 있다.

심화사료 百出

정체성론

한국사는 역사적 발전 단계를 거치지 못하여 근대로의 이행에 필수적인 **봉건 사회를 거치지 못하고 전 근대 단계에 머물러 있어 사회 경제적으로 낙후한 상태다.**

조선사 편수회의 『조선사』 편찬 목적

『한국통사(韓國痛史)』라고 불리는 재외 조선인의 저서와 같이 사건의 진상을 밝히려 하지 않고 함부로 헛된 주장을 불온하게 하고 있다. 이러한 역사 서적이 인심에 끼치는 해독은 진실로 이루 말할 수 없을 것이다. …… 차라리 옛 역사를 금지하는 것 대신 공명 정확한 역사서를 만드는 것이 지름길이며, 효과가 더욱 현저해질 것이다. 이것이 조선 반도사의 편찬이 필요한 주된 이유이다.

– 조선 총독부 조선사 편수회, 『조선사 편수회 사업 개요』, 1938년

02 한국사의 연구

1. 민족주의 사학[5]

역사 연구가 곧 독립운동이라는 인식 아래, 민족 정신을 강조하며 일제의 한국사 왜곡에 맞서 **한민족의 기원과 한민족의 주체성·자주성·우수성**을 알리는 연구 활동을 전개하였다.

(1) 박은식

① 특징

㉠ **현대사 중시**: 망국의 원인을 파악하고, 국권 피탈의 상황을 극복하기 위해 **현대사에 주목**하였다.

㉡ **민족 정신**: 민족 정신을 **혼(魂)**으로 파악하고, 혼이 담겨있는 민족사의 중요성을 강조하였다.

㉢ **교육 활동**: 한성 사범 학교 교관으로 활동했으며, 1911년 윤세복이 만주에 세운 동창 학교에서 역사와 한문을 학생들에게 가르쳤다.

② **저서**: 일제의 불법적인 한국 침략과 한국 독립 운동사를 정리하였다.

㉠ **『한국통사』(1915)**[6]: 국권 상실을 직접 목격하고 독립운동에 참여한 필자가 뚜렷한 목적 의식을 가지고 일본의 한국 침략 과정을 서술하였다. 그는 이 책에서 **'나라는 형이요, 역사는 혼이다.'** 라고 규정하여 역사를 지킨다면 빼앗긴 나라도 되찾을 수 있다고 보았다.

㉡ **『한국독립운동지혈사』(1920)**: **대한민국 임시 정부의 사료 편찬부에서 간행**되었다. 갑신정변부터 3·1 운동까지 일제의 침략에 대항한 민족의 독립운동을 서술하였다.

심화사료 百出 — 2022. 서울시 9급, 2012. 지방직 9급, 2012. 지방직 7급

박은식의 역사 인식

옛사람이 이르기를 나라는 없어질 수 있으나 역사는 없어질 수 없다고 하였으니, 그것은 **나라는 형체이고 역사는 정신이기 때문이다. 이제 한국의 형체는 허물어졌으나, 정신만이라도 오로지 남을 수 없는 것인가, 이것이 한국통사를 저술하는 까닭이다. 정신이 존속해 멸망하지 않으면 형체는 부활할 때가 있을 것이다.**

– 박은식, 『한국통사』 서문

[5] **민족주의 사학의 특징**
한국 민족사의 주체적 발전과 민족 문화의 우수성을 강조하면서 민족 정신을 중시하고 이를 고취시켜 독립을 이룩하고자 하였다.

박은식(별호: 태백광노)

[6] **『한국통사』**

역사를 국혼(정신문화)과 국백(물질문화)의 기록으로 규정하고, '혼'이 멸하지 않는 한 '백'도 망하지 않는다고 보고 국혼을 중시하였다.

(2) 신채호

① 특징

㉠ **민족 중심의 역사관**: 사대주의와 왕조 중심의 사관을 비판하고, 민족 중심의 자주적 역사관의 필요성을 강조하였다. 또한, **낭가 사상**❶을 민족 고유의 사상으로 여겨 중시하였다.

㉡ **고대사**❷ **중시**: 고대사 연구에 치중하여 민족 고유의 문화적 전통과 정신을 강조하였다.

② 저서

㉠ **『조선사 연구초』**(1925): 한국 고대사에 관한 논문을 동아일보에 연재한 것으로, 묘청의 난을 **'조선 역사상 일천년래 제1대 사건'**으로 평가하였다.

㉡ **『조선 상고사』**(1931): 단군부터 삼국 시대까지를 다룬 역사책으로, 역사를 **'아(我)와 비아(非我)의 투쟁의 기록'**으로 표현하였다.

㉢ **『조선 상고 문화사』**(1931)❸: 국수보전론❹을 바탕으로 국수주의적이고 자존적 인식을 뚜렷하게 드러냈다. 또한 대종교와 연결되는 전통적인 민간 신앙에도 관심을 보였다.

신채호

❶ 낭가 사상

신채호는 '조선 역사상 일천년래 제일대사건'이라는 논문에서 화랑도의 사상을 낭가 사상이라고 하였고, 이를 한국의 고유 사상으로 보았다. 낭가 사상이 바로 민족 정신의 구현이고, 독립 사상의 원천이라고 지적하였다.

❷ 신채호의 고대사 중시

신채호는 『조선사 연구초』에서 '우리 민족사는 상고 시대에는 중국 민족에 필적하는 강건한 힘과 영토·문화·종교·사상을 가졌는데, 후대에 오면서 약화되었다.'라고 서술하였다.

❸ 『조선 상고 문화사』

1910년대 후반 저술한 것으로 추정되나, 1931년 『조선일보』에 연재되었다.

❹ 국수(國粹)

국가 정신을 이루는 민족의 개체성과 주체성을 일컫는다.

고등사료 百出

2017. 지방직 9급, 2012. 경찰 2차, 2011. 국가직 7급, 2008. 지방직 9급

신채호의 역사 인식

무엇을 '아(我)'라 하며 무엇을 '비아(非我)'라 하는가? 깊게 팔 것 없이 간단히 말하면 무릇 주체적 위치에 선 자를 '아(我)'라 하고, 그 밖에는 '비아(非我)'라 하는데 …… 그러므로 **역사는 아(我)와 비아(非我)의 투쟁의 기록인 것이다.** – 신채호, 『조선 상고사』

9급 위 한국사

민족주의 사학의 양대 거두

박은식 (1859~1925)

1904년	『대한매일신보』 주필로 활동
1906년	대한 자강회 가입, 서우 학회 조직
1907년	신민회 가입
1908년	서북 학회의 회장이 됨.
1909년	「유교구신론」 발표, 대동교 창건
1910년	최남선과 조선 광문회 조직
1912년	상해에서 신규식 등과 동제사 조직
1915년	• 『안중근전』, 『한국통사』 저술(상해) • 북경에서 신한 혁명당 조직 • 신규식 등과 대동 보국단 조직
1920년	『한국독립운동지혈사』 간행
1924년	임시 정부 독립신문사 사장 취임
1925년	임시 정부 제2대 대통령으로 취임

신채호 (1880~1936)

1906년	『대한매일신보』, 『황성신문』 활동
1907년	신민회와 국채 보상 운동에 참여
1908년	「독사신론」 저술
1913년	상해에서 동제사에 참여
1919년	• 북경에서 대한 독립 청년단 조직 • 임시 정부에서 임시 의정원이 됨.
1921년	군사 통일 주비회 결성
1923년	• '조선 혁명 선언' 집필 • 국민 대표 회의에서 창조파로 활동
1924년	『동아일보』에 『조선사 연구초』 연재(~1925)
1925년	무정부주의 동방 연맹에 가입
1931년	『조선일보』에 『조선 상고사』 연재
1936년	뤼순 감옥에서 순국

(3) 정인보

① **특징**: **신채호의 민족주의 사관을 계승**하여 민족 정신을 **얼**에서 찾으려 하였다. 대표적으로 단군, 세종 대왕, 이순신의 정신 등을 들었다. 광개토 대왕릉 비문을 연구했으며, 양명학에도 조예가 깊었다.

② **저서**: 『동아일보』에 「**5천 년간 조선의 얼**」을 연재하였는데, 이후 『**조선사연구**』[5]로 편찬되었다.

심화사료 百出

정인보의 '얼'

누구나 어릿어릿하는 사람을 보면 '얼'빠졌다고 하고, '멍'하니 앉은 사람을 보면 '얼' 하나 없다고 한다. '얼'이란 이같이 쉬운 것이다. 그런데 **'얼' 하나의 있고 없음으로써 그 광대(廣大)하고 웅맹함이 혹 저렇기도 하고 그 잔루(孱陋)·구차함이 이렇기도 하니.** '얼'에 대하여 명찰통조(明察通眺)함은 실로 거론하기 어렵다 할 수도 있다. – 「5천 년간 조선의 얼」

(4) 문일평

① **특징**: 민족 정신을 **'조선심'**으로 보았으며, 역사 대중화를 위해 노력하였다.

② **저서**: 근대 대외 관계사를 중심으로 민족 문제를 인식하여 『대미 관계 50년사』를 저술하였다.

(5) **안확**: 사회 진화론과 문명진보론을 바탕으로 『조선문명사』를 저술하였다.

(6) 조선학 운동(1934)[6]: **정인보, 안재홍, 문일평** 등은 정약용 서거 99주년을 기념하며 『**여유당전서**』를 간행하였다. 이를 계기로 1930년대 중반에 조선학 운동을 전개하여 **실학에서 자주적인 근대 사상과 우리 학문의 주체성**을 찾으려고 하였다.

2. 신민족주의 사학

(1) **특징**: 신민족주의 사학은 민족주의 사학을 계승하여 자주적 민족 국가를 수립하고자 하였다. 이를 위해서는 **사회 계층 간의 대립을 지양하고 민족 중심으로 단결**해야 함을 강조하였다.

(2) **안재홍**[7]: **신채호의 고대사 연구를 계승·발전**시켜 해방 후 『조선상고사감』을 저술하였다. 이 책은 인류학과 비교언어학적 방법을 바탕으로 고대 사회의 발전 과정을 추적하였다. 또한, **극단적인 우익과 좌익을 배제**하고 계급 화해를 바탕으로 한 민족 국가의 건설을 지향하였다.

(3) **손진태**: 민속학 분야를 연구했으며, **이병도와 함께 진단 학회를 조직**하였다. 민족 전체의 행복을 추구한 신민족주의를 정립했으며, 저서로는 『조선 민족사 개론』(1948) 등이 있다.

심화사료 百出 2017. 국가직 9급

손진태의 신민족주의 사학

나는 **신민족주의 입장**에서 이 글을 썼다. 왕 1인만이 국가의 주권을 전유하였던 귀족 정치기에 있어서도 민족 사상이 없었던 것은 아니요, 자본주의 사회에서도 또한 민족주의란 것이 있다. 그러나 그러한 민족 사상은 모두 진정한 의미의 민족주의는 아니었다. …… 계급 투쟁은 민족의 내부 분열을 초래할 것이며, 민족의 내쟁은 필연적으로 민족의 약화에 따르는 다른 민족으로부터의 수모를 초래할 것이다. **계급 투쟁의 길은 우리가 반드시 취해야 할 필요는 없고, 민족 균등이 실현되는 날 그것은 자연 해소되는 문제다.** – 『조선 민족사 개론』

정인보

[5] 『조선사연구』
한사군의 영역, 백제의 요서 경략설, 임나일본부설의 허구성, 광개토 대왕릉 비문 연구 등을 다루었다.

[6] 조선학 운동
일제의 민족 문화 말살 정책에 맞서 '문화가 살면 민족은 죽지 않는다.'라는 신념 아래 운동이 전개되었다. 우리 민족의 전통 사상과 문화 속에서 민족의 고유한 특색을 찾아, 문화적으로 민족의 주체성을 유지하고자 하였다. 백남운 등 일부 사회주의 지식인들도 이 운동에 부분적으로 참여하였다.

[7] 안재홍
우리나라의 전통 철학에 관심을 가지고, 『불함철학대전』(1940)과 『전통철학』(1944) 등을 저술하였다.

❶ 사회·경제 사학의 특징
사회구성체 발전 단계론의 역사 인식을 바탕으로 하면서 역사 발전의 원동력을 민중에게 구했으며, 우리 역사를 유물 사관의 방법론에 맞추려고 하였다. 백남운, 이청원 등이 대표적인 인물이다.

❷ 유물 사관
사회주의 사상에 기초한 역사관으로, 역사 발전의 원동력을 정신이 아닌 물질적인 생산력과 생산 관계의 변화로 보았다.

❸ 연합성 신민주주의
무산 계급(농민·노동자)이 중심이 되어 일부 부르주아를 포함한 좌우 연합 정권을 구성하여, 민주 정치·민주 경제·민주 문화·민주 도덕을 내용으로 하는 신민주주의를 완수함으로써, 계급 대립이 없는 연합성 신민주주의 단일 민족국가를 건설하자는 주장이다.

❹ 실증 사학
역사가의 주관적인 판단을 최대한 배제하고 사실을 있는 그대로 기술해야 한다는 입장에서 한국사를 연구하였다. 이들은 순수 학문을 표방하면서 식민 사학에 학문적으로 대항하려 하였다. 그러나 문헌 고증에 치우침으로써 식민 사관의 허구성 폭로 및 독립 쟁취 등을 위한 역사 인식이 부재했다는 비판적 평가도 존재한다.

3. 사회·경제 사학❶

(1) 특징: 사회·경제 사학은 **사적 유물론**❷에 입각하여 우리 **민족의 역사 과정이 세계사적인 발전 과정과 궤를 같이하고 있음을 입증**하였다. 더불어 **민족 내부에 있어서 계급 평등을 강조**하였다.

(2) 백남운
① 특징
㉠ **사회 경제사 중시**: 일제의 봉건 사회 결여론을 반박하기 위해 **사회 경제사 연구에 집중**하였다.
㉡ **식민 사학과 민족주의 사학 비판**: 한국사를 **세계사적 보편성 위에서 체계화**하는 과정에서 **식민 사학의 정체성론을 반박**하였고, 민족주의 사학자들의 정신 사관도 비판하였다.
② 저서
㉠ **『조선사회경제사』(1933)**: **한국의 고대 경제사를 최초로 체계적으로 정리**하였다. 백남운은 이 책에서 통일 신라와 고려를 봉건 사회로 규정하며 **봉건 사회 결여론을 반박**하였다.
㉡ **『조선봉건사회경제사』(1937)**: 고려 시대와 조선 시대에도 봉건 사회가 존재했음을 밝혔다.
㉢ **『조선 민족의 진로』(1946)**: 계급 대립이 없는 단일 국가 건설을 위한 연합성 신민주주의❸를 제창하였다.

심화사료 百出 2023. 지방직 9급, 2021. 법원직 9급

백남운의 역사 인식

우리 조선의 역사적 발전의 전 과정은 가령 지리적 조건, 인종학적 골상, 문화 형태의 외형적 특징 등 다소의 차이는 인정되더라도 외관적인 소위 특수성은 다른 문화 민족의 역사적 발전 법칙과 구별되어야 하는 독자적인 것이 아니며, **세계사적인 일원론적 역사 법칙에 의하여 다른 민족과 거의 같은 궤도로 발전 과정을 거쳐 온 것이다.** 그 발전 과정의 완만한 템포, 문화재상의 특수적인 농담은 결코 본질적인 특수성이 아니다.
–『조선사회경제사』 서문

고등사료 百出 2017. 국가직 9급(하)

백남운의 『조선사회경제사』 목차

나의 조선경제사의 기도(企圖)는 사회의 경제적 구성을 기축으로 대체로 다음과 같은 제 문제를 취급하려 하였다.
제1. 원시 씨족 공산체의 태양(態樣, 잉태)
제2. 삼국의 정립 시대의 노예 경제
제3. 삼국 시대 말기 경부터 최근세에 이르기까지의 아시아적 봉건 사회의 특질
제4. 아시아적 봉건 국가의 붕괴 과정과 자본주의의 맹아 형태
제5. 외래 자본주의 발전의 일정과 국제적 관계
제6. 이데올로기 발전의 총 과정

4. 실증 사학❹

(1) 특징: **철저한 문헌 고증으로 한국사를 객관적으로 서술**하려 하였다. 이들은 일제 식민 사학에 맞서 한국사의 실증적 연구에 힘썼다.

(2) **진단 학회**: 이병도 등은 1934년에 **진단 학회**를 조직하고 **진단 학보**를 발간하였다.

심화사료 百出

2018. 서울시 9급(상), 2014. 경찰 1차

실증 사학

그러므로 개개가 전체에 관련하는 것은 그 개개를 조금도 변개함이 없이 전체에 관련할 수가 있다. 일개의 사건이 그 시간과 장소의 제약을 받으면서 넓게 그 시대 전체에 관련하고, 또 국민 민족의 전반에 관련하여 이해되고 다시 인간 전체의 관련에 있어서 고찰할 수 있는 것은 이 때문이다. 또 실증주의적인 사건 개개의 정밀 탐구라는 것도 시간, 장소, 인물에 대한 개별적인 탐색으로써 역사의 사실이 명백하게 되는 것은 그대로 전체 관련에서 보는데 조금도 지장될 바가 아니다. 오히려 인간 생활 전체의 이해에 있어서는 개개의 인간의 행위가 정밀하고 정확하게 알려질 것이 필요하다. – 이상백, 『조선 문화사 연구 논고』

5. 민속학 연구의 발달

역사 연구와 병행하여 민족의 전통을 살리기 위한 **민속학 연구**도 활기를 띠었다. 그리하여 **손진태**, 김소운 등에 의하여 민속학이 독자적인 학문으로 성장하였다. 한편 **전형필**[5]**은 우리 문화재를 보존하고, 국외 유출을 막는 데 힘썼다.** 이를 위해 전 재산을 털어 문화재를 수집하였다.

❺ 간송 전형필

전형필은 부친에게 물려받은 막대한 재산을 쏟아부어 국보급·보물급의 문화재들을 수집하였다. 훈민정음 해례본, 김정희·정선·신윤복·김홍도의 작품들이 국외로 반출되는 것을 지킬 수 있었다.

❖ 구한말부터 일제 강점기까지의 역사학 정리

구한말	1920년대	1930년대
근대 계몽 사학	민족주의 사학	사회 경제 사학
• 영웅 전기 보급 • 외국 역사서 번역 • 일제 침략 비판 – 황현 『매천야록』 – 정교 『대한계년사』 • **신채호** 『독사신론』(1908) : 민족주의 사학 발판 • **현채** 『동국사략』 • 조선 광문회 – 민족 고전 정리, 간행	**박은식** 『한국통사』, 『한국독립운동지혈사』 – **"나라는 형이요, 역사는 혼이다." (국백) (국혼)** – 혼이 담겨 있는 민족사의 중요성을 강조	**백남운** 『조선사회경제사』 – 사적 유물론에 입각 – 세계사적 보편 법칙 위에 체계화 ⇨ **정체성 이론** 반박
		실증주의 사학
	신채호 『조선사 연구초』, 『조선 상고사』 – 묘청의 서경 천도 운동 높이 평가 **("조선 일천년래 제1대 사건")** – **"역사는 아(我)와 비아(非我)의 투쟁의 기록이다."** – 고대사 연구 치중, 민족주의 역사학의 기본 확립	**진단 학회**(1934) – 사실을 객관적으로 밝히려 함. – 이병도, 손진태 – 문헌 고증에 치우침. ⇨ 역사 인식 부재
		조선학 운동(1934)
	정인보 – 얼 『조선사연구』 신채호의 민족 사관 계승	• **정인보, 안재홍, 문일평** • 정약용 서거 99주기 ⇨ 『여유당전서』 간행 계기 • 우리 학문의 주체성 모색
	문일평 – 조선심 『대미 관계 50년사』	

*** 신민족주의 사학–안재홍의 『조선상고사감』, 손진태의 『조선 민족사 개론』**

03 한글의 연구와 보급

1. 조선어 연구회(1921)

(1) 조직

이윤재, 최현배 등이 조직했으며, 한글 연구와 보급을 목적으로 하였다.

(2) 활동

한글을 연구하고, 강습회를 열어 한글의 보급과 대중화에 힘썼다. 1926년 **'가갸날'을 제정**하여 우리 말쓰기를 권장했으며, **『한글』이라는 잡지(기관지)를 간행**하였다.

❶ 조선어 학회의 활동

『동아일보』의 브나로드 운동을 지원했으며, 한글 강습 교재를 만들어 문맹 퇴치 운동에 적극 참여하였다.

「우리말 큰 사전」 원고

조선어 학회 회원들

❷ 조선어 학회 사건

기차 안에서 박영옥이라는 여학생과 그 친구가 태극기와 한글을 사용한 것을 경찰이 목격하면서 벌어진 함흥 여학생 사건에서 시작되었다. 고문 도중 조선어 학회가 연루되면서 일제는 1942년 10월 조선어 학회를 독립운동 단체로 간주하여 이윤재, 이극로, 최현배 등 회원들을 체포·투옥하였다.

2. 조선어 학회(1931)

(1) 개편

1931년에 **조선어 연구회**가 조선어 학회로 **확대·개편**되었다.

(2) 활동❶

한글 교재를 편찬하여 국어 교육에 활용하도록 하였다. 조선어 사전 편찬을 위해 **한글 맞춤법 통일안**과 **조선어 표준어 제정, 외래어 표기법 통일안**을 만들었다. 또한 **『우리말 큰 사전』의 편찬을 시도**하였으나, 일제의 방해로 인해 **성공하지는 못하였다(해방 이후 한글 학회에서 『우리말 큰 사전』 완간)**.

(3) 조선어 학회 사건(1942)❷

일제는 조선어 학회와 이에 관계된 인사들이 항일 독립운동을 전개하였다는 구실로 치안 유지법을 적용하여 총 29명을 구속하였다. 이 사건으로 **조선어 학회는 일제에 의해 강제 해산되었다.**

解法 도움닫기 김두봉과 최현배, 남북의 언어 정책을 이끌다

남북의 언어는 달라 보여도 한글쓰기와 가로쓰기라는 원칙은 동일하다. 이 같이 남북이 동일한 원칙을 사용하게 된 데에는 김두봉과 최현배의 노력이 있었다. 두 사람은 1910년 조선어 강습소에 같이 입학하여 주시경 문하에서 함께 한글을 공부하였다.

김두봉은 3·1 운동 이후 상하이에서 한글을 연구하다가 민족 혁명당의 간부로 활동하였다. 이후 조선 독립 동맹의 주석으로 선출된 그는 광복 이후 북으로 건너가 북한의 언어 정책을 실질적으로 이끌었다.

최현배는 일본 유학 후 조선어 연구회 및 조선어 학회를 이끌며 한글을 보급하였다. 그는 광복 이후 한글 가로쓰기의 채택과 첫 국어 교과서의 편찬에 주도적인 역할을 하였다. 또한 대한민국 정부 수립 시에 한글로 된 제헌 헌법의 제정을 건의하였다.

❸ 1910년대 문학의 성격

근대 의식을 심어주려는 계몽주의적 성향을 띠고 있었다.

우리나라 최초의 소설, 「무정」

각종 동인지들(『개벽』, 『신천지』, 『문장』, 『문예시대』)

04 문학 활동

1. 1910년대의 문학❸

(1) 최남선

신체시를 발표하여 근대시 발전에 공헌하였다. 특히 그는 『소년』과 『청춘』이라는 잡지를 발간하여 **언문일치의 우리말 문장을 구사**하는 데 선구적 역할을 하였다.

(2) 이광수

1917년에 최초의 장편 소설인 「**무정**」을 매일신보에 연재하였다.

2. 1920년대의 문학

(1) 동인지의 간행

① **배경**: 3·1 운동 이후 동아일보와 조선일보 등 우리말 신문과 일부 잡지들의 발간이 허용되었다.

② **성격**: **『창조』, 『폐허』, 『백조』** 등 동인지가 발간되었다. 이들은 예술성을 추구하여 자연주의, 낭만주의 문학을 지향하였다. 한편, 식민지 **현실 문제에 대해서는 소극적이며 도피적인 경향**을 띠었다.

(2) 근대 문학의 발전

① **사실주의 문학**: 1920년대 인간 본능과 사회 현실을 사실적으로 묘사하는 문예 활동을 활발하게 전개하였다.

② **대표적 작가**: 소설가로는 김동인, 현진건(「운수좋은 날」) 등이 있고 시인으로는 김소월(「진달래꽃」)·한용운(「님의 침묵」) 등이 있다.

(3) 신경향파 문학(프로 문학)[4]의 등장

① **특징**: 사회주의의 영향을 받아 문학의 사회적 실천을 강조했으며, 계급 의식을 고취하였다.

② **활동**: 임화·김기진·홍명희[5] 등은 카프(KAPF)라는 문학 단체를 결성하여 활동하였다.

(4) 국민 문학 운동

신경향파 문학에 대항하여 **민족주의 계열**에서는 국민 문학 운동을 전개하였다.

3. 1930년대의 문학

일제는 저항적인 문학 활동을 철저히 탄압하고 친일 문학 활동을 적극 조장하였다.

(1) 순수 문학

1930년대 사실주의 문학이나 신경향파 문학에 대한 일제의 탄압으로, 순수 문학 작품이 많이 나타났다. '시문학'의 동인인 정지용과 김영랑이 대표적이다.

(2) 친일 문인들의 활동

최남선, 이광수 등의 친일 문인들은 **일본의 침략 전쟁과 한국인 전쟁 동원을 찬양**하였다.

(3) 항일 문인들의 활동

이육사, 윤동주 등은 민족의 양심을 지키며 저항 의식을 담은 작품 활동을 하였다. 이들은 일본 경찰에 체포되어 옥사하였다.

4. 1940년대의 문학

1940년대에 들어와 일제가 민족 말살 정책을 더욱 강화하면서 **한국 문단은 암흑기**에 빠졌으며, 친일 문인들은 대동아 공영권 건설을 찬양하는 등 **친일 매국 활동**을 전개하였다.

심화사료 百出

친일 문학

마쓰이 히데오!
그대는 우리의 오장, 우리의 자랑.
……
우리의 땅과 목숨을 뺏으러 온
원수 영미의 항공모함을
그대, 몸뚱이로 내려쳐서 깨었는가?
……
장하도다.
우리의 육군 항공 오장 마쓰이 히데오여

– 서정주, 「오장 마쓰이 송가」

항일 문학

지금 눈 내리고
매화 향기 홀로 아득하니
내 여기 가난한 노래의 씨를 뿌려라

다시 천고의 뒤에
백마 타고 오는 초인이 있어
이 광야에서 목놓아 부르게 하리라.

– 이육사, 「광야」

❹ 신경향파 문학

1920년대 중반 민중 생활에 관심을 기울인 신경향파 문학이 대두하여 식민 통치에 대한 저항 문학으로 발전하였다. 순수 예술을 표방하는 문인들의 각성을 촉구하면서 문학이 현실과 생활을 반영할 것을 강조하였다.

❺ 벽초 홍명희

1920년대 초반에는 동아일보 편집장을 지냈다. 시대일보 사장으로 신간회 창립에 관여하여 부회장에 선임되었다. 역사 소설 임꺽정을 1928년부터 조선일보에 연재했으나, 수차례 중단되고 결국 광복 이후 미완성인 채로 간행되었다.

이육사

윤동주

윤극영

❶ 트로트 양식
1930년대 일본 대중음악에 영향을 받은 트로트 양식이 정립되었다. 광복 이후 트로트는 대중음악의 주류를 이루었다.

❷ 코리아 환상곡
1938년 아일랜드에서 첫 번째 공연을 한 후 안익태의 지휘로 유럽 여러 나라에서 연주되었는데 합창의 대부분은 우리말로 불러졌다.

김관호의 '해질녘'

이중섭의 '소'

❸ 토월회
전국을 순회 공연하면서 민중 계몽에 이바지했으며, 민족적인 정서가 담긴 작품들이 많이 공연되었다. 그러나 재정난으로 인해 1926년 해산되었다.

05 문화·예술 활동

1. 음악

(1) 1910년대

국권 강탈 이후 학도가, 망국가, 한양가 등 한말에 등장하였던 **창가**가 한동안 유행하였다. 이 노래들은 망국인의 상심을 달래는 **저항적 성격**을 띠어 널리 애창되었다.

(2) 1920년대

우리의 창작 음악이 **가곡**과 **동요**의 형태로 나타났다. 홍난파는 '봉선화'를 작곡하여 식민지 시기 한국의 비운을 한 송이 봉선화에 비유하여 한국인의 심정을 대변하였다. 동요로는 윤극영의 '반달'이 등장하여 우리 민족의 심금을 울렸다.

(3) 1930년대❶

미국과 독일에서 음악 활동을 하던 안익태가 '코리아 환상곡'❷을 작곡했는데(1935), 이 코리아 환상곡 말미에 **애국가 합창**을 넣었다.

2. 미술: 전통적인 한국화와 근대 개항기에 유입된 서양화도 함께 발전하였다.

(1) 대표적 작가: 대표적인 화가로는 안중식·고희동·이중섭 등이 있다.

① 한국화: 안중식 등이 한국의 전통 회화를 계승 발전시켰다.
② 서양화: 고희동·나혜석 등은 일본 유학생 출신으로, 서양화에서 독특한 경지를 이루었다.
③ 이중섭: 1940년대 이후 이중섭은 소를 소재로 한 그림을 많이 그렸다.

(2) 1920년대

사회주의의 영향을 받아 프로 예술 동맹이 창립되었으나 1935년에 해산되었다.

(3) 미술계의 친일화

일제의 강요에 의하여 일본 제국주의와 침략 전쟁을 찬양하는 화가들이 많이 생겨났다.

3. 연극

(1) 1910년대

우리나라의 전통적 예술인 판소리 등은 거의 도태되고 일본풍의 **신파극**이 유행하였다. 대표적인 신파극으로는 이수일과 심순애의 사랑을 주제로 한 '장한몽'이 있다.

(2) 1920년대

1923년에 도쿄 유학생들이 **토월회**❸를 조직하여 본격적인 신극 운동을 전개하였다.

(3) 1930~1940년대

① 극예술 연구회: 극예술 연구회가 조직되어 민족적 비극을 그린 유치진의 '토막' 등을 상연하였다.
② 동양 극장(1935): 동양 극장은 최초의 연극 전용 극장으로 유랑 극단화된 신파극을 정착시켰다.
③ 연극계의 친일화: 1940년에 들어서면서 일제는 민족주의적 색채의 예술 활동을 금지하고 일본 군국주의를 찬양·고무하는 연극 이외에는 공연할 수 없게 만들었다.

4. 영화

(1) 1920년대

1924년 조선 키네마 주식회사가 설립되었고, 1926년 **나운규**가 민족의 정서를 바탕으로 식민지 현실의 아픔을 표현한 **영화 '아리랑'**❹을 **제작·발표**하였다.

(2) 1930~1940년대

변사가 대사를 읽던 무성 영화를 대신하여 유성 영화가 제작되었다. 중·일 전쟁 이후 일제는 영화를 전시 체제의 옹호와 선전 수단으로 사용했으며, 1940년 조선 영화령을 제정하여 조선 영화의 제작·배급·상영 등을 통제하였다.

나운규

❹ **아리랑(1926)**

영화 개봉 당시 전 국민의 열렬한 호응을 받아 그 주제가가 널리 퍼졌으며, 1927년에는 일본에서도 상영되었다. 나운규는 당시의 상황을 개와 고양이의 싸움, 사막의 환상 장면 등으로 상징하였다.

5. 스포츠·체육

야구, 축구 등 스포츠가 점차 보급되었다. 1920년에 조선 체육회가 설립되면서 제1회 전 조선 야구 대회가 개최되었고, 1929년부터는 경성 축구단과 평양 축구단이 경·평 축구 대회를 개최하였다.

제2회 경평 축구 대회

6. 문화·예술 활동의 탄압

중·일 전쟁 이후 일제는 각종 문화·예술 활동을 통제하고, 침략 전쟁과 일제의 식민 통치를 찬양하도록 강요하였다. 결국 수많은 문인과 예술가가 친일 단체에 가입하여 친일 행위에 앞장섰다.

9급 위 한국사

모던 걸과 모던 보이

혈색 좋은 흰 피부가 드러날 만큼 반짝거리는 엷은 양말에, 금방 발목이나 삐지 않을까 보기에도 조마조마한 구두 뒤로 몸을 고이고, 스커트 자락이 비칠 듯 말 듯한 정강이를 지나는 외투에 단발 혹은 미미가쿠시(당시 유행하던 머리모양)에다가 모자를 푹 눌러 쓴 모양 …… 분길 같은 손에 경복궁 기둥 같은 단장을 휘두르면서 두툼한 각테 안경, 펑퍼짐한 모자, 코 높은 구두를 신고 ……

– 『별건곤』 1927년 12월호

모던 걸과 모던 보이는 1920년대에서 1930년대의 경성의 신식 여성과 남성을 가리킨다. 이들은 영화 속 주인공의 머리모양이나 옷차림을 따라 하는가 하면 주로 단발과 양장, 양복 차림으로 거리를 활보하였다. 모던 걸과 모던 보이는 『신여성』, 『삼천리』 등의 잡지에서 유행하던 일제 강점기 도시의 소비문화를 이끌어가는 새로운 상징이었으며, 서양 문화의 유입으로 형성된 1920~1930년대의 자본주의적 소비문화를 대표하였다.

모던 걸·모던 보이 풍자 만평

대표 기출문제

다음과 같은 활동을 펼친 인물에 대한 설명으로 옳은 것은? 2020. 지방직 9급

- 대한매일신보에 애국적인 논설을 썼다.
- 유교 개혁의 뜻을 담은 『유교구신론』을 집필하였다.

① 적극적인 의열 활동을 위해 한인 애국단을 만들었다.
② 일본의 침략상을 폭로하는 『한국통사』를 저술하였다.
③ 실증 사학의 입장에서 연구하는 진단 학회를 조직하였다.
④ 김원봉의 요청을 받아들여 『조선 혁명 선언』을 작성하였다.

해설

제시된 자료에서 설명하고 있는 인물은 박은식이다. ② 박은식은 『한국통사』를 저술하여 일제의 불법적인 한국 침략과 한국 독립운동사를 정리하였다.
① 김구, ③ 이병도, ④ 신채호에 대한 설명이다.

정답 ②

PART

현대 사회의 발전

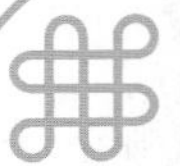

1 CHAPTER 광복과 대한민국의 수립

解·法·기·출·진·맥

9급 국가직

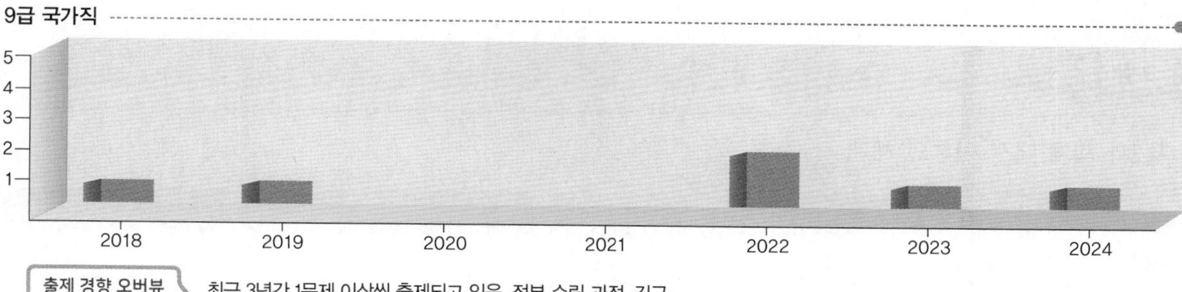

출제 경향 오버뷰 최근 3년간 1문제 이상씩 출제되고 있음. 정부 수립 과정, 김구

9급 지방직

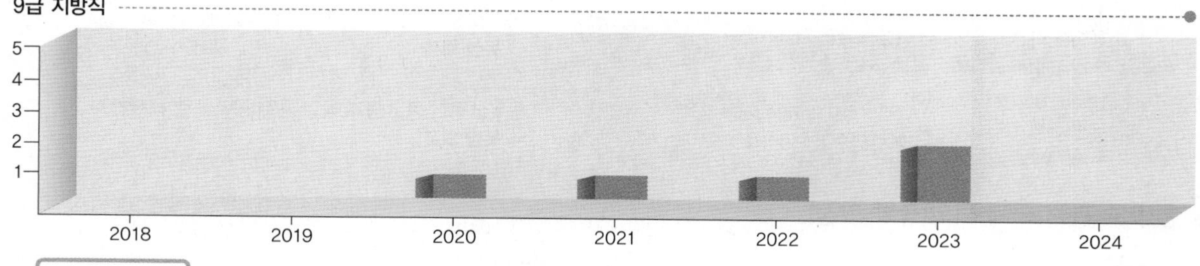

출제 경향 오버뷰 3년간 1문제 이상씩 출제되었으나 2024년에는 출제되지 않음. 정부 수립 과정, 반민족 행위 처벌법

9급 법원직

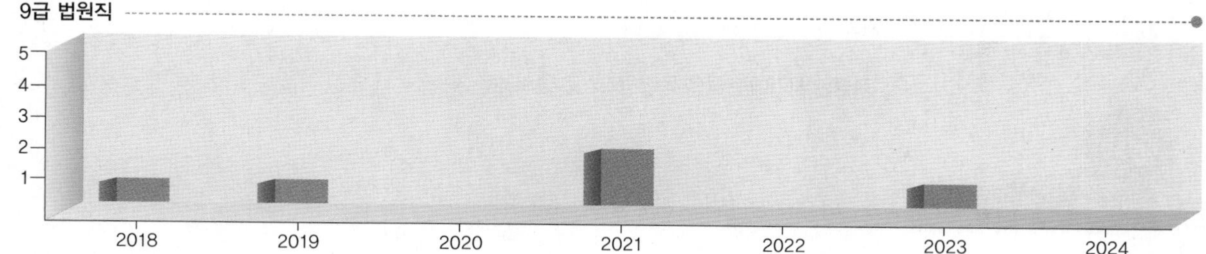

출제 경향 오버뷰 거의 2년에 1번 이상씩 출제되고 있음. 정부 수립 과정, 김구

01 강

8·15 광복과 대한민국의 수립

구 분		2008~2017	2018	2019	2020	2021	2022	2023	2024
9급	국가직	•모스크바 3상 회의(3) •정부 수립 과정(3) •반민법 •북한사	이승만과 김구	정부 수립 과정			•김구 •제헌 국회	정부 수립 과정	정부 수립 과정
	지방직	•카이로 선언 •건국 준비 위원회 •정부 수립 과정(6) •반민법(2) •김구			정부 수립 과정	정부 수립 과정	반민법	정부 수립 과정	
	법원직	•정부 수립 과정(6) •이승만과 김구	김구	좌우 합작 위원회		•정부 수립 과정 •조선 건국 준비 위원회			

제2차 세계 대전 이후의 세계

	배 경	내 용
냉전 성립	**트루먼 독트린**(1947), 마샬 계획	자유주의 진영과 공산주의 진영의 대립 ⇨ **분단**, **6·25 전쟁**(1950), 베트남 전쟁(1965~1973)
냉전 완화	**닉슨 독트린**(1969)	닉슨의 중국 방문(1972), 미군의 베트남 철수(1973) ⇨ **유신 체제**
냉전 해체	고르바초프의 개혁, 개방 정책 (정치 민주화, 시장 경제 도입)	동유럽 공산 정권 붕괴, 독일 통일(1990), 소련 해체(1991) ⇨ **북방 외교**

한반도 관련 국제 회의(광복 이전)

1943년

11月 카이로 회담(미·영·중) **최초** 한국 독립을 약속한 회담

"**적절한 시기**에 한국을 독립시키기로 결의"

1945년

2月 얄타 회담(미·영·소) 소련의 대일 참전 결의, 신탁 통치안 처음 제안

7月 포츠담 선언(미·영·소·중) 카이로 회담 내용을 재확인

대한민국의 수립 과정

1945년

대한민국 임시 정부, 조선 독립 동맹, 조선 건국 동맹(1944)

8月 해방 **건**국 **준**비 **위**원회(여운형, 안재홍, 중도 우파와 중도 좌파 결집: 좌우 합작)

9月 군정

- **북** : 소련 – 간접 통치: 인민 위원회 활동 인정, 김일성 세력의 권력 장악을 지원
- **남** : 미국 – 직접 통치: 건국 준비 위원회와 조선 인민 공화국 부정, 충칭 임시 정부 부정

12月 모스크바 3상 회의
⇨ 임시 정부 구성, 미 · 소 공동 위원회 설치, 신탁 통치 결정
⇨ 신탁 통치 반대 운동
⇨ 반탁 vs 회의 결정안 지지 ⇨ 좌우익 대립 격화

1946년

3月 1차 미·소 공동 위원회 결렬(임시 정부에 참여할 단체의 자격과 범위를 놓고 이견)

6月 이승만의 정읍 발언 "남쪽만이라도 임시 정부 혹은 위원회를 조직하자."(단정론 주장)

7月 좌우 합작 위원회
김규식, 여운형 좌우 합작 운동 전개, 이승만 · 김구 · 박헌영 계열 불참
미군정 지지 이후 지지 철회
10月 좌우 합작 7원칙 발표
12月 남조선 과도 입법 의원(김규식) ⇨ 남조선 과도 정부 설치(안재홍, 1947. 5.)

1947년

5月 2차 미·소 공동 위원회 미 · 소 냉전으로 결렬
⇨ 9月 유엔에 한반도 문제 상정: 미국

11月 유엔 총회 인구 비례에 의한 남북한 자유 총선거 결의(유엔 감시단 입국하)

1948년

1月 유엔 감시단 입국 소련 측이 유엔 한국 임시 위원단 입북 거부, 남측만 입국

2月 유엔 소총회 유엔 한국 임시 위원단 활동이 가능한 지역(분단 의미)에서만이라도 선거 실시 결의

4月 단독 선거 반대

- **남북 협상파** 김구, 김규식 등 남북 연석회의(평양) 개최: 구체적 방안 X
- **제주 4 · 3 사건** 무고한 양민 희생, 10 · 19 여수 · 순천 반란 사건

5月 5·10 총선거 ⇨ 남한만의 총선거 실시(남북 협상파, 공산주의자 불참), 제헌 국회(1대 국회)

7月 헌법 제정 ⇨ 대통령 중심제, 대통령 국회 간선

8月 대한민국 정부 수립 ⇨ 국회에서 이승만을 대통령으로 선출

9月 조선 민주주의 인민 공화국 선포

~1945 전일 ▶▶
- 1906 통감부 설치
- 1907 한·일 신협약
- 1910 국권 피탈
- 1938 국가 총동원령

Now Event ▶▶
- 1945 포츠담 선언 / 유엔 성립
- 1946 이승만의 정읍 발언
- 1947 유엔, 한국 임시 위원단 구성
- 1948 남북 협상 / 제주 4·3 사건
- 1948 5·10 총선거 / 대한민국 정부 수립 / 반민법 제정

01 해방 전후의 상황

1. 국제 정세의 변화

(1) 카이로 회담(1943. 11.)

① **참가국**: **미국**(루즈벨트), **영국**(처칠), **중국**(장제스)이 카이로에서 전후 처리 문제를 논의하였다.

② **내용**: "한국 민중의 노예 상태에 유의하여 **적절한 시기에(혹은 적당한 절차를 밟아, in due course) 한국을 자유 독립시키기로**" 결의하였다. 이는 **최초로 한국의 독립을 약속한 회담**이다.

카이로 회담에 참석한 미·영·중 대표들

(2) **얄타 회담**❶(1945. 2.): **미국**(루즈벨트), **영국**(처칠), **소련**(스탈린)이 얄타에서 회담을 열었다. 여기서 소련군의 대일전 참전이 결정되었다. 또한, 스탈린과의 회담에서 루즈벨트는 한반도 신탁 통치안을 처음으로 제안하였다.

(3) **포츠담 선언**❷(1945. 7.): 독일이 항복한 후 미국(트루먼), 영국(처칠 ⇨ 애틀리), 소련(스탈린), 중국(장제스)의 정상들이 독일 포츠담에서 **카이로 회담의 내용(한국의 독립)을 재확인**하였다.

❶ 얄타 회담

얄타 회담이 전개되던 2월 8일에 미국의 루즈벨트 대통령은 스탈린에게 20~30년간의 한반도 신탁 통치안을 처음으로 제안하였다. 루즈벨트는 50년간 필리핀을 통치했던 경험을 설명하면서, 한국은 20~30년 정도의 기간이 필요할지도 모른다고 하였다. 이에 스탈린은 그 기간이 짧을수록 좋을 것이라고 답하였다.

❷ 포츠담 선언

연합국은 일본에 무조건 항복을 요구하고, 카이로 선언의 모든 조항이 이행되어야 한다고 발표하였다. 그러나 일본은 연합국의 항복 요구를 무시하였다. 그러자 미국은 일본에 원자 폭탄을 투하하였다.

고등사료 百出 2018. 서울시 9급(상), 2017. 지방직 9급(하), 2017. 서울시 9급, 2016. 국가직 7급

카이로 선언(1943. 11.)

우리 동맹국은 일본이 제1차 세계 대전 이후에 탈취하거나 점령한 태평양의 도서 일체를 박탈할 것과 만주, 팽호도와 같이 일본이 청국에게서 빼앗은 지역을 모두 중화민국에 반환할 것을 목표로 한다. …… 그리고 우리 세 나라는 **현재 한국 국민이 노예 상태하에 있음을 유의하여 적당한 시기에 한국을 자주·독립 국가로 할 결의를 가지고 있다.**

포츠담 선언(1945. 7.)

1. 미국, 중국, 영국은 일본에 대하여 전쟁의 종결을 위한 기회를 주기로 했다.
8. **카이로 선언의 여러 조항은 이행되어야 하며**, 또한 일본국의 주권은 혼슈, 홋카이도, 규슈, 시코쿠와 연합국이 결정하는 여러 작은 섬들에 국한될 것이다.

2. 우리 민족의 건국 준비 활동

독립운동 세력들은 일제의 패배를 예상하고 광복 이후 새로운 국가 건설(**보통 선거에 의한 민주 공화국 수립**)을 위한 준비 작업을 하였다.

한국 독립당 간부들

(1) 대한민국 임시 정부

임시 정부는 **삼균주의**에 바탕을 둔 **건국 강령**❸을 만들었다(1941). 또한, 한국 독립당을 중심으로 민족주의 계열을 통합하고, 1942년 조선 민족 혁명당까지 받아들여 좌·우익을 아우르는 **민족 연합 전선을 형성**하였다.

❸ 대한민국 건국 강령

주요 내용으로는 헌법의 실시, 경자유전의 토지 제도, 보통 선거 제도와 의무 교육의 실시, 정치·경제·교육의 균등 실현 등이 있다.

(2) 화북 조선 독립 동맹

1942년 중국의 화북 지방에서 결성됐으며, **김두봉**을 주석으로 하였다. 군사 조직으로 **조선 의용군**을 두어 중국 공산당의 팔로군과 함께 대일 항전을 전개하였다. 이들 역시 조선 민주 공화국 건설을 표방하는 건국 강령❹을 발표하였다.

(3) 조선 건국 동맹

여운형은 1944년 국내에서 조선 건국 동맹을 비밀❺리에 조직하였다. 전국 10여 지역에 조직을 두었으며, 국외 독립운동 단체와 연결을 시도❻하였다. 이들도 민주주의 원칙에 바탕을 둔 국가 건설과 노동 대중을 해방시키겠다는 건국 강령을 발표하였다.

3. 해방

(1) **배경**: **1945년 8월 15일** 일제가 연합국에게 무조건 항복하면서 2차 세계 대전은 연합국의 승리로 끝났다. 이에 우리 민족은 **광복**을 맞이했는데, **국내외에서 전개한 독립 투쟁의 결실**이기도 하였다.

(2) **일제와의 협상**❼: 정무총감 엔도는 **여운형**과 협상을 가졌다. 엔도는 치안 유지와 일본인들의 귀국 때까지 그들의 안전(보호)을 요청하였고, 이에 여운형은 5개의 조건을 제시하여 타협을 보았다.

고등사료 百出 — 2020. 국가직 7급

여운형이 조선 총독부에 제시한 조건

1. 전 조선의 정치범, 경제범을 즉시 석방하라.
2. 집단 생활지인 경성의 식량을 8, 9, 10월 3개월분을 확보하라.
3. 치안 유지와 건설 사업에 아무 구속과 간섭을 말라.
4. 조선에서 추진되는 학생의 훈련과 청년의 조직에 간섭하지 말라.
5. 전 조선에 있는 각 사업장의 노동자들을 우리 건설 사업에 협력시키며 아무런 괴로움을 주지 말라.

4. 해방 이후 남한의 정세

(1) 건국 준비 위원회(1945. 8. 15.)

① **조직**: 광복 직후 **여운형, 안재홍** 등은 **조선 건국 동맹**을 모체로 **좌우 연합의 조선 건국 준비 위원회**를 조직하였다. 친일 세력을 제외한 각계각층을 망라했으나, **송진우를 비롯한 보수 우파 민족주의자들은 참여하지 않았다.**

② **활동**: 국내의 치안을 담당하기 위해 각지에 **치안대**를 설치하였다. 또한, 북한 지역을 포함한 **전국에 145개의 지부를 조직**하여 행정 업무를 담당하였다.

③ **조선 인민 공화국의 선포**(1945. 9. 6.)

건·준·위는 미군의 진주(9월 8일)에 대비해 협상에서 유리한 입장을 차지하고자 하였다. 이를 위해 건·준·위를 해체하고, **전국 인민 대표 회의에서 조선 인민 공화국을 선포**하였다. **이승만**을 주석·**여운형**을 부주석으로 임명했으며, 전국 각 지방에 인민 위원회를 설치하였다.

④ **세력 약화**: 박헌영을 중심으로 한 좌익 계열이 주도권을 장악하자, 이에 실망한 안재홍 등 우익 세력이 이탈하였다. 또한 미군정도 조선 인민 공화국을 부정❽하였다.

---

❹ 화북 조선 독립 동맹의 건국 강령
보통 선거를 통해 조선 민주 공화국을 수립하려 하였다. 기업의 국유화·토지 분배·국민 의무 교육·8시간 노동제·남녀평등 등을 주장하였다.

❺ 3불(三不)의 원칙
건국 동맹에 대해 '일체 말하지 않는다(不言).', '문서로 남기지 않는다(不文).', '이름을 말하지 않는다(不名).'는 것이었다.

❻ 국외 독립운동 단체와 협력 시도
조선 의용군과 협동 작전을 계획했으며, 임시 정부와의 연결도 추진했으나 연락이 닿기 전 일본이 항복하였다.

❼ 일제와의 협상 배경
조선 총독 아베 노부유키는 일본의 항복에 대비하여 송진우에게 치안권과 행정권 인수를 제의하였으나, 송진우는 임정과의 협의 없이는 어떠한 사항도 결정할 수 없다며 거절하였다. 그러자 아베는 정무총감 엔도를 보내 여운형과 협상을 하였다.

광복의 기쁨

❽ 해체
조선 인민 공화국은 미군정청에서 승인을 거절하는 포고를 발표하자 해체되었다.

✎ 조선 건국 준비 위원회 조직도

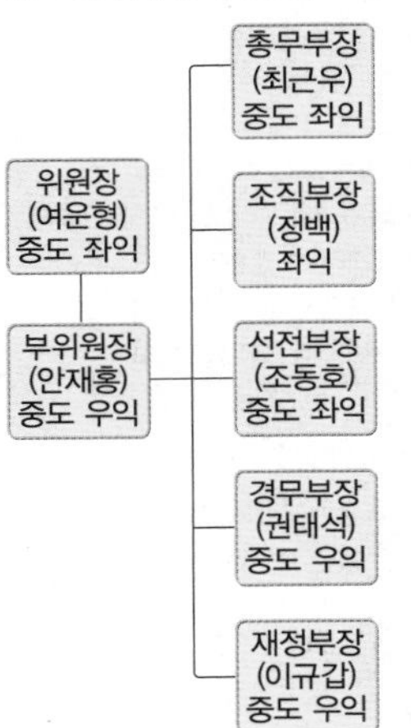

❶ **한국 민주당**

건·준·위의 활동에 비판적이었던 반민족 친일 경력자들과 보수적인 민족주의 계열의 인사들이 한국 민주당을 창당하였다.

❷ **신민주주의와 신민족주의**

안재홍이 주장한 이론이다. 극좌와 극우를 배격하고 통합된 민족 국가를 건설하려 하였다.

❸ **조선 신민당**

조선 신민당은 1946년 평양에서 창당된 정당으로, 이원적으로 운영되었다(김두봉의 북조선 신민당, 백남운의 남조선 신민당). 이후 북조선 신민당은 북조선 노동당으로, 남조선 신민당은 남조선 노동당으로 개편되었다.

❹ **8월 테제**

해방 직후 박헌영은 8월 테제를 발표하여 민족적 완전 독립, 토지 혁명 등을 주장하였다. 이후 좌익 계열의 지침서가 되었다.

고등사료 百出

2021. 법원직 9급, 2019. 국가직 7급, 2017. 국가직 7급(하)

조선 건국 준비 위원회

〈선언〉

우리의 당면 임무는 **완전한 독립과 진정한 민주주의 확립**을 위하여 노력하는 데 있다. …… **본 준비 위원회**는 우리 민족을 진정한 민주주의적 정권에로 재조직하기로 한 **새 국가 건설의 준비 기구**인 동시에 **모든 진보적 민주주의적 세력을 집결**하기 위하여 각층 각계에 완전히 개방된 통일 기관이요.

〈강령〉

1. 우리는 **완전한 독립 국가의 건설**을 기함.
2. 우리는 전민족의 정치적·사회적 기본 요구를 실현할 수 있는 민주주의 정권의 수립을 기함.
3. 우리는 일시적 과도기에 있어서 **국내 질서를 자주적으로 유지**하여 대중 생활의 확보를 기함.

(2) **한국 민주당❶**: 조선 건국 준비 위원회에 가담하지 않은 **송진우, 김성수 등의 민족주의 세력**은 대한민국 임시 정부를 지지한다고 선언하고 한국 민주당을 창당(1945. 9.)하였다. 그러나 미군 진주 이후 한국 민주당은 **미군정청과 긴밀한 관계를 유지**하였다.

(3) **독립 촉성 중앙 협의회**: 1945년 10월 한국 민주당·국민당 등 수많은 단체들이 참여하여 구성된 것으로, **이승만**을 총재로 추대하였다. 이승만이 중심이 되어 우익 세력을 결집하였다.

(4) **한국 독립당**: 미군정이 대한민국 임시 정부를 승인하지 않았기 때문에 **김구**와 임시 정부 요인들은 **개인 자격**으로 귀국하였다(1945. 11.). 이후 이들은 한국 독립당을 중심으로 활동을 전개하였다.

(5) **국민당(조선 국민당)**: **안재홍 등 중도 우파 세력**이 조직하였다. 좌·우 협력과 각 계급의 단결을 강조했으며, 신민주주의·신민족주의❷를 내세우고 임시 정부를 지지하였다.

(6) **조선 인민당(이후 근로 인민당)**: 중도 좌파 세력인 **여운형**이 결성한 정당이다(1945. 11.). 민주주의 국가의 건설과 민족 역량의 총집결을 주장하였다.

(7) **민족 자주 연맹**: **좌우 합작 운동 실패 후 김규식을 중심으로 조직**되어 중도파 세력들을 결집하였다. 또한 **남북 연석회의를 주도**하고 단독 정부 수립에 불참하였다.

(8) **남조선 신민당❸**: 백남운이 중도 좌파 세력들과 조직한 정당이다.

✤ 해방 직후의 주요 정치 지도자

<table>
<tr><th>구분</th><th>박헌영❹</th><th>여운형</th><th>안재홍</th><th>김규식</th><th>김구</th><th>이승만</th><th>김성수</th></tr>
<tr><td>정당</td><td>조선 공산당</td><td>조선 인민당</td><td>국민당</td><td>민족 자주 연맹</td><td>한국 독립당</td><td>독립 촉성 중앙 협의회</td><td>한국 민주당</td></tr>
<tr><td rowspan="3">경력</td><td rowspan="3">공산주의 활동</td><td>임시 정부</td><td>신간회</td><td rowspan="2">임시 정부</td><td rowspan="3">임시 정부</td><td rowspan="3">임시 정부</td><td rowspan="3">동아일보 사장</td></tr>
<tr><td colspan="2">건국 준비 위원회</td></tr>
<tr><td colspan="3">좌우 합작 운동</td></tr>
<tr><td>성향</td><td>좌파</td><td>중도 좌파</td><td colspan="2">중도 우파</td><td colspan="3">우파</td></tr>
<tr><td>토지 개혁</td><td colspan="2">무상 몰수 무상 분배</td><td colspan="2">무상 몰수</td><td>국유화</td><td colspan="2">유상 몰수 유상 분배</td></tr>
<tr><td>친일파 처리</td><td colspan="5">즉시 처단</td><td colspan="2">처단 반대</td></tr>
</table>

02 좌우 대립과 좌우 합작 운동

1. 미·소 군정의 남북한 분할 통치

(1) **배경**: 소련군은 1945년 8월 한반도에 진입하여 북부 지역을 빠르게 점령해 나갔다. **미국은 소련의 한반도 단독 점령을 막기 위해 소련에 38도선[5]을 기준으로 한 분할 점령을 제안**하였다.

(2) **군정의 실시**: 미·소 양군이 각각 38도선 남북에 진주[6]하면서 군정이 실시되었다.

① **미군정[7]**: 미군은 **군정을 선포**하고 **직접 통치** 방식을 취하였다. **총독부 체제를 그대로 활용**했으며, 또한 인민 공화국·임시 정부 등 한국인이 만든 모든 조직을 인정하지 않았다.

② **소련 군정[8]**: 소련군은 각지에 설치된 인민 위원회의 자치를 인정하는 **간접 통치** 방식을 취하였다. 이후 김일성 등 사회주의 세력이 정권을 장악할 수 있도록 지원하였다.

고등사료 百出 2012. 법원직 9급

미군정 선포(태평양 방면 미 육군 총사령관 맥아더 포고령 1호)

제1조 **북위 38도선 이남의 조선 영토와 조선 인민에 대한 통치의 모든 권한은 당분간 본관의 권한하에 시행한다.**

제2조 정부 등 모든 공공사업 기관에 종사하는 유급, 무급 직원과 고용인, 그리고 기타 중요한 제반 사업에 종사하는 자는 **별도의 명령이 있을 때까지 종래의 정상 기능과 업무를 수행할 것**이며, 모든 기록 및 재산을 보존·보호하여야 한다.

제3조 주민은 본관 및 본관의 권한하에서 발포한 명령에 즉각 복종하여야 한다. **점령군**에 대한 모든 반항 행위 또는 공공 안녕을 교란하는 행위를 감행하는 자에 대해서는 용서없이 엄벌에 처할 것이다.

2. 모스크바 3국 외상 회의(1945. 12.)

(1) **배경**: 1945년 12월에 **미국, 영국, 소련**의 외상은 모스크바에서 한반도 문제를 협의하였다.

(2) **과정**

① **미국**: 최고 10년 동안 **신탁 통치**를 제안하였다.

② **소련**: **임시 정부 수립**과 미·소 공동 위원회 개최, 한국의 정당 및 사회단체의 참여를 제안하였다.

(3) **결정**: 미·소는 서로의 주장을 절충하여 '한국 문제에 관한 4개항의 결의서'를 결정하였다. 미·소 공동 위원회와 한국의 민주적 정당·사회 단체들이 협의하여 **임시 민주 정부를 수립한 뒤에 최고 5년 동안 미·영·중·소의 4개국에 의한 신탁 통치를 실시할 것**을 결정하였다.

고등사료 百出 2017. 서울시 9급, 2016. 국가직 9급, 2014. 서울시 7급, 2013. 경찰 1차, 2011. 국가직 9급, 2010. 서울시 7급, 2007. 국가직 9급

모스크바 3국 외상 회의 결정서(한국 문제에 관한 4개항의 결의서)

1. 조선을 독립 국가로 재건설하며 조선을 민주주의적 원칙하에 발전시키는 조건을 조성하고 일본의 장구한 조선 통치의 참담한 결과를 가급히 속히 청산하기 위하여 …… **임시 조선 민주주의 정부를 수립**할 것이다.
2. 조선 임시 정부 구성을 원조할 목적으로 먼저 그 적절한 방책을 연구·조성하기 위하여 남조선 미국 점령군과 북조선 소련 점령군의 대표자들로 **공동 위원회**가 설치될 것이다.
3. 공동 위원회는 조선 임시 정부와 협의하여 **미·영·소·중 4국 정부가 최고 5년 간의 신탁 통치** 협약을 작성하는 데 공동으로 참작할 수 있도록 제출하여야 한다.

⑤ 38도선

처음에 38도선은 미국과 소련에 의해 그려진 군사적 경계선이었다. 그러나 미·소 군정의 실시와 한국 전쟁으로 인해 민족의 분단선이 되고 말았다.

⑥ 미·소 양군의 진주

미 육군 태평양 총사령관 맥아더가 내린 포고령 1호를 통해 미소 양군의 한반도 진주를 공식 확정하였다.

⑦ 미군정의 영향

1945년 9월 9일부터 1948년 8월 15일까지 3년간 실시된 미군정의 영향으로 남한에는 미국식 민주 정치 제도, 자본주의 생활 방식 등이 도입되기 시작하였다.

소련군의 진주

⑧ 소련 군정

소련 당국은 인민 위원회에 행정권을 위임하는 등 간접 지배를 표방하였다. 그러나 소련군 사령부가 이들 기구를 배후에서 조종하면서 사실상의 군정을 실시하였다.

(4) 신탁 통치에 대한 입장

① **우익 세력**: **신탁 통치는 한국의 독립을 부정하는 결정**이라고 비판하며 반탁 운동[1]을 펼쳤다. 김구 등 임시 정부의 인사들은 신탁 통치(탁치) 반대 국민 총동원 위원회를 결성했으며, 이승만과 한국 민주당 등 우익 세력들도 참가하였다.

② **좌익 세력**: 좌익 세력은 처음에 신탁 통치에 반대하는 입장을 취하였다. 그러나 통치안의 본질이 **민주적인 임시 정부의 수립**에 있다고 보고, **모스크바 3국 외상 회의 결정 지지**로 입장을 바꾸었다.

③ **중도 세력**: 김규식과 여운형 등 중도 세력은 모스크바 3국 외상 회의의 결정을 지지하되, 신탁 통치 문제는 임시 정부 수립 후 결정해야 한다는 입장을 택하였다.

④ **결과**: 좌·우 대립은 더욱 격화되었다. 반탁 운동은 즉시 독립을 원하는 다수 국민들의 지지를 얻을 수 있었다. 이에 우익은 세력 기반을 확대하였고, 좌익은 국민의 지지를 상실하였다.

❶ 반탁 운동의 전개

우익 세력은 강대국에 의한 신탁 통치를 또 다른 식민 지배로 보고 강력히 반대하였다.

동아일보의 오보

모스크바 3국 외상 회의의 결과가 공식적으로 발표되기 전에 동아일보에서 "미국은 한국의 즉시 독립을 제안한 반면, 소련은 신탁 통치를 주장하였다."라고 잘못 보도하였다.

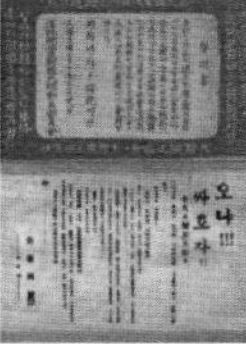

신탁 통치 반대 운동(우익)

모스크바 3국 외상 회의 결정 지지 운동(좌익)

고등사료 百出 2012. 지방직 9급

신탁 통치 반대 국민 총동원 위원회의 반탁 시위 선언문

카이로·포츠담 선언과 국제 헌장으로 세계에 공약한 한국의 독립 부여는 금번 모스크바에서 개최한 3국 외상 회의의 신탁 관리 결의로 수포로 돌아갔으니 다시 우리 3천만은 영예로운 피로써 자주독립을 획득하지 아니하면 아니 될 단계에 들어섰다. 동포여! 8·15 이전과 이후, 피차의 과오와 마찰을 청산하고서 우리 정부 밑에 뭉치자. 그리하여 그 지도하에 3천만의 총 역량을 발휘하여서 **신탁 관리제를 배격하는 국민 운동을 전개**하여 자주독립을 완전히 획득하기까지 3천만 전 민족의 최후의 피 한 방울까지라도 흘려서 싸우는 항쟁 개시를 선언한다.

조선 공산당 중앙 위원회의 모스크바 3국 외상 회의 지지 담화문

모스크바 3국 외상 회의의 결정을 신중히 검토한 결과 이번 회담은 세계 민주주의 발전에 있어서 또 한 걸음 진보이다. …… 세계 평화와 민주주의적 국제 협조의 정신하에서만 조선 문제가 해결되어야 한다. 카이로 회담이 조선 독립을 적당한 시기에 준다는 것인데, **이 적당한 시기라는 것이 이번 회담에서 5년 이내로 규정된 것이다. 이것은 우리가 5년 이내에 통일되고 우리의 발전이 상당한 때에는 단축될 수 있는 것이니 이것은 오직 우리의 역량 발전 여하에 달린 것이다.** 그러므로 이번 모스크바 결정은 카이로 결정을 더욱 발전 구체화시킨 것이다. 그러므로 **우리의 할 일은 무엇보다도 먼저 통일의 실현에 있다.**

3. 제1차 미·소 공동 위원회(1946. 3.)

(1) **개최**: 모스크바 3상 회의 결정안에 따라 미·소 공동 위원회가 **서울의 덕수궁에서 개최**되었다.

(2) **과정**: 미국과 소련은 **임시 정부 수립에 참여할 단체의 범위**를 놓고 첨예하게 대립하였다. 소련은 모스크바 결정안에 반대하는 정당·단체와의 협의를 거부했고, 미국은 **표현의 자유**를 내세워 모든 정치 단체들을 포함시켜야 한다고 주장했다.

(3) **결과**: 양측의 의견 대립으로 5월에 무기한 휴회 상태에 들어가며 **결렬**되었다.

미·소 공동 위원회

4. 단독 정부 수립의 움직임

(1) **북한**: 1946년 2월 북한에서는 북조선 임시 인민 위원회가 수립되어 사실상의 정부 역할을 하였다.

(2) **남한**: 이승만 등 우익 세력은 단독 정부 수립을 추진하였다. **1946년 6월** 이승만은 전라북도 **정읍**에서 **남한만의 단독 정부 수립을 공식적으로 주장**하였다(정읍 발언).

고등사료 百出

2018. 국가직 9급, 2015. 경찰 3차, 2014. 경찰 1차, 2011. 국가직 7급

이승만의 정읍 발언

이제 우리는 무기 휴회된 미·소 공동 위원회가 다시 열릴 기색도 보이지 않으며 통일 정부를 고대하나 여의치 않게 되었다. **우리는 남한만이라도 임시 정부 또는 위원회 같은 것을 조직하여** 38도선 이북에서 소련이 철퇴하도록 세계 공론에 호소해야 될 것이니, 여러분도 결심해야 할 것이다.

– 1946년 6월 3일

5. 미군정과 좌익의 대립 격화

1946년 2월 남한의 좌익 단체들은 민주주의 민족 전선❷을 결성하여 세력을 총집결하였다. 그러나 조선 정판사 위조지폐 사건❸(1946. 5.)과 대구 10·1 사건(1946. 10.) 등을 계기로 좌익 세력과 미군정 사이는 크게 악화되었다.

6. 좌우 합작 운동

(1) **배경**: 미·소 공동 위원회를 조속히 재개하여 임시 정부를 수립하고자 하는 국내 정치 세력과 모스크바 3상 회의 결정안을 실현시키고자 하는 미군정의 요구❹가 맞아 떨어져 전개되었다.

(2) 좌우 합작 위원회(1946. 7.)

① **주도 세력**: **김규식**(중도 우익)과 **여운형**(중도 좌익)을 중심으로 하는 중도파 인사들은 남북한 통일 정부의 수립을 위해 좌우 합작 위원회를 구성하였다. 이는 **미군정의 지원**을 받아 추진되었다.

② **좌우 합작 7원칙(1946. 10.)**: **토지 개혁, 친일파 처리** 등을 주요 내용으로 하는 **좌우 합작 7원칙**을 발표하였다. 이는 당시 논란이 많았던 토지 개혁, 친일파 처리 등을 중도적 입장에서 조정한 것이다.

❷ **민주주의 민족 전선(약칭: 민전)**
모스크바 3국 외상 회의 결정의 지지, 미·소 공동 위원회 지지, 친일파 처단 등을 강령으로 제시하였다.

❸ **조선 정판사 위조지폐 사건**
조선 공산당(민주주의 민족 전선)이 주도한 사건으로, 활동 자금을 마련할 목적으로 1,300만 원의 위조지폐를 만들었다.

❹ **미군정의 좌우 합작 운동 지원**
모스크바 3상 회의의 결정(한반도 통일 정부 수립)을 실현시킬 의무가 있는 미군정은 소련과의 합의가 원만하게 진행되지 않자 김규식·여운형의 좌우 합작 운동을 지원하였다.

고등사료 百出

2023. 지방직 9급, 2019. 법원직 9급, 2018 서울시 7급, 2017. 지방직 7급, 2012. 서울시 9급, 2008. 국가직 7급

좌우 합작 7원칙

1. **조선의 민주 독립을 보장한 모스크바 3국 외상 회의 결정에 의하여 남북을 통한 좌우 합작으로 민주주의 임시 정부를 수립할 것**
2. **미·소 공동 위원회 속개를 요청하는 공동 성명을 발표할 것** (1·2 – 신탁 통치 반대하는 김구, 이승만 반대)
3. **토지 개혁에 있어 몰수, 유조건 몰수, 체감 매상 등으로 토지를 농민에게 무상으로 나누어 줄 것** – 한민당 반대
4. **친일파 및 민족 반역자를 처리할 조례를 본 합작 위원회의 입법 기구에 제안하여 입법 기구로 하여금 심리 결정하여 실시케 할 것** – 좌익(조선 공산당)은 친일파 처단 의지가 명확하게 드러나지 않았다며 비판
5. 남북을 통하여 현 정권하에서 검거된 정치 운동자의 석방에 노력하고, 아울러 남북 좌우의 테러적 행동을 일체 즉시로 제지토록 노력할 것
6. 입법 기구에 있어서는 일체 그 권능과 구성 방법, 운영 등에 관한 대안을 본 합작 위원회에서 작성하여 적극적으로 실행을 기도할 것
7. 전국적으로 언론, 집회, 출판, 교통, 투표 등의 자유가 보장되도록 노력할 것

(3) 남조선 과도 정부의 수립

① **남조선 과도 입법 의원**: 남조선 과도 입법 의원[❶] 선거가 실시되어, 좌우 합작 위원회와 한국 민주당을 주축으로 구성된 **남조선 과도 입법 의원이 개원**하였다(1946. 12.). 미군정은 김규식을 초대 의장으로 선임하였다.

② **남조선 과도 정부**: 미군정은 안재홍을 민정 장관[❷]에 임명하고 남조선 과도 정부를 설치(1947. 5.)하였다.

(4) 좌우 합작 운동의 실패

① **주요 세력 불참**: 좌우 합작 운동은 **조선 공산당, 이승만, 김구** 등 좌·우를 대표하는 세력들이 참여하지 않아 현실적으로 성공하기 어려웠다.

② **미국의 입장 변화**: 제2차 미·소 공동 위원회 결렬 이후 미국은 좌우 합작 운동에 대한 지원을 철회하고 **단독 정부 수립을 지지**하였다.

③ **여운형 암살**: 좌우 합작 운동의 중심 인물인 여운형이 극우 세력에 의하여 암살(1947. 7.)되면서 결국 좌우 합작 위원회는 해산되었다(1947. 12.).

❶ **남조선 과도 입법 의원**
입법 의원은 민선과 관선 두 종류의 의원이 있었다. 민선 의원 45명을 간접 선거로 선출하고, 관선 의원 45명은 주한 미군 사령관인 하지가 임명하기로 하였다. 입법 의원은 입법의원 의원 선거법을 제정하고, 민족 반역자·부일 협력자·모리간상배에 관한 특별 조례의 초안을 만들었다.

❷ **민정 장관**
미군정 체제에서 미국인 군정 장관 밑에 설치된 한국인 행정 책임자이다.

03 단독 정부 수립 결정과 반대

1. 제2차 미·소 공동 위원회(1947. 5.)

미·소 냉전이 격화되는 상황[❸]에서 제2차 미·소 공동 위원회가 열렸다. 미국과 소련은 자국에 우호적인 정권을 수립하기 위해 조금도 양보하지 않았으며, 결국 제2차 미·소 공동 위원회도 결렬되었다.

2. 한국 문제의 유엔 상정

(1) **한국 문제의 유엔 상정[❹](1947. 9.): 미국은 한반도 문제를 유엔에 넘겼다.** 소련은 이를 반대했지만, 유엔 총회에서 미국의 제안을 압도적 다수로 가결함에 따라 한국 문제는 유엔에 공식적으로 이관되었다.

(2) 유엔 총회 결의(1947. 11.)

① **내용**: 소련이 불참한 가운데 유엔 총회가 열렸다. **인구 비례에 의한 남북 총선거**를 실시하여 한국 정부를 수립하자는 미국안이 통과되었다. 유엔 총회는 유엔 한국 임시 위원단을 구성하고 그 감시 아래 남북한 총선거를 시행한다는 한국 문제 결의안을 확정하였다.

② **임시 위원단**: 유엔 한국 임시 위원단이 파견되어 1948년 1월에 남한에 입국하였다. 그러나 소련 측은 절차상의 문제를 제기하며 **임시 위원단의 북한 입국을 거부**하였다.

❸ **트루먼 독트린(1947. 3.)**
미국의 트루먼 대통령은 소련의 팽창주의 정책에 대항하여 모든 자유민을 지원해야 한다고 주장하였다. 이에 따라 소련의 위협에 직면해 있던 그리스와 터키를 원조하면서 미국과 소련의 냉전이 본격화되었다.

❹ **한국 문제의 유엔 상정**
유엔은 총회에 한국 문제를 의제로 채택할 것을 권고하였다. 이에 유엔 총회는 이 권고를 찬성 41, 반대 6, 기권 6으로 가결하였다.

심화사료 百出 2016. 국가직 7급

1947년 11월, 유엔 총회의 결의

당면한 한반도 문제를 심의하는 데 선거로 뽑힌 한반도 국민의 대표가 참여할 것을 결의한다. …… 참여할 한반도 대표가 한반도의 군정 당국에 의하여 지명된 자가 아니라 한반도 주민에 의하여 정당히 선거된 자임을 감시하기 위하여 조속히 유엔 한국 감시 위원단을 설치하여 한반도에 보내고자 한다.

(3) 유엔 소총회의 결의(1948. 2.)⑤: 유엔은 남북한 총선거의 실현이 불가능하다고 판단하였다. 이에 1948년 2월 **유엔 소총회**를 열어 **선거가 가능한 지역(= 남한)에서만이라도 선거를 실시해야** 한다는 미국의 결의안을 채택하였다.

심화사료 百出 2023. 국가직 9급

1948년 2월, 유엔 소총회의 결의문

소총회는 …… 한국 인민의 대표가 국회를 구성하여 중앙 정부를 수립할 수 있도록 선거를 시행함이 긴요하다고 여기며, 총회의 의결에 따라 **국제연합 한국 임시 위원단이 접근할 수 있는 지역**에서 결의문 제2호에 기술된 계획을 시행함이 동 위원단에 부과된 임무임을 결의한다.

⑤ 유엔 소총회(임시 총회)의 결의에 대한 국내 여론

- 이승만·한국 민주당: 남한만의 단독 정부 수립을 주장하며 남한만이라도 즉각 총선거를 실시할 것을 주장하였다.
- 김구(한국 독립당): 단독 정부 수립을 반대하고 미·소 양군의 철수와 남북 지도자의 협상에 의한 총선거를 주장하였다.
- 김규식: 남북한 통일 정부 수립 운동을 펼쳤다.

3. 단독 정부 수립 반대

(1) 남북 협상(1948. 4. 19.~4. 30.)

① **배경**: 유엔 소총회의 결의로 **남북 분단이 기정사실화**되자 **김구와 김규식** 등은 분단을 막기 위해 북한의 김일성과 김두봉에게 **남북 협상을 제안**하였다.

② **남북 연석회의(1948. 4., 남북 지도자 회의)**: **평양**에서 열린 이 회의에서는 **남한 단독 정부의 수립을 반대**하고 **미·소 양군의 철수**를 요구하는 결의문을 채택하였다. 이와 함께 김구·김규식·김일성·김두봉의 4자 회담이 열렸으나 별다른 성과 없이 끝났다.

방북하는 김구 일행

고등사료 百出 21. 법원직 9급, 18. 국가직 9급, 18. 법원직 9급, 15. 경찰 3차, 14. 지방직 9급, 14. 경찰 1차, 12. 지방직 7급, 11. 국가직 7급, 08. 법원직 9급

김구의 '삼천만 동포에게 읍고함'(1948. 2. 10.)

친애하는 3천만 자매 형제여! …… 유언비어를 통해 단선 군정의 노선으로 민중을 선동하여 유엔 위원단을 미혹케 하기에 전심전력을 경주하고 있다. …… 우리는 첫째로 자주독립의 통일 정부를 수립할 것이며, 이것을 완성하기 위하여 먼저 남북한 정치범을 동시 석방하며 미·소 양군을 철퇴시키고 남북 지도자 회의를 소집할 것이니 …… 한국이 있고야 한국 사람이 있고 한국 사람이 있고야 민주주의도 공산주의도 또 무슨 단체도 있을 수 있는 것이다. …… **마음속의 38도선이 무너지고야 땅 위의 38도선도 철폐될 수 있다.** …… **나는 통일된 조국을 건설하려다 38도선을 베고 쓰러질지언정 일신에 구차한 안일을 취하여 단독 정부를 세우는 데에는 협력하지 아니하겠다.**

심화사료 百出

전조선 제정당 사회단체 지도자 협의회 공동 성명(= 남북 협상 회의 공동 성명, 1948. 4.)

1. **외국 군대의 즉시 철수**만이 현재 문제를 해결할 수 있는 유일한 방법이다.

3. 전조선 정치 회의를 소집하여 임시 정부를 수립하고 이후 총선을 통하여 **통일적 민주 정부**를 수립한다.

⑥ 서북 청년단

1946년 11월에 서울에서 조직된 반공 단체로, 월남한 청년들로 구성되었다.

(2) **제주도 4·3 사건(1948)**: 제주도의 공산주의자와 일부 주민들은 **단독 정부 수립 반대와 미군의 즉시 철수** 등을 주장하며 무장 봉기하였다. 군경과 서북 청년단⑥의 진압 과정에서 무고한 양민이 많이 희생됐으며, 제주도의 3개 선거구 중 2곳에서 **선거가 무산되었다.**

(3) **여수·순천 10·19 사건(1948)**: 정부는 제주 4·3 사건을 진압하기 위해 여수와 순천 지역의 군대를 보내기로 하였다. 그러나 군대 안의 좌익 세력들이 제주도 출동을 거부하고 반란을 일으켰다. 이 사건은 **군대 내부의 좌익들을 숙청하는 계기**가 되었다.

제주도 4·3 사건으로 체포된 사람들

❶ 김구의 동학 농민 운동 참여

김구는 1894년 팔봉접주가 되어 동학군의 선봉장으로 해주성을 공략하였다. 이후 1895년 황해도에 있는 안태훈의 집에 은거하며, 그의 아들인 안중근과도 함께 지냈다.

❷ 조소앙(1887~1958)

1918년 대한 독립 선언서를 작성하였다. 임시 정부에서 국무 위원에 선임되어 외교 업무를 맡았다. 1930년 한국 독립당을 창당하였으며, 삼균주의를 국시로 한 임시 정부 건국 강령을 제정하였다. 광복 후 김구·김규식 등과 활동하면서 5·10 총선거에 불참하였다가, 2대 총선에서 서울 성북구에 출마하여 당선되었다. 그러나 6·25 전쟁 중 서울에서 납북되었다.

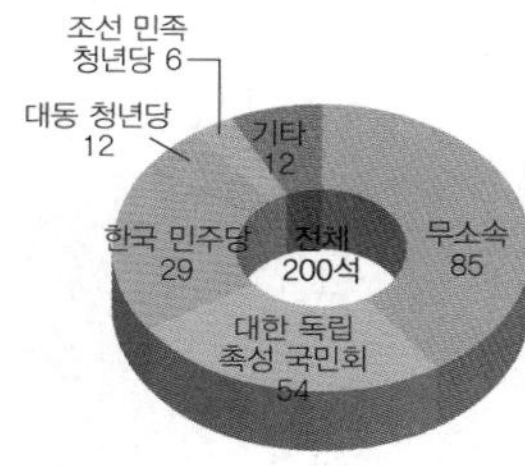

제헌 국회의 구성

❸ 내각 구성

국회의장에는 신익희가, 국무총리에는 임시 정부에서 활동했던 이범석이 임명되었다. 그리고 대법원장에 김병로를, 농림부 장관에 조봉암을 임명하여 우파와 중도 세력까지 아우르는 내각을 구성하였다.

대한민국 정부 수립 선포

解法 도움닫기 김구와 김규식

김구(1876~1949)

1894년	동학 접주❶로서, 동학 농민 운동에 참여
1896년	일본 육군 중위(쓰치다) 살해 사형 집행 직전 중지(고종의 명령)
1908년	신민회에 참여
1911년	안악 사건으로 투옥
1919년	대한민국 임시 정부에 참여(초대 경무국장)
1930년	한국 독립당 조직
1931년	한인 애국단 조직
1935년	한국 국민당 조직
1940년	대한민국 임시 정부 주석에 선출
1948년	'3천만 동포에게 읍고함' 발표 김규식과 남북 협상 참여
1949년	경교장에서 안두희에게 암살됨.

김규식(1881~1950)

1918년	상하이에서 신한 청년당 조직
1919년	파리 강화 회의에 파견 독립 청원서 제출 임시 정부의 외무총장으로 임명
1935년	난징에서 민족 혁명당 결성에 참여
1942년	대한민국 임시 정부 국무 위원이 됨.
1944년	대한민국 임시 정부 부주석이 됨.
1946년	좌우 합작 위원회에 참여 남조선 과도 입법 의원 의장이 됨.
1947년	민족 자주 연맹을 창설하고 의장이 됨.
1948년	김구와 남북 협상 참여
1950년	한국 전쟁 발발 후 납북

04 대한민국 정부의 수립

1. 제헌 국회의 성립과 활동

(1) 5·10 총선거의 실시: 1948년 5월 10일에 **우리나라 역사상 최초의 민주 보통 선거(21세 이상)**에 의한 **총선거가 남한에서 실시**되었다. 좌익 세력인 남조선 노동당이 격렬한 선거 반대 투쟁을 벌였으며, **김구·김규식·조소앙❷ 등이 이끄는 남북 협상파 세력은 선거에 불참**하였다.

(2) 선거 결과: 5월 말에 **제헌 국회**가 개최되었고, 임기는 **2년**이었다(2년 후 다시 총선을 실시).

(3) 제헌 국회의 구성: 제헌 국회 의원은 198석 가운데 무소속이 85석, 이승만 계열의 대한 독립 촉성 국민회가 54석, 한국 민주당이 29석을 차지하였다.

(4) 헌법 제정(1948. 7. 17.): 국호를 **대한민국**으로 결정하고, 임시 정부의 법통을 계승한 **민주 공화국 체제의 헌법을 제정**하였다. 정부 조직은 **대통령 중심제**로 하되, 대통령과 부통령을 국회에서 무기명으로 선출하도록 하는 **내각 책임제** 요소를 담고 있었다.

(5) 제헌 국회의 활동: 친일 민족 반역자를 처벌하기 위한 반민족 행위자 처벌법(1948)과 농지 개혁법(1949)을 제정하였다.

2. 대한민국 정부의 수립

(1) 정부 수립: 7월 20일 **제헌 국회의 간접 선거**를 통해 **대통령에 이승만, 부통령에 이시영이 당선**되었다. 이승만 대통령은 내각❸을 구성하고 1948년 8월 15일에 대한민국의 수립을 국내외에 선포하였다.

(2) 유엔 총회 승인: 1948년 12월에 파리에서 개최된 유엔 총회는 48대 6이라는 압도적 지지로 대한민국이 한반도에서 유일한 합법 정부임을 공인하였다.

심화사료 百出

2020. 국가직 7급, 2019. 경찰 2차, 2011. 지방직 9급

대한민국 헌법(제헌 헌법) 전문(前文)

유구한 역사와 전통에 빛나는 우리들 대한 국민은 **기미 3·1 운동으로 대한민국을 건립하여 세계에 선포한 위대한 독립 정신을 계승**하여 이제 민주 독립 국가를 재건함에 있어서 정의·인도와 동포애로써 민족의 단결을 공고히 하여 모든 사회적 폐습을 타파하고 민주주의 제제도(諸制度)를 수립하여 정치·경제·문화의 모든 영역에 있어서 각인의 기회를 균등히 하고 능력을 최고도로 발휘하게 하며 각인의 책임과 의무를 완수하게 하여 안으로는 국민 생활의 균등한 향상을 기하고 밖으로는 항구적인 국제 평화의 유지에 노력하여 우리들과 우리들의 자손의 안전과 자유와 행복을 영원히 확보할 것을 결의하고 우리들의 정당하게 또 자유로이 선거된 대표로서 구성된 국회에서 단기 4281년 7월 12일 이 헌법을 제정한다. – 대한민국 국회 의장 이승만

제3차 유엔 총회 결의문(1948. 12.)

유엔 한국 임시 위원단이 총선거 감시와 협의를 할 수 있었던 남한 지역에서 효과적인 통제력 및 사법권을 보유한 합법 정부가 수립되었으며 …… **이 정부는 선거가 가능하였던 한반도 내에서 유일한 합법 정부임을 승인한다.**

解法 도움닫기 제헌 헌법의 주요 내용

제헌 헌법은 전문에서 **대한민국이 3·1 운동을 계기로 수립된 대한민국 임시 정부의 법통을 계승**하였다고 명시했다. 또한 정치 체제는 국민 주권 원칙에 따른 **민주 공화국**이고, **모든 권력이 국민으로부터 나온다**는 점을 분명히 하고 있다. **농지는 농민에게 분배하며 그 분배의 방법·소유의 한도·소유권의 내용과 한계는 법률로써 정한다**고 명시하고 있으며, **1945년 8월 15일 이전의 악질적인 반민족 행위를 처벌하는 특별법을 제정**할 수 있다고 규정하여 친일파를 처단하고자 하였다.

3. 친일파 청산

(1) 배경: 광복 직후 **친일파를 처벌하자는 여론**이 거세게 일어났으나, **미군정은 친일 관료와 경찰들을 그대로 고용하면서 이를 외면**하였다. 친일파 청산 문제는 대한민국 정부 수립 이후로 넘어가게 되었다.

(2) 친일파 청산

① **반민족 행위 처벌법 제정(1948. 9.)**: 제헌 국회는 '반민족 행위 처벌법 기초 특별 위원회'를 구성하고 특별법 제정에 착수하여 '반민족 행위 처벌법(반민법)'을 제정하였다.

② **반민특위 구성**: 반민법 제정 이후 **국회 의원 10명**으로 구성된 **'반민족 행위 특별 조사 위원회(반민특위)'**를 설치하였다. 또한 특별 재판부(단심)와 특별 검찰부도 설치되었다.

③ **활동**: 친일 경찰이자 독립운동가 고문으로 악명이 높던 **노덕술**, 친일 기업인(화신 백화점) 박흥식, 한때 민족 지도자로 존경을 받았으나 친일 행위를 하였던 **이광수·최남선·최린** 등을 체포하였다.

반민특위에게 검거되어 법정으로 끌려가는 친일파들(김연수, 최린)

고등사료 百出

2022. 지방직 9급, 2017. 지방직 9급, 2010. 국가직 9급

반민족 행위 처벌법

제1조 **일본 정부와 통모하여 한·일 합병에 적극 협력한 자, 한국의 주권을 침해하는 조약 또는 문서에 조인한 자와 모의한 자**는 사형 또는 무기 징역에 처하고, 그 재산과 유산의 전부 혹은 2분의 1 이상을 몰수한다.

제2조 **일본 정부로부터 작위를 받은 자** 또는 일본 제국 의회의 의원이 되었던 자는 무기 또는 5년 이상의 징역에 처하고 그 재산과 유산의 전부 혹은 2분의 1 이상을 몰수한다.

제3조 **일본 치하 독립운동자나 그 가족을 악의로 살상·박해한 자 또는 이를 지휘한 자**는 사형, 무기 또는 5년 이상의 징역에 처하고 그 재산의 전부 혹은 일부를 몰수한다.

제5조 일본 치하에 고등관 3등급 이상 훈(勳) 5등 이상을 받은 **관공리 또는 헌병, 헌병보, 고등 경찰의 직위에 있던 자**는 본 법의 공소시효 경과 전에는 공무원에 임명될 수 없다. **단, 기술관은 제외한다.**

(3) **반민특위의 해산**: 반민특위의 활동이 활발해지자 이에 대한 비난과 방해가 시작되었다.

① **정부의 비협조**: 이승만 정부는 **친일파 처단에 소극적**이었다. **반민특위의 활동을 견제했**으며 반공 집회, 국민 보도 연맹 결성 등 반공 노선을 강화하였다.

㉠ **국회 프락치 사건**❶(1949. 5.): 이승만 정부는 반민특위 소속의 국회 의원 중 일부를 공산당과 내통했다는 구실로 구속하였다.

㉡ **반민특위 습격 사건**(1949. 6.): 국내 혼란을 야기했다는 이유로 친일 경찰들이 반민특위 사무실을 습격하여 직원들을 연행하였다.

② **반민특위 와해**: 반민족 행위자 처벌법이 개정되어 공소 시효를 줄이고 반민족 행위자의 범위도 크게 축소되어 반민특위의 활동은 유명무실하게 되었다. **1949년 8월 31일로 공소 시효가 만료됨에 따라 해체되었다.**

③ **결과**: 반민특위에서 조사받던 대부분의 사람들은 풀려났으며, 특별 재판에 넘겨진 사람들마저 집행 유예로 풀려나 **실제로 처벌을 받은 민족 반역자는 없었다.**❷ 이리하여 친일파 처단이라는 민족적 과제는 제대로 처리되지 못한 채 좌절되고 말았다.

❶ **국회 프락치 사건**
김약수 국회부의장과 노일환 등 일부 국회 의원들은 외국 군대의 철수와 국가 보안법 반대, 남북 통일 협상 촉구 등을 주장하였다. 이들은 남조선 노동당의 지령을 받아 프락치(끄나풀) 역할을 했다는 혐의로 구속되었다. 6·25 전쟁 때 사건에 연루된 대다수 의원들이 월북함으로써 사건의 전모는 베일에 가려졌다.

❷ **친일파 청산 실패**
반민특위에서는 조사 대상 682명 중 221명을 기소하고 그 중 12명이 실형을 선고받았으나, 집행 유예 등으로 모두 풀려났다.

4. 반공 정책: 정부는 국내 질서 확립을 명분으로 각종 반공 정책을 실시하였다.

(1) **국가 보안법 제정(1948)**: 국가의 안전과 국민의 생존 및 자유를 확보한다는 명분으로 국가 보안법을 제정하였다. 이를 통해 좌익 세력의 활동을 근본적으로 차단하고자 하였다.

(2) **국민 보도 연맹(1949)**❸: 좌익 활동을 하던 사람들을 전향시켜 만든 반공 단체이다. 실제 좌익 활동을 한 사람들도 있었지만, 머릿수를 채우려는 행정 기관의 강요로 일반인들이 가입하는 경우도 많았다.

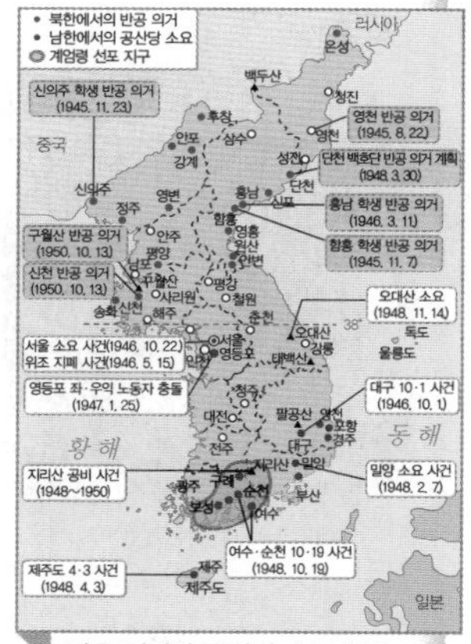

반공 의거와 공산당 소요 사건

❸ **국민 보도 연맹 사건**
6·25 전쟁이 발발하자 정부와 경찰은 후퇴하는 과정에서 이들이 북한 인민군에 협조할 우려가 있다고 하여 집단 학살하였다.

5. 경제 재건

(1) **배경**: 8·15 광복 후 남한은 물가 폭등, 국외 동포의 귀환, 북한의 송전 중단, 미군정의 미숙한 경제 정책 등으로 경제적 어려움을 겪었다.

(2) **경제 정책**: 미군정으로부터 넘겨받은 귀속 재산에 대한 처리를 시작하고, **유상 매수·유상 분배**를 내용으로 하는 **농지 개혁법**을 제정하였다(1949).

05 북한 정권의 수립

1. 해방 직후 북한의 정세

해방 직후 평양에서 조만식[4]을 중심으로 평안남도 건국 준비 위원회가 결성되고, 북한 각 지역에 인민 위원회가 조직되었다. 소련은 처음엔 이를 통치에 이용(행정권 이양하여 자치 인정)했으나, 점차 우익 세력들을 배제하고 김일성 등을 후원하였다.

2. 북조선 임시 인민 위원회(1946. 2.)

김일성을 위원장, 김두봉을 부위원장으로 하는 **북조선 임시 인민 위원회**가 수립되어 사실상의 정부 역할을 하였다. 1946년 3월부터 **무상 몰수·무상 분배**의 방식으로 **토지 개혁**을 실시했으며, 남녀 평등법과 주요 산업 국유화법을 제정하였다.

3. 단독 정부 수립 준비

1946년 3월 북조선 노동당을 창당하고, 1947년 2월 북조선 임시 인민 위원회를 북조선 인민 위원회로 개편하였다. 이어 1948년 2월 군대(조선 인민군)를 창설하였다.

4. 조선 민주주의 인민 공화국(1948. 9. 9.)

대한민국 정부의 수립 직후, 북한은 최고 인민 회의 대의원을 선출하는 선거[5]를 실시(1948. 8. 25.)하였다. 최고 인민 회의는 헌법을 만들고, **김일성과 박헌영을 수상·부수상으로 선출**하였다. 이에 따라 9월 9일에 **조선 민주주의 인민 공화국**이 수립되었다. 다음해 김일성을 위원장으로 하는 조선 노동당이 창당되었다.

❹ 조만식
일제 강점기에 물산 장려 운동을 주도하였고, 민립 대학 설립 운동과 신간회 활동에도 참여하였다. 1945년 11월 북한에서 조선 민주당을 창당하였고 이를 기반으로 반탁 운동을 전개하다가 소련에 의해 제거되었다.

❺ 최고 인민 회의 대의원 선거
북한은 표면상 남한의 단독 정부 수립을 비판하며 남북 협상에 참여하였다. 그러나 남한에 대한민국 정부가 세워지자 곧바로 최고 인민 회의(남한의 국회에 해당)를 구성할 대의원 선거를 실시하였다.

북한 정권 수립

대표 기출문제

밑줄 친 '이 회의' 이후에 있었던 사실로 옳지 않은 것은? 2024. 국가직 9급

> 미국, 영국, 소련 3국의 외무 장관이 모인 <u>이 회의</u>에서는 한국의 민주주의적 임시 정부 수립과 이를 위한 미·소 공동 위원회의 설치, 최대 5년간의 신탁 통치 방안 등이 결정되었다.

① 5·10 총선거가 실시되었다.
② 좌우 합작 7원칙이 발표되었다.
③ 조선 건국 준비 위원회가 결성되었다.
④ 반민족 행위 특별 조사 위원회가 구성되었다.

해설
제시된 자료는 1945년 12월 모스크바 3국 외상 회의에서 결정된 내용을 서술한 것이다. ③ 1945년 8월 여운형, 안재홍 등이 중심이 되어 조선 건국 준비 위원회가 결성되었다.
① 1948년 5월의 일이다. ② 1946년 10월의 일이다. ④ 1948년 9월 반민족 행위 처벌법 제정 이후 국회의원 10명으로 구성된 '반민족 행위 특별 조사 위원회(반민특위)'를 설치하였다.

정답 ③

6·25 전쟁

구 분		2008~2017	2018	2019	2020	2021	2022	2023	2024
9급	국가직	6·25 전쟁							
	지방직							6·25 전쟁	
	법원직							한·미 상호 방위 조약	

6·25 전쟁의 전개 과정

배 경	중국 공산화(1949. 10.) 미국의 극동 방위선에서 한반도를 제외(애치슨 라인: 1950. 1.)
경 과	1. 북한군 남침(1950. 6. 25.) ⇨ 낙동강 저지선까지 후퇴 ㉠ ⇨ ㉡ 2. 유엔군 참전(1950. 7.): 인천 상륙 작전(1950. 9. 15.), 압록강 진격(1950. 10. 26.) ㉡ ⇨ ㉢ 3. 중국군 참전(1950. 10. 25.): 국제전의 양상을 띰, 흥남 철수(1950. 12.) ㉢ ⇨ ㉣ 4. 휴전 협상 시작(1951. 7.): 휴전 협정 체결(1953. 7. 27.), 한 · 미 상호 방위 조약 체결(1953. 10.)

휴전 회담

구 분	유엔군 주장	공산군 주장
휴전 방식	선 휴전, 후 협상	선 협상, 후 휴전
군사 분계선	현재의 군사 대치선 (38도선 보다 북쪽)	38도선의 원상회복
포로 송환	개별 자원 송환(자유 송환)	전원 자동 송환(강제 송환)

6·25 전쟁의 결과

정 치	분단의 고착화 ⇨ 남북 간의 적대 감정 심화, 남북 무력 대결 상태 지속 ⇨ **남북 모두 독재 체제 강화**(남한의 이승만 정부는 반공주의를 내세워 야당 탄압, 북한의 김일성은 반대파 제거)
경 제	남북한 모두 엄청난 인적 · 물적 피해 ⇨ 미망인 · 전쟁 고아 · 이산가족 발생, 생산 시설 파괴 등
사 회	인구 이동(월남민 증가, 농촌 인구의 도시 이동) ⇨ 전통적인 공동체 의식 약화, 개인주의 확산
문 화	서구 문화의 무분별한 수입(⇨ 전통 문화 경시 풍조), 전통적 가치 규범 동요

01 6·25 전쟁의 발발

1. 배경

(1) 국외의 상황

① **중국**: 공산당이 국·공 내전에서 승리하여 **중화 인민 공화국이 수립**되었다(1949. 10.).

② **미국**: 미국 국무장관 **애치슨**은 미국의 태평양 지역 방위선에서 **한국과 타이완을 제외**한다는 **애치슨 선언**을 발표하였다(1950. 1.). 대신 한국의 요청으로 한·미 상호 방위 원조 협정❶을 맺었다.

고등사료 百出

애치슨 선언

미국의 극동에 있어서의 '방위선(defensive perimeter)'은 알류산(Aleutian) 열도로부터 일본, 오키나와를 거쳐 필리핀을 통과한다. 방위선 밖의 국가가 제3국의 침략을 받는다면, 침략을 받은 국가는 그 국가 자체의 방위력과 국제 연합 헌장의 발동으로 침략에 대항해야 한다.

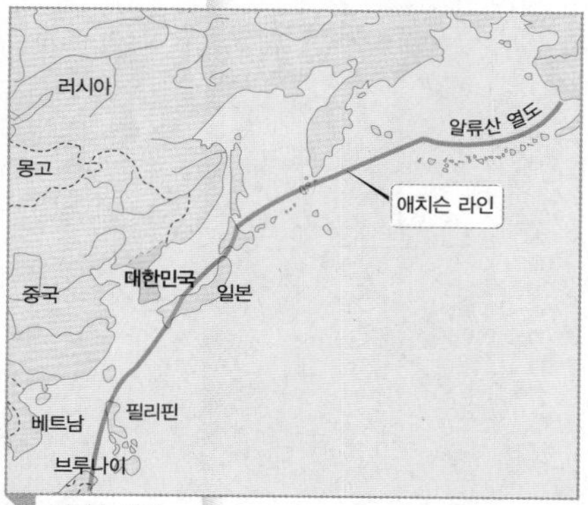

애치슨 라인

(2) **한반도**: 1948년 말부터 한반도에 주둔하고 있던 **미·소 양군이 철수**하기 시작하였다.

① **북한**: 북한은 소련의 지원을 받아 남침(남한의 공산화❷)을 준비하였다. 중국 국·공 내전에 참전했던 조선 의용군을 북한의 인민군에 편입시켜 전력을 강화하였다.

② **남한**: 치안 유지와 국방력 강화를 위해 조선 경비대를 모체로 **국군을 창설**하였다. 한편 38도선 부근에서는 북한과 소규모의 무력 충돌이 자주 일어났으며, 일부 좌익 세력들은 지리산으로 들어가 무장 활동❸을 펼쳤다.

2. 북한군의 남침

북한은 **1950년 6월 25일 새벽 38도선 전역에서 기습 남침**을 감행하였다. **3일 만에 서울이 함락**되고, 정부는 대전·대구를 거쳐 부산으로 피난하였다. 북한군의 계속된 남진으로 **국군은 8월에 낙동강 전선까지 후퇴**하였다. 9월 초 북한군은 경상도 일부와 제주도를 제외한 대부분의 지역을 점령하였다.

3. 유엔군 참전❹과 전세 역전

(1) **유엔군 편성**: 6·25 전쟁이 일어나자 미국은 긴급 소집된 **유엔 안전 보장 이사회에서 북한을 침략자로 규정**하고, **대한민국에 군사 지원을 결의**하였다. 이에 미국을 비롯한 16개국이 **유엔군**을 편성하고, **맥아더 장군**을 사령관으로 하였다.

(2) **전세 역전**: 국군과 유엔군은 낙동강 방어선을 마지막 방어선으로 삼고 반격을 시도하였다. **9월 15일 인천 상륙 작전에 성공**하고, **9월 28일 수도 서울을 수복**하였다. 전세를 역전시킨 국군과 유엔군은 38도선을 넘어 북진을 계속하여 **10월 19일에 평양을 탈환**하고 이후 **압록강까지 진격**하였다.

❶ **한·미 상호 방위 원조 협정**
1950년 1월에 체결된 군사 원조에 관한 협정이다. 미국은 이를 통해 한국을 지원하고, 중국·소련의 세력 확장을 저지하고자 하였다.

북한의 전쟁 준비
1948. 2. 인민군 창설
1950. 3~4. 스탈린, 북한의 남침 동의
1950. 5. 마오쩌둥, 미국 참전 시 중국군 파병 언급

❷ **남한의 공산화 추진**
공산 혁명에 더 유리한 조건을 가지고 있는 북한에서 먼저 혁명을 한 뒤에 남한을 해방시켜 통일하겠다는 것이다.

❸ **남조선 노동당의 무장 투쟁(빨치산)**
북한은 훈련된 요원들을 파견하여 이들을 지원하였다. 국군은 1949년 9월부터 대규모 진압 작전을 펼쳐 1950년 봄까지 이들을 대부분 소탕하였다.

❹ **유엔군 참전**
유엔군이 참전하자, 이승만 대통령은 전쟁을 효과적으로 수행하기 위해 국군의 작전 지휘권을 유엔군 사령관에게 넘겼다.

심화사료 百出 2020. 국가직 7급

유엔 안전 보장 이사회, 대한민국에 군사 지원 결의

안전 보장 이사회는 …… 북한군의 대한민국에 대한 무력 공격이 평화 파괴를 조성한다고 단정하였다. 이 지역에서 그 무력 공격을 격퇴하고 국제적 평화와 안전을 회복시키기 위하여 필요한 원조를 대한민국에 제공하도록 국제 연합 제 회원국에게 권고하였다.

– 유엔 안보리 결의 제 83호, 1950. 6. 27.

❶ 맥아더의 해임

중공군이 개입하자 맥아더 장군은 만주를 폭격할 계획을 세웠다. 전쟁의 확대를 우려한 미국 대통령 트루먼은 1951년 4월 맥아더 장군을 유엔군 총사령관직에서 해임하였다.

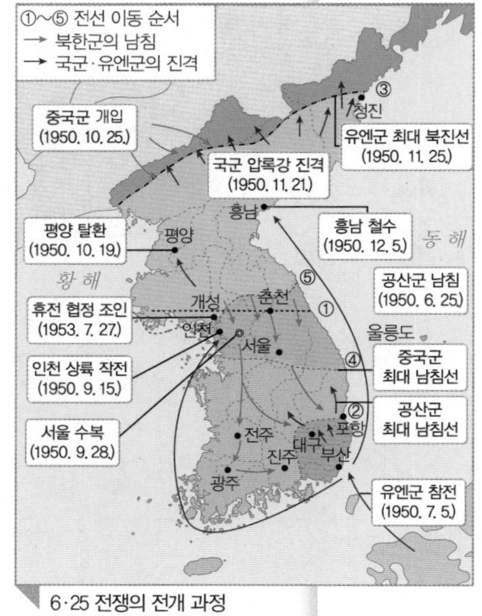

6·25 전쟁의 전개 과정

4. 중국군 개입❶

(1) **중국의 참전**: 1950년 10월 국군과 유엔군이 압록강까지 도달하자, 유엔군의 만주 진격을 우려한 중국이 참전하였다. 비밀리에 압록강을 건넌 중국군은 10월 말부터 전투에 참가하여 즉시 남하하였다.

(2) **후퇴**: **중국군의 인해 전술에 밀린 국군과 유엔군은 후퇴**하였다. 1950년 12월 군 수송선과 민간 선박까지 동원된 **흥남 철수 작전**을 통해 북한 주민을 포함한 약 10만 명의 피난민을 수송하였다. 국군과 유엔군의 후퇴로 **1951년 1월 4일 서울은 다시 북한군의 수중**에 넘어갔다(1·4 후퇴).

5. 전선의 교착

평택·오산 지방까지 후퇴한 국군과 유엔군은 다시 총공세를 단행하여 70여 일 만에 서울을 재탈환하였다. 이후 국군과 유엔군은 38도선 일대까지 진격했지만, 전선은 38도선 부근에서 교착 상태에 빠졌다.

02 휴전과 전후 복구

1. 휴전 협정의 체결

(1) **휴전 회담 시작(1951. 7.)**: 전선이 교착 상태에 빠지자 **소련은 유엔을 통하여 휴전(정전)을 제의**하였다. 이에 따라 유엔군과 북한군, 중국군 사이에 휴전 회담이 개최되었다.

(2) **휴전 반대 운동**: 이승만 정부는 민족 분단을 우려하여 **휴전 반대**와 **북진 통일**을 주장했으며, 국민들도 이에 적극적으로 호응하였다.

(3) 휴전 회담의 진행

① **주요 쟁점**: 휴전 회담의 주요 쟁점은 **군사 경계선 설정, 포로 송환** 등이었다. 서로 이견을 좁히지 못한 채 2년여 동안 계속되었다.

㉠ **유엔군 측**: 38도선보다 훨씬 북쪽(현 대치선)에 군사 분계선을 설정하고 전쟁 포로를 **자유 송환**할 것을 주장하였다.

㉡ **북한 측**: 38도선에 군사 분계선을 설정하고 전쟁 포로는 제네바 협정에 따라 **강제 송환**할 것을 주장하였다.

② **반공 포로 석방❷**: 이승만은 휴전 반대 의사를 표현하기 위해 외교적인 관례를 무시하고 **1953년 6월 반공 성향의 인민군 포로를 전격적으로 석방**하였다.

❷ 반공 포로 석방

1953년 6월 18일 이승만은 휴전 협정 체결에 반발하여 거제도를 비롯한 포로수용소의 반공 포로들을 전격 석방하였다.

(4) **휴전 협정**[3](1953. 7. 27.): 판문점에서 유엔군 총사령관 클라크와 북한군 최고 사령관 김일성, 중공군 사령관 팽덕회가 협정서에 서명하였다. 휴전선 확정, 비무장 지대 설치, 군사 정전 위원회[4]와 중립국 감시 위원단 설치, 포로 교환(포로의 자유의사를 존중) 등에 합의하였다.

(5) **한국 정부의 입장**: 한국 정부는 미국[5]과 한·미 상호 방위 조약을 체결하기로 하고 휴전 협정을 준수하겠다는 입장을 밝혔다.

고등사료 百出

2017. 국가직 7급(하), 2015. 국가직 7급, 2015. 사회복지직 9급, 2011. 지방직 9급

6·25 전쟁 휴전 협정서의 내용(일부)

1. 한 개의 비무장 지대를 설정하여 이를 완충 지대로 함으로써 적대 행위의 재발을 초래할 수 있는 사건의 발생을 방지한다.
2. 전투 행위를 정지한다는 전제 아래 양측 군대 사이에 비무장 지대를 설치하고자 군사 분계선을 정하는 일
5. 외국 군대의 철수와 한반도 문제의 평화적 해결에 관해서 쌍방 관련 국가의 정부에 권고하는 일

휴전 조인에 대해 이승만이 발표한 담화문

이제 정전이 조인되었음에 나는 정전의 결과에 대한 나의 그동안 판단이 옳지 않았던 것이 되기를 바란다. 한국의 해방과 통일 문제를 평화리에 해결하고 있는 동안 우리는 휴전을 방해하지 않을 것이다. …… 당분간 공산 압제 하에서 계속 고생하지 않으면 안되게 되는 우리들의 동포들에게 우리는 다음과 같이 외친다. "동포여 희망을 잃지 마시오. 우리들은 여러분을 잊지 않을 것이며 모른 체하지도 않을 것입니다. ……"

– 1953년 7월 27일

(6) **한·미 상호 방위 조약**(1953. 10.): 휴전에 반대하는 **이승만 정부를 설득**하기 위해 미국이 준비한 것으로, **휴전 협정 이후에 체결**되었다. **미군이 한국에 계속 주둔할 것**과 함께 미국이 군사 전략상 필요하다고 판단되는 지역에 군사 기지 설치, **한국군의 작전 지휘권을 유엔군 사령부에 양도**, 유효 기간 없음 등을 내용으로 하고 있다.

2. 6·25 전쟁의 영향

(1) **정치적인 측면**: 전쟁 뒤 남한의 이승만 정부는 **반공 체제**의 강화를 이용하여 **독재 정권을 유지**하였다. 북한에서도 **김일성 독재 체제가 형성**되었다. 이로써 **분단은 더욱 고착화**되었다.

(2) **경제적인 측면**: 산업 시설·주택·학교·도로 등이 거의 파괴되었다. 그러나 전후 복구 사업이 활발히 진행되었고, 미국 등 우방이 이를 지원하였다.

(3) **사회·문화적인 측면**: 전쟁으로 인한 인구 이동으로 지방의 전통 문화가 무너졌으며, 촌락 공동체 의식의 약화 등이 나타났다. 한편 전쟁을 계기로 서구 문화가 무분별하게 우리 사회에 유입되었다.

대표 기출문제

연표의 (가), (나) 시기에 있었던 사실로 옳은 것은?

2015. 국가직 9급

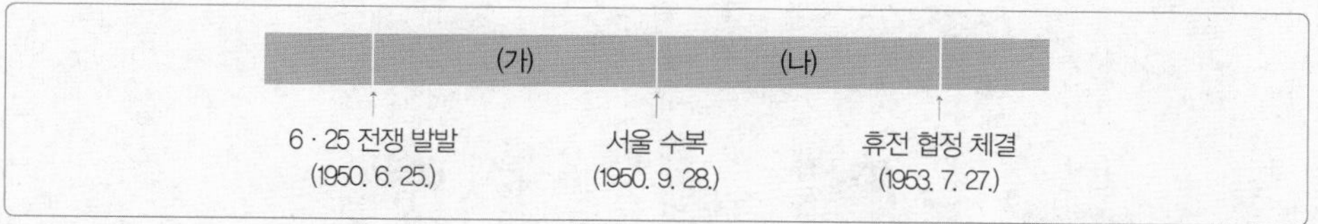

① (가) – 인천 상륙 작전이 실시되었다.
② (가) – 중국군의 참전으로 인해 한국군은 서울에서 후퇴하게 되었다.
③ (나) – 애치슨 선언이 발표되었다.
④ (나) – 유엔 안전 보장 이사회에서 유엔군 파병이 결정되었다.

❸ 휴전 협정
한국은 전쟁 초기에 작전 지휘권을 유엔군 사령관에게 넘겼기 때문에 휴전 협정서에 서명할 수 없었다.

❹ 군사 정전 위원회
북한 측과 유엔군은 소련을 제외한 4개 중립국(폴란드, 체코슬로바키아, 스웨덴, 스위스)으로 감시 위원회를 구성하는데 합의하였다. 이 기구는 휴전 협정의 이행을 감시하고 위반 사건을 처리하였다.

❺ 미국의 이승만 정부 설득
이승만 정부는 미국에게 한·미 상호 방위 조약의 체결과 장기간의 경제 원조, 한국군의 증강 등을 약속받고 휴전에 동의하였다.

휴전 협정 체결

폐허가 된 서울

해설
① 1950년 9월 15일에 국군과 유엔군은 인천 상륙 작전에 성공하였다. ② 중국군의 참전 이후 국군과 유엔군은 후퇴하여, 1951년 1월 4일 서울은 다시 북한군의 수중으로 넘어갔다. ③ 애치슨 선언은 1950년 1월에 발표되었다. ④ 1950년 6월 하순의 사실이다.

정답 ①

2 CHAPTER 민주주의의 시련과 발전

01강 _4·19혁명과 민주주의의 성장

❶ 이승만 정부(제1공화국, 1948~1960)
❷ 4·19 혁명
❸ 장면 내각(제2공화국)

02강 _민주화 운동과 민주주의의 발전

❶ 5·16 군사 정변과 군정의 실시
❷ 박정희 정권(제3공화국, 1963~1972)
❸ 유신 체제의 성립과 붕괴(제4공화국, 1972~1979)
❹ 신군부의 등장과 전두환 정권 성립(제5공화국, 1981~1987)
❺ 6월 민주화 항쟁과 6·29 선언
❻ 노태우 정부의 수립과 전개(제6공화국, 1988~1992)
❼ 문민정부, 김영삼 정부의 성립(제6공화국, 1993~1997)
❽ 국민의 정부, 김대중 정부의 성립(제6공화국, 1998~2002)
❾ 노무현 정부와 이명박 정부

解·法·기·출·진·맥

9급 국가직

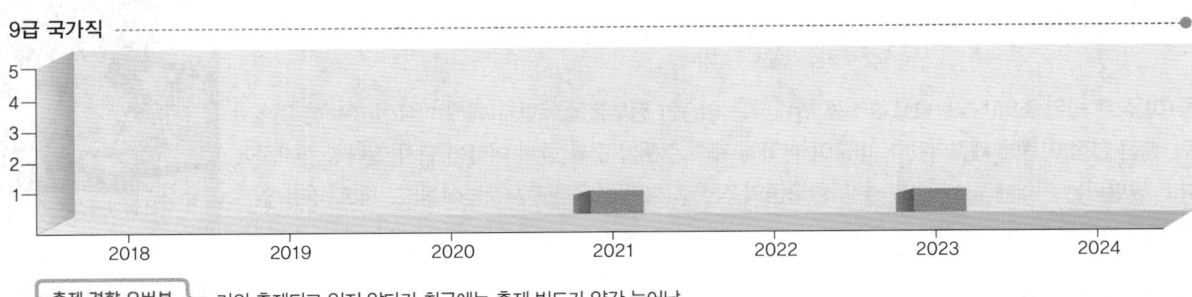

출제 경향 오버뷰 거의 출제되고 있지 않다가 최근에는 출제 빈도가 약간 늘어남.

9급 지방직

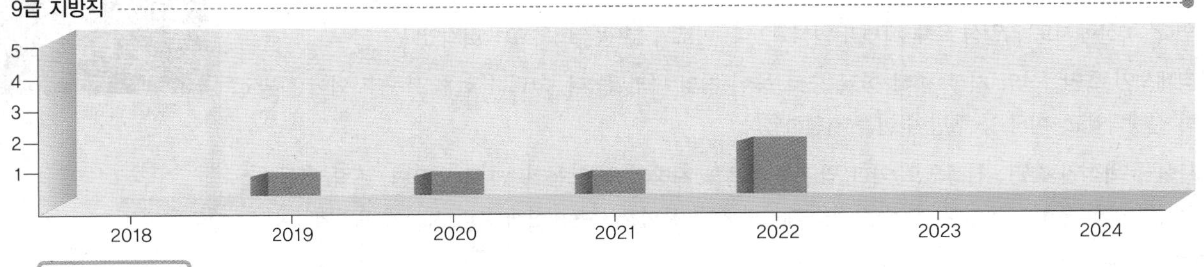

출제 경향 오버뷰 거의 매년 출제되다가 최근 2년간 출제되지 않음. 개헌 과정

9급 법원직

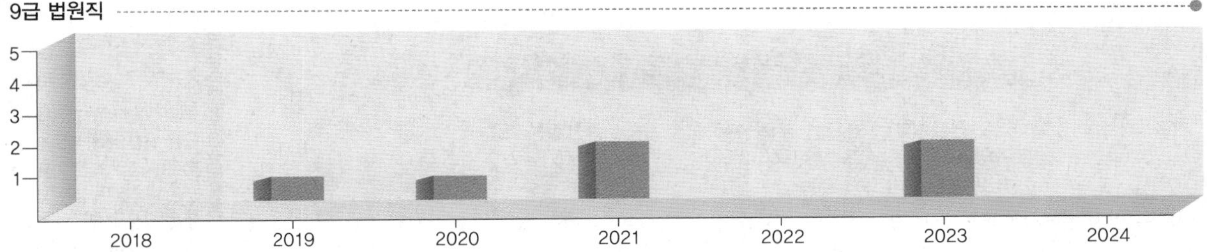

출제 경향 오버뷰 거의 2년에 1번 이상씩 출제되고 있음. 유신 헌법, 6월 민주 항쟁

4·19 혁명과 민주주의의 성장

解/法 기출분석

구 분		2008~2017	2018	2019	2020	2021	2022	2023	2024
9급	국가직	•1950년대 정치 •4·19 혁명 •대한민국 헌법							
	지방직	•4·19 혁명 •개헌 과정			3차 개헌		4·19 혁명		
	법원직	2차 개헌				이승만 정부			

10년 단위로 정리하는 현대사

시기	정부	대통령	내용
1950년대	제1공화국	이승만	개헌 과정, **4 · 19 혁명**
1960년대	제3공화국	박정희	경제 성장 & 반공
1970년대	유신 체제	박정희	통일 주체 국민 회의 · 긴급 조치
1980년대	제5공화국	전두환	강권 통치 vs 유화 정책, **87년 6月 민주화 항쟁**
1988년	제6공화국	노태우	外 북방 외교 vs 內 여소야대
1993년	문민 정부	김영삼	각종 개혁 vs 각종 사건(IMF)
1998년	국민의 정부	김대중	外 햇볕 정책 vs 內 신자유주의

제1공화국

1대~3대  이승만 정부 1948~1960	1. 대한민국 정부 수립(1948) 2. 2대 총선(1950)에서 패배(무소속↑): 친일파 청산 소홀, 농지 개혁에 소극적 3. 6 · 25 전쟁 중에 자유당 조직(1951) 4. **발췌 개헌(1차 개헌, 1952)**: 대통령 직선제 ⇨ 2대 대통령 당선 5. **사사오입 개헌(2차 개헌, 1954)**: 초대 대통령의 중임 제한 철폐 6. 3대 대선(1956): 대통령 이승만, 부통령 장면 당선 7. 독재 정치 강화: 진보당 사건(1958), 보안법 파동(1958), 경향신문 폐간(1959) 8. **3 · 15 부정 선거(1960, 4대 대선)**: 이기붕의 부통령 당선을 목표로 부정 선거 ⇨ 4 · 19 혁명 ⇨ 이승만 대통령 사임

4·19 혁명

배 경	이승만의 장기 독재, 경기 침체(미국의 원조 축소), 3 · 15 부정 선거
과 정	1차 마산 의거(경찰의 발포) ⇨ 2차 마산 의거(김주열 시신 발견, 시위 전국 확산) ⇨ 4월 19일 **서울 대규모 시위**(경찰 무차별 발포) ⇨ 계엄령 선포 ⇨ **대학 교수들의 시국 선언**(4. 25.) ⇨ 이승만 대통령 사임(4. 26.) ⇨ 허정 과도 정부 수립
의 의	• 학생과 시민이 중심이 되어 **독재 정권을 무너뜨린 민주주의 혁명**(아시아 최초) • 민주주의 발전의 밑바탕, 통일 운동의 활성화 계기

제2공화국

장면 내각 1960~1961	• **제3차 개헌(1960)**: 허정 과도 정부에서 개헌 추진(내각 책임제, 양원제) ⇨ 총선에서 민주당 압승, 대통령 윤보선 · 국무총리 장면(장면 내각 성립) • **민주화 · 통일 운동 ↑**: 소극적, 부정적 대처 • 경제 개발 5개년 계획 마련 ⇨ 5 · 16 군사 정변(1961)으로 붕괴

01 이승만 정부(제1공화국, 1948~1960)

1. 발췌 개헌과 사사오입 개헌

(1) 배경

1950년 5월 2대 국회 의원 선거[1]에서 **정부에 비판적인 무소속 후보가 대거 당선**되었다. 게다가 6·25 전쟁 중 발생한 국민 방위군 사건[2]과 거창 양민 학살 사건[3]의 영향으로 정부에 대한 여론이 악화되었다. 이승만 정부는 국회 간선제로는 재선이 어렵다고 판단하고, 개헌을 준비하였다.

(2) 독재 기반의 구축

① **자유당[4] 조직**: 이승만은 임시 수도인 부산에서 **자유당을 창당**(1951. 12.)하였다.

② **발췌 개헌**(제1차 개헌, 1952. 7.)

이승만은 피난 수도 부산에서 개헌안에 반대하는 야당 의원들을 체포하였다(부산 정치 파동[5]). 이어서 **대통령 직선제와 국회 양원제(민의원, 참의원)**[6]를 골자로 하는 발췌 개헌을 거수 기립 표결의 방식으로 통과시켰다.

③ **2대 대통령 당선**: 1952년 8월 이승만은 **직선제 선거**를 통해 대통령에 다시 당선되었다.

심화사료 百出

발췌 개헌(1952)

제31조 입법권은 국회가 행한다. **국회는 민의원과 참의원으로써 구성**한다.
제53조 **대통령과 부통령은 국민의 보통, 평등, 직접, 비밀 투표에 의하여 각각 선거**한다.
부 칙 이 헌법은 공포한 날로부터 시행한다. 단, 참의원에 관한 규정과 참의원의 존재를 전제로 한 규정은 참의원이 구성된 날로부터 시행한다.

발췌 개헌 거수 기립 표결 사진

④ **자유당의 득세**: 1954년 제3대 총선에서 자유당은 관권의 개입으로 압승하고 야당은 참패하였다.

⑤ **사사오입 개헌**(제2차 개헌, 1954. 11.)

자유당은 **이승만의 장기 집권**을 위해 '**초대 대통령에 한해 중임 제한을 철폐한다.**'는 내용의 헌법 개정안을 국회에 제출했다. 개헌안은 정족수 1명이 모자라 부결됐으나, 이틀 후 자유당은 **사사오입 논리**[7]를 내세워 개헌안 통과를 선포하였다.

심화사료 百出 2021. 법원직 9급, 2020. 경찰 1차, 2011. 지방직 9급

사사오입 개헌(1954)

제55조 대통령과 부통령의 임기는 4년으로 한다. 단, 재선에 의하여 1차 중임할 수 있다. 대통령이 궐위(직위가 비는 경우, 대통령 유고)된 때에는 부통령이 대통령이 되고 잔임 기간 중 재임한다.
부 칙[8] **이 헌법 공포 당시의 대통령에 대하여는 제55조 단서의 제한을 적용하지 아니한다.**

---

❶ 2대 국회 의원 선거
1대 총선 때 참여하지 않았던 남북 협상파들이 대거 무소속으로 출마하여 이승만 정권은 210석 가운데 30석 밖에 차지하지 못하였다.

❷ 국민 방위군 사건(1951. 1.~4.)
1·4 후퇴 시기 국민 방위군의 지휘관들이 군사 물자와 군량미 등을 빼돌리는 바람에 다수의 국민 방위군들이 추위와 굶주림으로 사망하였다.

❸ 거창 양민 학살 사건(1951. 2.)
1·4 후퇴 당시 국군이 공비와의 내통을 이유로 양민들을 무차별 학살하였다.

❹ 자유당
1951년 12월 이승만 정부가 국민회, 민족 청년단(이범석), 대한 청년단 등의 사회단체들을 동원하여 조직한 정당이다.

❺ 부산 정치 파동(1952. 5. 25.)
이승만은 국무총리 장면을 해임하고, 부산 일대에 계엄령을 선포하였다.

❻ 국회 양원제
개정된 헌법에 따르면 참의원 선거도 실시하도록 하였다. 그러나 실제로 실시하지는 않아 양원제 국회가 수립되지 않았다.

❼ 사사오입 논리
개헌안이 통과되기 위해서는 재적 인원 203명의 3분의 2인 136명 이상이 찬성해야 했다. 투표 결과 135명이 찬성하였고 개헌안은 부결되었다. 그러나 자유당은 203명의 3분의 2는 135.333…명이므로, 사사오입하면 135명이 개헌 정족수라고 주장하며 개헌안을 통과시켰다.

❽ 사사오입 개헌안
개헌안 부칙의 예외 규정을 통해 이승만 대통령의 연임이 가능하도록 하였다.

2. 이승만 정권의 독재 체제 강화

(1) **민주당 창당**: 이승만의 장기 집권을 반대하는 정치인들은 **민주당**을 결성하여 대항하였다.

(2) **이승만의 3선 성공**: 민주당 후보인 신익희가 돌연 사망하면서 1956년 5월에 실시된 **제3대 정·부통령** 선거에서 자유당의 **이승만이 대통령으로 당선**되었다. 그러나 **부통령**에는 **민주당의 장면**이 자유당의 이기붕 후보를 누르고 당선되었다.

(3) **진보당 사건(1958)**: 제3대 정·부통령 선거에서 평화 통일 등 혁신을 주장한 조봉암이 무소속 후보로 출마하였다. 그는 낙선했지만 30% 이상의 유효 득표를 하며 강력한 경쟁자로 등장하였다. 이에 **이승만 정부는 조봉암을 비롯한 진보당 간부에게 간첩 혐의를 씌워 구속**하였고, 이후 조봉암은 사형시켰다.

제3대 대통령 선거 운동
제3대 정·부통령 선거에서 민주당은 "못살겠다. 갈아보자!"라는 구호를 내세웠다.

9급 위 한국사

조봉암

조봉암은 8·15 광복 후 제헌 국회와 제2대 국회 의원 선거에 당선되었으며, 이승만 정부에서 초대 농림부 장관이 되어 농지 개혁을 추진하였다. 1956년 대통령 선거 때 대통령 후보로 출마한 조봉암은 평화 통일, 수탈없는 경제 체제 확립 등을 주장하여 큰 호응을 얻었다.

진보당 사건

진보당은 1956년 조봉암 등이 결성한 혁신계 정당이다. 1958년 이승만 정부는 간첩죄와 국가 보안법 위반 등을 내세워 평화 통일론을 주장한 조봉암과 진보당 간부들을 탄압하였다. 이를 계기로 평화 통일론 등 통일 정책에 대한 공개적인 논의가 금지되었다.

(4) **보안법 파동·언론 탄압**: 1958년 12월 이승만 정부는 **언론 규제**를 골자로 하는 국가 보안법 개정안[1]을 통과시켰다(보안법 파동). 또한, 정부에 비판적이었던 **『경향신문』을 폐간**(1959. 4.)하였다.

(5) 3·15 부정 선거[2](1960)

① **배경**: 제4대 정·부통령 선거 운동 중에 민주당 후보인 조병옥이 갑자기 병사하면서 이승만의 당선이 확실시되자, 자유당은 **이기붕을 부통령으로 당선시키기 위해 부정 선거를 추진**하였다.

② **3·15 부정 선거**: 자유당은 경찰·공무원 등을 총동원하여 4할 사전 투표, 3인·5인·9인조 공개 투표, 대리 투표, 투표함 바꿔치기 등의 부정을 저질렀다. 그 결과 대통령에 이승만이, 부통령에 이기붕이 당선되었다.

[1] **국가 보안법 개정안**
- 보안법 적용 대상의 확대
- 허위 사실을 발설하거나 유포한 자는 5년 이하의 징역에 처함.
- 대통령, 국회 의장, 대법원장을 비난한 자는 10년 이하 징역에 처함.

[2] **3·15 부정 선거**
당시 이승만은 86세라는 고령이었다. 대통령에게 건강상의 문제가 생겨 국정 운영이 어려운 경우 부통령이 대통령직을 승계하기 때문에, 이승만과 자유당(여당)은 부통령으로 이기붕을 당선시키는데 전력을 다했다.

고등사료 百出 2015. 서울시 9급

민주당에서 폭로한 3·15 부정 선거 지시 비밀 지령(일부)

1. 4할 사전 투표: 총 유권자의 40%에 해당하는 표를 자유당 후보에게 기표하여 투표 당일 투표함에 미리 넣어 놓는다.
2. 3인조 또는 5인조 공개 투표: 나머지 60%의 유권자는 3인, 5인, 9인조로 묶어 매수 혹은 위협을 통해 자유당 후보에게 투표하도록 한다.
3. 완장 부대 활용: 투표소 부근에 여당 완장을 착용한 완장 부대를 배치하여 야당 성향의 유권자를 위협한다.
4. 야당 참관인 축출: 야당 참관인은 적당한 구실을 만들어 투표소 밖으로 내쫓는다.

– 『동아일보』, 1960년 3월 4일

02 4·19 혁명

1. 4·19 혁명의 발발 원인

이승만의 독재 정치, 미국의 원조 감소에 따른 경제 침체 등에 대해 국민들의 불만이 팽배하였다. 이런 상황에서 이승만 정부는 3·15 부정 선거를 저질렀다.

김주열 열사의 죽음

2. 4·19 혁명 전개 과정

(1) **김주열 열사의 죽음**: 3·15 선거 당일 마산에서 부정 선거를 규탄하는 시위(1차 마산 의거)가 일어났다. 시위에 참여했던 **고등학생 김주열 군의 시신이 바다에서 발견**되자 시위는 더욱 격렬[3]해졌다(2차 마산 의거). 이 사건은 4·19 혁명의 도화선이 되었다.

(2) **고려대 학생 피습 사건**: 4월 18일 시위에 참여한 고려대 학생들이 정치 깡패에게 폭행을 당하였다.

(3) **시위의 확산**: 4월 19일 오전 고려대 학생 피습 사건이 신문에 보도되자, **분노한 학생과 시민들은 전국에서 대규모 시위를 전개**하였다. 시민들이 합세한 시위 군중이 대통령 집무실인 경무대로 진출하자, 경찰은 무차별 총격을 가하여 많은 사상자가 발생하였다.

(4) **계엄령 선포**: 학생과 시민들은 **부정 선거 규탄과 이승만의 퇴진**을 부르짖었다. 이승만 정부는 시위 확산을 막기 위해 계엄령을 선포하고 군대를 동원하려고 하였다.

(5) **대학 교수단의 시국 선언문 발표(1960. 4. 25.)**: 서울 시내 대학 교수들이 '시위대를 옹호하는 한편, 이승만 대통령의 하야를 요구'하는 시국 선언문을 발표하고 국회 앞까지 가두시위를 벌였다.

(6) **이승만 하야(1960. 4. 26.)**: 이승만은 "국민이 원한다면 대통령직에서 물러나겠다."라는 성명을 발표하고 하야하였다. 이후 이승만은 미국으로 망명하였다.

❸ **정부의 대응**
정부는 시위의 배후에 공산주의 세력이 개입되었다고 발표하며 상황을 무마하려 하였지만, 국민들의 반감은 더욱 고조되었다.

4·19 혁명

고등사료 百出

2022. 지방직 9급, 2019. 서울시 9급, 2017. 국가직 7급(하), 2013. 국가직 7급

서울대학교 4·19 선언문

상아의 진리탑을 박차고 거리에 나선 우리는 질풍과 같은 역사의 조류에 자신을 참여시킴으로써 이성과 진리, 그리고 자유의 대학정신을 현실의 참담한 박토에 뿌리려 하는 바이다. …… 민주주의와 민중의 공복이며, 중립적 권력체인 관료와 경찰은 민주를 위장한 가부장적 전제 권력의 하수인으로 발 벗었다. **민주주의 이념의 최저 공리인 선거권마저 권력의 마수 앞에 농단되었다.**

대학 교수단 4·25 선언문(시국 선언문)

이번 4·19 참사는 우리 학생 운동 사상 최대의 비극이요, 이 나라의 정치적 위기를 극복하기 위한 중대 사태이다. …… 우리 전국 대학 교수들은 이 비상시국에 대처하여 양심의 호소로써 우리의 소신을 선언한다.

2. **이 데모를 공산당의 조종이나 야당의 사주로 보는 것은 고의의 왜곡이며, 학생들의 정의감에 대한 모독**이다.
3. 합법적이고 평화적인 데모 학생에게 총탄과 폭력을 거리낌 없이 남용하여 참극을 빚어낸 경찰은 자유와 민주를 기본으로 한 대한민국의 국립 경찰이 아니라 불법과 폭력으로 권력을 유지하려는 일부 정부 집단의 사병이다.
5. **3·15 선거는 부정 선거이다.** 공명선거에 의하여 정·부통령을 재선거하라.

교수들의 시위

이승만 대통령의 하야 선언

나 이승만은 국회의 결의를 존중하여 대통령의 직을 사임하고 물러앉아 국민의 한 사람으로서 나의 여생을 국가와 민족을 위하여 바치고자 하는 바이다.

– 1960년 4월 26일

4·19 국립 묘지 기념탑

3. 4·19 혁명의 평가

(1) 역사적 의의: 4·19 혁명은 **학생과 시민의 힘으로 부패한 독재 정권을 무너뜨린 아시아 최초의 민주주의 혁명**이다. 이후 우리나라 민주주의 발전의 중요한 토대가 되었다.

(2) 한계: 4·19 혁명의 민주 이념은 집권 세력의 무능과 경제·사회적 기반의 취약성으로 인해 **미완의 상태로 좌절**되었다.

03 장면 내각(제2공화국)

1. 장면 내각의 출범

(1) 제3차 개헌

이승만 독재 정권이 무너지고 허정 과도 정부가 수립되어 내각 책임제 개헌안을 제출하였다. 이에 따라 국회에서는 3·15 부정 선거를 무효로 하고 재선거를 실시하기로 결정했으며, **양원제**[1] 의회와 **내각 책임제**를 골자로 한 개헌안을 통과시켰다(1960. 6.).

(2) 장면 내각의 성립(1960. 8.)

새 헌법에 따라 실시된 7·29 총선에서 여당인 자유당이 몰락하고 야당인 민주당이 압승하였다. 새로 구성된 양원제 국회(민의원·참의원)는 대통령에 윤보선, 국무총리에 장면을 선출하였다.

(3) 주요 활동

① **각종 규제 완화**: 언론의 자유를 보장하고 각종 정부 규제를 완화하였다. 이에 따라 그동안 억눌려 왔던 노동 운동과 교원 노조 운동,[2] 청년 운동, 학생 운동이 활발하게 전개되었다.

② **경제 개발 5개년 계획안 수립**: 경제 개발 5개년 계획(1961~1965)을 수립하고 국토 건설단을 결성하였다. 그러나 5·16 군사 정변이 발발함에 따라 실제 시행되지는 못하였다.

2. 장면 내각의 붕괴

(1) 국정 운영의 어려움

① **민주당 내 대립 격화**: 장면 내각은 민주당 내부의 파벌 싸움으로 국정 운영에 어려움을 겪었다. 결국 신·구파의 대립 격화로 민주당에서 구(舊)파가 분당하여 따로 신민당을 창당하였다.

② **개혁 의지 후퇴**: 장면 내각은 3·15 부정 선거 책임자와 부정 축재자 처벌에도 소극적이었고, 중립화 통일론·남북 협상론[3] 등 민간 차원에서 통일 운동이 거세게 일어나자 이를 탄압하였다.

(2) 장면 내각의 붕괴

장면 정부가 경제 개발 자금을 마련하기 위해 군대를 축소하려고 하자, 1961년 **박정희**를 비롯한 일부 군인들이 장면 정부의 무능과 사회 혼란을 구실로 쿠데타를 일으켰으며, 장면 내각은 붕괴되었다.

❶ 제3차 개헌의 양원제

3차 개헌에서는 민의원과 참의원으로 구성된 국회 조항이 있어 민의원과 참의원을 모두 선출하였다. 특히 민의원에게는 국무총리 지명 동의권과 국무 위원 불신임권 등 더 많은 권한이 부여되었다.

국무총리에 인준된 장면

❷ 교원 노조 운동

학원 민주화를 목표로 1960년 한국 교원 노조 연합회가 결성되었다. 그러나 5·16 군사 정변 때 해체되었다. 이후 1989년 전국 교직원 노동조합(전교조)이 결성되었고, 1999년에는 합법 단체로 인정받았다.

❸ 중립화 통일론·남북 협상론

중립화 통일론은 한반도를 국제 사회가 보장하는 영세 중립국으로 만들자는 주장이고, 남북 협상론은 외세의 간섭을 배제하고 남북한 당사자들이 협상하여 평화 통일을 달성하자는 내용이다.

심화사료 百出

2020. 지방직 9급

제3차 개헌(1960. 6. 15.)

제33조 ① **민의원** 의원의 임기는 4년으로 한다. 단, 민의원이 해산된 때에는 그 임기는 해산과 동시에 종료한다.
② **참의원** 의원의 임기는 6년으로 하고 의원 1/2을 개선한다.

제70조 국무총리는 국무회의를 소집하고 의장이 된다. 국무총리는 법률에서 일정한 범위를 정하여 위임을 받은 사항과 법률을 실시하기 위하여 필요한 사항에 관하여 국무회의의 의결을 거쳐 국무원령을 발할 수 있다. **국무총리는 국무원을 대표하여 의안을 국회에 제출하고 행정 각 부를 지휘 감독**한다.

3차 개헌 공포

정부에서는 6월 15일 국회에서 통과된 개헌안을 이송받자 이날 긴급 국무회의를 소집하고 정식으로 이를 공포하였다. 이로써 개정된 새 헌법은 16일 0시를 기해 효력을 발생케 되었다. 새 헌법이 공포됨으로써 16일부터는 **실질적인 내각 책임 체제의 정부**를 갖게 되었으며 **허정 수석 국무위원**은 자동으로 국무총리가 된다.

– 『경향신문』, 1960. 6. 16.

장면 국무총리의 시정 연설(1960. 8. 27.)

첫째로, 통일안에 있어서는 …… 국제 연합 감시하에 남북을 통한 자유 선거에 의하여 통일을 달성한다는 주장을 강조하고자 하는 바입니다. 한·일 양국 간의 외교 관계를 정상화하기 위하여 양국 간의 회담을 재개할 것과 ……

셋째로, 부정 선거의 원흉들과 발포 책임자에 대해서는 이미 공소가 제기되어 있으므로 사법부에서 법과 혁명 정신에 의하여 엄정한 판결을 내릴 것으로 믿고 ……

넷째로, 경제 건설을 촉진하기 위하여 경제 안정의 테두리 안에서 장기 개발 계획의 실현을 위한 투·융자의 확대, 세제의 개혁 …… 등을 실천에 옮겨야 하겠습니다. ……

여섯째로, 경제 건설과의 균형상 국방비의 과중한 부담을 경감시키기 위하여 점차적 감군을 주장하여 온 우리 당의 정책을 실현하고자 국제 연합군 사령부와 협의하여 신년도부터 약간 감군할 것을 계획 중에 있으며, 동시에 새로운 장비를 도입하기 위한 계획도 이미 수립되어 있음을 양해하시기를 바란다.

제4차 개헌 헌법 부칙(1960. 11. 29.)

이 헌법 시행 당시의 국회는 단기 4293년(1960) 3월 15일에 실시된 대통령, 부통령 선거에 관련하여 부정행위를 한 자와 그 부정행위에 항의하는 국민에 대하여 살상한 자 …… 단기 4293년 4월 26일 이전에 지위 또는 권력을 이용하여 부정한 방법으로 재산을 축적한 자에 대한 행정상 또는 형사상의 처리를 하기 위하여 특별법❹을 제정할 수 있다.

❹ **특별법 제정**
장면 내각은 이 헌법 부칙에 따라 '부정 선거 관련자 처벌법'과 '반민주 행위자 공민권 제한법'을 제정하였다.

대표 기출문제

밑줄 친 '새 헌법'에 대한 설명으로 옳은 것은?

2020. 지방직 9급

정부에서는 6월 15일 국회에서 통과된 개헌안을 이송받자 이날 긴급 국무회의를 소집하고 정식으로 이를 공포하였다. 이로써 개정된 <u>새 헌법</u>은 16일 0시를 기해 효력을 발생케 되었다. <u>새 헌법</u>이 공포됨으로써 16일부터는 실질적인 내각 책임 체제의 정부를 갖게 되었으며 허정 수석 국무위원은 자동으로 국무총리가 된다. – 『경향신문』, 1960. 6. 16.

① 임시 수도 부산에서 개정되었다.
② '사사오입'의 논리로 통과되었다.
③ 통일 주체 국민 회의 설치를 규정한 조항이 있다.
④ 민의원과 참의원으로 구성된 국회 조항이 있다.

해설
제시된 자료는 1960년 3차 개헌에 대한 설명이다. ④ 3차 개헌에는 민의원과 참의원의 임기 등을 규정한 조항이 있었다.
① 1952년 발췌 개헌(1차 개헌)에 대한 설명이다. ② 1954년 사사오입 개헌(2차 개헌)에 대한 설명이다. ③ 1972년 유신 헌법(7차 개헌)에 규정된 내용이다.

정답 ④

민주화 운동과 민주주의의 발전

구분		2008~2017	2018	2019	2020	2021	2022	2023	2024
9급	국가직	•민주화 운동 선언문 •6월 민주 항쟁				유신 체제		박정희 정부	
	지방직			베트남 파병		1960~70년대 정치	유신 헌법		
	법원직	•박정희 정부 •유신 체제 •6월 민주 항쟁(2) •김영삼 정부 •현대의 정치(2)		민주화 운동	개헌 과정	유신 헌법		•유신 체제 •김영삼 정부	

박정희 정권

5대~9대

박정희 정부
1961~1963(군정)
1963~1979

군사 정부 (1961~1963)

1. **군정 실시**: 혁명 공약, **국가 재건 최고 회의**, 중앙정보부 설치
2. **정치**: 정치인들의 활동 제약, 진보 세력 탄압
3. **경제**: **경제 개발 5개년 계획** 시작(1962), 화폐 개혁(10환 ⇨ 1원)
4. **민정 이양 준비**: 5차 개헌(1962) – 대통령 중심제, 민주 공화당 창당

제3공화국 (1963~1972)

1. **한 · 일 기본 조약 체결(1965, 한 · 일 협정)**: 김종필 · 오히라 메모, 6 · 3 항쟁(한 · 일 회담 반대)
2. **베트남 파병(1965)**: 브라운 각서(1966, 미국의 보상 명시), 베트남 특수
3. **경제 정책**: 1 · 2차 경제 개발 5개년 계획 추진(1962~1971) – 노동 집약적 경공업
4. **6차 개헌(3선 개헌, 1969)**: **3선 금지 조항 삭제**, 장기 집권 구축 ⇨ 7대 대통령 당선

유신 체제 (1972~1979)

1. **배경**: 냉전 완화, 경제 침체, 야당의 성장
2. **명분**: 한국적 민주주의 표방, 통일 정책 추진 ⇨ 1972년 7월 **7 · 4 남북 공동 성명 발표**
3. **유신 체제 성립**: 10월 비상 계엄 선포(10월 유신) ⇨ 11월 공포
4. **유신 헌법**: 대통령 권한 강화
   (1) **장기 집권**: 대통령 선출(**통일 주체 국민 회의** 간선), 대통령 임기 6년, 중임 제한 ×
   (2) **대통령의 권한 극대화**: **긴급 조치권**(초법적 권리), 국회 장악(국회 의원 1/3 추천)과 법원 장악(법관 임명)
5. **유신 반대 운동**: 개헌 청원 100만인 서명 운동(⇨ 긴급조치 1호), **3 · 1 민주 구국 선언**(1976)
6. **유신 체제 붕괴**: YH 노동자 사건과 김영삼 의원직 박탈 ⇨ **부 · 마 항쟁**
   ⇨ 10 · 26 사태(중앙정보부장 김재규가 박정희 대통령 저격)

전두환 정부

11대~12대

전두환 정부
1981~1987

1. 12 · 12 사태: 전두환 신군부 세력의 권력 장악 ⇨ 서울의 봄(신군부 퇴진 요구)
2. 5 · 18 광주 민주화 운동: 계엄령 철회와 김대중 석방 요구 ⇨ **과잉 진압과 시민군 조직** ⇨ 협상 시도 ⇨ 무자비한 진압 ⇨ 군정 실시(국가 보위 비상 대책 위원회)
3. 전두환 정부 수립: 11대 대통령 당선(1980, 통일 주체 국민 회의) ⇨ **8차 개헌(1980, 7년 단임, 간선)**, 12대 대통령 선출(1981, 대통령 선거인단 간선)
4. 강권 통치: 언론 통제, 학생 운동 탄압, 삼청 교육대
5. 유화 정책: 각종 규제 해제(통행금지 ×, 교복 자율화, 해외여행 자유), 우민화 정책(3S 정책)
6. 경제 정책: 3저 호황(저달러, 저유가, 저금리), 경제 고도 성장, 최초 무역 수지 흑자
7. 6월 민주 항쟁(1987): 직선제 개헌 운동 ⇨ **박종철 고문 치사 사건** ⇨ **4 · 13 호헌 조치** ⇨ **6월 민주 항쟁 (조직적, 범국민적)** ⇨ 6 · 29 선언(노태우) ⇨ **9차 개헌(5년 단임, 직선제)**

노태우 정부

13대

노태우 정부
1988~1992

1. 외교 정책: **북방 외교** – 소련, 중국 등 사회주의 국가와 수교
2. 통일 정책: 남 · 북한 유엔 동시 가입(1991), 남북 기본 합의서 채택(1991)

김영삼 정부

14대

김영삼 정부
1993~1997

1. 주요 정책: **금융 실명제 실시**, 지방 자치제 전면 실시, 역사 바로 세우기(일제 잔재 청산)
2. 경제 정책: UR(우루과이 라운드) 타결, WTO 출범, OECD 가입
3. **IMF 외환 위기 발생**(1997) ⇨ IMF에 구제 금융 신청

김대중 정부

15대

김대중 정부
1998~2002

1. 정권 교체: 최초로 선거에 의한 평화적 여야 정권 교체
2. 주요 정책: IMF 극복(노사정 위원회, 구조 조정)
3. 통일 정책: 남북 정상 회담(최초), **6 · 15 남북 공동 선언**(2000)

01 5·16 군사 정변과 군정의 실시

1. 5·16 군사 정변(1961)

(1) 배경

장면 내각의 군비 축소 계획에 대해 일부 군인 세력은 불만을 품었다. **박정희**를 비롯한 일부 군인들은 **장면 내각의 무능과 사회 혼란**을 정변의 구실로 삼았다.

(2) 군사 정변의 발발

1961년 5월 16일 새벽 박정희와 일부 군인들이 서울의 주요 기관을 점령하였다. 곧이어 **군사 혁명 위원회를 조직**하고 6개항의 혁명 공약❶을 내걸었으며, **전국에 비상계엄령을 선포**하였다. 이후 박정희 등은 정당과 사회 단체를 해산하고, **군정을 실시**하였다.

군사 정변의 주역들

❶ 군사 정부의 혁명 공약
반공을 국시로 천명하고 경제 재건과 사회 안정을 약속하였다.

❷ 국가 재건 최고 회의
1963년 12월 제3공화국의 출범과 함께 해체되었다.

❸ 정치 활동 정화법(1962. 3.)
구 정치인과 반대 세력들의 정치 활동이 봉쇄되었다. 이들은 6년 간 선거 출마, 정당 활동 등이 금지되었다.

❹ 혁명 재판
5·16 쿠데타 이후 실시된 특별 군사 재판이다.

고등사료 百出

5·16 군사 정변 세력의 혁명 공약(1961. 5. 16.)

하나. 반공을 국시의 제1로 삼고 형식적이고 구호에만 그친 반공 체제를 재정비 강화한다.
둘. 유엔 헌장을 준수하고 국제 협약을 충실히 이행할 것이며 미국을 위시한 자유 우방과의 유대를 더욱 공고히 할 것이다.
넷. 민생고를 시급히 해결하고 **국가 자주 경제 재건에 총력**을 경주할 것이다.
여섯. 이와 같은 우리의 과업이 성취되면 참신하고도 양심적인 정치인들에게 **언제든지 정권을 이양하고 우리들 본연의 임무에 복귀할 준비**를 갖추겠다.

2. 군정의 시행과 민정 이양의 과정(1961~1963)

(1) 군정의 시행

① **반공 체제 강화**: 혁명 공약 1호로 내세웠던 **반공 태세의 강화**를 적극 추진하였다.

② **군정**: 박정희를 의장으로 한 국가 재건 최고 회의❷(최고 권력 기구)를 구성하여 군정을 실시하였다. 또한, 중앙정보부를 설치하여 비판 세력을 탄압하였다.

③ **정치·사회 개혁**

㉠ **정치 활동 규제**: 정치 활동 정화법,❸ 반공법 등을 실시하여 정치인들의 활동을 제약하였다.

㉡ **혁명 재판 실시**: 진보적 지식인과 노조 및 학생 간부들을 혁명 재판❹에 회부하였다.

㉢ **사회 정화 사업**: 불량배를 소탕하고 부정 축재 처리법을 만들어 부정 축재자를 처벌하였다.

④ **경제 정책 추진**

㉠ **경제 개발 5개년 계획 수립**: 장면 내각에서 수립했던 경제 개발 5개년 계획을 토대로 1962년 **제1차 경제 개발 5개년 계획**을 시행하였다.

㉡ **각종 경제 정책**: 1962년 **화폐 개혁❺을 단행**하여 환(圜) 표시의 단위를 원(圓) 표시로 변경(10환 ⇨ 1원)하였다. 또한 농어촌 고리채를 줄여 주었다.

5·16 군사 정변 이후 조리돌림 당하는 조직 폭력배들

❺ 화폐 개혁의 결과
갑작스런 화폐 개혁으로 경제 혼란이 야기됨에 따라 오히려 경기가 위축되었다.

❻ 4대 의혹 사건
중앙정보부가 공화당 창당 자금을 무리하게 마련하는 과정에서 일어난 4가지 부정부패 사건(증권 파동, 워커힐 사건, 파친코 사건, 새나라 자동차 사건)을 가리킨다.

(2) 민정 이양 과정

① **제5차 개헌 단행**(1962. 12.): 의원 내각제에서 대통령 중심제로 되돌리고, 양원제를 **단원제**로 통합하였다.

② **민주 공화당 창당**(1963. 2. 26.): 군사 정부는 **민주 공화당❻**을 창당하고, 지지 세력을 결집시켜 정권을 계속 장악하고자 하였다.

민주 공화당 창당

02 박정희 정권(제3공화국, 1963~1972)

1. 제3공화국 성립

1963년 대통령 선거에서 박정희가 윤보선 후보를 근소한 차이로 누르고 **제5대 대통령**에 당선되면서 **제3공화국이 출범**하였다. 제3공화국은 국정 목표로 **조국 근대화**와 **경제 제일주의**를 내걸었다.

2. 박정희 정권의 주요 정책

(1) 한·일 국교 정상화 및 한·일 협정(1965)

① **추진 배경**: 정부는 일본 자본을 유치하여, **경제 개발에 필요한 자금을 확보**하고자 하였다. 또한, 이는 미국의 동아시아 전략(**한·미·일 안보 동맹 구축**)과도 맞아떨어지는 것이었다.

② 한·일 회담 과정

㉠ **김종필-오히라 회담(1962)**: 중앙정보부장 김종필과 외무대신 오히라 간에 한·일 국교 정상화에 대한 비밀 회담이 진행되었다.

㉡ **6·3 항쟁(1964. 6. 3.)**: **김종필·오히라 메모**[7]가 언론을 통해 알려지자 학생과 시민들을 중심으로 **'굴욕적인 한·일 회담 반대'**[8]를 외치는 시위가 발생하여 6월 3일 절정에 달하였다. 이에 정부는 서울시 전역에 비상계엄령[9]과 휴교령, 위수령[10]을 선포하고 시위를 진압하였다.

③ 한·일 협정 타결과 문제점

㉠ **한·일 협정 체결**: 1965년 6월 정부는 **한·일 기본 조약을 체결**하고 일본과 국교를 정상화하였다. 이어 **야당 의원들의 불참** 속에서 한·일 협정 비준 동의안을 의결하였다.

㉡ **구성**: 한·일 협정은 기본 조약과 이에 **부속된 4개의 협정**으로 구성되어 있다. 부속 협정으로는 **'청구권·경제 협력에 관한 협정', '재일교포의 법적 지위와 대우에 관한 협정', '어업에 관한 협정', '문화재·문화 협력에 관한 협정'** 등이 있다.

㉢ **문제점**: 일본은 식민지 지배의 합법성을 주장했기 때문에 한·일 협정에 **식민지 지배에 대한 사과를 명문화하지 않았다**. 또한, 일본군 위안부나 강제 동원 희생자 등에 대한 배상 문제를 다루지 못한 한계를 지녔다.

심화사료 百出

민족적 민주주의를 장례한다(1964. 5. 20.)

민족사는 바야흐로 위대한 결단을 요구하는 전환기에 섰다. 4월 항쟁의 참다운 가치성은 반외세·반매판·반봉건에 있으며 민족 민주의 참된 길로 나아가기 위한 도정이었으나 5월 군부 쿠데타는 이러한 민족 민주 이념에 대한 정면적인 도전이었으며 노골적인 대중 탄압의 시작이었다. …… **국제 협력이라는 미명 아래 우리 민족의 치떨리는 원수 일본 제국주의를 수입, 대미 의존적 반신불수인 한국 경제를 2중 예속의 철쇄로 속박하는 것이 조국 근대화로 가는 첩경이라고 기만하는 반민족적 음모를 획책하고 있다.** …… 굴욕적인 한·일 회담의 즉시 중단을 엄숙히 요구한다.

---

⑦ 김종필·오히라 메모
일본 측은 한국 측에 무상 원조 3억 달러, 유상 원조(해외 경제 협력 기금) 2억 달러, 수출입 은행 차관 1억 달러 이상을 제공한다는 것이 주요 내용이었다.

⑧ 한·일 국교 정상화 반대 시위
1964년 5월 서울대생을 중심으로 '민족적 민주주의 장례식'을 개최하여 굴욕적인 한·일 회담 반대 시위를 전개하였다. 이후 시위는 전국으로 확산되었다.

⑨ 계엄령
국가 비상시 국가 안녕과 공공질서 유지를 목적으로 헌법 일부의 효력을 일시 중지하고 군사권을 발동하는 것으로, 대통령 고유 권한이다.

⑩ 위수령
육군 부대가 한 지역에 계속 주둔하면서 그 지역의 질서 및 시설물을 보호할 것을 규정한 대통령령이다. 주로 시민의 정치적 활동을 억압하기 위해 활용되었다.

한·일 회담 반대 시위

심화사료 百出 2018. 서울시 9급

한·일 기본 조약(1965. 6. 22.)

제2조 1910년 8월 22일 및 그 이전에 **대한 제국과 일본 제국 간에 체결된 모든 조약 및 협정이 이미 무효임을 확인**한다.

↳ 한국과 일본은 제2조에 대해 서로 다르게 해석하고 있다. 우리나라는 **한국 병합에 관한 조약(1910)에 따른 식민 지배 자체가 원천적으로 무효**라고 해석하고 있다. 한편, 일본은 **한국 병합에 관한 조약은 합법적인 것이었지만, 제2차 세계 대전에서 패하였기 때문에 이것이 무효**화되었다고 해석하였다.

제3조 대한민국 정부가 국제 연합 총회의 결의 제195호(Ⅲ)에서 명시된 바와 같이 한반도에 있어서의 유일한 합법 정부임을 확인한다.

한·일 재산 및 청구권 문제 해결과 경제 협력에 관한 결정

제1조 1. 일본국은 대한민국에 대하여

(a) 3억불의 가치를 가지는 일본국의 생산물 및 일본인의 용역을 본 협정의 효력 발생일로부터 10년 기간에 걸쳐 무상으로 제공한다. ……

(b) 2억불의 장기·저리의 차관으로서, 대한민국 정부가 요청하고 또한 3의 규정에 근거하여 체결될 약정에 의하여 결정되는 사업의 실시에 필요한 일본국의 생산물 및 일본인의 용역을 대한민국이 조달하는데 있어 충당될 차관을 본 협정의 효력 발생일로부터 10년 기간에 걸쳐 행한다. ……

(2) 베트남 파병(1965~1973)❶

① **파병 명분**: 미국의 6·25 전쟁 참전에 대한 보답이자, 냉전 체제하에서의 민주주의 수호를 명분으로 결정되었다.

② **브라운 각서(1966. 3. 7.)**: 베트남 파병에 필요한 조건을 명시한 브라운 각서를 체결하였다. **한국의 베트남 파병에 대한 미국의 보상**을 나타낸 것이다.

③ **영향**: 미국으로부터 군사 원조와 1억 5천만 달러의 장기 차관을 획득하였다. 또한 베트남과의 무역 증가로 나타난 **베트남 특수는 경제 개발 자금 마련의 밑거름**이 되었다.

고등사료 百出 2018. 국가직 9급, 2008. 국가직 7급

브라운 각서(1966. 3. 7.)

미국 정부는 월남에서 싸우고 있는 자유 세계 군대에 합류하여 크게 기여하려는 대한민국 정부의 결정을 충심으로 환영합니다. …… 미국은 한국의 방위에 경제적 발전이 필요하다고 보고 다음과 같은 조치를 취할 용의가 있음을 말씀드립니다.

1. **추가 파병에 따른 비용은 미국 정부가 부담**한다.
2. **한국군 육군 17개 사단과 해병대 1개 사단의 장비를 현대화**한다.
3. 베트남 주둔 한국군을 위한 물자와 용역은 가급적 한국에서 조달한다.
5. 1965년 5월에 한국에 대해 약속했던 1억 5천만 달러 규모의 차관에 덧붙여 …… 한국의 경제 발전을 돕기 위한 추가 AID 차관을 제공한다.

– 국회 도서관 입법 조사국, 『한국 외교 관계 자료집』

(3) 경제 개발 5개년 계획의 추진

경공업 분야가 크게 발전했으며 중화학 공업에도 진출하기 시작하였다. 외국에서 차관을 도입하여 부족한 산업 시설을 갖추고, 높은 교육열로 인해 우수한 산업 인력이 많이 배출되었기에 가능한 것이었다.

(4) 한·미 행정 협정 체결(SOFA, 1966. 7. 9.)

한국 전쟁 후 주한 **미군의 법적 지위**에 관하여 **한·미 양국 간에 합의**가 필요하게 되어 이 협정이 체결되었다. **불평등 조항**❷으로 구성되어 계속적으로 한·미 간 문제가 되고 있다.

❶ **베트남 파병의 부정적 측면**
베트남 참전으로 인한 5,000여 명의 희생과 다수의 서방 국가들로부터 비난, 현지인 2세(속칭 '라이따이한') 문제와 고엽제 피해 등의 후유증을 겪었다.

❷ **한·미 행정 협정의 불평등 조항**
미군 측에 한국 내 시설과 구역에 대한 사용 권리 및 미군 부대 혹은 행정 기구에 고용된 한국인의 자유로운 해고, 형사 재판 관할권의 치외법권 행사 등이 있다.

3. 박정희 정권의 장기 집권 계획

(1) 6대 대통령 당선(1967)

박정희는 야당 후보 윤보선을 큰 표 차이로 이기고 대통령에 당선되었다.

(2) 6·8 부정 선거(1967)

① **6·8 부정 선거(제7대 총선)**: 공화당은 3선 개헌에 필요한 2/3의 의석을 확보하기 위해 부정 선거를 자행했다. 부정 선거를 규탄하는 시위가 전국적으로 확산되었다.

② **정부의 대응**: 부정 선거에 대한 비판 분위기가 확대되자 중앙정보부는 이를 무마시키기 위해 동백림 사건❸을 조작하였다.

(3) 한반도의 긴장 고조

① **무장 공비의 침투(1968)**: 1월에 북한이 보낸 31명의 무장 공비가 청와대를 기습 공격한 **1·21 사태(김신조 사건)**가 일어났으며, 11월에도 동해안을 통해 무장 공비를 침투시키려 한 울진·삼척 무장 공비 사건이 일어났다. 이에 대응하여 정부는 향토 예비군을 창설❹하였다.

② **푸에블로호 납치(1968)**: 미국 첩보함 푸에블로호가 북한 영해를 침범하였다는 이유로 북한에 납치되었다. 이 사건으로 인해 미국과 남한의 군사 동맹 체제는 더욱 강화되었다.

❸ **동백림 사건**

1967년 작곡가 고 윤이상 씨, 이응로 화백 등 194명이 옛 동독의 수도인 동베를린(동백림)을 거점으로 대남적화 공작을 벌였다며 처벌당한 사건을 말한다. 2006년 과거사 진상 규명 위원회는 이 사건에 대해 정부가 사과할 것을 권고하였다.

1·21 사태(김신조 사건)

❹ **향토 예비군 창설**

1968년 4월 향토 예비군을 창설하였다. 이후 베트남 공산화에 자극받아 1975년 4월에 민방위까지 만들어졌다.

푸에블로호 납치(나포) 사건

9급 위 한국사

푸에블로호 납치 사건(1968. 1. 23.)

1·21 사태가 발생한 지 3일 만에 미국의 첩보 수집함 푸에블로호가 원산 부근에서 북한에 납치되는 사건이 발생하였다. 소식이 전해지자 미국은 24일 판문점에서 군사 정전 위원회를 열어 1·21 사태와 더불어 이 사건을 강력하게 비난하였다. 미국 측은 당시 푸에블로호가 공해상에 있었다는 점을 들어 선박과 승무원 전원을 송환할 것을 요구하였으나, 북한 측은 푸에블로호가 북한 영해를 침범하였다고 주장하였다. 이후 28차례의 협상 끝에 푸에블로호와 장비는 북한에 몰수되고, 승무원 82명과 시체 1구가 판문점을 통해 미국에 송환되었다(1968. 12.).

주민등록증 발급 시작

1968년 1·21 사태(김신조 사건) 이후, 박정희 정부는 전 국민에게 단일 형태의 신분증을 발급하여 신원을 정확히 확인할 필요가 있다고 판단하였다. 이에 따라 주민등록증 발급 관련 법안을 만들고 1968년 말까지 발급 대상자들에게 주민등록증을 발급하였다.

(4) 3선 개헌의 단행(제6차 개헌, 1969. 10. 17.)

① **개헌의 명분**: 안보의 위기 속에서 **조국 근대화와 민족 중흥의 과업을 이룩**하기 위해서는 **무엇보다 강력한 정치적 리더십이 필요하다는 것**이 명분이었다.

② **내용**: 기존 헌법의 3선 금지 조항을 삭제하고, 대통령의 연임 횟수를 3회로 연장한 개헌이다.

③ **개헌안 통과❺**: 3선 개헌안은 야당과의 합의 없이 여당계 의원들의 변칙 날치기로 통과되었다. 이를 반대하는 시위가 전국으로 확산됐음에도 불구하고 **국민 투표에 부쳐져 가결**되었다.

(5) 7대 대통령 선거(1971)

7대 대통령 선거에서 김대중이 야당인 신민당 후보로 나와 많은 표를 얻어 **박정희**는 90여만 표 차이로 힘겹게 당선되었다. 그리고 같은 해 총선에서도 야당이 과반수에 가까운 의석을 확보하였다.

❺ **3선 개헌안 변칙 통과**

1969년 9월 14일 일요일 새벽, 민주공화당 의원들은 국회 본회의장을 피해 국회 제3별관에서 개헌안을 변칙 통과시켰다.

03 유신 체제의 성립과 붕괴(제4공화국, 1972~1979)

1. 유신 체제의 성립 배경

(1) 정치적 위기

① **냉전 체제 완화**: 1969년 미국이 **닉슨 독트린**을 발표하면서 냉전 체제가 완화되기 시작하였고, **베트남에서 미군이 철수**하였다. 이러한 대외적 상황은 박정희 정부에게 위기감을 불러일으켰다.

② **야당의 성장**: 1971년 대통령 선거와 총선에서 **야당이 선전**하였다. 이에 박정희 정부는 **장기 독재 체제를 구축**하기 위해 1971년 12월 국가 안보 위기를 내세워 국가 비상사태를 선언하였다.

(2) 경제·사회적 위기

1960년대 말 세계 경제의 불황으로 한국 경제는 침체되었다. 또한 성장 위주의 경제 개발은 **사회 모순을 심화시켜 전태일 분신 사건,**❶ 광주 대단지 사건❷ 등이 발생하였다.

❶ **전태일 분신 사건**
1970년 11월 13일 서울 동대문 평화시장에서 재단사로 일하던 노동 운동가 전태일이 노동 환경 개선을 외치며 분신자살한 사건이다.

❷ **광주 대단지 사건**
1971년 8월 10일 경기도 광주 대단지 주민 수만여 명이 정부의 무계획적인 도시 정책과 졸속 행정에 반발하며 도시를 점거했던 사건이다.

2. 유신 체제의 구축

(1) 10월 유신(1972. 10.)

평화 통일 대비를 명분으로 **한국적 민주주의를 표방하며 10월 유신을 단행**하였다. 10월 17일 비상계엄을 선포하고 대통령 특별 선언을 통해 **국회를 해산했으며, 모든 정치 활동을 금지**하였다.

(2) 유신 헌법(제7차 개헌)

유신 헌법은 비상 국무회의의 의결을 거쳐 11월 국민 투표를 통해 확정되었다.

① **장기 집권**: **통일 주체 국민 회의**❸**에서 임기 6년의 대통령을 간선제로 선출**하게 하였다. **대통령 중임 제한이 철폐**되어 박정희의 영구 집권이 가능해졌다.

② **대통령의 권한 극대화**: 대통령이 입법, 사법, 행정에 대한 모든 권한을 장악하였다.

㉠ **국회 장악**: **대통령이 국회 의원 3분의 1을 추천**했으며, 이들은 유신 정우회를 구성하였다. 또한 **대통령은 국회를 해산**할 수 있으나 국회는 대통령을 탄핵할 수 없다고 규정하였다.

㉡ **법원 장악**: 대법원장이 임명하던 법관을 대통령이 임명하였다. 대법원장도 대통령이 국회의 동의를 얻어 임명하도록 규정하였다.

㉢ **긴급 조치권**: 대통령에게 **긴급 조치라는 초헌법적 권리가 부여**되어 국정 전반에 걸쳐 필요한 긴급 조치를 할 수 있었다. 이에 따라 각종 법률의 효력을 대통령이 임의로 정지시킬 수 있었다.

(3) 제8대 대통령 선출(1972. 12. 23.)

지역별로 선출된 **통일 주체 국민 회의 대의원들**이 장충체육관에 모여 단일 후보 박정희를 99.9%의 찬성으로 **제8대 대통령으로 선출**하였다.

❸ **통일 주체 국민 회의**
유신 헌법에 의해 설치되었다. 국민의 직접 선거로 선출된 2,000명 이상 5,000명 이하의 대의원으로 구성되었다. 의장은 대통령이 맡았고, 무기명 투표에 의한 대통령 선출, 국회의원 정수의 1/3에 해당하는 유신 정우회(대통령의 국회 장악을 위한 준정당 단체) 선출, 헌법 개정안의 최종 확정 등 막강한 권력을 행사하였다.

유신 체제 성립 이후 정부의 홍보물

정부는 '10월 유신, 100억불 수출, 1000불 국민 소득'을 관제 구호로 내세워, 지속적인 경제 성장을 독려하였다.

3. 유신 체제의 강압과 저항

(1) 유신 반대 운동 탄압

① **김대중 납치 사건**[4](1973. 8.): 일본에서 김대중을 납치하여 수장(水葬)을 기도하였으나 미국과 일본에 의해 좌절되었다. 이후 김대중은 국내 자택에 감금 조치되었다.

② **긴급 조치**[5]: 1973년 개헌 청원 100만인 서명 운동[6]이 진행되자, **긴급 조치 1호**가 선포되었다. 이후 정부는 긴급 조치를 수시로 발표하여 유신 반대 운동을 탄압하였다.

③ **2차 인혁당 사건**[7]: 정부는 인민 혁명당 재건 사건을 조작하여 전국 민주 청년 학생 연맹(민청학련)을 배후 조종한 혐의로 관련자들에게 사형을 비롯한 중형을 선고하였다.

고등사료 百出

2023. 법원직 9급, 2022. 지방직 9급, 2019. 서울시 9급, 2019. 경찰 1차

유신 헌법

제39조 제1항 **대통령은 통일 주체 국민 회의에서 토론없이 무기명 투표로 선거**한다.

제2항 통일 주체 국민 회의에서 재적 대의원 과반수의 찬성을 얻은 자를 대통령 당선자로 한다.

제40조 제1항 통일 주체 국민 회의는 국회 의원 정수의 1/3에 해당하는 수의 국회 의원을 선거한다.

제47조 대통령의 임기는 **6년**으로 한다.

긴급 조치 1호

- **대한민국 헌법을 부정, 반대, 왜곡 또는 비방하는 일체의 행위를 금한다.**
- 대한민국 헌법의 개정 또는 폐지를 주장, 발의, 청원하는 일체의 행위를 금한다.
- 유언비어를 날조, 유포하는 일체의 행위를 금한다.
- 이 조치에 위반한 자와 이 조치를 비방한 자는 비상 군법 회의에서 심판, 처단한다.

긴급 조치 4호

이 조치를 위반한 자, 이 조치를 비방한 자는 영장 없이 체포되어 비상 군법 회의에서 사형, 무기 또는 5년 이상의 징역형에 처한다.

(2) 유신 체제에 대한 저항

① **야당 세력**: 1974년 민주 회복 국민회의를 결성하고 야당 총재 김영삼을 중심으로 투쟁을 강화하였다. 이후 **김영삼은 여당에 의해 국회에서 제명**[8]되었다(1979. 10.).

② **재야 세력**: 1976년 3월 재야 민주 인사들이 명동 성당에서 박정희 정권 퇴진 등을 요구하는 **3·1 민주 구국 선언**을 발표하였다.

③ **언론계**: 유신 체제에 저항하는 언론 자유 수호 운동이 본격적으로 전개되었다.

④ **노동 운동**: **YH 무역 농성 사건**(1979) 등이 대표적이다.

고등사료 百出

2007. 세무직 9급

3·1 민주 구국 선언문(1976)[9]

우리는 …… 이 나라의 먼 앞날을 내다보면서 민주 구국 선언을 선포하는 바이다.

1. 이 나라는 민주주의의 기반 위에 서야 한다.
2. 경제 입국의 구상과 자세가 근본적으로 검토되어야 한다.
3. 민족 통일은 오늘 이 겨레가 짊어진 최대의 과업이다.

---

❹ 김대중 납치 사건의 배경

김대중은 1971년의 7대 대통령 선거에서 신민당 후보로 출마, 박정희 대통령에게 94만 표 차이로 석패하는 등 가장 강력한 정치적 경쟁자로 부상하였다.

❺ 긴급 조치

긴급 조치는 1974년부터 1975년까지 총 9차례 발동되었다.

❻ 장준하 의문사

개헌 청원 운동을 주도하던 장준하는 1975년 8월 등산 도중 의문의 죽음을 당하였다.

❼ 인혁당 사건(1974)

관련자들은 사형 선고 후 18시간 만에 사형이 집행되어 '사법살인'이라 불리며 세계적으로 알려졌다. 그러나 2007년 서울중앙지법은 인혁당 재건위 사건 관련 8인에 대해 무죄를 선고했다.

❽ 김영삼 국회 영구 제명 사건

김영삼 야당 총재가 『뉴욕타임스』와의 기자 회견을 통해, "공개적이고 직접적인 압력을 통해 박 대통령을 제어해 줄 것"을 요구하는 발언이 국내에 알려졌다. 정부 여당은 1979년 10월 3일 김 총재를 국회에서 제명하였다. 이에 반발하여 부산과 마산 등지에서 반유신 투쟁이 전개되었다(부·마 항쟁).

❾ 3·1 민주 구국 선언

1976년 3월 1일 윤보선, 함석헌, 김대중, 문익환 등 재야 민주 인사들이 명동 성당에서 긴급 조치 철폐, 민주 인사와 학생 석방, 박정희 정권 퇴진, 민족 통일을 추구할 것 등을 요구한 선언이다.

❶ 부·마 항쟁
부·마 항쟁의 진압 방법을 둘러싸고 경호실장 차지철 등 강경파와 중앙정보부장 김재규 등 온건파로 나누어져 갈등을 빚었다.

10·26 사태 현장 검증

❷ 유신 헌법에 대한 입장 차이
10·26 사태 직후 야당은 유신 헌법을 폐지하고 새 헌법을 만들어 대통령 선거를 실시하자고 제안하였다. 그러나 정부는 유신 헌법에 따라 대통령을 뽑은 후 헌법을 개정하여 새로운 정부를 구성하겠다고 발표하였다.

❸ 12·12 사태
보안사령관 전두환의 신군부 세력은 군 내의 정상적인 지휘계통을 무시하고 계엄 사령관 정승화 대장을 10·26 사건과 관련이 있다는 죄목으로 체포하였다.

서울의 봄
이때 제기된 사항은 계엄령 철폐, 유신 헌법 폐지, 전두환 퇴진, 민간 정부 수립 요구 등이었다.

광주 시내에 진입하는 계엄군

4. 유신 체제의 붕괴

(1) 배경

① **대외적 상황**: 2차 석유 파동(1979)이 발생하여 석유 값이 급등함에 따라 경제가 침체되었다. 또한, 박정희는 독자적 군사 노선을 추구하면서 미국과 갈등을 빚었다.

② **YH 노동자 사건(1979. 8.)**: 생존권 보장을 요구하며 신민당사에서 농성을 벌이던 YH 무역의 여공들을 경찰이 강제로 진압하였다.

③ **부·마 항쟁[❶](1979. 10.)**: YH 노동자 사건과 관련해 당시 **신민당 총재였던 김영삼이 국회에서 제명**당하였다. 이 사건을 계기로 **부산과 마산** 등지에서 **유신 체제에 저항하는 시위**가 발생하였다. 정부는 이를 진압하기 위해 부산에는 계엄령을, 마산 지역에는 위수령을 발동하였다.

(2) 10·26 사태 발발(1979)

경호실장 차지철과 갈등을 빚던 중앙정보부장 김재규가 10월 26일 궁정동 만찬에서 **박정희 대통령을 저격**하였다.

(3) 10·26 사태 수습

정부는 전국에 비상계엄을 선포하고, 국무총리 최규하가 대통령 권한을 대행하였다.[❷] 이후 유신 헌법에 따라 1979년 12월 **통일 주체 국민 회의에서 최규하가 10대 대통령으로 선출**되었다.

04 신군부의 등장과 전두환 정권 성립(제5공화국, 1981~1987)

1. 신군부의 등장과 서울의 봄

(1) **12·12 사태 발발(1979)**: **전두환**을 비롯한 **신군부 세력**이 군사 쿠데타[❸]를 일으켜 권력을 장악하였다.

(2) **서울의 봄(1980)**: 1980년 5월 서울역 앞에서 계엄 해제와 신군부 퇴진 등을 요구하는 대규모 민주화 시위가 열렸다.

(3) **신군부의 권력 확대**: 신군부는 5월 17일에 **전국으로 계엄령을 확대**하고 **일체의 정치 활동을 금지**시켰다. 또한 김대중·문익환 목사를 내란 음모죄로 체포하고, 김영삼을 자택에 연금시켰다.

2. 5·18 광주 민주화 운동(1980)

(1) 전개

① **광주 민주화 시위 발발**: 1980년 5월 18일에 광주에서 민주화 시위가 일어나 계엄령 철회와 김대중 석방 등을 요구하였다.

② **과잉 진압과 시민군의 조직**: 신군부는 **공수 부대를 투입하여 무자비한 과잉 진압**을 하였고, 이에 격분한 시민들이 시위 대열에 합세하였다. 이후 자발적으로 **시민군이 조직**되었다.

③ **정부와의 협상 시도(1980. 5. 22.)**: 계엄군은 광주를 철저히 고립하는 한편, 이 사건을 불순분자의 책동이라고 발표하였다. 광주 시민들은 계엄 당국과의 협상을 시도하였으나 실패하였다.

(2) **결과**: 5월 27일 새벽에 계엄군은 전남도청을 점령하고, 저항하는 시민군을 무자비하게 살상하였다.

(3) 역사적 의의: 5·18 민주화 운동은 **1980년대 민주화 운동의 밑거름**이 되었으며, 학생 운동에서 반미 운동[4]이 등장하게 되는 계기가 되었다.

고등사료 百出 2017. 서울시 9급

광주 시민군 궐기문(1980. 5. 25.)

우리는 왜 총을 들 수밖에 없었는가. 그 대답은 간단합니다. 너무나 무자비한 만행을 더 이상 보고 있을 수만 없어서 너도나도 총을 들고 나섰던 것입니다. …… 정부 당국에서는 17일 야간에 계엄령을 확대 선포하고 학생과 민주 인사들을 불법 연행하였습니다. 또 **18일 아침에 각 학교에 공수 부대를 투입하고 이에 반발하는 학생들에게 대검을 꽂고 '돌격 앞으로'를 감행하였습니다.** …… 계엄 당국은 18일 오후부터 공수 부대를 대량 투입하여 시내 곳곳에서 학생, 젊은이들에게 무차별 살상을 자행하였으니!

3. 전두환의 정권 장악(제5공화국)

(1) 정권 장악 과정

① **국가 보위 비상 대책 위원회**: 5·18 민주화 운동을 진압한 신군부는 **국가 보위 비상 대책 위원회**를 설치하여 국정을 장악하였다.

② **11대 대통령 선출**: 1980년 8월 통일 주체 국민 회의에서 전두환을 대통령으로 선출하였다.

③ **제8차 개헌**[5](1980. 10.): 전두환은 **대통령 임기를 7년 단임**으로 하고 **대통령 선거인단**이 대통령을 간접 선출하는 개헌안을 제출하였다.

④ **제5공화국의 출범**(1981. 2.): 전두환 및 신군부는 민주 정의당을 창당하고, **대통령 선거인단의 간선에 의해 전두환이 제12대 대통령에 선출**되었다.

(2) 전두환 정권의 주요 정책

① 권위주의적 강권 통치

㉠ **언론 통제**: 언론을 장악하기 위해 언론 매체를 통폐합하였다. 또한 **보도 지침**을 하달하여 기사 내용을 통제하였다(1980. 12.).

㉡ **학생 운동 탄압**: 대학 안에 투입시킨 정·사복 경찰을 통해 학생 운동을 감시하였다.

㉢ **삼청 교육대**: 사회악을 뿌리 뽑겠다는 명분으로 수많은 사람들을 체포하여, 순화 교육이라는 이름 아래 군대식 훈련과 노동을 강요하였다.

② 유화 통치

㉠ **정치**: 중앙정보부를 국가 안전 기획부(안기부)로 바꾸고, 반공법을 폐지하여 국가 보안법에 흡수하였다. 또한 일부 민주화 인사를 복권시켰다.

㉡ **대학 정책**[6]: 1984년에는 학도 호국단[7]을 폐지하고 학생 자치 기구를 부활시켰다.

㉢ **각종 규제 해제**: 해외여행 자유화, 중·고등학교 교복 자율화, 통행금지 해제 등을 실시하였다.

㉣ **'3S 정책(Sports, Sex, Screen)'**: **컬러 TV 방송**을 전격적으로 실시했으며, 각종 **프로 스포츠**(야구, 축구) 등이 출범하였다. 이를 통해 국민의 관심을 정치로부터 멀어지게 하였다.

③ **경제 성장(1986~1988)**: **저달러·저유가·저금리의 3저 호황**에 의해 유례없는 경제 성장을 누렸다. **1986년 이래 3년 동안 연 10% 이상의 고도 성장**이 지속되었고 사상 최초로 **무역 수지 흑자**를 달성하였다.

---

[4] 부산 미 문화원 방화 사건(1982)
부산 지역 대학생들이 광주 민주화 운동 유혈 진압 비호에 대한 미국 측의 책임을 물어 미국 문화원을 방화한 사건이다.

[5] 8차 개헌의 주요 내용
- 선거인단에 의한 대통령 간선제 및 7년간 단임제
- 대통령의 비상 조치권과 국회 해산권 등 유신 헌법의 일부 조항 그대로 유지
- 통일 주체 국민 회의 폐지

[6] 졸업 정원제
졸업 정원제의 실시로, 대학 정원이 대폭 늘어 교육의 질이 떨어지고 데모의 규모가 확대되는 등 부작용이 커졌다. 이에 따라 1986년 졸업 정원제가 폐지되었다.

[7] 학도 호국단
1949년에 발족하여 중학교 이상의 교육 기관에서 군사 훈련과 반공 사상 교육을 실시하였다. 4·19 혁명 이후 폐지되었다가 1975년에 부활하였다. 이후 1984년 전두환 정부 때 완전히 폐지되었다.

(3) 부정부패 심화와 정권의 타락

① **권력형 부정 비리 사건**: 이철희·장영자 금융 사기 사건,❶ 대통령 친인척의 부정·비리 사건❷ 등 각종 권력형 부정·비리 사건들이 속출하였다.

② **민주화 운동 탄압**: 부천서 성고문 사건❸·**박종철 고문 치사 사건** 등이 폭로되면서 전두환 정권의 비윤리성과 폭력성이 드러나게 되었다.

(4) 전두환 정권에 대한 저항

김영삼·김대중 등 민주 인사들은 민주화 추진 협의회❹를 조직하여 전두환 정부에 저항하였다.

❶ **이철희·장영자 금융 사기**

독재 권력의 비호를 받으며 사채 시장의 '큰손'으로 군림해 온 장영자와 그의 남편 이철희가 저지른 거액의 어음 사기 사건이다.

❷ **전경환 비리 사건**

1988년 5공 비리 청문회가 열리자, 전경환(전두환의 친동생이자 새마을 운동 중앙 본부 회장 역임)이 검찰에 소환되면서 새마을 운동 중앙 본부와 관련된 비리들이 폭로되었다.

❸ **부천서 성고문 사건**

1986년 부천 경찰서 경장 문귀동이 권인숙에게 성고문을 가하며 진술을 강요했던 사건이다.

❹ **민주화 추진 협의회**

새로운 정당을 만들기 위한 작업에 착수하여 1985년 1월 신한 민주당을 창당하였다. 신한 민주당은 1985년 2월에 실시된 국회 의원 선거에서 다수의 당선자를 배출하였다.

05 6월 민주화 항쟁과 6·29 선언

1. 배경

(1) 직선제 개헌 요구 운동의 전개

① **직선제 개헌 운동(1986)**: 야당 정치인들과 재야 세력들이 1천만 명 개헌 서명 운동을 벌였다.

② **박종철 고문 치사 사건(1987)❺**: 서울대생 박종철이 고문으로 사망한 사건이 발생했다. 이 사건은 국민의 분노를 야기해 거국적 **민주 항쟁의 도화선**이 되었다.

(2) 4·13 호헌 조치(1987)

전두환 정부는 개헌에 대한 정치권의 합의가 이루어지지 않았다는 것을 구실로 **헌법을 그대로 유지한 채 선거를 치르겠다는 발표(호헌 조치)**를 하였다. 이는 국민의 직선제 개헌 요구를 외면한 것이다.

박종철 열사

❺ **박종철 고문 치사 사건**

1987년 1월 14일, 서울대학교 학생 박종철이 서울 남영동 치안 본부 대공 분실에서 조사받던 중 고문으로 사망하였다. 그러나 경찰은 단순 쇼크사인 것처럼 발표하였다.

2. 6월 민주화 항쟁의 발생(1987. 6. 10.)

(1) 민주 헌법 쟁취 국민운동 본부 결성(1987. 5.)

박종철 고문 치사 사건과 **4·13 호헌 조치**의 발표에 따라 비난 여론이 커져갔다. 이에 따라 야당과 재야 세력을 중심으로 **민주 헌법 쟁취 국민운동 본부**가 발족되어 전국 규모의 시위를 계획하였다.

(2) 전개 과정

① **이한열 최루탄 치사 사건**: 6월 9일 연세대 학생 이한열이 경찰의 최루탄에 맞아 숨졌다.

② **6월 민주 항쟁**: 6·10 대회에서는 시민과 학생들이 **호헌 철폐, 독재 타도, 민주 헌법 쟁취** 등의 구호를 내세우고 전국의 도시에서 시위를 벌였다. 6월 26일 '국민 평화 대행진의 날'에는 전국에서 100만 명 이상의 시민들이 시위에 참여하여 **조직적·범국민적으로 민주화 시위가 전개되었다.**

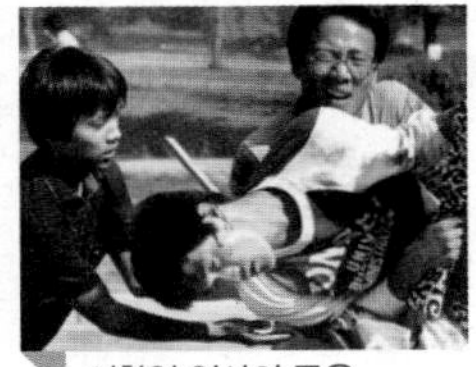

이한열 열사의 죽음

(3) 6·29 민주화 선언

① **내용**: 1987년 6월 29일 노태우 민주 정의당 대표 위원은 6·29 선언을 발표하였다. 주요 내용은 **대통령 직선제 개헌**과 평화적 정부 이양, 공정 선거, 김대중 사면·복권 등이었다.

② **결과**: **대통령 직선제 및 5년 단임제**를 골자로 하는 **제9차 개헌**이 이루어졌다.

고등사료 百出 2017. 서울시 9급, 2017. 법원직 9급, 2012. 국가직 7급, 2010. 국가직 9급, 2008. 법원직 9급

6월 민주화 항쟁

국가의 미래요 소망인 **꽃다운 젊은이를 야만적인 고문으로 죽여 놓고** 그것도 모자라서 뻔뻔스럽게 국민을 속이려 했던 현 정권에게 국민의 분노가 무엇인지를 분명히 보여 주고, **국민적 여망인 개헌을 일방적으로 파기한 4·13 호헌 조치를 철회**시키기 위한 민주 장정을 시작한다. …… 무엇보다도 우리는 이른바 4·13 대통령의 특별 조치를 국민의 이름으로 무효임을 선언한다.

– 6·10 대회 선언문

6·29 선언

첫째, 여야 합의하에 조속히 **대통령 직선제 개헌**을 하고 새 헌법에 의한 대통령 선거를 통해 88년 2월 평화적 정부 이양을 실현토록 해야 하겠습니다. …… 오늘의 이 시점에서 저는, 사회적 혼란을 극복하고, 국민적 화해를 이룩하기 위하여 대통령 직선제를 택하지 않을 수 없다는 결론에 이르게 되었습니다. 국민은 나라의 주인이며, 국민의 뜻은 모든 것에 우선하는 것입니다.

6·29 선언 발표

❖ 역대 주요 민주화 운동 비교 정리

구분	1960년 4·19 혁명	1980년 5·18 광주 민주화 운동	1987년 6월 민주화 항쟁
계기	3·15 부정 선거	신군부의 권력 장악 (계엄령 선포)	직선제 개헌 요구, 4·13 호헌 조치
양상	자연 발생적, 전국적 시위	무력 항쟁, 광주에 국한	계획적·조직적, 전국적 시위
결과	이승만 퇴진	전두환 정권 수립	직선제 개헌 쟁취
개헌	내각제 개헌(3차)	7년 단임 간선제(8차)	5년 단임 직선제(9차)
의의	민주주의의 시작	80년대 민주화 운동의 토대	민주주의의 완성

06 노태우 정부의 수립과 전개(제6공화국, 1988~1992)

1. 노태우 정부의 수립

제13대 대통령 선거에서 김영삼과 김대중이 후보 단일화를 이루지 못하면서 민주 정의당의 **노태우**가 역대 최저 득표율로 당선되었다(36% 득표).

13대 대통령 선거 후보자별 득표율

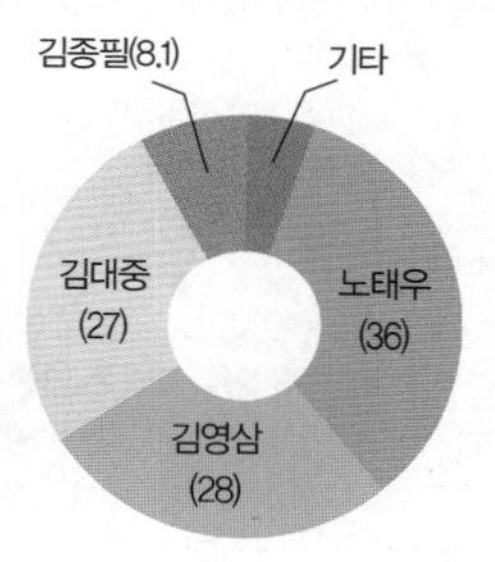

2. 노태우 정부의 주요 정책

(1) **국정 시책**: 88 서울 올림픽의 성공적인 개최·**적극적인 북방 외교** 정책 등을 주요 시책으로 삼았다.

(2) 주요 대내외 정책

① 대내 정책

㉠ **5공 청산 작업**: 청문회를 개최하여 전두환 등 신군부의 쿠데타와 광주 학살 문제, 전두환 일가의 비리 등을 단죄하였다.

㉡ **지방 자치제**[6] **시행**: 5·16 군사 정변으로 중단되었던 **지방 자치제가 부분적으로 실시**되었다.

㉢ **올림픽 개최(1988)**: 서울 올림픽 대회의 성공적인 개최로 국위를 선양하였다.

㉣ **범죄와의 전쟁(1990)**: 사회 질서 확립을 위해 범죄 조직에 대한 소탕 등을 추진하였다.

5공 청문회

[6] **지방 자치제의 부분적 시행**
단체장 선거는 실시되지 않았다.

서울 올림픽

② 대외 정책

㉠ **적극적인 북방 외교**: 헝가리(1989)를 시작으로 **소련**(1990년 한·소 수교), **중국**(1992년 한·중 수교) 등 사회주의 국가들과 적극적으로 수교하였다.

㉡ **7·7 특별 선언**(1988): 북한을 적대적 상대로 인식하지 않고 동반자적 관계로 발전시킨다는 대북 협력 의지를 표명하였다.

㉢ **한민족 공동체 통일 방안**(1989): 자주·평화·민주의 3대 원칙 아래 남북 연합 단계를 거쳐 통일 민주 공화국으로 나아간다는 3단계 통일 방안을 제시하였다.

㉣ **남북한 UN 동시 가입**(1991. 9.): 남북한이 별개의 의석으로 유엔에 동시 가입하였다.

㉤ **남북 기본 합의서**(1991. 12.): 남북 정부 당사자 간에 공식 합의된 최초의 문서로 **화해, 불가침, 교류·협력**을 표방하였다.

㉥ **한반도 비핵화 선언**(1991. 12.): 비핵화로 한반도의 평화를 정착하자는 선언이다.

3. 3당 합당(1990)[1] 추진

3당 합당 발표

❶ 3당 합당

여당인 민주 정의당, 김영삼의 통일 민주당, 김종필의 신민주 공화당의 합당을 말한다. 김대중의 평화 민주당은 제외되었다.

❷ 여소야대

총 299석 중 여당인 민주 정의당이 125석(전국구 38석)을 차지한 반면, 평화 민주당·통일 민주당·신민주 공화당 3개의 야당이 164석을 차지하였다. 최초로 집권 여당이 과반수 의석 확보에 실패하여 이른바 여소야대의 정국이 전개되었다.

(1) 배경

1988년 13대 총선에서 민주 정의당은 과반수 의석 확보에 실패하였다. 이에 노태우 정권은 **여소야대**[2] **정국을 타개**하기 위해 김영삼, 김종필의 두 야당과 합당하여 **민주 자유당**을 창당하였다.

(2) 정치적 영향

14대 대통령 선거에서 **여당(민주 자유당)의 김영삼 후보**가 야당의 김대중 후보를 누르고 **당선되었다.**

❖ 대한민국 개헌의 역사

연도	개헌	주요 내용	특징 및 명칭
1948	제헌 헌법	대통령 중심제, 국회 의원에 의한 간선제, 1회 중임 가능(임기 4년)	최초의 헌법
1952	1차 개헌	대통령 직선제, 양원제(실시 안함.)	발췌 개헌
1954	2차 개헌	초대 대통령에 한하여 연임 제한 규정 철폐	사사오입 개헌
1960	3차 개헌	내각 책임제, 양원제, 언론 · 출판 · 집회 · 결사의 자유권 강화	허정 과도 정부
1960	4차 개헌	3 · 15 부정 선거 관련자 · 부정 축재자 처벌 소급법 제정	장면 내각
1962	5차 개헌	대통령 중심제, 직선제, 단원제, 국회 의결 거쳐 국민 투표 실시	5 · 16 군사 정변
1969	6차 개헌	3선 연임 금지를 4선 연임 금지로 수정	3선 개헌
1972	7차 개헌	통일 주체 국민 회의 신설, 대통령 간선제 실시, 임기 6년 긴급 조치권 · 국회 해산권 등 규정	유신 헌법, 종신 집권 가능 대통령 권한 극대화
1980	8차 개헌	대통령 선거인단의 간접 선거로 대통령 선출, 임기는 7년 단임제, 긴급 조치권 폐지	12 · 12 군사 쿠데타
1987	9차 개헌	대통령 직선제, 5년 단임제, 대통령 권한 축소(국회 해산권 폐지)	6 · 29 선언, 현행 헌법

07 문민정부, 김영삼 정부의 성립(제6공화국, 1993~1997)

1. 문민정부의 출범[3]: 30여 년 동안 이어진 **군사 정권이 종식**되고 문민정부가 출범하였다.

심화사료 百出 2016. 교육행정직 9급, 2016. 법원직 9급

김영삼 대통령 취임사 – 우리 다 함께 신한국으로(1993. 2. 25.)

친애하는 7천만 국내외 동포 여러분, 노태우 대통령을 비롯한 전직 대통령, 그리고 이 자리에 참석하신 내외 귀빈 여러분. 오늘 우리는 그렇게도 애타게 바라던 **문민 민주주의의 시대**를 열기 위하여 이 자리에 모였습니다. 오늘을 맞이하기 위해 30년의 세월을 기다려야 했습니다. 마침내 국민에 의한, 국민의 정부를 이 땅에 세웠습니다. **오늘 탄생되는 정부는 민주주의에 대한 국민의 불타는 열망과 거룩한 희생으로 이루어졌습니다.** 민주주의에 대한 저 자신의 열정과 고난이 배어 있는 이 국회의사당 앞에서 오늘 저는 벅찬 감회를 억누를 길이 없습니다.

2. 문민정부의 주요 정책

(1) **공직자 윤리법(1993)**: 고위 공직자 및 공직 후보자의 재산을 공개·등록하도록 하였다.

(2) **금융 실명제 실시(1993)**: 모든 **금융·부동산 거래를 실명**으로 하도록 하는 금융 실명제와 부동산 실명제를 실시하였다.

(3) **지방 자치제 전면 실시(1995)**: **지방 자치 단체장 선거를 실시**하여 주민이 선출하도록 하였다.

(4) **역사 바로 세우기**: 12·12 사태를 '쿠데타'로 규정하고, 1995년 전두환·노태우를 반란 혐의로 기소하였다. 이후 5·18 **특별법**을 제정하고 5·18을 민주화 운동으로 승격시켰다. 또한 **일제 잔재의 청산**을 위해 '국민학교'를 '초등학교'로 개칭하고 **조선 총독부 건물을 철거**하였다.

(5) **OECD 가입(1996)**: 1996년 경제 협력 개발 기구(OECD)[4]에 가입하였다.

3. 외환 위기의 발생(1997. 12.)

(1) **발생 원인**: 1997년 **한보 철강, 기아자동차 등 대기업이 연쇄적으로 도산**하였다. 금융 위기로 확산되면서 **외환 보유고가 급감**하게 되고, 결국 국가 부도 사태로 이어졌다.

(2) **IMF 구제 금융 신청 및 영향**: 외환 위기를 맞은 정부는 국제 통화 기금(IMF)에 구제 금융을 신청하고, 대신 고금리 정책과 구조 조정 정책 등을 약속하여 기업과 금융권의 구조 조정이 이루어졌다.

(3) **금 모으기 운동**: 김대중 정부 때 IMF 관리 체제의 조기 졸업을 위해 **금 모으기 운동**[5]이 일어났다.

③ 문민정부의 주요 국정 지표

부정부패 척결, 경제 회복, 국가 기강 확립을 3대 당면 과제로 제시하면서 '신한국 창조'를 국정 지표로 제시했다.

구속 수감된 두 전직 대통령

④ OECD 가입의 영향

외국 기업에 대한 규제를 완화하고 해외 자본이 보다 자유롭게 이동할 수 있게 되었다.

김영삼 대통령 재임 기간 대형 사고

1993년	• 부산 열차 전복 사고 • 서해 페리호 침몰 사고
1994년	서울 성수 대교 붕괴 사고
1995년	• 대구 지하철 공사장 도시가스 폭발 사고 • 삼풍 백화점 붕괴 사고

⑤ 금 모으기 운동

대한민국의 외채를 갚기 위해 시민들이 자발적으로 자신이 소유하던 금을 나라에 기부하였다.

제8편 현대 사회의 발전

08 국민의 정부, 김대중 정부의 성립(제6공화국, 1998~2002)

1. 평화적 정권 교체

제15대 대통령으로 김대중이 당선되면서 최초로 선거에 의한 평화적 여야 정권 교체가 이루어졌다.

2. 김대중 정부의 주요 정책

(1) 외환 위기(IMF) 극복 : 정부는 경제 구조 조정, 외국 자본의 유치, 부실 기업의 정리 등에 힘썼다.

(2) 신자유주의 경제 체제 정비 : 김대중 정부는 노사정 위원회를 구성하여 노사 협조를 구했으며(고통 분담), 신자유주의 경제 정책을 바탕으로 기업·금융·공공·노동 부문의 개혁을 추진하였다.

(3) 사회 복지 정책 확대 : 국민 기초 생활 보장법❶을 제정하는 등 사회 복지 제도를 확충하였다. 또한 여성부를 출범시키고, 남녀 차별 금지법❷을 제정하여 여성의 지위 향상에 노력하였다.

(4) 대북 정책 : 햇볕 정책을 추진하면서 남북 관계를 개선한 김대중 대통령은 노벨 평화상❸을 수상하였다.

① 금강산 관광 산업(1998) : 현대가 북한과 계약을 체결하면서 '금강호'가 첫 출항을 했다.

② 남북 정상 회담 및 6·15 남북 공동 선언(2000) : 평양을 방문한 김대중 대통령은 김정일 국방 위원장과 최초로 남북 정상 회담을 개최하였고, 6·15 남북 공동 선언을 발표하였다.

③ 경의선 철도 복원 기공식(2000) : 6·15 남북 공동 선언으로 추진된 남북 당국 간 최초의 협력 사업이다.

④ 개성 공단❹ 사업 : 남한의 자본과 기술, 북한의 토지와 인력이 결합하였다.

⑤ 이산가족 상봉 : 6·15 남북 공동 선언에서 이산가족 문제 등 인도적 문제를 조속히 해결하기로 합의하였고, 2000년 8월 제1차 이산가족 방문단 교환이 성사되었다.

❶ 국민 기초 생활 보장법
생활 유지 능력이 없거나 생활이 어려운 국민에게 필요한 급여를 지급하여 이들의 최저 생활을 보장하는 것을 목적으로 제정된 법률이다.

❷ 남녀 차별 금지법
차별 시정 기관으로 민간 기업체와 공공 기관(국가 기관·지방 자치 단체 등)을 규정하였다. 또한 차별 금지 분야를 사회 모든 영역으로 하였다.

6·15 남북 정상 회담

❸ 김대중 노벨 평화상 수상
2000년 12월 10일 노르웨이 오슬로에서 김대중 대통령이 한국인 최초로 노벨 평화상을 받았다. 6·15 남북 공동 선언을 이끌어내 한반도 긴장 완화에 기여한 공로를 국제 사회에서 인정받은 것이다.

❹ 개성 공단
2003년에 착공하여 2004년에 완공되었다.

09 노무현 정부와 이명박 정부

1. 노무현 정부(참여 정부, 2003~2007)

국민과 함께 하는 참여 민주주의, 평화와 번영의 동북아 시대 등을 국정 지표로 제시하였다.

(1) 주요 정책 : 수도권 소재의 주요 공공 기관을 지방으로 이전했으며, 과거사 진상 규명법을 제정하여 왜곡된 현대사를 바로잡고자 하였다. 2007년에 제2차 남북 정상 회담을 성사시켜 10·4 선언❺을 발표하였다.

(2) 개혁의 반발 : 재임 중 국회에서 탄핵당하는 헌정 사상 초유의 시련❻을 겪었다. 공약으로 내세웠던 국가 보안법 폐지와 사립 학교법 개정이 좌절되었다.

2. 이명박 정부(실용 정부, 2008~2012)

'작은 정부, 큰 시장'를 목표로 했으며, 실용주의와 경제 성장, 자원 외교 등을 추진하였다.

(1) 대내 정책 : 4대강 정비 사업과 기업 규제 완화와 감세 정책 등 시장 중시 경제 정책을 전개하였다.

(2) 대외 정책 : 한·미 결속을 강화하고 북한의 핵 문제에 강경하게 대처하였다.

❺ 10·4 남북 공동 선언의 주요 내용
- 6·15 공동 선언 적극 구현
- 상호 존중과 신뢰의 남북 관계로 전환
- 군사적 긴장 완화와 신뢰 구축
- 경제 협력 사업 활성화

❻ 노무현 대통령 탄핵 사태(2004)
선거 중립 의무 위반이 문제가 되어 탄핵당했으나 헌법 재판소에서 탄핵 소추안을 기각함으로써 무산되었다.

역대 대통령 선거

구분	실시	내용	
1대	1948년 7월	국회에서 이승만이 선출(간선제)	
2대	1952년 8월	발췌 개헌에 따라 직선제로 실시, 이승만이 당선	
3대	1956년 5월	자유당 이승만 vs 민주당 신익희 vs 무소속 조봉암 ⇨ 이승만 당선	
4대	1960년 8월	국회에서 민의원과 참의원의 간선으로 윤보선이 당선	
5대	1963년 10월	민주 공화당 박정희 vs 윤보선 ⇨ 박정희 당선	
6대	1967년 5월	민주 공화당 박정희 vs 윤보선 ⇨ 박정희 당선	
7대	1971년 4월	민주 공화당 박정희 vs 신민당 김대중 ⇨ 박정희 당선	
8대	1972년 12월	박정희가 단일 후보로 출마 · 당선	통일 주체 국민 회의 대의원들의 간접 선거에 따라 대통령으로 당선
9대	1978년	박정희가 단일 후보로 출마 · 당선	
10대	1979년 12월	최규하가 단일 후보로 출마 · 당선	
11대	1980년 8월	전두환이 단일 후보로 출마 · 당선	
12대	1981년 2월	대통령 선거인단의 간선에 의해 전두환이 대통령으로 당선	
13대	1987년 12월	민주 정의당 노태우 vs 통일 민주당 김영삼 vs 평화 민주당 김대중 ⇨ 노태우 당선	
14대	1992년 12월	민주 자유당 김영삼 vs 민주당 김대중 ⇨ 김영삼 당선	
15대	1997년 12월	새정치 국민회의 김대중 vs 한나라당 이회창 ⇨ 김대중 당선	

대한민국 헌법의 변천

이승만 정부	제헌 헌법, 1차 개헌, 2차 개헌
장면 내각	3차 개헌, 4차 개헌
박정희 정부	5차 개헌, 6차 개헌, 7차 개헌
전두환 정부	8차 개헌, 9차 개헌

대표 기출문제

다음과 같은 대통령 선출 방식이 포함된 헌법의 내용으로 옳지 않은 것은? 2022. 지방직 9급

> 제39조 ① 대통령은 통일 주체 국민 회의에서 토론없이 무기명 투표로 선거한다.
> ② 통일 주체 국민 회의에서 재적 대의원 과반수의 찬성을 얻은 자를 대통령 당선자로 한다.

① 대통령은 국회를 해산할 수 있다.
② 대통령의 임기는 7년으로 하며, 중임할 수 없다.
③ 대법원장은 대통령이 국회의 동의를 얻어 임명한다.
④ 대통령은 국정 전반에 걸쳐 필요한 긴급 조치를 할 수 있다.

해설
제시된 자료는 1972년에 제정된 유신 헌법(제7차 개헌)의 내용이다. ② 1980년에 통과된 제8차 개헌에 규정된 내용이다.
①③ 유신 헌법에 대한 설명이다.
④ 유신 헌법에 따라 대통령에게 긴급 조치라는 초헌법적 권리가 부여되었다.

정답 ②

3 CHAPTER 평화 통일과 경제 · 사회의 변화

01강 _ 통일 정책과 북한의 변화

❶ 1950~1970년대의 통일 정책
❷ 1980년대 이후의 통일 정책
❸ 북한 체제의 확립
❹ 북한의 경제 정책과 변화

02강 _ 경제 발전과 사회 · 문화의 변화

❶ 광복 이후의 경제적 상황과 6·25 전쟁 전후 복구
❷ 경제 성장과 자본주의의 발전
❸ 산업화와 농촌의 변화
❹ 노동 운동과 사회 운동
❺ 의식주 생활의 변화
❻ 교육·언론과 대중 문화
❼ 문학과 예술, 종교와 체육, 과학의 발달

解·法·기·출·진·맥

9급 국가직

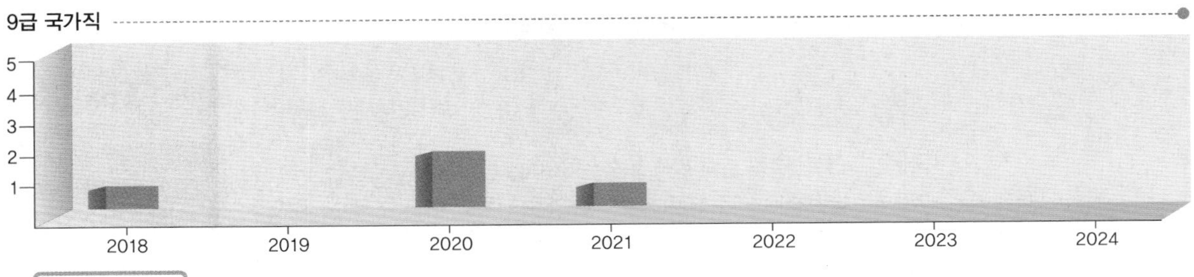

출제 경향 오버뷰 최근 3년간 출제되고 있지 않음. 각 시기별 경제 상황

9급 지방직

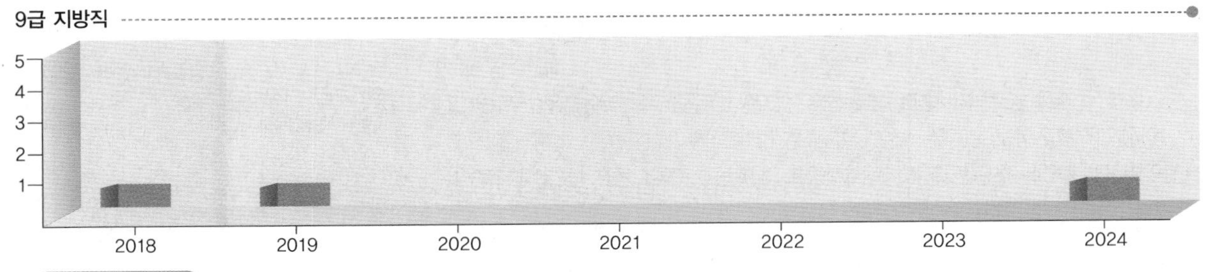

출제 경향 오버뷰 4년간 출제되지 않다가 2024년 출제됨. 통일 정책, 농지 개혁

9급 법원직

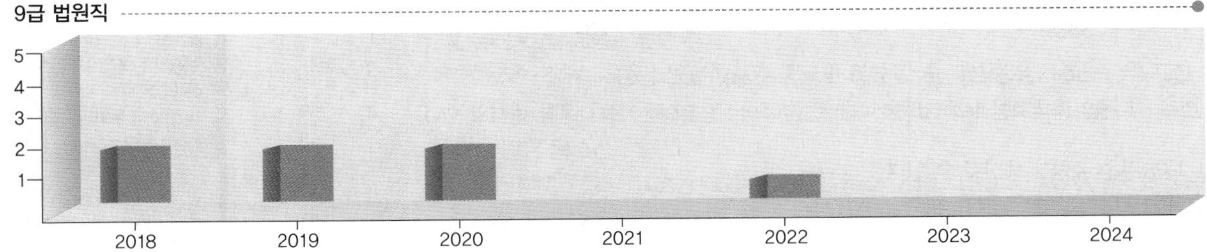

출제 경향 오버뷰 최근 2년간 출제되고 있지 않음. 7 · 4 남북 공동 성명, 6 · 15 남북 공동 선언, 농지 개혁

01 강

통일 정책과 북한의 변화

제3장 평화 통일과 경제·사회의 변화

解/法 기출분석

구분		2008~2017	2018	2019	2020	2021	2022	2023	2024
9급	국가직	•남북 기본 합의서 •통일 정책(2)							
	지방직	•7·4 공동 성명(3) •7·4 공동 성명과 6·15 공동 선언 •남북 기본 합의서(2) •통일 정책	7·4 공동 성명						
	법원직	•7·4 남북 공동 성명(2) •7·4 남북 공동 성명과 6·15 남북 공동 선언	통일 정책	6·15 공동 선언	통일 정책		통일 정책		

解法 요람

통일 정책의 추진

사건	연도	내용
7·4 남북 공동 성명	1972	• 자주·평화·민족적 대단결의 민족 통일 3대 원칙, 남북 조절 위원회 설치 • 남북 집권 세력은 7·4 남북 공동 성명을 독재 체제 강화에 이용
남북 이산가족 고향 방문	1985	최초로 남북 이산가족 고향 방문, 예술 공연단 교환 방문
남북 유엔 가입	1991. 9.	남북 고위급 회담 시작(1990. 9), 남북이 유엔에 동시 가입함.
남북 기본 합의서	1991. 12.	• 남북 간의 화해와 불가침 및 교류·협력에 관한 합의서 • 통일 지향하는 과정에서 잠정적으로 형성되는 특수 관계 인정
한반도 비핵화 선언	1991. 12.	한반도 비핵화에 관한 공동 선언 채택(1991. 12. 31.)
금강산 관광 사업(해로)	1998	현대 그룹 주도, 금강호가 분단 후 처음으로 동해항에서 출발
6·15 남북 공동 선언	2000	• 최초의 남북 정상 회담의 결과, 통일 문제의 자주적 해결 • 남측의 '남북 연합제안'과 북측의 '낮은 단계의 연방제안'의 공통성 인정 • 8·15 이산가족 방문단 교환(상봉 면회소 설치), 개성 공단 설치, 경의선 복구

01 1950~1970년대의 통일 정책

1. 반공 체제의 강화(1950~1960년대)

(1) 이승만 정부

북진 통일과 멸공 통일을 주장했으며, 평화 통일을 주장한 진보당❶ 인사(조봉암)들을 탄압하였다.

(2) 장면 내각

장면 내각은 "유엔 감시하의 남북 자유 선거에 의한 통일", "선경제 건설, 후통일"을 주장하였다. 한편, 민간에서는 중립화 통일론❷, 남북 협상론❸ 등 통일 운동이 활발히 전개되었다. 그러나 장면 내각은 이 같은 통일 정책 추진에 매우 소극적이었으며, 오히려 저지하기도 하였다.

(3) 박정희 정부(1960년대)

① 반공의 국시화: 박정희 정부가 반공을 국시로 삼으면서 반공 태세를 재정비·강화하였다.

② 남북 갈등의 심화: 북한은 1·21 사태와 울진·삼척 무장 공비 사건 등을 일으켰다.

2. 남북 대화의 시작과 7·4 남북 공동 성명(1970년대)

(1) 국제적 배경

닉슨 독트린(1969)❹ 발표 이후 세계적으로 평화 공존(데탕트)의 분위기가 형성되었다. 이에 영향을 받아 일본과 중국, 미국과 중국의 관계가 개선되었고, 한반도에서 남북한의 긴장이 완화되어 주한 미군이 부분적으로 철수하였다.

(2) 박정희 정권 시기의 통일 정책

① 8·15 선언 발표(1970): 북한에 대해 선의의 체제 경쟁을 제안하였다.

② 남북 적십자 회담 제의(1971) – 남북한 사이 최초의 평화 협상

1971년 8월에 대한 적십자사가 북한에 1천만 이산가족을 찾기 위한 남북 적십자 회담을 제의하였다. 북한 적십자사는 이에 화답하여 1972년부터 7차에 걸친 본회담이 개최되었다.

③ 7·4 남북 공동 성명(1972)❺

㉠ 발표: 1972년 7월 4일에 남북한 당국은 분단 이후 처음으로 자주·평화·민족 대단결의 3대 통일 원칙을 담고 있는 7·4 남북 공동 성명을 서울과 평양에서 동시에 발표하였다.

㉡ 내용: 남북한 당국은 통일 문제를 협의하기 위해서 남북 조절 위원회❻를 설치하기로 하였다. 또한 북한에 대한 호칭을 괴뢰에서 북한으로 변경하였고, 서울과 평양에 상설 직통 전화의 개설을 약속하였다.

㉢ 결과와 한계: 아무런 성과를 거두지 못하였다. 또한 남북한 당국은 모두 7·4 남북 공동 성명을 정치적으로 이용하여 독재 체제를 구축하였다(남한–유신 헌법, 북한–사회주의 헌법).

---

❶ 진보당

1956년 11월 조봉암을 중심으로 한 진보 세력이 결성한 정당으로, 평화 통일론을 주장하였다. 1958년 진보당은 해체되고, 조봉암은 대통령 선거 후 간첩죄 및 국가 보안법 위반 혐의로 체포되어 다음 해 사형되었다.

❷ 중립화 통일론

1948년 남북 협상에서 처음 제기되었다. 중립화 통일론에서는 주변 강대국의 보장하에서 영세 중립화를 이루게 되면 미국과 소련이 한반도의 통일에 반대하지 않을 것이라고 보았다.

❸ 남북 협상론

외세의 간섭 없이 민족 자주적 입장에서 남북 협상으로 통일하자는 주장이다.

❹ 닉슨 독트린

1969년 미국 대통령 닉슨이 아시아 지역에서 베트남 전쟁과 같은 군사적 개입을 피하고 경제적 원조 중심의 지원을 펼치겠다고 발표하였다.

남북 적십자 회담

❺ 7·4 남북 공동 성명

정부는 비밀리에 중앙정보부장 이후락을 북한에 보내 조직지도부장인 김영주를 만나 통일 문제를 협의하도록 하였다.

❻ 남북 조절 위원회

7·4 남북 공동 성명의 합의 사항을 추진하고 남북 관계를 개선, 발전시키며 통일 문제를 해결할 목적으로 설치된 남북한 당국 간의 공식 협의 기구였다.

고등사료 百出 18. 지방 9급, 18. 서울 9급, 16. 경찰 1차, 15. 경찰 3차, 15. 법원 9급, 14. 법원 9급, 13. 지방 9급, 13. 경찰 2차, 12. 지방 9급, 08. 법원 9급

7·4 남북 공동 성명

쌍방은 오랫동안 서로 만나보지 못한 결과로 생긴 남북 사이의 오해와 불신을 풀고 긴장의 고조를 완화시키며 나아가서 조국 통일을 촉진시키기 위하여 다음과 같은 문제들에 완전한 견해의 일치를 보았다.

1. 쌍방은 다음과 같은 조국 통일 원칙들에 합의를 보았다.
   첫째, 통일은 외세에 의존하거나 외세의 간섭을 받음이 없이 **자주적**으로 해결하여야 한다.
   둘째, 통일은 서로 상대방을 반대하는 무력행사에 의거하지 않고 **평화적** 방법으로 실현하여야 한다.
   셋째, 사상과 이념, 제도의 차이를 초월하여 우선 하나의 민족으로서 **민족적 대단결**을 도모하여야 한다.

6. 쌍방은 이러한 합의 사항을 추진시킴과 함께 남북 사이의 제반 문제를 개선·해결하며, 합의된 조국 통일 원칙에 기초하여 나라의 통일 문제를 해결할 목적으로 **이후락 부장과 김영주 부장을 공동 위원장**으로 하는 **남북 조절 위원회를 구성, 운영**하기로 합의하였다.

7·4 남북 공동 성명 발표

④ **1970년대 통일 정책**: 6·23 평화 통일 선언(1973)을 통해 남북한 유엔 동시 가입 등을 제안했으나, 북한은 한반도의 정부 2개를 인정해 분단을 확정짓는 것이라고 비난하였다. 다음해 평화 통일의 3대 원칙(한반도 평화 정착 ⇨ 상호 문호 개방과 신뢰 회복 ⇨ 남북한 총선거)을 발표했으나, 1975년 이후 남북 대화는 사실상 중단되어 별다른 성과는 없었다.

02 1980년대 이후의 통일 정책

1. 1980년대 통일 정책

(1) 전두환 정부의 통일 정책

① **1980년대 통일 정책**: 남북한 최고 책임자의 상호 방문을 제안(1·21 제의)했으며, 민족 화합 민주 통일 방안(1982)을 통해 남북한 협의 아래 1민족 1체제의 통일 민주 공화국을 수립하자고 하였다.

② **남북 이산가족 고향 방문 및 예술 공연단의 교환 방문(1985)**: 1984년 남한에 수해가 발생하자 북한이 구호 물자를 보내왔다. 이에 따른 화답으로 1985년 **남북한 이산가족 상봉과 예술 공연단의 교환 방문**이 처음으로 이루어졌다. 그러나 이후 북한의 대화 회피로 일회성 행사에 그치고 말았다.

(2) 1980년대 북한의 통일 정책

북한은 1980년 고려 민주 연방 공화국 창설안[7]을 확정하여 남한에 제안하였다. 연방 정부를 구성하고 그 밑에 남·북한 정부를 각각 두자고 하였다(**한 국가에 두 개의 정부와 체제 존재**).

[7] **남한의 반응**
전두환 정부는 이에 대응하여 민족 화합 민주 통일안을 제시하였다.

2. 남북 대화의 진전

(1) 노태우 정부의 통일 정책

① **사회주의 체제의 붕괴**: 1990년 독일 통일, 1991년 소련 해체 등 냉전 체제가 붕괴되기 시작하였다. 이에 정부는 **북방 외교 정책을 적극적으로 추진**하여 소련(1990)·중국(1992) 등 공산권 국가와 수교하였다.

② **7·7 특별 선언(1988)**: **북한을 적대적 대상이 아니라 민족 공동체의 일원으로 인식**하고, 상호 신뢰·화해·협력을 바탕으로 공동 번영을 추구하자는 것이 주요 내용이다.

③ **한민족 공동체 통일 방안 제시(1989)**: **자주·평화·민주**의 3대 원칙 아래 **'공존공영 ⇨ 남북 연합 ⇨ 단일 민족 국가'**의 3단계를 거쳐 통일을 실현하고자 하였다.

④ **남북한 유엔 동시 가입**: 1990년부터 남북 고위급 회담[1]이 여러 차례 개최되었고, **1991년에는 남북한이 유엔에 동시 가입**하였다.

⑤ **남북 기본 합의서(1991)**[2]

㉠ **과정**: **남북 화해·남북 불가침·남북 교류 협력** 등을 골자로 하는 '기본 합의서'를 채택, 서명하였다.

㉡ **주요 내용**

ⓐ **잠정적 특수 관계 인정**: 남북한 관계를 **통일 과정의 '잠정적 특수 관계'**라고 규정하고, 상호 체제(1민족 2체제 2정부)를 인정하였다.

ⓑ **불가침 및 단계적 통일 합의**: 군사적으로 침범하거나 파괴·전복하지 않으며, **교류·협력**을 통해 단계적으로 통일을 이룩해 나가야 한다는 약속을 대내외에 천명하고 있다.

㉢ **의의**: 남북한 정부가 **공개적으로 공식 합의한 최초의 통일 방안**이었다.

⑥ **비핵화 선언(1991)**: 핵무기를 개발하지 않는다는 **한반도 비핵화에 관한 공동 선언**이 채택되었다.

❶ 남북 고위급 회담
남한과 북한 간의 긴장 완화와 관계 개선을 위하여 남·북 총리급이 정치, 군사 문제를 협의하는 회담이다.

남북한 유엔 동시 가입 후 유엔 본부 앞에 나란히 게양된 국기

❷ 남북 기본 합의서의 후속 조치
화해 및 불가침, 교류와 협력에 관한 대책을 협의하고 이행하기 위한 기구로 화해 공동위, 군사 공동위, 경제 공동위, 사회·문화 공동위를 운영하도록 규정하고 있다. 아울러 남북의 긴밀한 연락과 협의를 위해 판문점에 연락 사무소를 설치토록 하였다.

남북 기본 합의서 조인

고등사료 百出 22. 서울시 9급, 22. 법원직 9급, 19. 국가직 7급, 18. 법원직 9급, 17. 서울시 9급, 16. 경찰 1차, 15. 경찰 3차, 11년 지방직 9급

남북 사이의 화해와 불가침 및 교류와 협력에 관한 합의서(1991. 12.)

7·4 남북 공동 성명에서 천명된 조국 통일 3대 원칙을 재확인하고, 정치·군사적 대결 상태를 해소하여 **민족적 화해**를 이룩하고 **무력에 의한 침략과 충돌을 막고** 긴장 완화와 평화를 보장하며, **다각적인 교류·협력**을 실현하여 민족 공동의 이익과 번영을 도모하며, **쌍방 사이의 관계가 나라와 나라 사이의 관계가 아닌 통일을 지향하는 과정에서 잠정적으로 형성되는 특수 관계**라는 것을 인정하고 평화 통일을 성취하기 위한 공동의 노력을 경주할 것을 다짐하면서 다음과 같이 합의하였다.

제1장 남북 화해

제1조 남과 북은 서로 상대방의 체제를 인정하고 존중한다.

제2조 남과 북은 상대방의 내부 문제에 간섭하지 아니한다.

제4조 남과 북은 상대방을 파괴·전복하려는 일체 행위를 하지 아니한다.

제2장 남북 불가침

제9조 남과 북은 상대방에 대하여 무력을 사용하지 않으며 상대방을 무력으로 침략하지 아니한다.

제12조 남과 북은 불가침의 이행과 보장을 위하여 이 합의서 발효 후 3개월 안에 남북 군사 공동 위원회를 구성 운영한다.
……

제13조 남과 북은 우발적인 무력 충돌과 그 확대를 방지하기 위하여 쌍방 군사 당국자 사이에 직통 전화를 설치 운영한다.

제3장 남북 교류 협력

제15조 남과 북은 민족 경제의 통일적이며 균형적인 발전과 민족 전체의 복리 향상을 도모하기 위하여 자원의 공동 개발, 민족 내부 교류로서의 물자 교류, 합작 투자 등 경제 교류와 협력을 실시한다.

고등사료 百出 2017. 경찰 2차

한반도 비핵화에 관한 공동 선언(1991. 12.)

1. 남과 북은 **핵무기**의 시험, 제조, 생산, 접수, 보유, 저장, 배치, 사용을 아니한다.
2. 남과 북은 핵에너지를 오직 **평화적 목적**에만 이용한다.
3. 남과 북은 핵 재처리 시설과 우라늄 농축 시설을 보유하지 아니한다.

… (후략) …

(2) 김영삼 정부의 통일 정책

① 3단계 통일 방안

㉠ 3단계 3대 기조 통일 정책[3](1993): '화해·협력 ⇨ 남북 연합 ⇨ 통일 국가'라는 3단계 과정을 거쳐 통일을 이룬다는 방안이다.

㉡ 민족 공동체 통일 방안(1994): 화해·협력을 통해 상호 신뢰를 쌓은 뒤 민족 공동체를 건설하고, 정치 통합을 이루자는 것이다. 자주·평화·민주를 기본 원칙으로 단계적으로 통일 국가를 형성하자는 방안으로, 1민족·1국가·1체제·1정부 형태의 통일 국가 실현을 목표로 하였다.

② 남북 경제 교류: 한반도 에너지 개발 기구(KEDO)에 의한 경수로 사업[4]을 추진하였다.

(3) 김대중 정부의 대북 화해 협력 정책

① 햇볕 정책: 남북 관계 개선과 평화 정착을 목표로 다양한 대북 화해 협력 정책을 펼쳤다.

② 6·15 남북 공동 선언(2000. 6.)

㉠ 정상 회담 성사: 분단 55년 만에 처음으로 대한민국의 김대중 대통령과 북한의 김정일 국방위원장이 2000년 6월 평양에서 제1차 남북 정상 회담을 가졌다.

㉡ 회담 내용: 7·4 남북 공동 성명과 남북 기본 합의서에서 이미 합의된 것을 바탕으로 5개 항의 공동 선언을 발표하였다.

㉢ 영향: 남북한 경제 협력을 축으로 사회, 문화, 체육 등 남북 교류·협력이 더욱 활성화되었다.

고등사료 百出 22. 법원직 9급, 19. 법원직 9급, 18. 서울시 9급, 18. 법원직 9급, 17. 경찰 2차, 15. 경찰 3차, 15. 법원직 9급, 13. 지방직 9급, 07. 국가직 7급

6·15 남북 공동 선언

1. 남과 북은 나라의 통일 문제를 그 주인인 우리 민족끼리 서로 힘을 합쳐 자주적으로 해결해 나가기로 하였다.
2. 남과 북은 나라의 통일을 위한 **남측의 연합제안과 북측의 낮은 단계의 연방제안이 서로 공통성이 있다고 인정하고 앞으로 이 방향에서 통일을 지향**시켜 나가기로 하였다.
3. 남과 북은 올해 8·15에 즈음하여 **흩어진 가족, 친척 방문단을 교환**하며, 비전향 장기수 문제를 해결하는 등 인도적 문제를 조속히 풀어 나가기로 하였다.
4. 남과 북은 경제 협력을 통하여 민족 경제를 균형적으로 발전시키고, 사회, 문화, 체육, 보건, 환경 등 제반 분야의 협력과 교류를 활성화하여 서로의 신뢰를 다져 나가기로 하였다.

– 2000년 6월 15일

③ 활발해진 남북 교류: 금강산 관광[5]이 시작되었고, 끊어진 경의선과 동해선 철도의 연결이 추진되었으며, 북한의 개성에 남한 기업이 공업 단지를 조성하였다. 그리고 남북한 이산가족의 상봉과 이산가족 간의 서신 교환이 이루어졌다.

❸ 3단계 3대 기조 통일 정책
민주적 절차를 통하여 구축된 자발적 국민 합의, 북한과의 평화 공존과 공동 번영, 민족 복리를 우선하는 세 가지 실천 정신을 강조하였다.

❹ 경수로 사업
1994년 북한과 경수로 사업에 합의하고, 1995년 KEDO를 설치하였다. 이후 2006년에 대북 경수로 지원 사업은 공식 중단되었다.

제1차 남북 정상 회담

개성 공단

❺ 금강산 관광

현대 그룹의 주도로 1998년 해로로 금강산 관광이 시작되었다(해로 관광은 2004년 중단). 2003년부터는 육로 관광도 이루어졌으나, 2008년 관광객 피격 사건으로 중단되었다.

1945~1948 전일 ▶▶
- 1946 북조선 임시 인민 위원회 발족
- 1948 북한 정권 수립

- 1950 6·25 전쟁 발발
- 1956 8월 종파 사건
- 1957 천리마운동
- 1968 1·21 사태
- 1972 7·4 남북 공동 성명 사회주의 헌법 제정
- 1980 김정일 후계자 지명
- 1994 김일성 사망

✎ 주요 남북 협력 사업

1984	북한이 구호물자 제공
1991	세계 탁구 선수권 대회 남북 단일팀 구성
1998	초코파이 생산 및 판매 금강산 관광 시작
2000	시드니 올림픽 남북 동시 입장
2002	부산 아시안 게임 북한 참가
2003	전국 노래자랑 평양편 제작 금강산 육로 관광 시작
2004	개성 공단 시범 단지 준공 겨레말 큰사전 공동 편찬
2005	'뽀로로와 친구들 1' 공동 제작 조용필 평양 공연 북관 대첩비 반환 사업 광복 60주년 국제 학술 회의
2006	고구려 유적 공동 조사 안중근 의사 유해 공동 발굴
2007	남북 역사 용어 공동 연구 경의선 · 동해선 연결
2010	만월대 남북 공동 발굴 조사

최초의 남북 합작 3D 애니메이션 "뽀로로와 친구들 1"(2005)

(4) 노무현 정부의 통일 정책

① **햇볕 정책의 계승**: 김대중 정권의 대북 정책인 햇볕 정책을 계승하고 발전시켰다.

② **제2차 10·4 남북 공동 선언(2007)**: 노무현 대통령이 2007년 10월 북한 평양을 방문해 김정일 국방위원장과 함께 두 번째 남북 정상 회담을 갖고, 여기에서 10·4 남북 공동 선언을 채택하였다.

심화사료 百出

10·4 남북 공동 선언(2007, 남북 관계 발전과 평화 번영을 위한 선언)

1. **남과 북은 6·15 공동 선언을 고수하고 적극 구현해 나간다.**
2. 남과 북은 사상과 제도의 차이를 초월하여 남북 관계를 상호 존중과 신뢰 관계로 확고히 전환시켜 나가기로 하였다.
4. 남과 북은 **현 정전 체제를 종식시키고 항구적인 평화 체제를 구축**해 나가야 한다는데 인식을 같이하고 직접 관련된 3자 또는 4자 정상들이 한반도 지역에서 만나 **종전을 선언하는 문제를 추진하기 위해 협력**해 나가기로 하였다.
5. 남과 북은 경제 협력 사업을 적극 활성화하기로 하였다.
   - **서해 평화 협력 특별 지대를 설치**하여 공동 어로 구역과 평화 수역 설정, 민간 선박의 해주 직항로 통과, 한강 하구 공동 이용 등을 적극 추진해 나가기로 하였다.

❖ 남북한 통일 방안 비교

구분	남한	북한
명칭	민족 공동체 통일 방안(1994)	고려 민주 연방 공화국 창설 방안(1980)
통일 과정	• 1단계: 화해 협력 단계 • 2단계: 남북 연합 • 3단계: 통일 국가 완성 단계 – 국민 투표로 통일 헌법 확정 – 총선거 실시	• 전제 조건 – 국가 보안법 폐지 – 주한 미군 철수 • 고려 민주 연방 공화국 수립 – 최고 민족 연방 회의 구성 – 연방 상설 위원회 설치
과도 체제	남북 연합	없음.
최종 국가 형태	1민족 1국가 1체제 1정부	1민족 1국가 2제도 2정부
특징	민족 사회 우선 건설 (민족 통일 ⇨ 국가 통일)	국가 체제 조직 우선 (국가 통일 ⇨ 민족 통일)

03 북한 체제의 확립

❖ 북한 정권의 성립 과정

북조선 임시 인민 위원회 (1946. 2.)	• 위원장(김일성) • 토지 개혁법(1946년 3월, 무상 몰수 · 무상 분배), 남녀 평등법, 산업 국유화법 제정
북조선 인민 위원회 수립 (1947. 2.)	최고 행정 기관으로 북조선 인민 위원회 수립, 인민군 창설(1948. 2.)
최고 인민 회의 대의원 선거 실시(1948. 8.)	8월 25일 최고 인민 회의 대의원 선거를 실시하여 의회 구성 ⇨ 9월 8일 헌법(인민 민주주의 헌법) 통과
조선 민주주의 인민 공화국 (1948. 9. 9.)	• 김일성(수상), 박헌영(부수상) 임명 • 수도: 서울 ⇨ 평양(임시 수도)
북한 정권의 성립	조선 공산당 북조선 분국(1945. 10.) ⇨ 북조선 공산당으로 개칭(1946. 4.) + 북조선 신민당(1946. 2.) ⇨ 북조선 노동당(1946. 8.) + 남조선 노동당 ⇨ 조선 민주주의 인민 공화국 수립(1948. 9.) ⇨ 조선 노동당 창립(1949. 6.)

1. 북한 정치 체제의 성립

(1) 정부 수립 과정

1945년 10월 설치된 조선 공산당 북조선 분국❶이 1946년 4월 정식 북조선 공산당으로 발족되었다. 이 당은 8월에 김두봉의 신민당과 합당하여 북조선 노동당을 결성하였다.

(2) 초기의 주요 정치 세력

① 갑산파❷: 김일성 등 동북 지방에서 무장 투쟁을 전개해 온 세력이다.

② 남로당: 박헌영 계열을 중심으로 조선 공산당을 개편한 정당이다.

③ 소련파❸: 허가이·박창옥 등 소련 출신 세력이다.

④ 연안파❹: 무정·최창익·김두봉 등 중국에서 활동하던 조선 독립 동맹 세력 등이다.

(3) 주요 정치 세력의 숙청: 김일성을 중심으로 한 독재 체제가 형성되기 시작하였다.

① 6·25 전쟁 중: 소련파의 허가이와 연안파의 무정을 제거하였다.

② 1953~1955년: 6·25 전쟁 실패의 책임을 물어 박헌영을 비롯한 남로당 세력을 미국의 간첩이라는 명분으로 숙청하였다.

③ 1950년대 중·후반: 8월 종파 사건❺을 계기로 연안파(최창익·김두봉 등)를 숙청하였다.

④ 1960년대: 군사비 지출과 경제 정책에 대한 이견을 이유로 갑산파의 일부 세력들이 제거되었다.

2. 김일성 유일 체제의 확립

(1) 통치 이념으로서 주체 사상❻ 규정

① 주체 사상: 마르크스·레닌주의를 북한의 현실에 맞게 적용한 사상이다. 1960년대 중소 분쟁 이후 구체화되어 김일성 유일 지도 체제하에서 가장 강력한 통치 이념이 되었다.

② 한계: 자주성을 강조하였지만 실상은 **김일성 개인에 대한 우상 숭배를 조장**한 것이다.

❶ 조선 공산당 북조선 분국
북조선 서북 5도 대표자 및 열성자 대회에서 만들어졌는데, 사회주의 세력의 연립 정권 형태를 띠었다.

❷ 갑산파
함북 갑산 인근 지역에서 활동하던 조선인 공산주의자들이다. 광복 이후부터 김일성을 중심으로 하는 만주파와 함께 북한의 정치를 주도하였다.

❸ 소련파
소련 내의 한인 출신들로, 광복 후 소련이 북한 통치를 위해 정책적으로 양성하여 귀국 시킨 인물들이다.

❹ 연안파
광복 후 입북한 조선 의용군 출신의 정치 집단을 말한다. 광복 후 북한 정권에 참여하였다.

❺ 8월 종파 사건
1956년에는 소련에서 실권을 잡은 흐루시초프가 스탈린 체제를 비판하고 집단 지도 체제를 강조하였는데, 이것은 북한에도 영향을 미쳐 김두봉을 비롯한 일부 연안파의 지도자들이 독재 체제를 비판(8월 종파 사건)하며 북한을 집단 지도 체제로 전환할 것을 주장하였다.

❻ 주체 사상의 등장 배경
1960년대 중국과 소련의 사회주의 노선 분쟁과 국경 분쟁이 발생하자 북한은 대내적으로 독자적인 자주 노선을 모색하는 한편, 대외적으로는 제3세계와 비동맹 외교를 강화하였다.

(2) **4대 군사 노선 채택**: 1962년 전 인민의 무장화, 전 국토의 요새화, 전 군의 간부화, 전 군의 현대화를 추진하여 군사력을 강화하였다.

(3) **무력 도발을 통한 남북 간 긴장 관계 형성**: 북한은 무장 공비 31명을 남파(1·21 사태)하는 등 무력적인 도발을 감행하였다. 그 외의 무력 도발로는 푸에블로호 납치 사건(1968), 판문점 도끼 만행 사건(1976),❶ 아웅산 폭탄 테러 사건(1983), 대한항공 858 폭파 사건(1987) 등이 있다.

(4) **사회주의 헌법 제정(1972. 12.)과 국가주석제 실시**: **사회주의 헌법을 제정**하고 **국가주석제**❷를 신설하여 권력을 주석 중심으로 개편하였다. 이로써 **김일성 독재 권력 체제가 제도화**되었다.

고등사료 百出

조선 민주주의 인민 공화국 사회주의 헌법(1972. 12.)

조선 민주주의 인민 공화국과 조선 인민은 조선로동당의 령도 밑에 위대한 수령 **김일성 동지를 공화국의 영원한 주석으로 높이 모시며** ……

제1조 조선 민주주의 인민 공화국은 전체 조선 인민의 이익을 대표하는 자주적인 사회주의 국가이다.

제3조 조선 민주주의 인민 공화국은 사람 중심의 세계관이며 인민대중의 자주성을 실현하기 위한 혁명사상인 **주체 사상을 자기 활동의 지도적 지침으로 삼는다.**

제4조 조선 민주주의 인민 공화국의 주권은 노동자, 농민, 근로 인텔리와 모든 근로 인민에게 있다.

제20조 조선 민주주의 인민 공화국에서 생산 수단은 국가와 사회 협동 단체가 소유한다.

3. 김정일 체제로의 전환

(1) 부자 세습 체제

수년간의 작업 끝에 1980년 조선 노동당 6차 대회에서 김정일은 김일성의 유일한 후계자로 공식 인정받았다. 이후 정치 체제가 김정일 중심으로 개편되었다.

(2) 김일성의 사망

1994년 7월 김일성이 사망하자, 김정일은 조선 인민국 최고 사령관의 직함을 가지고 김일성의 뜻에 따라 통치하였다. 1998년 헌법의 개정❸에 따라 김정일 체제가 공식적으로 출범하였다.

(3) 김정일❹의 통치 체제

김정일은 선군 정치❺를 내세워 경제 위기로 인한 혼란을 막으려 하였다. 또한, '우리식 사회주의'를 주체 사상을 구현해 나가는 사회주의라고 규정했으며, 이를 통해 북한 체제의 우월성❻을 강조하였다.

(4) 북한의 핵(核) 문제 대두

1992년 국제 원자력 기구(IAEA)의 핵 사찰 이후, 북한의 핵 문제가 국제적으로 대두되었다. 결국 **1994년 북·미 간 제네바 협정**❼에 의해 **북한은 핵 개발을 포기**하였다. 그러나 북미 간 갈등이 고조되자, 북한은 핵 시설을 다시 가동한다고 밝혔다.

❶ **판문점 도끼 만행 사건**
1976년 판문점에서 북한군 30여 명이 도끼와 낫 등으로 유엔군과 한국군을 공격한 사건이다.

❷ **국가주석제의 유일 체제 구축**
김일성은 조선 노동당 중앙 위원회 총비서와 공화국 주석이라는 양대 직책을 맡아 수령 유일 체제를 구축하고, 행정과 군사 분야의 최고 지도자로써 절대 권력을 가졌다. 그리고 주민들에게는 수령에 대한 절대적 충성을 강요하였다.

❸ **김일성 헌법(1998)**
구 헌법상 국가의 수반이며 국가 주권을 대표하는 국가 주석은 김일성으로 하고 본문 조항에서는 주석직을 폐지하였다. 그리고 군사 최고 기관인 국방 위원회의 국방 위원장이 실질적인 국가 지도자의 역할을 수행하도록 함으로써 김정일의 권력 기반을 강화하였다.

❹ **김정일 사망**
2011년 김정일의 사망으로 김정은이 후계자가 됨으로써 3대 세습 체제가 구축되었다.

❺ **선군 정치(先軍政治)**
'선군(先軍)'은 군대를 앞세운다는 뜻으로, 군대를 경제 및 사회 개발·운영의 전면에 내세워 효율성을 높이겠다는 군대 중시 사상이다.

❻ **북한의 우리식 사회주의**
1980년대 말에 공산 정권이 몰락하고 소련까지 해체되자, 북한은 그 이유를 동유럽 공산 정권이 주체 사상과 같은 위대한 사상이 없었고, 김일성 부자와 같은 위대한 지도자가 없었기 때문이라고 왜곡하였다.

❼ **북·미 간 제네바 협정**
북한 핵시설 동결과 경수로 발전소 건설 지원 등을 명시하였다.

04 북한의 경제 정책과 변화

1. 사회주의 경제 체제의 구축

(1) 전후 복구와 농업 협동화

① 1단계: 전후 복구 3개년 계획(1954~1956)

전쟁으로 파괴된 기간 시설 복구를 목표로 하였다. 경제를 전쟁 이전의 수준으로 복구하였다.

② 2단계: 제1차 5개년 계획(1957~1961)

본격적인 사회주의 경제 체제를 확립하였다. 모든 농지를 협동 농장화하여 공동으로 생산·경영했으며, 사유제를 일체 인정하지 않았다.

천리마 동상

(2) 천리마 운동(1957)

하루에 천리를 달리는 천리마와 같은 속도로 사회주의 경제를 건설하자는 운동이다. 북한 주민의 생산 의욕을 고취하려는 **노동 경쟁 운동**이자 **사상 개조 운동**이다.

2. 경제 발전 7개년 계획

1961년부터 3차례에 걸쳐 경제 발전 7개년 계획을 추진하였으나 별다른 성과를 거두지 못하였다.

3. 장기적인 경제 침체

1990년대 이후 **공산권 붕괴에 따른 교역 상대국 상실** 등으로 경제적 위기는 더욱 심화되었다.

4. 경제 발전을 위한 노력

(1) **외국 자본 유치**: 북한은 1984년 합작 회사 경영법(합영법)[8]을 제정하고 외국 자본 유치를 적극 추진하였다. 1992년 합작법을 만들어 무역 지대에서 외국인이 기업을 운영할 수 있도록 하였다.

(2) 경제 특구 마련

① **목적**: 중국의 경제 특구를 모방하여 외국 자본과 기술을 유치하기 위해 설치하였다.

② **설치**: 1991년 나진·선봉에 자유 무역 지대를 만들었다. 2002년 신의주 특구를 지정하여 본격적인 시장 경제를 도입하고자 했으며, 2003년 개성을 공업 지구로 지정하였다.

(3) **금강산 관광 지구법**(2002. 11.): 금강산 관광의 활성화를 위해 관광 지구의 개발을 제도화한 것이다.

자유 무역 지대와 경제 특구

⑧ **합영법**

합작 회사에서 일하고 있는 외국인이 얻는 임금과 출자자의 소득에 대해서는 북한 소득세법에 의해 과세되며 소득의 일부를 해외 송금할 수 있도록 하였다.

대표 기출문제

남북 관계에 대한 역대 정부의 합의로 옳지 않은 것은? 2017. 국가직 9급(하)

① 박정희 정부－7 · 4 남북 공동 선언
② 김영삼 정부－남북 기본 합의서
③ 김대중 정부－6 · 15 남북 공동 선언
④ 노무현 정부－10 · 4 남북 공동 선언

해설
② 남북 기본 합의서는 1991년 12월 노태우 정부 때 합의 및 채택되었다.

정답 ②

02 강

경제 발전과 사회·문화의 변화

제3장 평화 통일과 경제·사회의 변화

解/法 기출분석

구 분		2008~2017	2018	2019	2020	2021	2022	2023	2024
9급	국가직	•농지 개혁(2) •1960년대 경제 •인구 정책 •현대 문화 전반	1960년대 경제		•해방 직후 경제 •1980년대 경제	1950년대 경제			
	지방직	•농지 개혁(2) •경제 상황(2) •교육 정책		농지 개혁					농지 개혁
	법원직	•농지 개혁(2) •경제 개발 5개년 •경제 상황	농지 개혁	1970년대 경제	1960년대 경제				

현대 경제 총정리

시기	내용
1950년대 (농지 개혁)	• 실시: 1949년 6월 제정, **1950년 3월부터 시행** • 내용: 산림 · 임야를 제외한 3정보 이상의 농지 대상, 연평균 생산량의 1.5배로 **유상 매입** ⇨ 농민에게 **3정보를 한도로 유상 분배**, 5년간 수확량의 30%씩 상환 • 의의: 지주제 폐지로 인한 자영농 육성, 6·25 전쟁 당시 남한의 공산화 방지 • 한계: 6 · 25 전쟁으로 산업 자본의 전환 미흡, 빈농층 몰락으로 소작제 재등장
1960년대 (1, 2차 경제 개발 5개년)	• 정부 주도 **노동 집약적 경공업** 육성(섬유, 신발) ⇨ 수출 중심의 성장 전략 • **베트남 특수**, 빠른 경제 성장과 수출 증대 • 국가의 경제 기반 구축 ⇨ 경부 고속 국도, 포항 제철 건설
1970년대 (3, 4차 경제 개발 5개년)	• 재벌 중심의 **자본 집약적 중화학 공업** 육성(자동차, 조선) • 1973년 1차 석유 파동 ⇨ 건설업 중동 진출(**중동 특수**) • 신흥 공업국으로 성장 ⇨ **100억 달러 수출 달성**(1977) • 1979년 2차 석유 파동 ⇨ 경기 침체
1980년대	**3저 호황(1986~1988)**: 저달러, 저유가, 저금리 ⇨ 3년간 높은 경제 성장률
1990년대	• 국내 시장의 개방: 김영삼 정부 때 1994년 우루과이 라운드(UR) 타결, WTO 체제에 편입, OECD 가입 • **1997년 IMF 외환 위기 발생** ⇨ 2001년 IMF 관리 체제에서 벗어남.

01 광복 이후의 경제적 상황과 6·25 전쟁 전후 복구

1. 광복 직후의 경제 상황❶

(1) 분단으로 인한 경제 악화

① **남북한 경제 불균형**: 북한에 자원과 산업 시설이 편재된 상황에서 남한 경제는 큰 타격을 입었다.

② **남한 인구 증가**: 북한에서 많은 동포들이 월남하고 해외 동포들이 귀국하면서 남한 인구는 크게 늘어났다. **실업자 증대와 식량 부족** 등으로 남한의 경제는 더욱 악화되었다.

(2) 미군정기의 경제

① **통화량 급증과 물가 폭등**: 일제는 패전 직후 거액의 조선은행권을 발행하여 한국에 있던 일본인들에게 배포하였다. 그 결과 통화량이 급증하였고, 이는 **물가 폭등**으로 이어졌다.

② 쌀값 폭등

㉠ **원인**: 미군정은 쌀값을 자유 시장 체제에 맡겼으나 매점매석으로 쌀값이 오히려 폭등하였다. 미군정은 쌀 부족을 해결하기 위해 1946년부터 미곡 수집제를 실시하였다.

㉡ **결과**: 곡물을 거두는 과정에서 지주들은 빠져나가고 **소작 농민에게만 부담이 가중**되었다.

③ **소작제 실시**: 미군정은 소작료를 3분의 1로 낮춘 3·1제를 채택하여 농민을 보호하고자 하였다.

④ **신한 공사 설치(1946)**: **일본이 소유했던 농지나 공장 등의 재산을 관리**하기 위해 신한 공사를 두었다. 미군정은 이후 귀속 재산을 일부 불하하였다.

⑤ **중앙 토지 행정처 설치(1948)**: 중앙 토지 행정처는 신한 공사 소유의 모든 재산을 넘겨받아 관리하였다.

❶ **광복 직후 경제 상황**

광복 후 일본인들이 철수하고 일본과의 경제 교류가 끊김에 따라 한국 내의 공업 생산량은 급감하였다.

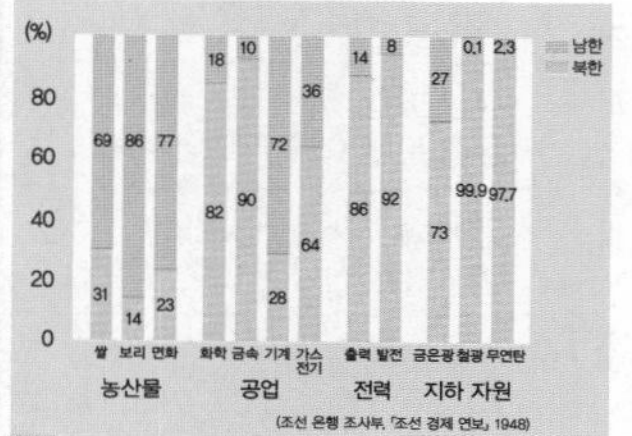

일제 말 남북한 산업의 주요 분야별 총 생산액

서울 도매 물가 지수의 변화

(1936년도 물가 지수 100)

연도	물가 지수
1936	100
1944	241
1945. 9.	2,407
1946. 12.	25,563
1948. 3.	67,066

「식산 은행 월보」 제4권 3호, 1949년

2. 정부 수립 이후의 경제 정책

(1) 농지 개혁법의 시행(1949년 6월 제정·공포, 1950년 3월 시행)

① **시행 배경**: 광복 이후 민중의 토지 개혁 요구가 계속되었고 **북한의 토지 개혁(1946. 3.)**에 영향을 받아 이러한 목소리는 더욱 높아져 갔다.

② **도입 목표**: **경자유전**의 원칙하에 농지를 농민에게 분배함으로써 **자영농을 육성**하고자 하였다.

③ **주요 내용**: **임야와 산림을 제외**한 농지를 대상으로 하였다. **3정보(약 3만㎡)를 토지 소유의 상한**으로 정하고 그 이상을 소유한 지주로부터 농지를 **유상 매입**하여 농민에게 **유상 분배**하는 것을 원칙으로 하였다. 이때 지주에게는 지가 증권❷을 발급하여 농지의 1년 수확량의 150%를 한도로 5년간 보상하였고, 농민은 5년에 걸쳐 수확량의 30%씩을 상환하도록 하였다.

④ **의의**: 농민 중심의 토지 소유가 확립됨에 따라 **자영농 육성**이 가능해졌다. 이 결과 자작농이 증가하고 소작농이 감소하였다. 또한 6·25 전쟁 당시 **남한의 공산화 방지**에 기여하였다.

⑤ **한계**: 농지 개혁이 시간을 끄는 사이에 일부 지주들은 땅을 팔아치워 농지 대상이 되는 토지가 크게 줄었다. 그리고 6·25 전쟁으로 일부 대지주를 제외한 다수의 중소 지주층이 몰락하여 **토지 자본의 산업 자본으로 전환은 미미했으며**, 빈농층의 몰락으로 **소작제가 다시 부활**하였다.

❷ **지가 증권**

보상 기간, 지급액 등이 기재되어 있었다. 그러나 전쟁과 인플레로 인해 가치가 폭락하였다. 이에 따라 지주들이 지가 증권을 싼값에 내다 팔면서 중소 지주들이 몰락하였다.

Now Event ▶▶
•1949 농지 개혁법 공포
•1957 『우리말 큰 사전』 완간
•1962 제1차 경제 개발 5개년 계획
•1967 제2차 경제 개발 5개년 계획
•1968 국민 교육 헌장 선포
•1970 경부 고속 국도 개통 새마을 운동 전태일 분신 사건

~1945 전일 ▶▶
•1922 물산 장려 운동
•1923 암태도 소작 쟁의
•1929 원산 노동자 총파업
•1934 조선 농지령

✎ 남북한 토지 개혁 비교

남한	북한
산림·임야 제외	전체 토지
1949. 6. (시행 1950. 3.)	1946. 3.
유상 매입, 유상 분배	무상 몰수, 무상 분배
3정보 (토지 상한선)	5정보 (토지 상한선)

심화사료 百出

2024. 지방직 9급, 2019. 지방직 9급, 2018. 법원직 9급, 2017. 국가직 9급(하), 2016. 지방직 9급, 2012. 지방직 7급, 2011. 법원직 9급 2009. 법원직 9급

남한의 농지 개혁법

제1조 본법은 헌법에 의거하여 농지를 농민에게 적절히 분배함으로써 농가 경제의 자립과 농업 생산력의 증진으로 인한 농민 생활의 향상 내지 국민 경제의 균형과 발전을 기함을 목적으로 한다.

제5조 1. 법령 및 조약에 의하여 몰수 또는 국유로 된 농지, 소유권의 명의가 분명치 않은 농지는 정부에 귀속한다.
2. 농가 아닌 자의 농지, 자경하지 않는 자의 농지, 3정보를 초과하는 부분의 농지, 과수원 등 다년성 식물 재배 토지를 3정보 이상 자영하는 자의 소유인 식물 재배 이외의 농지는 정부가 매수한다.

제12조 농지의 분배는 농지의 종목, 등급 및 농가의 능력 기타에 기준한 점수제에 의거하되 **1가구당 총 경영 면적 3정보를 초과하지 못한다.**

제13조 분배 받은 농지에 대한 상환액은 평년작을 기준으로 하여 주 생산물의 1.5배로 하고, 5년 동안 균등 상환하도록 한다.

제17조 일체의 농지는 소작, 임대차 또는 위탁 경영 등 행위를 금지한다. 단, 제5조 제1항 제2호 단서의 경우 및 정부가 본법 기타 법령에 의하여 인허한 경우에는 예외로 한다.

(2) 귀속 재산[1] 처리

정부는 1949년 귀속 재산 처리법을 제정하고 6·25 전쟁 직후 대규모의 귀속 기업체를 헐값으로 민간에 넘겼다. 이 결과, 귀속 기업체를 산 자본가들은 재벌로 성장할 수 있었다.

❶ 귀속 재산
귀속 재산은 일제 강점기 일본인이 소유하였던 농지, 주택, 기업 등의 재산을 말한다. 미군정이 '적산(敵産)'이라는 이름으로 접수하여, 귀속 농지 중 일부를 우선적으로 소작인에게 매각하는 등 귀속 재산을 처리하였다. 이후 한·미 간의 재정 및 재산에 관한 협정에 의해 귀속 재산 처리는 이승만 정부에게 이관되었다.

심화사료 百出

2020. 법원직 9급

귀속 재산 처리법(1949년 제정, 귀속 재산의 처리에 관하여 규정한 법률)

제2조 본 법에서 귀속 재산이라 함은 …… 대한민국 정부에 이양된 일체의 재산을 지칭한다. 단, 농경지는 따로 농지 개혁법에 의하여 처리한다.

제3조 귀속 재산은 본 법과 본 법의 규정에 의하여 발하는 명령이 정하는 바에 의하여 국용 또는 공유 재산, 국영 또는 공영 기업체로 지정되는 것을 제외하고는 대한민국의 국민 또는 법인에게 매각한다.

3. 이승만 정부의 전후 복구 정책

(1) 경제 재건: 이승만 정권은 6·25 전쟁으로 파괴된 도로·항만·철도 등 사회 기간 시설을 보수하였다.

(2) 금융 정책: 정부는 한국은행법과 은행법을 제정(1950. 5.)하고 한국은행을 설립하였다.

6·25 전쟁 당시 파괴된 서울

4. 미국의 원조 경제

(1) 미국의 무상 원조[2]

미국은 한국을 공산주의의 방어 기지로 삼기 위해 경제 무상 원조를 결정하였다. 이에 따라 1945년부터 3년간 '점령지 행정 구조 원조(GARIOA)'가 전개되어 식료품·의류 등을 제공하였다.

① 한·미 원조 협정(1948. 10.): 정부 출범 이후 국가 대 국가의 원조를 실시하기 위해 체결하였다.

② 한·미 상호 방위 원조 협정(1950. 1.): 애치슨 선언 이후 한국군에 대한 군사 지원을 목적으로 체결된 조약이다.

③ 한·미 경제 조정 협정(1952): 미국 경제 원조와 관련하여 양국 간의 관계를 재조정했다.

❷ 미국의 원조 내용
6·25 전쟁 기간에는 3억 달러 이상이었고, 전후 복구 기간에도 22억 달러 이상이 되었다. 이러한 막대한 액수의 미국 원조는 전후 복구 사업에 큰 도움이 되었다.

(2) 미국 원조의 특징

식료품, 의복 등의 생활 필수품과 **밀가루·설탕·면화** 등과 같은 **소비재 산업의 원료에 집중**되었다. 미국은 농산물 원조를 통해 자국의 잉여 농산물을 처리[3]하였다.

(3) 경제 구조의 변화

① **삼백 산업의 성장**: 정부의 지원을 받아 원조 물자에 토대를 둔 삼백 산업이 발달하였다. 그 결과 1950년대 이후 삼백 산업[4] 중심으로 재벌이 형성되었다.

② **생산재 산업 부진**: 소비재 산업이 어느 정도 발전[5]하였지만, 철강·기계와 같은 생산재 산업의 발달은 부진하였다. 결국 한국 경제는 **대부분의 원자재를 수입에 의존**할 수밖에 없었다.

③ **농촌 경제 타격**: 미국 농산물의 대량 도입으로 농산물 가격이 폭락하였다.

(4) 유상 차관 경제로의 전환(1958)

미국의 경제 불황으로 **무상 원조가 유상 차관으로 전환**되었다. 이에 따라 경제가 더욱 침체되었다.

③ 미공법 480호와 대충자금

미국에서 원조 받은 농산물을 판매한 돈은 미국의 '미공법 PL480호(농산물 무역 촉진 원조법)'에 따라 대충자금(代充資金)으로 적립되었다. 대충자금은 원조액을 별도의 특별 계정에다 적립한 것을 말하는데 국내 미군의 유지 비용, 미국으로부터의 무기 도입 등에 소비되었다.

④ 삼백 산업

삼백은 말 그대로 세 가지 흰색 물품을 지칭하는 것으로 밀가루, 설탕, 면화를 원료로 한 제분, 제당, 면방직 산업을 지칭한다.

⑤ 충주 비료 공장

우리나라 최초의 비료 공장으로 미국의 자금을 지원받아 1955년 착공하였다(실제 가동은 1961년).

02 경제 성장과 자본주의의 발전

1. 박정희 정부의 경제 개발 5개년 계획 추진

(1) 장면 내각의 경제 개발 계획 수립

장면 정권은 경제 개발 5개년 계획(1961~1965)을 수립하였으나 **5·16 군사 정변으로 시행되지는 못**하였다.

(2) 제1·2차 경제 개발 5개년 계획(1962~1966, 1967~1971) – 경공업 육성

① **비용 마련**: 경제 개발을 위해 정부는 **적극적으로 외자를 도입**하였다. 그 일환으로 **일본과의 국교 정상화, 베트남 전쟁 참전** 등을 추진하였다.

② **추진 방식**: 외국 차관과 국내 노동력을 결합시켜 섬유, 신발 등 **경공업 제품**을 만들어 **수출**하였다. 정부는 수출 산업을 적극적으로 지원하는 한편, 가격 경쟁력을 위해 저임금 정책을 펼쳤다.

경부 고속 국도(1970년 개통)

심화사료 百出 2023. 국가직 9급

1964년 12월 5일 제1회 수출의 날, 박정희 대통령의 기념사

나는 우리 국민이 선천적으로 타고난 재질을 최대한으로 활용하여 다각적인 생산 활동을 더욱 활발하게 하고, …… **공산품 수출을 진흥**시키는 데 가일층 노력할 것을 요망합니다. 끝으로 나는 오늘 제1회 수출의 날 기념식에 즈음하여 …… 이 뜻깊은 날이 자립 경제를 앞당기는 또 하나의 계기가 될 것을 기원합니다.

(3) 제3·4차 경제 개발 5개년 계획(1972~1981) – 중화학 공업 중심

① **배경**: 1970년 무렵에는 갚아야 할 차관의 원금과 이자가 늘어나고, 경공업 제품의 수출이 차츰 벽에 부딪히면서 그동안 이룩해 온 경제 성장은 위기를 맞아 정책을 재조정할 필요가 있었다.

② **추진 방식**: 정부는 외국인의 직접 투자 유치, 기업에 대한 각종 특혜 제공, 중화학 공업화 정책 등을 추진하였다. 이에 따라 **마산, 이리(익산)에 수출 자유 지역**❶이 만들어져 많은 외국인 기업이 들어섰다. 또 철강,❷ 조선, 기계, 석유 화학❸ 등 **중화학 공업 단지를 조성**하였다.

③ **제1차 석유 파동(1973)**: 제1차 석유 파동으로 위기에 봉착하였으나, 외자 도입과 중동 건설을 통해 극복하였다.

④ **100억 달러 수출 달성(1977)**: 100억 달러 수출 및 1인당 GNP 1,000달러를 달성하였다.

고등사료 百出

장기 경제 개발의 기본 목표(중화학 공업 육성)

이번 3차 계획은 …… 우리나라를 상위 중진국 수준을 넘어 선진국 대열에 육박하게 하려는, 완전 민족 자립의 청사진입니다. …… **철강·기계·조선 등 중화학 공업을 건설하며**, 수출의 획기적인 증대로 국제 수지를 개선하려는 데 역점을 둘 것입니다.

– 제3차 경제 개발 5개년 계획, 1972년

(4) 경제 개발 계획의 성과 및 문제점

① **경제적 성과**: 경부 고속 국도 건설(1970)을 비롯하여 항만 등 사회 간접 시설을 확충하였다. 농업에서는 1972년 이후 다수확 품종인 통일 벼·유신 벼의 도입으로 쌀 생산량이 크게 증가하였다.

② **문제점**: 빈부 격차가 커졌으며, 미·일에 대한 대외 의존도가 심화되었다. 또한 외채가 급증하였다.

㉠ **재벌 중심**: 재벌 중심의 경제 개발이 이루어졌다. 대표적으로 1972년 8·3 조치❹를 내려 기업의 사채를 동결하는 등 기업에 특혜를 주었다.

㉡ **저임금 정책**: 수출 경쟁력 확보를 위한 저임금 정책은 빈부 격차를 심화시켰다.

㉢ **저곡가 정책**: 농촌 경제가 피폐해져 도·농 간 소득 격차가 심화되었다.

2. 경제 위기의 발생과 전두환 정부의 대응

(1) 1970년대 말~1980년대 초 경제 위기 발생

1979년 **제2차 석유 파동**이 일어나 우리 경제는 위기를 맞았다. 게다가 중화학 공업에 대한 과잉 투자로 국가 재정이 어려워지고 경제 성장률도 급감하였다.

(2) 전두환 정부의 대응

전두환 정부는 중화학 공업에 대한 투자를 조정하고 부실 기업을 정리하였다.

3. 3저(低) 호황(1986~1988)과 문제점

(1) **3저 호황**: 국제 금리와 석유 가격의 하락, 달러 가치의 저평가(저달러, 저유가, 저금리) 등 경제 성장❺의 중요 요소들이 한국에 유리하게 작용하여, 1986년부터 3년간 높은 경제 성장률을 기록하였다.

(2) **문제점**: 3저 호황기에 벌어들인 막대한 이윤이 생산적 투자가 아닌 부동산 및 주식 투기로 집중되면서 1989년 이후 우리 경제는 다시 침체에 빠졌다.

❶ 수출 자유 지역

다른 나라와의 상품 및 자원의 교역에 대해서 어떠한 제약도(세관 수속 등) 받지 않는 지역을 의미한다. 마산은 1970년, 익산은 1973년에 각각 지정되었다.

❷ 포항 제철소

박정희 정부는 대규모 차관을 도입하여 1968년부터 종합 제철소를 짓기 시작했고, 1973년에 완공되어 본격적으로 철강을 생산하였다.

❸ 석유 화학 산업의 육성

대한 석유 공사 출범, 1964년 울산 정유 공장의 가동을 계기로 석유 화학 산업이 발달하기 시작했다. 특히 울산 정유 공장은 석유 화학 공업의 원료원 확보라는 측면에서 큰 의의를 지닌다.

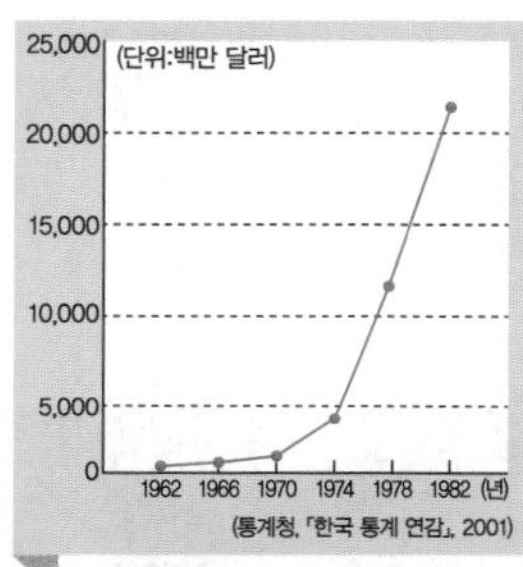

수출액의 변화

❹ 8·3 조치

1972년 8월 정부는 사채 시장에서도 자본 통제를 강화하여 신고된 사채는 3년 거치 5년 분할 상환을 하도록 하였다.

❺ 경제 성장

1995년에는 수출사상 처음으로 1천억 달러를 돌파하였다.

4. 국내 시장의 개방

(1) 우루과이 라운드[6]의 타결(1994)

① 성격: 세계 각국의 무역 자유화를 위해 출범한 무역 교섭이었다.

② 영향: 외국 농수산물이 대량 유입되었고, 그 결과 국내 농업에 큰 타격을 주었다.

(2) 세계 무역 기구(WTO)의 설립(1995)

세계 무역 체제의 개방을 지향하며, 우루과이 라운드를 실천하기 위해 설립된 국제 기구이다. 김영삼 정부 시기에 WTO 체제에 편입되었다.

(3) 시장 개방의 확대

2000년대 한국은 칠레를 시작으로 아세안, 유럽 연합(EU), 미국 등과 자유 무역 협정(FTA)을 체결하였다. 그 결과 전자·자동차 등 공산품 시장이 넓어졌지만, 농·축·수산물의 시장 개방도 가속화되었다.

5. 김영삼 정부의 경제 정책

우리나라가 주요 경제 국가로 성장함에 따라 아시아·태평양 경제 협력체(APEC)에 참여하고 1996년에는 경제 협력 개발 기구(OECD)[7]에 가입하였다.

6. IMF 외환 위기의 발생과 극복(1997. 11.~2001. 8.)

(1) 발생 원인: 사전 준비가 부족한 상태에서 개방화와 국제화가 급격히 진행되면서 무역 적자가 계속 되었다. 여기에 재벌의 중복 투자에 따른 대기업의 부도 사태, 금융권의 부실, 외국의 투기 자본 등이 더해져 1997년 말에 외환 위기를 맞이하였다.

(2) 대응 및 극복

① 국제 통화 기금(IMF)의 지원: 국제 통화 기금(IMF)의 긴급 금융 지원을 받아 국가 부도를 모면하였다. 이후 2001년 8월에 IMF의 관리 체제에서 벗어났다.

② 국민들의 자발적 모금 운동: 기업 부도, 대규모 실업 발생 등의 위기 상황 속에서 국민들은 금 모으기 운동을 전개하였다.

③ 신자유주의 경제 체제[8]: 김대중 정부는 노사정 위원회를 구성(1998)하여 노사 협조를 도모하였다. 신자유주의 경제 정책을 바탕으로 기업·금융·공공·노동 등 4대 부문의 개혁을 추진하였다.

(3) 한국 경제에 미친 영향

부실 기업의 해외 매각을 통해 많은 기업이 외국인의 소유가 되었다. 그리고, 기업의 구조 조정으로 인해 비정규직 노동자가 크게 증가하였다.

7. 한국 경제의 당면 과제와 발전 방향

재정의 건전화, 물가의 안정, 빈부 격차, 수도권 집중 현상, 높은 실업 등이 현재 한국 경제가 해결해야 할 문제점으로 지적되고 있다. 정부는 정보 기술(IT)·생명 공학 기술(BT) 등을 차세대 성장 산업으로 육성하고 벤처 기업 장려, 경제 구조 조정, 노사 협조, 실업자 구제 등을 위해 노력하고 있다.

⑥ 우루과이 라운드

모든 수입 제한 품목의 자유화, 농업 보조금 폐지, 이중 곡가제 폐지, 영농 자금 융자 중단, 수출 보조금 철폐 등

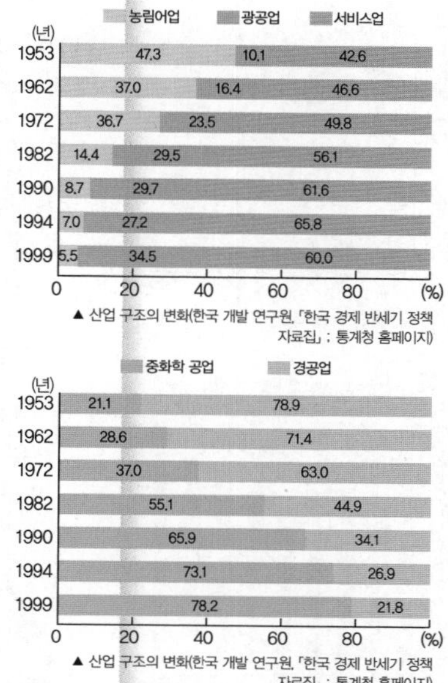

▲ 산업 구조의 변화(한국 개발 연구원, 「한국 경제 반세기 정책 자료집」 ; 통계청 홈페이지)

▲ 산업 구조의 변화(한국 개발 연구원, 「한국 경제 반세기 정책 자료집」 ; 통계청 홈페이지)

산업 구조의 변화

⑦ 경제 협력 개발 기구(OECD)

정책 협력을 통해 회원 각국의 경제·사회 발전을 공동으로 모색하고, 나아가 세계 경제 문제에 공동으로 대처하기 위한 국제 기구이다.

⑧ 신자유주의 경제 정책

시장에서의 자유로운 경쟁이야말로 최선의 결과를 낳는다는 논리에 바탕을 둔 정책이다. 시장 개방과 자본의 자유로운 유통을 위하여 정부의 역할 축소와 각종 규제의 철폐를 요구하고 있다.

03 산업화와 농촌의 변화

1. 인구의 변화

(1) **1960년대 이전:** 8·15 광복 이후 **해외 동포의 귀국과 북한 동포들의 월남으로 남한 인구는 크게 증가**하였다. 1944년에 남한 인구는 약 1,600만 명 정도였으나, **베이비 붐**[1]으로 출산율이 높아지고 사망률은 점차 낮아져 1955년 남한만의 인구는 2,150만 명 정도였다.

(2) **1960년대 이후:** 1960년대 이후 정부는 인구 증가를 억제하기 위하여 **산아 제한**을 실시하였고, 여성의 혼인 연령 상승, 자녀 교육비 증가, 자식에 대한 가치관의 변화 및 피임 확산 등으로 출산율이 점차 낮아졌다.

(3) **연령별 인구 구성:** 1960년대에는 높은 출산과 사망으로 피라미드형 인구 구성을 보였다면, 1990년대에는 출산율과 사망률이 낮아지면서 안정적인 인구 구성을 이루었다. 그러나 2000년대에는 출산율 감소와 더불어 인구의 고령화가 빠르게 진전되면서 문제가 되고 있다.

❶ 베이비 붐
1955년부터 1960년까지는 인구가 매해 70만 명씩 늘어날 정도로 급속히 인구가 증가했다.

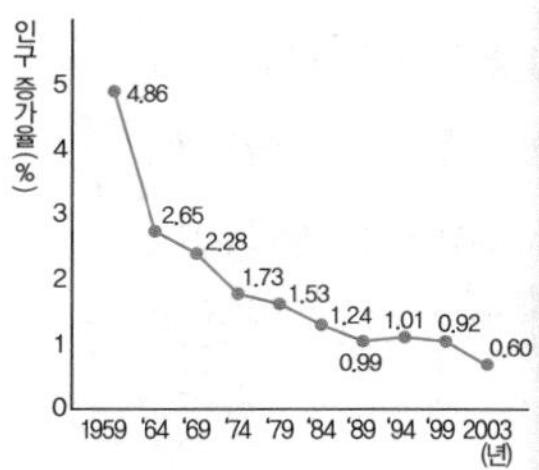

인구 증가율의 변화

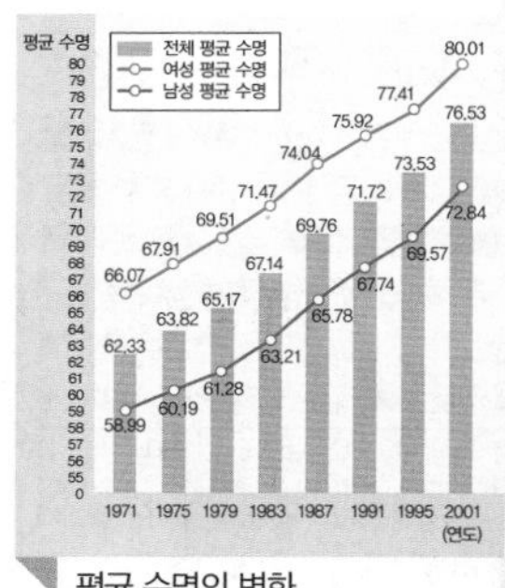

평균 수명의 변화

연대별 인구 정책 표어

연대	표어	특징
해방~1950년대	3남 2녀로 5명은 낳아야죠.	인구 증가
1960년대~1980년대	• 덮어 놓고 낳다 보면 거지꼴을 못 면한다(60년대). • 딸 아들 구별 말고 둘만 낳아 잘 기르자. • 잘 키운 딸 하나 열 아들 안 부럽다. • 하나씩만 낳아도 삼천리는 초만원	산아 제한[2]
1990년대~2000년대	• 아들 바람 부모 세대! 짝궁 없는 우리 세대![3] • 자녀에게 가장 큰 선물은 동생입니다. • 둘째는 두 배의 기쁨, 셋째는 세 배의 행복	출산 장려

❷ 산아 제한
정부는 인구 증가가 가난의 이유라는 논리를 내세워 출산을 억제하였다.

❸ 1990년대 표어
1990년대 남녀 성비 불균형이 심화된 상황을 반영하였다.

2. 산업화

(1) **산업 사회로 전환:** 1960년대부터 추진된 경제 개발 5개년 계획은 한국 사회를 **농업 중심의 사회에서 공업 중심의 산업 사회로 변화**시켰다. 많은 농촌 인구는 일자리를 찾아 도시로 유입되었다. 이에 따라 도시에서는 값싼 임금의 노동력을 기반으로 산업 성장이 계속되었다.

(2) **부작용:** 농촌 중심의 촌락 공동체가 붕괴되면서 **개인주의와 황금만능주의의 풍조**가 널리 퍼져갔다. 또한 환경 오염과 환경 파괴 및 도시의 주택 문제,[4] 교통 문제 등을 초래하였다.

(3) **대책:** 환경 문제를 해결하기 위해 환경부를 신설하고, 교통난을 해결하기 위해 지하철을 건설하였다(서울역~청량리역 구간의 1호선이 1974년 8월 15일 개통). 또한 주택난을 해결하기 위해 대규모 아파트 단지를 조성하고 장기 임대 아파트도 건설하였다.

산업화 과정에서 나타난 도시 빈민의 판자촌

❹ 광주 대단지 사건
1971년 정부의 무계획적인 도시 정책에 반발하여 경기도 광주 대단지(현재 성남시) 주민 5만여 명이 일으킨 폭동 사건이다.

3. 농촌 사회의 변화

(1) 1950~1960년대: 광복 이후 우리나라는 농업국으로 전체 인구의 약 80%가 농민이었다. 1960년대에는 박정희 정부의 **성장 제일주의 공업화 정책과 저곡가 정책**으로 도시와 농촌의 소득 격차가 벌어지자 농촌의 젊은이들은 도시로 일자리를 찾아 떠났다.

(2) 1970년대: 정부는 **4H 운동**❺이나 **새마을 운동**을 실시하여 도시와 농촌 간의 소득, 문화적 격차를 줄이고자 하였다.

① 새마을 운동(1970)

㉠ 목표: 박정희 정부는 **도시와 농촌의 균형 있는 발전** 및 **농어촌의 근대화와 소득 증대**를 위하여 새마을 운동을 시작하였다.

㉡ **활동**: 새마을 운동은 근면·자조·협동 정신을 바탕으로 하여 주택 개량, 도로 확충, 하천 정비, 전기 시설의 확충 등의 사업에서 성과를 거두었고 점차 도시로까지 확대되었다.

㉢ **한계**: 실제로는 **정부 주도**로 이루어지면서 가시적인 성과 달성에 치중하거나 시간이 갈수록 열의가 감소하는 등의 문제가 나타났다.

심화사료 百出

새마을 운동 노래

1. **새벽종이 울렸네 새 아침이 밝았네.** / 너도 나도 일어나 새 마을을 가꾸세. / 살기 좋은 내 마을 우리 힘으로 만드세.
2. 초가집도 없애고 마을 길도 넓히고 / 푸른 동산 만들어 알뜰 살뜰 다듬세. / 살기 좋은 내 마을 우리 힘으로 만드세.

② 농민 운동

값싼 외국산 농산물이 수입되는 상황 속에서 1972년 가톨릭 농민회가 만들어지면서 농민 운동이 활성화되었다. 이 단체를 중심으로 농민들은 정부의 농산물 가격 정책에 맞섰다.

(3) 1980~1990년대

① **시장 개방**: **우루과이 라운드 협상**에 따라 1994년에 쌀 시장이 개방되고 **세계 무역 기구(WTO) 체제가 출범**하면서 우리 농업은 심각한 타격을 받게 되었다.

② **농민 운동**: 1989년에 전국적인 농민 조직인 전국 농민 운동 연합이 결성되었다. 또한 1990년대 이후에는 농산물 수입 개방 반대, 농가 부채 해결 등을 요구하는 농민 운동이 전개되었다.

❺ **4H 운동**
20세기 초 미국의 농촌을 발전시키기 위한 운동으로 시작되었다. 4H란 머리(Head), 가슴(Heart), 손(Hands), 건강(Health)의 앞 네 글자를 딴 것이다. 우리나라에는 미군정기에 들어와 확산되었으며, 새마을 운동의 밑바탕이 되었다.

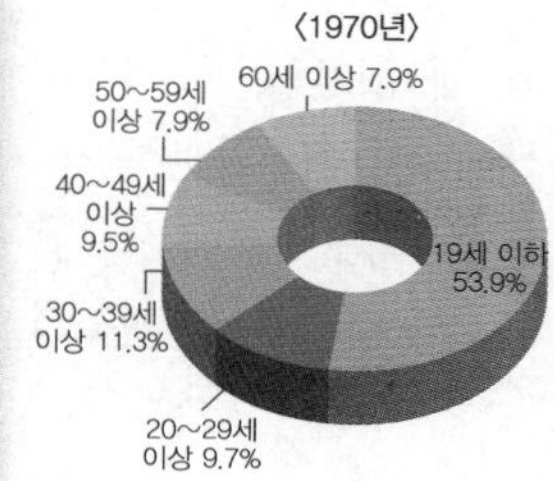

〈1999년〉

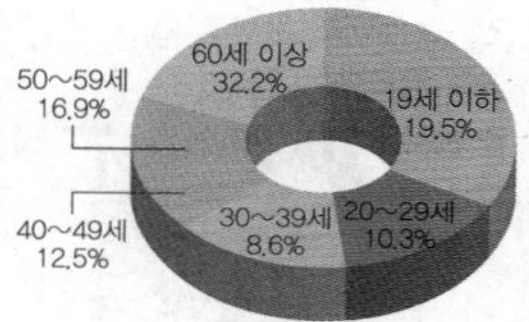

(농업 기본 통계 조사 보고서, 통계청)

농가 인구 구성 변화

함평 고구마 피해 보상 운동
전라남도 함평군 가톨릭 농민회는 1976~1978년에 함평 고구마 피해 보상 운동을 전개하여 성공을 거두었다.

04 노동 운동과 사회 운동

1. 노동 운동

(1) 배경: 정부가 추진한 수출 주도형 경제 성장 전략으로 **노동자가 급격히 증가**하였다. 이들은 **저임금과 열악한 노동 환경**에 시달렸으며, 이에 따라 노사 간의 대립 격화, 사회적 불균형 확대 등의 노동 문제가 대두되었다.

(2) 전개 과정

① 1970년대

㉠ **전태일 분신 사건(1970)**: 1970년 11월에 서울 청계천 평화 시장[1]에서 전태일이 **"근로 기준법을 지켜라.", "우리는 기계가 아니다."** 등의 구호를 외치고 분신하였다. 이 사건을 계기로 지식인과 종교계도 노동 운동에 적극 참가하게 되었다.

㉡ **YH 사건(1979)**: 야당(신민당) 당사에서 **생존권 보장을 요구**하며 농성하던 YH 무역 여성 노동자를 진압하는 과정에서 여성 노동자가 숨지는 사건이 일어났다.

❶ 평화 시장 노동자

평화 시장의 의류 제조업체들은 기성복을 만들어 전국적으로 공급하고 있었는데, 이곳에서 일하는 10대 후반의 여성 노동자들은 하루 평균 14시간 이상이나 혹사당하고 있었다.

전태일 열사(1948~1970)

젊은 나이에 서울 청계천 평화 시장의 의류 제조 회사에 입사하여 근무하면서 근로 환경 개선을 위해 투쟁하였으나, 사회의 무반응과 개혁의 불가함에 의분하여 분신 항거한 노동 운동가이다.

심화사료 百出 — 2019. 경찰 1차

전태일이 대통령에게 보낸 편지

대통령 각하

저희들은 근로 기준법의 혜택을 조금도 못 받으며 더구나 3만여 명을 넘는 종업원의 90% 이상이 평균 18세의 여성입니다. …… 1일 15시간의 작업 시간을 1일 10시간~12시간으로 단축해 주십시오. 1개월 휴일 2일을 늘여서 일요일마다 휴일로 쉬기를 원합니다. 건강 진단을 정확하게 하여 주십시오. 시다공의 수당을 50% 인상하십시오. 절대로 무리한 요구가 아님을 맹세합니다. **인간으로서 최소한의 요구입니다.**

– 조영래, 「전태일 평전」

YH 사건

저희 근로자들이 신민당에 올 수밖에 없었던 것은 회사, 노동청, 은행이 모두 문제를 해결할 수 없다기에 오갈 데 없었기 때문입니다. 악덕한 기업주는 기숙사를 철폐하고 밥은 물론 전기, 수돗물마저 먹을 수 없었을 뿐 아니라 …… 저희들의 회사가 정상화되어 일만 할 수 있게 해주십시오. 저희들의 이 호소가 꼭 이루어지기를 간절히 간절히 바랍니다.

– YH 무역 근로자 일동, 1979년 8월 10일

解法 도움닫기 YH 사건

1979년 8월 가발 제조 업체인 YH 무역 측이 경영난을 이유로 문을 닫아야 한다며 여성 근로자들에게 직장을 그만둘 것을 강요하였다. 이에 항의하는 여성 근로자들을 경찰이 해산시키려 하자 신민당사로 몰려와 농성을 벌였다. 그런데 경찰은 신민당사까지 들어와 근로자들을 강제로 해산시켰다. 이 과정에서 근로자 1명이 숨지고, 국회 의원들까지 폭행을 당하였다. 이에 대해 야당은 강력히 반발하였고 정부와 야당의 대립은 더욱 심해졌다.

YH 무역 여성 노동자들

② 1980년대

1987년 6월 민주 항쟁 이후 그동안 누적되어 온 노동 문제가 일시에 분출되면서 **대규모 노동 쟁의**가 일어났으며, 사무직 노동자들도 노동 운동에 참여하였다.

③ 1990년대

㉠ **노동 운동의 활성화**: 1991년에 국제 노동 기구(ILO)에 가입하고, 1995년에 전국 민주 노동조합 총연맹(민주노총)이 결성되었다.

㉡ **위기**: 1997년의 **외환 위기**의 여파로 노동자들은 대량 실업 문제에 직면하게 되었다. 이에 따라 김대중 정부는 **노사정 위원회(1998)를 구성**하여 실업 문제 등을 해결하고자 하였다.

노사정 위원회

❖ 노동 운동

전태일 분신 사건(1970)	서울 청계천 평화 시장에서 재단사로 일하던 전태일이 "근로 기준법을 지켜라.", "우리는 기계가 아니다." 등의 구호를 외치며 분신한 사건
1970년대 중반	박정희 정부의 노동 3권 제한 ⇨ 노동조합 제대로 조직 못함.
YH 사건(1979)	야당(신민당) 당사에서 생존권 보장을 요구하며 농성하던 YH 무역 여성 노동자를 진압하는 과정에서 여성 노동자가 숨진 사건
1980년대	1987년 6월 민주 항쟁 이후 전국적으로 수많은 노동조합 결성
1990년대	• 국제 노동 기구(ILO) 가입(1991): 국제 수준의 노동 규칙 따름. • 전국 민주 노동조합 총연맹(1995) 결성 • 노사정 위원회 구성(1998): 구조 조정에 따른 실업 · 노사 문제 해결하기 위함.

2. 시민 운동

1987년 6월 민주 항쟁 이후로 정치적 민주화의 진전, 사회의 다양화 등으로 인해 시민 운동 단체(NGO)가 많이 늘어났다. 사회, 경제의 민주화와 삶의 질 향상 등을 추구하며 국가의 권력 남용, 기업의 환경 파괴 등을 감시하는 활동을 하였다.

3. 여성 운동

(1) 배경: 1960년대 이후 경제 개발과 함께 여성들의 사회 진출과 역할이 크게 증대되었고, 가정에서도 여성의 지위가 크게 향상되어 **남녀 관계는 평등한 관계**로 나아갔다.

(2) 전개: 1987년에는 '남녀고용평등법'을 제정하였고, 1991년에는 '가족법'이 개정되었다. 또한 2001년에는 **여성부**를 신설하였으며, 2005년에는 **호주제가 폐지**되었다.

05 의식주 생활의 변화

1. 의생활

(1) 1950년대: 6·25 전쟁 직후에는 여성은 질기고 오래가는 나일론으로 만든 블라우스를 입었고, 남성은 옷감이 부족하여 군복에 물을 들여 입기도 하였다.

(2) 1960년대: 1961년 군사 정권은 '신 생활 재건 운동'을 추진하면서 남성은 작업복 스타일의 '재건복'을, 여성은 '신생활복'을 입도록 권장하였다.

(3) 1970년대: 젊은층 사이에서는 통기타와 팝송을 상징으로 하는 청년 문화의 복장으로 **청바지와 장발**이 유행하였다.

(4) 1980년대 이후: 맞춤복 시대에서 기성복 시대로 넘어가면서 캐주얼웨어가 큰 인기를 끌었고, 컬러 텔레비전의 영향으로 의복의 색상이 더 화려해졌다.

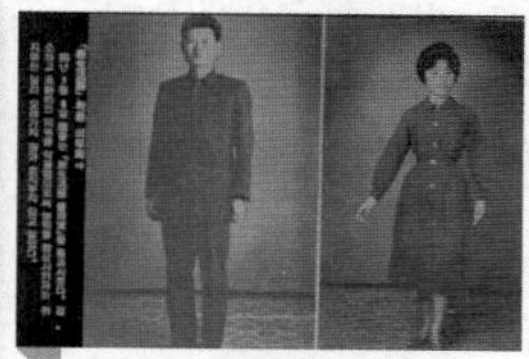
재건복과 신생활복

2. 식생활

(1) **광복과 6·25 전쟁 이후**: 인구의 빠른 증가와 베이비 붐으로 식량난이 계속되었다. 1960년대부터 정부는 **분식·보리 혼식 등을 장려**[1]하여 식량난을 해결하고자 하였다.

(2) **1970년대**: 외국의 벼 종자를 개량한 **통일벼**를 적극 보급하여 **주곡 자급에 성공**하였다.

(3) **1980년대 이후**: 서구화된 식생활 습관이 일반화되어 영양 불균형, 영양 과잉 상태를 초래하여 생활 습관병과 비만 등의 문제를 낳았다.

(4) **1990년대**: 안전한 식품을 찾는 사람이 늘어났으며 무공해 유기 농산물에 대한 관심도 높아졌다.

3. 주생활

(1) **광복과 6·25 전쟁 이후**: 휴전 이후 파괴된 주택을 복구하고자 재건 주택[2]이 지어졌다. 1964년 서울 마포에 아파트 단지가 조성되면서 아파트는 도시의 새로운 주거 형태로 등장하였다.

(2) **1970년대**: 아파트 단지가 강남과 잠실 등지에 건설되었고, 서울의 높은 지대와 변두리에는 '달동네'라는 빈민촌이 생겨났다.

(3) **1980년대 이후**: 서울과 수도권 도시, 지방 대도시 곳곳에 아파트 단지가 건설되고, 달동네나 판자촌도 재개발되었다. 1990년대에 정부는 수도권 주택난 해결을 위해 서울 주변에 신도시를 건설하였다.

혼분식을 장려하는 캠페인

❶ **혼식·분식 장려 정책**
1969년 1월부터 매주 수·토요일을 분식의 날, 쌀이 없는 날로 지정하였다. 또한 점심 때마다 학생들의 도시락을 검사하여 혼식을 강제하였다.

❷ **재건 주택**
유엔의 원조로 건립된 작은 규모의 흙벽돌집이다.

06 교육·언론과 대중 문화

1. 학문의 발전

(1) **1950년대**: 1950년대 중반 이후 역사 학회, 국어 국문학회, 한국 철학회 등이 창립되어 한국학에 관련된 많은 연구 업적이 축적되기 시작하였다. 특히 **한글 학회**가 일제에 의해 강제로 중단되었던 **『우리말 큰 사전』을 완간(1957)**해 국어 발전에 이바지하였다.

(2) **1960~1970년대**: 1960년대에 들어서면서 4·19 혁명과 6·3 시위 등으로 지식인들이 점차 민족을 재발견하기 시작하여 한국학 분야의 연구가 고조되었다. 박정희 정부는 국사 교육을 강화하였다.

(3) **1980년대 이후**: 1980년대에 들어와 학생들이 체제 변혁 운동을 전개하는 움직임 속에 사회 과학 분야의 서적이 많이 발간되었는데, 그러한 책은 금서로서 탄압받기도 하였다. 1982년 이후 우리 역사에 관한 왜곡을 일삼은 일본 교과서에 대한 국민들의 비판이 전국적으로 전개[3]되었다.

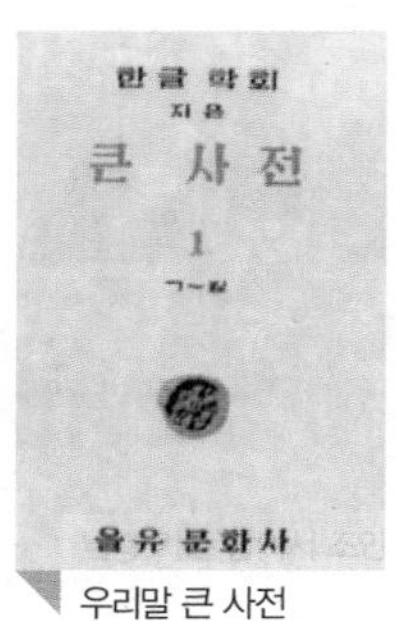

우리말 큰 사전

❸ **독립 기념관 건설(1983~1987)**
정부는 국민 성금을 모아 천안에 독립 기념관을 건설하여 국민 감정을 무마하였다.

2. 교육 정책의 변화

(1) **미군정기의 교육**: **홍익인간** 등을 교육 이념으로 채택하였다. 또한 남녀 공학제가 도입되었으며 **미국식 민주주의 교육이 보급**되었다. 이에 따라 미국식 6-3-3 학제[4]가 마련되었다.

❹ **6-3-3 학제**
초등학교 6년, 중학교 3년, 고등학교 3년으로 편성된 학제이다. 우리나라와 일본, 미국 등지에서 시행되고 있다.

(2) 제1공화국의 교육 정책(1950년대)

광복 이후에는 중등·고등 교육 기관이 크게 확충되었고, 제헌 헌법에서 명문화된 **초등학교의 의무 교육**이 1950년 6월부터 실시되었다.

6·25 전쟁 때의 천막 교실

(3) 제2~3공화국의 교육 정책(1960년대)

① **장면 정부(학원 민주화 노력)**: 4·19 혁명을 계기로 정부는 학도 호국단[5]을 폐지하고 학원의 민주화, 교육의 질적 향상을 위한 노력을 계속하였으며, 교육 자치제를 확립하였다.

② **군사 정부**: **조국 근대화**를 내걸고 교육에서도 인간 개조 운동을 강조하였다.

③ **제3공화국의 교육 정책**: 1968년에 정부는 **국민 교육 헌장을 선포**하여 민족주의적, 국가주의적 교육 이정표를 제시하였다. 그리고 같은 해에 **중학교 무시험 진학 제도**[6]가 결정되었다.

❺ **학도 호국단(1949)**

반공 사상 교육과 단체 훈련을 강화하기 위하여 정부 수립 직후인 이승만 정권 시기에 조직되었던 학생 자치 훈련 단체이다.

❻ **중학교 무시험 추첨제**

1968년 일류 학교 진학을 위한 입시 과열을 막기 위해 중학교 무시험 추첨제가 도입되었다.

고등사료 百出

국민 교육 헌장(1968)

우리는 민족중흥의 역사적 사명을 띠고 이 땅에 태어났다. 조상의 빛난 얼을 오늘에 되살려, 안으로 자주독립의 자세를 확립하고, 밖으로 인류 공영에 이바지할 때다. 이에, 우리의 나아갈 바를 밝혀 교육의 지표로 삼는다. …… 반공 민주 정신에 투철한 애국 애족이 우리의 삶의 길이며, 자유세계의 이상을 실현하는 기반이다. 길이 후손에 물려줄 영광된 통일 조국의 앞날을 내다보며, 신념과 긍지를 지닌 근면한 국민으로서, 민족의 슬기를 모아 줄기찬 노력으로, 새 역사를 창조하자.

(4) **유신 시기 교육 정책(1970년대)**: 1970년대에는 국사와 국민 윤리 교육을 강화하였다. 한편, 일류 학교 진학을 위한 지나친 교육열이 문제를 일으키자 **고등학교 평준화 정책(1974)**[7]을 시행하였다.

(5) **제5공화국의 교육 정책(1980년대)**: **과외 전면 금지**를 시행하였다. 또한 교육 유화 정책의 일환으로 대학 입학 본고사 폐지, 졸업 정원제, 교복과 두발 자유화 등이 시행되었다.

(6) 1990년대 이후 교육 정책

① **대입 제도 개편**: 암기 위주에서 사고력과 창의력 중심의 교육으로 전환해야 한다는 필요성에 따라 **대학 수학 능력 시험**이라는 새로운 대학 입시 제도를 도입(1994)하였다.

② **학교 교육 제도 개편**: 김대중 정부는 2002학년도부터 **중학교 의무 교육**의 전국적인 시행, 초등학교 취학 전 만 5세 유아에 대한 무상 교육 및 보육 등을 실시하였다.

❼ **고교 평준화 정책**

고교 평준화 정책에 따라 처음으로 고등학교 입학 시험이 연합고사로 바뀌었다.

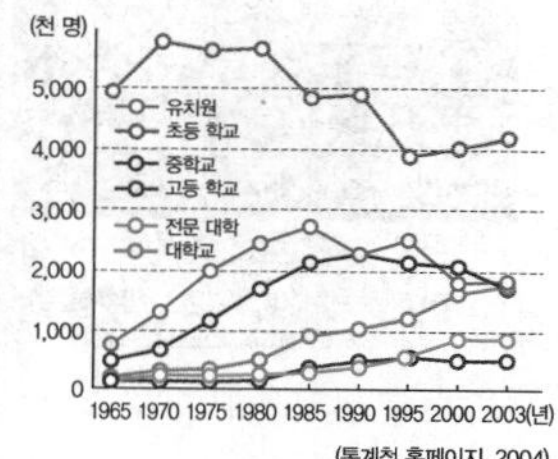

(통계청 홈페이지, 2004)

각 학교별 학생 수

박정희 정부 시기의 반공 교육

1969년 박정희 정부는 교련[8]을 대학교와 고등학교에 일반 과목으로 포함시켰다. 이에 따라 고등학생들도 제식 훈련과 총검술 등 기본적인 군사 훈련을 받았다.

학생이 아닌 일반인도 반공 훈련을 받았다. 민방공 훈련이라는 이름으로 매달 15일에는 실제 비행기 소리를 들려주며 대피 훈련을 하기도 하였다.

❽ **교련**

교련은 일제 강점기부터 실시되었다가 1950년대 중단되었다. 그러나 1969년 교련 과목이 다시 부활하자 대학생들은 1971년 4월부터 교련에 반대하는 시위를 전개했는데, 박정희 정부는 위수령을 발동(10월)하여 이를 강제로 탄압하였다.

3. 언론 활동의 발달

(1) 1950년대

1950년대의 신문은 이승만 정부의 독재 정치를 규탄하고 민주화 운동에 나섰으며, 1953년 잡지 사상계가 창간되어 지식인층을 대변하였다. 당시 동아일보와 경향신문이 정부 비판에 앞장서자, 정부는 1959년에 **경향신문을 폐간**시켰다.

(2) 1960년대

1960년 4·19 혁명 이후 각종 언론 규제가 사라져 많은 신문들이 새로 발간되었다. 그러나 5·16 군사 정변으로 다시 언론 통제가 강화되었다. 한편, 이 무렵 신문은 상업적인 경향이 두드러졌으며, 텔레비전 방송을 시작(1960년대 초)하였다.

(3) 1970년대 : 박정희 정부의 압제에 항거하는 **언론인들에 대한 탄압이 계속**되었다.

① **언론 자유 수호 운동**[❶] : 1973년 말부터 **동아일보**를 중심으로 **언론 자유 수호 운동**이 본격적으로 전개되었다. 이에 따라 **권력 기관의 압력으로 동아일보에는 광고가 끊기는 탄압**이 한동안 계속되었으며 언론 자유를 위해 항거한 기자들이 해직되기도 하였다.

② **프레스 카드제의 시행** : 유신 정권은 언론 통폐합을 추진하고 1972년에는 역사상 최초로 **기자 등록제인 프레스 카드제를 실시**하여 정부에 비판적인 기자들의 행정부처 출입을 막았다.

(4) 1980년대

① **언론 통제** : 1980년대 초에 전두환 정부는 **여러 언론 매체들을 통폐합**하고 비판적 성향의 기자들을 대대적으로 해직시켜 언론 통제[❷]를 강화하였다. 더불어 각 언론사에 기사 보도를 위한 가이드 라인인 **보도 지침**을 전달하여 이를 통해 언론을 철저히 통제하였다.

② **완화** : 언론 규제는 **1987년 6월 민주 항쟁 이후 기자 등록제인 프레스 카드제가 폐지**되는 등 크게 완화되었으며, 한겨레신문 등 많은 신문들이 창간되었다.

(5) 1990년대 이후

1990년대 이후부터 인터넷이 널리 보급되면서 사이버 언론 매체가 등장하였는데, 기존의 언론 매체에 버금가는 여론 형성력을 보이고 있다.

❶ 언론 자유 수호 선언

1971년 4월 동아일보 기자들이 중앙정보부 요원의 조판실 출입 금지를 주장하며 언론 자유 수호 선언을 발표하였다. 이 사건이 기폭제가 되어 이후 언론 자유 수호 운동이 전개되었다.

❷ 언론 통제

언론 기본법을 통해 비판적 언론의 등장을 봉쇄하고 기존의 언론 기관을 완전히 장악하였다.

언론 통폐합으로 종파한 TBC의 마지막 방송(KBS 2 TV로 통합)

고등사료 百出

언론 자유 실천 선언문 일부(1974. 10. 24.)

우리는 오늘날 우리 사회가 처한 미증유의 난관을 극복할 수 있는 길이 언론의 자유로운 활동에 있음을 선언한다. ……

1. 신문·방송·잡지에 대한 어떠한 외부 간섭도 우리의 일치된 단결로 강력히 배제한다.
2. 기관원의 출입을 엄격히 거부한다.
3. 언론인의 불법 연행을 일체 거부한다. 만약 어떠한 명목으로라도 불법 연행이 자행되는 경우 그가 귀사할 때까지 퇴근하지 않기로 한다.

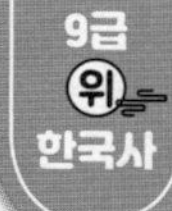

『동아일보』 백지 광고 사태

유신 정권은 자유 언론 실천에 앞장선 『동아일보』에 대한 보복으로 각 기업체에 광고 해약을 하도록 압박하였다. 1974년 12월 26일자 『동아일보』는 3면 백지 상태로 발행되었고, 이듬해 1월에는 90% 이상의 신문 광고가 떨어져 나갔다. 그러나 각 민주 단체와 일반 시민의 격려 광고가 쇄도했으며, 세계적 언론 단체들이 정부의 탄압 중지를 촉구하였다. 그러나 결국 1975년 3월 『동아일보』 경영주는 정부의 압력에 굴복, 114명의 기자를 무더기로 해고하였다.

동아일보 백지 광고

4. 대중문화의 성장

(1) 1960~1970년대

1960년대 대중 매체의 발달로 대중문화가 본격적으로 등장하고 1970년대에는 더욱 확산되었다. **무비판적으로 수용했던 서구 문화에 대한 반성**이 일어나면서 **전통 문화를 되살리는 노력**이 펼쳐졌다.

(2) 1980년대[3]

향락 문화의 산업화 현상으로 대중문화 전반에 쾌락주의의 경향이 두드러졌다. 한편으로는 **정치적 민주화와 사회 경제적 평등의 확대를 지향하는 민중 문화 활동**이 대중문화에 영향을 끼치기도 하였다.

(3) 1990년대 이후

1990년대에는 정보 통신 혁명과 함께 신세대 문화가 크게 떠올랐다. 김대중 정부 때부터 일본 대중문화의 수입이 개방되었으며, 2000년대 이후 우리나라의 대중문화는 중국과 동남아시아의 여러 나라에서 인기를 끌면서 유행하고 있다.

❸ 문화 시설 건설

1986년 조선 총독부 건물을 수리하여 국립 박물관으로 사용함으로써 이 건물을 감상하는 일본 관광객이 늘어나게 되었다. 예술문화 공간으로서는 우면산 기슭에 '예술의 전당'을 세웠으며, 서울대공원 옆에는 국립 현대 미술관(1986)을 건립하였다.

07 문학과 예술, 종교와 체육, 과학의 발달

1. 문학 활동의 전개

(1) 1950년대

6·25 전쟁 이후, 우리 사회에서는 반공 일변도의 냉전 문화와 미국식 자유주의 문화가 주류를 이루었다. 이러한 사회 변화는 소설에도 반영되었다. **정비석의 『자유부인』**은 서구 문화의 유입에 따른 여성의 모습을 그려 사회적인 논쟁을 불러일으키기도 하였다.

(2) 1960년대

4·19 혁명으로 참여 문학이 대두되어, 이후 민족·민중시로 발전되었다. **신동엽의 「껍데기는 가라」**, 김수영의 「꽃잎」 등의 시가 널리 읽혔으며, 최인훈이 분단 문제를 다룬 소설 『광장』을 발표하였다.

정비석의 『자유부인』(1954)

6·25 전쟁 직후의 시대적 상황에 따른 혼란한 가치관과 타락한 인물 군상들, 그에 대한 비판과 풍자를 보여주고 있다.

(3) 1970년대

독재 정치에 저항하거나 급격한 산업화의 폐단을 묘사한 문학 작품들이 발표되었다. **김지하**는 재벌, 국회 의원, 고급 공무원 등을 비판한 시 「**오적**」을 발표하여 반공법 위반 혐의로 투옥되기도 하였다. 조세희는 소설 『난장이가 쏘아 올린 작은 공』을 통해 도시 빈민의 삶을 묘사하였다.

(4) 1980년대

5·18 민주화 운동의 영향으로 민중 문학이 활발했으며, 민족 문제에 대한 관심을 바탕으로 분단 문학도 발달하였다. 한편, 이문열·이청준 등의 소설이 대중적 인기를 누리기도 하였다.

(5) 1990년대 이후

민중 문학, 노동 문학이 퇴조하였다. 그리고 흥미 위주의 작품이나 개인의 내면 의식을 묘사하는 작품이 많이 발표되었다.

2. 미술

우리나라의 미술은 세계 현대 미술의 영향을 받으며 성장하였고, 백남준과 같이 세계 무대에서 두각을 나타내는 예술인도 등장하였다. 1980년대 민주화가 진전되면서 민중 미술이 등장하였다.

3. 음악

서양 음악이 대중화되어 각종 교향악단, 합창단 등이 창설되었다. 또한, 1980년대 들어와 전통 음악이 대중에게 보급되어 판소리, 탈춤, 마당극, 풍물 등이 많이 공연되었다.

4. 종교의 성장

종교는 1960~1970년대의 산업화 과정에서 급증한 노동자와 중간 계층의 사회적 좌절감을 해소하는 데 큰 역할을 하였다. 또한 천주교 정의 구현 사제단❶과 같은 일부 종교 지도자들은 박정희 정부에 맞서 민주화 운동에 앞장서거나 노동, 농민, 통일 운동을 적극적으로 지원하였다.

❶ 천주교 정의 구현 사제단(1974)
1974년 복음화·민주화 운동을 목표로 젊은 사제들이 결성하였다. 이들은 1974년 민청학련 사건으로 구속된 양심수 석방 및 유신 헌법 반대 운동을 시작으로 민주화 운동에 앞장섰다. 1987년 5월에는 박종철 고문 치사 사건의 축소·은폐를 폭로하여 전두환 정권의 비도덕성과 사건의 진상을 널리 알리기도 하였다.

5. 체육 활동의 발전

(1) 1960~1970년대

정부의 적극적인 지원으로 태릉 선수촌을 건립하는 등 엘리트 체육에 체계적인 지원을 하였다.

(2) 1980년대

정부는 **프로 야구, 프로 축구 등을 창설**하였고, 제10회 아시아 경기 대회(1986)와 **제24회 서울 올림픽 대회(1988)**를 성공적으로 개최하였다.

(3) 1990년대 이후

우리 선수단은 올림픽에서 우수한 성적을 올렸으며, 2002년에는 일본과 공동으로 월드컵을 개최하였다.

서울 시청 앞에서 월드컵 경기를 응원하는 사람들

88 서울 올림픽의 공식 캐릭터 '호돌이'

6. 과학의 발전

(1) 1960~1970년대

1966년에 한국 과학 기술 연구소(KIST)가 설립되면서 본격적인 과학 기술 개발이 시작되었으며 1960년대 후반에 과학 기술처❷가 창설되어 과학 기술 진흥을 위한 종합적 업무를 담당하였다.

(2) 1980년대

1980년대 초에는 한국 과학원과 한국 과학 기술 연구소가 통합되어 한국 과학 기술원(KAIST)이 설립되었고 이어서 한국 과학 기술 대학도 세워졌다.

(3) 1990년대

다목적 실용 위성인 아리랑 1호를 성공적으로 발사하였다(1999).

❷ 과학 기술처

과학 기술처는 새로 설립된 한국 과학원을 통해 우수한 고급 과학자를 양성하고 한국 과학 재단을 설립하여 전국 각 대학 및 대학원 교수들에게 많은 연구비를 지급하였다.

KAIST

7. 북한 문화와 예술의 이해

(1) 성격

북한의 문화와 예술은 대중에게 공산주의 정신을 가르치는 무기로써 이용되었으며, 김일성 주체 사상에 바탕을 둔 문예 이론을 철저하게 지켰다.

(2) 내용

북한의 문학과 음악, 영화 등은 김일성 부자를 찬양하는 주제가 대부분이었으며, 집단 체조, 카드 섹션, 서커스(교예) 등의 집단 문화가 발달하였다. 한편 북한은 우리의 표준어와 구분되는 '문화어'를 새로 만들고, 1966년부터 말 다듬기 운동을 전개하여 『조선말 대사전』을 편찬하였다.

북한의 영화 '홍길동'

제8부 현대 사회의 발전

대표 기출문제

다음 법령에 의해 실시된 정책에 대한 설명으로 옳은 것은? 2024. 지방직 9급

> 제1조 본법은 헌법에 의거하여 농지를 농민에게 적정히 분배함으로써 … (중략) … 농민 생활의 향상 내지 국민 경제의 균형과 발전을 기함을 목적으로 한다.
>
> 제12조 농지의 분배는 농지의 종목, 등급 및 농가의 능력 기타에 기준한 점수제에 의거하되 1가당 총경영 면적 3정보를 초과하지 못한다.

① 한국 민주당과 지주층의 반발로 중단되었다.
② 주택 개량, 도로 및 전기 확충 등도 추진하였다.
③ 유상 매수, 유상 분배의 방식으로 시행되었다.
④ 자작농이 감소하고 소작농이 증가하는 결과를 낳았다.

해설

제시된 자료는 남한의 농지 개혁법에 규정된 내용이다. ③ 남한의 농지 개혁법은 유상 분배, 유상 매수를 원칙으로 하였다.
① 한국 민주당과 지주층은 농지 개혁에 반대하는 입장였지만, 이들의 반발로 중단되지는 않았다. ② 1970년대에 추진된 새마을 운동에 대한 설명이다. ④ 남한의 농지 개혁법에 따라 자작농이 증가하고, 소작농이 감소하였다.

정답 ③

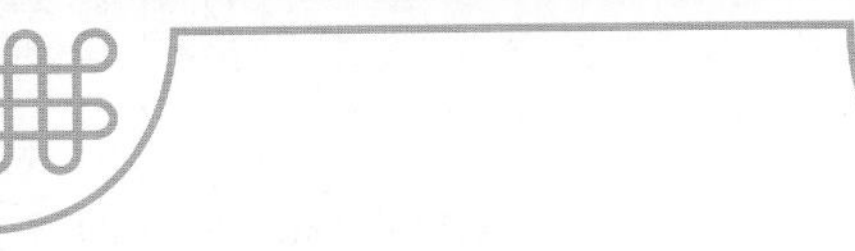

- 지도로 보는 지역사
- 한국의 세계 유산

지도로 보는 지역사

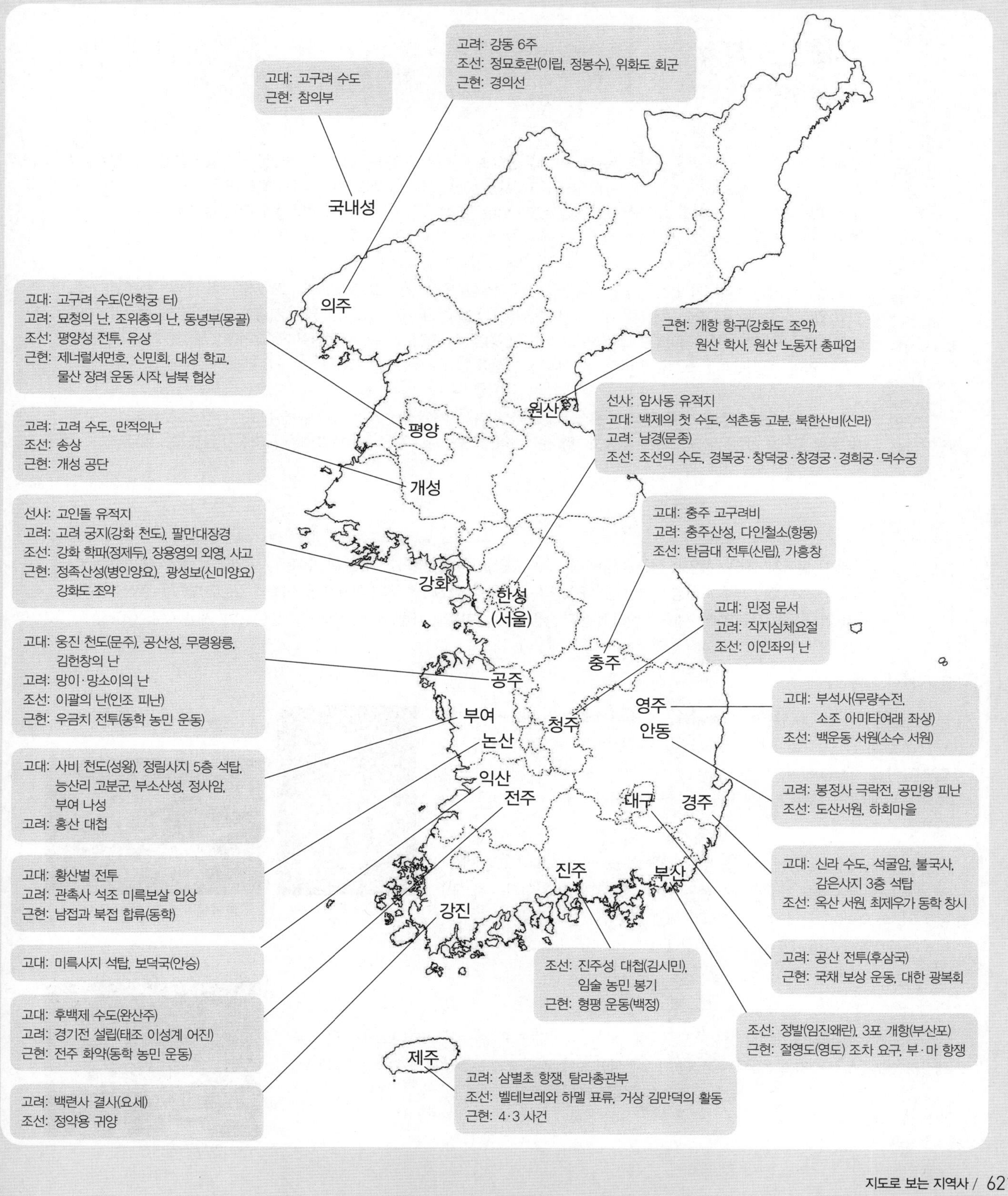

국내성

고대: 고구려 수도
근현: 참의부

의주

고려: 강동 6주
조선: 정묘호란(이립, 정봉수), 위화도 회군
근현: 경의선

평양

고대: 고구려 수도(안학궁 터)
고려: 묘청의 난, 조위총의 난, 동녕부(몽골)
조선: 평양성 전투, 유상
근현: 제너럴셔먼호, 신민회, 대성 학교, 물산 장려 운동 시작, 남북 협상

원산

근현: 개항 항구(강화도 조약), 원산 학사, 원산 노동자 총파업

개성

고려: 고려 수도, 만적의난
조선: 송상
근현: 개성 공단

한성(서울)

선사: 암사동 유적지
고대: 백제의 첫 수도, 석촌동 고분, 북한산비(신라)
고려: 남경(문종)
조선: 조선의 수도, 경복궁·창덕궁·창경궁·경희궁·덕수궁

강화

선사: 고인돌 유적지
고려: 고려 궁지(강화 천도), 팔만대장경
조선: 강화 학파(정제두), 장용영의 외영, 사고
근현: 정족산성(병인양요), 광성보(신미양요) 강화도 조약

충주

고대: 충주 고구려비
고려: 충주산성, 다인철소(항몽)
조선: 탄금대 전투(신립), 가흥창

청주

고대: 민정 문서
고려: 직지심체요절
조선: 이인좌의 난

공주

고대: 웅진 천도(문주), 공산성, 무령왕릉, 김헌창의 난
고려: 망이·망소이의 난
조선: 이괄의 난(인조 피난)
근현: 우금치 전투(동학 농민 운동)

영주

고대: 부석사(무량수전, 소조 아미타여래 좌상)
조선: 백운동 서원(소수 서원)

부여

고대: 사비 천도(성왕), 정림사지 5층 석탑, 능산리 고분군, 부소산성, 정사암, 부여 나성
고려: 홍산 대첩

안동

고려: 봉정사 극락전, 공민왕 피난
조선: 도산서원, 하회마을

논산

고대: 황산벌 전투
고려: 관촉사 석조 미륵보살 입상
근현: 남접과 북접 합류(동학)

익산

고대: 미륵사지 석탑, 보덕국(안승)

전주

고대: 후백제 수도(완산주)
고려: 경기전 설립(태조 이성계 어진)
근현: 전주 화약(동학 농민 운동)

경주

고대: 신라 수도, 석굴암, 불국사, 감은사지 3층 석탑
조선: 옥산 서원, 최제우가 동학 창시

대구

고려: 공산 전투(후삼국)
근현: 국채 보상 운동, 대한 광복회

진주

조선: 진주성 대첩(김시민), 임술 농민 봉기
근현: 형평 운동(백정)

부산

조선: 정발(임진왜란), 3포 개항(부산포)
근현: 절영도(영도) 조차 요구, 부·마 항쟁

강진

고려: 백련사 결사(요세)
조선: 정약용 귀양

제주

고려: 삼별초 항쟁, 탐라총관부
조선: 벨테브레와 하멜 표류, 거상 김만덕의 활동
근현: 4·3 사건

한국의 세계 유산

유네스코 지정 유산이란?

유네스코(UNESCO)에서는 인류가 함께 보존해야 할 가치가 있는 귀중한 유산을 세계 유산, 무형 유산, 기록 유산의 세 가지로 나누어 '세계 유산 일람표'에 등록하여 보호하고 있다.

세계 유산은 자연재해나 전쟁 등으로 위험에 처한 유산의 보호 및 복구 활동 등을 통하여 인류의 문화유산 및 자연 유산을 지키기 위해 지정하고 있다. 세계 유산은 '문화유산'과 '자연 유산' 그리고 문화와 자연의 특수성을 모두 가진 '복합 유산'으로 분류하며, 유적이나 자연물을 그 대상으로 한다. 우리나라는 '조선 왕릉'과 '제주 화산섬과 용암 동굴'을 포함하여 열여섯 가지의 세계 유산을 보유하고 있다.

기록 유산은 세계적 가치가 있는 귀중한 기록물을 가장 적절한 기술을 통해 보존할 수 있도록 지원하기 위하여 2년마다 지정하고 있다. 기록 유산의 중요성에 대한 인식과 보존의 필요성을 증진하고, 가능한 한 많은 사람이 기록 유산에 접근할 수 있도록 하기 위한 것이다. 우리나라는 '조선왕조실록', '훈민정음', '직지심체요절', '승정원일기', '고려대장경 경판과 제경판', '조선왕조의궤', '동의보감'을 포함한 열여덟 가지의 기록 유산이 있다.

무형 유산의 정식 명칭은 '인류 구전 및 무형 유산 걸작'이다. 무형 유산은 소멸 위기에 처해 있는 가치 있고 독창적인 구전 및 무형 유산을 선정하여 보호하기 위한 것이다. 우리나라는 '종묘 제례악'을 포함하여 스물두 가지가 등재되어 있다.

석굴암 · 불국사(1995) / 해인사 장경판전(1995) / 종묘(1995) / 창덕궁(1997) / 수원 화성(1997) / 고인돌 유적(2000) / 경주 역사 유적 지구(2000) / 제주 화산섬과 용암 동굴(2007) / 조선 왕릉(2009) / 한국의 역사 마을: 하회와 양동(2010) / 남한산성(2014) / 백제 역사 유적 지구(2015) / 산사 · 한국의 산지 승원(2018) / 한국의 서원(2019) / 한국의 갯벌(2021) / 가야 고분군(2023)

ㅁ 석굴암 · 불국사

석굴암은 토함산 언덕의 암벽에 터를 닦고, 그 터 위에 화강암을 조립하여 만든 인공 석굴의 종교 건축물이다. 직사각형으로 된 전실이 있고, 좁은 통로를 지나면 천장이 돔(dome) 양식으로 된 원형의 주실이 있다. 석굴암의 구조와 석굴 내부의 모든 부분은 정확하고 체계적인 수학적 수치와 기하학적 비례에 따라 설계되었다.

불국사는 토함산 서쪽 중턱의 경사진 곳에 자리하였는데 신라인이 그린 이상적인 피안(彼岸)의 세계를 지상에 옮겨 놓은 것이다. 불국사는 법화경의 사바 세계, 무량수경의 극락 세계, 화엄경의 연화장 세계를 형상화 한 사찰로, 불국사 3층 석탑과 다보탑 등의 문화재를 보유하고 있다.

석굴암 본존불

불국사

ㅁ 해인사 장경판전

경상남도 합천에 위치한 해인사 장경판전은 세계 유일의 대장경판 보관용 건물이다. 이 판전에는 팔만대장경이라고 부르는 81,258장의 대장경판이 보관되어 있다. 장경판전은 조선 초에 만들어진 전통적인 목조 건축물로, 통풍의 원활 · 방습의 효과 · 실내 적정 온도의 유지를 위해 전 · 후면 창호의 크기와 위치를 다르게 하였다.

해인사 장경판전

ㅁ 종묘

종묘(宗廟)는 조선 왕조 역대 왕과 왕비의 신주를 모신 조선 왕조의 사당으로서, 조선 시대의 가장 장엄한 건축물 중의 하나이다. 조선 시대에는 정전에서 매년 각 계절과 섣달에 대제를 지냈고, 영녕전에서는 매년 봄, 가을과 섣달에 제향일을 따로 정하여 제례를 지냈다. 제사를 지낼 때 연주하는 기악과 노래, 무용을 포함하는 종묘 제례악이 거행되고 있다.

종묘 영녕전

ㅁ 창덕궁

창덕궁은 조선 태종 5년(1405) 경복궁의 이궁(離宮)으로 지어진 궁궐이다. 하지만 창덕궁은 임진왜란 때 경복궁이 소실된 후 1868년 고종이 경복궁을 중건할 때까지 258년 동안 역대 국왕이 정사를 보살피는 본궁(本宮)으로 쓰였다. 창덕궁 안에는 가장 오래된 궁궐 정문인 돈화문(우진각 지붕의 다포양식), 신하들의 하례식이나 외국 사신의 접견 장소로 쓰이던 인정전 등이 있다.

창덕궁 인정전

ㅁ 수원 화성

수원 화성은 정조가 아버지 사도 세자의 무덤을 명당인 수원의 화산으로 옮기면서 축성되었다. 수원 화성은 중국, 일본 등지에서 찾아볼 수 없는 평산성의 형태로 군사적 방어 기능과 상업적 기능을 함께 보유하고 있으며, 시설의 기능이 과학적이고 합리적이며 실용적인 구조로 되어 있다.

수원 화성

ㅁ 고인돌 유적

청동기 시대의 돌무덤으로, 우리나라에는 전국적으로 약 3만여 개에 가까운 고인돌이 분포하고 있는 것으로 알려져 있다. 전라북도 고창군, 전라남도 화순군, 인천광역시 강화군에 대거 분포하고 있다.

강화 고인돌

ㅁ 경주 역사 유적 지구

남산 지구(미륵골 석불 좌상, 배리 석불 입상, 나정, 포석정) · 월성 지구(월성, 계림, 첨성대) · 대릉원 지구(황남리 고분군 등 각종 고분, 금관, 천마도, 유리잔 등 각종 유물 출토) · 황룡사 지구(황룡사지, 분황사) · 산성 지구(명활산성) 등으로, 신라 천 년의 역사와 문화를 한눈에 파악할 수 있는 다양한 유산이 산재해 있다.

포석정

ㅁ 제주 화산섬과 용암동굴

한반도 남서 해상과 제주도에 위치한 한국 최초의 세계 자연 유산 지구이다. 한라산 천연 보호 구역 · 거문오름 용암동굴계 · 성산일출봉 응회환으로 구성되어 있다.

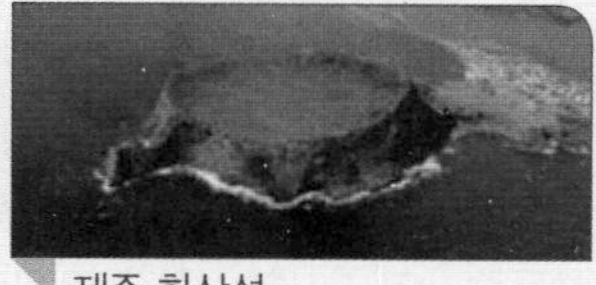
제주 화산섬

ㅁ 조선 왕릉

총 27대 왕과 왕비 및 추존된 왕과 왕비의 무덤으로, 우리나라의 유교적인 문화 전통이 확고하게 드러나는 문화유산이다. 전체 42기 가운데 북한에 있는 2기를 제외하고 우리나라에 있는 40기 모두가 세계 문화유산으로 등재되었다.

조선 왕릉

▫ 한국의 역사 마을: 하회와 양동

안동 하회 마을은 조선 중기인 1600년대부터 풍산 류씨들이 모여 조성한 집성촌이다. 오늘날 집성촌은 대부분 소멸되거나 변형되어 그 본래의 모습을 찾아보기 힘들다. 그러나 안동 하회 마을은 그 원형을 그대로 보존하고 있을 뿐만 아니라 양반의 주거 문화를 대표하는 옛 건축물들이 빼어난 건축미를 자랑하고 있으며 주변 자연 경관과 조화를 잘 이루고 있다.
경주 양동 마을은 조선 시대 초기에 입향(入鄕)한 이래 지금까지 대를 이어 거주해 온 월성 손씨와 여강 이씨가 양대 문벌을 이루고 있다. 조선 시대를 대표하는 옛 건물들이 조선 시대부터 이어온 민속과 함께 잘 보존되고 있다.

양동 마을

▫ 남한산성

남한산성은 국제 전쟁을 통해 동아시아 국가들 사이에서 무기 발달과 축성술이 상호 교류한 탁월한 증거이며, 성벽에는 무기 체계의 변화에 따른 7세기부터 19세기에 이르는 각 시대별 특징이 잘 나타나 있다. 또한, 조선의 자주권과 독립성을 수호하기 위해 유사시 임시 수도로서 기능할 수 있도록 계획적으로 축조된 유일한 산성 도시로, 아직도 주민들이 생활하고 있는 살아있는 유산이다.

남한산성

▫ 백제 역사 유적 지구

백제 역사 유적 지구는 공주시, 부여군, 익산시 3개 지역에 분포된 8개 고고학 유적지로 이루어져 있다. 공주 웅진성과 연관된 공산성과 송산리 고분군, 부여 사비성과 관련된 관북리 유적(관북리 왕궁지) 및 부소산성, 정림사지, 능산리 고분군, 부여 나성, 그리고 익산시 지역의 왕궁리 유적, 미륵사지 등으로, 이들 유적은 475년~660년 사이의 백제의 역사를 보여 주고 있다.

능산리 왕릉

▫ 산사 · 한국의 산지 승원

한국의 산지형 불교 사찰의 유형을 대표하는 7개의 사찰로, 통도사 · 부석사 · 봉정사 · 법주사 · 마곡사 · 선암사 · 대흥사가 문화유산으로 지정되었다. 이들 사찰은 경사가 완만한 산기슭에 입지하고 있으며, 7세기~9세기에 걸쳐 창건된 전통있는 절이다.

산사 · 한국의 산지 승원

▫ 한국의 서원

한국의 서원은 조선 시대 사립 교육 기관으로, 16세기 중반부터 사림에 의해 건립되었다. 이를 통해 성리학 교육을 적절하게 수행했으며, 전국에 걸쳐 성리학이 전파되는데 기여했다. 소수서원, 남계서원, 옥산서원, 도산서원, 필암서원, 도동서원, 병산서원, 무성서원, 돈암서원의 9개 서원이 문화유산으로 등재되었다.

한국의 서원

▫ 한국의 갯벌

충청도의 서천갯벌, 전라도의 고창갯벌과 신안갯벌 그리고 보성-순천갯벌 4개의 갯벌이 유네스코 세계 자연 유산으로 지정되었다. 2,150종의 생물이 살아가는 귀한 생물종의 보고로 인정받았으며, 이 갯벌들은 모두 습지 보호 지역으로 지정되었다.

한국의 갯벌

▫ 가야 고분군

가야 고분군은 김해 대성동 고분군, 함안 말이산 고분군, 합천 옥전 고분군, 고령 지산동 고분군 등 7개의 고분군으로 가야 문명을 대표하고 있다. 고분의 입지, 묘제의 변화, 배치 방식 등을 통해 가야 문화의 성립과 발전 과정을 보여 주고 있다.

가야 고분군

기록 유산

훈민정음(1997) / 조선왕조실록(1997) / 직지심체요절(2001) / 승정원일기(2001) / 조선왕조의궤(2007) / 고려대장경판 및 제경판(2007) / 동의보감(2009) / 일성록(2011) / 5 · 18 민주화 운동 기록물(2011) / 난중일기(2013) / 새마을 운동 기록물(2013) / KBS 특별 생방송 '이산가족을 찾습니다' 기록물(2015) / 한국의 유교책판(2015) / 조선 왕실 어보와 어책(2017) / 조선 통신사에 관한 기록(2017) / 국채 보상 운동 기록물(2017) / 4 · 19 혁명 기록물(2023) / 동학 농민 혁명 기록물(2023)

ㅁ 훈민정음

조선 제4대 임금인 세종은 그때까지 사용되던 한자가 우리말과 구조가 다르기 때문에 많은 백성이 배워 사용할 수 없는 현실을 안타까워하여 세종 25년(1443)에 우리말의 표기에 적합한 문자 체계를 완성하고 '훈민정음'이라 하였다. 더불어 훈민정음에 대한 해설서로『훈민정음해례』를 간행하였다.

훈민정음

ㅁ 조선왕조실록

『조선왕조실록』은 태조로부터 철종까지 25대 472년간(1392~1863)의 역사를 편년체로 기록한 책으로, 총 1,893권 888책으로 되어 있다. 조선 시대의 정치, 외교, 군사 등 각 방면의 역사적 사실을 망라하고 있어 세계적으로 유례가 없는 귀중한 역사 기록물이며, 진실성과 신빙성이 매우 높다는 점에서 의의가 크다.

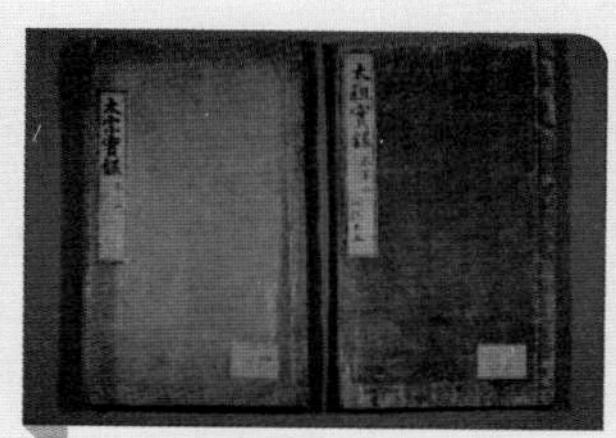
조선왕조실록

ㅁ 직지심체요절(백운화상초록불조직지심체요절)

청주 흥덕사에서 1377년(고려 우왕 3년)에 간행된 금속 활자 인쇄물이다. 독일의 구텐베르크보다 70여 년이나 앞선 것으로, 1970년 '세계 도서의 해'에 출품되어 세계 최고(最古)의 금속 활자본으로 공인받았다. 개항 이후 서울에 온 주한 프랑스 공사 플랑시에 의해 프랑스로 건너갔고 현재 프랑스 국립 도서관에 보관 중이다.

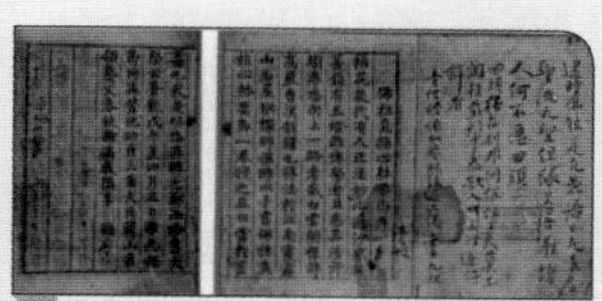
직지심체요절

ㅁ 승정원일기

조선 시대에 왕명의 출납을 관장하던 승정원에서 매일 취급한 문서와 사건을 기록한 일기이다.『승정원일기』는『조선왕조실록』을 편찬할 때 기본 자료로 이용하였으며, 원본이 1부밖에 없는 귀중한 자료이다. 당시의 정치, 경제, 국방, 사회, 문화 등에 대한 생생한 역사를 그대로 기록했다는 점에서 사료적 가치가 크다.

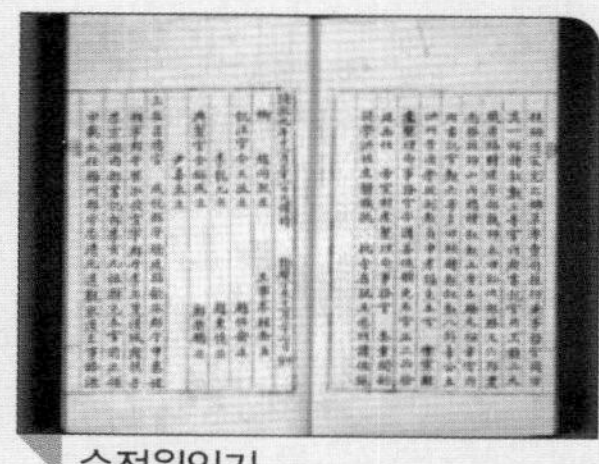
승정원일기

ㅁ 조선왕조의궤

조선 시대 왕실의 주요 행사, 건축물 조성과 왕실 문화 활동 등을 그림으로 남긴 것으로, 현존하는 것은 임진왜란 이후의 것이다. 반차도 등 각종 도식을 통해 당시의 복제 · 의물(儀物) 등 제도 및 풍속적 자료들을 많이 포함하고 있고, 또한 이두(吏讀) · 차자(借字)와 각종 제도어(制度語) 및 한국 한자어(韓國漢字語)를 많이 사용하고 있어 이 방면의 연구에 필요한 자료를 제공하기도 한다. 왕의 열람을 위하여 고급 재료로 화려하게 만드는 어람용이 따로 있었다. 1866년 병인양요 때 강화도의 외규장각에 있던 많은 수의 의궤가 프랑스에 의해 약탈당했다가 2011년 반환된 바 있다.

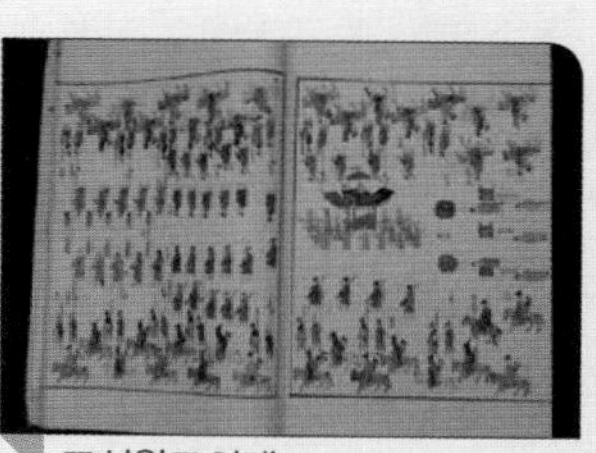
조선왕조의궤

ㅁ 고려대장경판 및 제경판

고려가 몽골의 침입을 부처님의 힘으로 물리치기 위해 강화도에 대장도감을, 진주 남해현에 분사 대장도감을 두고 만든 대장경(경 · 율 · 논)이다. 81,258개의 목판에 새긴 대장경판으로 아시아 전역에서는 유일하게 완벽한 형태로 현존하는 판본 자료이며 현재 해인사 장경판전에 보관 중이다.

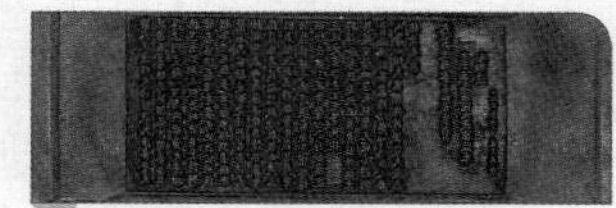
고려대장경판 및 제경판

ㅁ 동의보감

허준

1610년(광해군 2) 허준이 우리의 전통 한의학을 체계적으로 정리한 의학 백과사전으로, 일반 민중이 쉽게 사용 가능한 의학 지식을 편집한 세계 최초의 공중 보건 의서라는 점을 인정받아 기록 유산으로 등재되었다.

ㅁ 일성록

조선 영조 즉위 36년인 1760년부터 1910년까지의 국정 전반을 기록한 왕의 일기로 총 3,243책의 기록이 남아있다. 정조가 세손 시절의 일상생활과 학업 성과를 기록한 『존현각일기』에서 비롯된 『일성록』은 정조 즉위 이후에는 규장각의 각신들이 매일의 정사를 기록하여 공식적인 국정 기록이 되었다. 전제 군주국의 왕이 그날의 국정을 반성하기 위해 집필했다는 점에서 『일성록』은 세계적으로 유례가 많지 않은 독특한 기록물이다.

일성록

ㅁ 5 · 18 민주화 운동 기록물

광주 민주화 운동의 발발과 진압, 그리고 이후의 진상 규명과 보상 등의 과정과 관련해 정부, 국회, 시민 단체, 그리고 미국 정부 등에서 생산한 방대한 자료를 포함하고 있는 기록물이다. 우리나라의 민주화는 물론, 아시아 여러 나라의 민주화 운동에 커다란 영향을 주었으며, 민주화 과정에서 실시한 진상 규명 및 보상 사례도 좋은 선례가 되었다는 점이 높이 평가받았다.

5 · 18 민주화 운동 기록물

ㅁ 난중일기

이순신(1545~1598) 삼도 수군통제사가 임진왜란(1592~1598) 기간 중 군중(軍中)에서 직접 쓴 친필 일기이다. 모두 8권의 책으로 구성되어 있으며 임진왜란 발발 이후부터 이순신이 1598년 노량 해전에서 전사하기 직전까지 7년 동안의 기간을 망라하여 기록하고 있다.

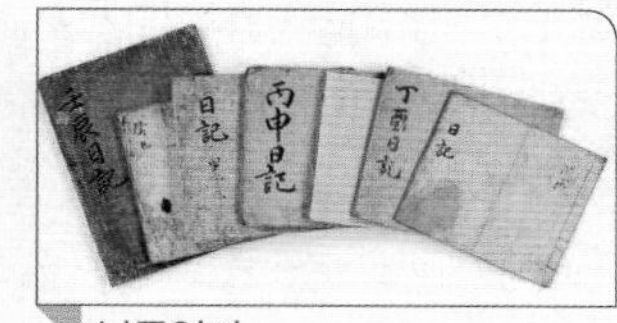
난중일기

ㅁ 새마을 운동 기록물

대한민국 정부와 국민들이 1970년부터 1979년까지 새마을 운동을 추진하는 과정에서 생산된 약 22,000여 건의 자료를 총칭하는 것으로, 새마을 운동은 당시 최빈국 중 하나였던 대한민국이 세계 10대 경제대국이 되는 데 초석이 되었다.

새마을 운동 기록물

ㅁ KBS 특별 생방송 '이산가족을 찾습니다' 기록물

KBS 특별 생방송 '이산가족을 찾습니다' 기록물은 KBS가 1983년 6월 30일부터 11월 14일까지 생방송한 비디오 녹화 원본 테이프 463개, 담당 프로듀서 업무수첩, 이산가족이 직접 작성한 신청서, 사진 등 20,522건의 기록물을 총칭한다. 이것은 텔레비전을 활용한 세계 최대 규모의 이산가족 찾기 프로그램의 기록물이라는 데서 그 역사적 의의가 있다.

KBS 특별 생방송 '이산가족을 찾습니다' 기록물

ㅁ 한국의 유교책판

유교책판이라고 불리는 이 기록물은 조선 시대(1392~1910)에 718종의 서책을 간행하기 위해 판각한 책판으로, 305개 문중과 서원에서 기탁하였다. 문중-학맥-서원-지역 사회로 연결되는 집단 지성의 전통을 엿볼 수 있다는 점에서 사료적 가치가 크다.

한국의 유교책판

ㅁ 조선 왕실 어보와 어책

조선의 왕과 왕비, 세자와 세자빈 등을 책봉하거나 존호, 시호, 휘호 등을 수여할 때 만든 의례용 인장과 책으로, 국왕에게 정통성과 권위를 부여했으며 왕조의 지속성을 상징한다.

조선 왕실 어보와 어책

ㅁ 조선 통신사에 관한 기록 -17세기~19세기 한일 간 평화 구축과 문화 교류의 역사

조선이 임진왜란이 끝난 뒤인 1607년~1811년까지 200여 년간 일본에 12차례 파견한 외교 사절의 외교·여정·문화 교류에 관한 기록 111건 333점을 일컫는다.

조선 통신사에 관한 기록

ㅁ 국채 보상 운동 기록물

1907년에 일어난 국채 보상 운동의 과정을 보여 주는 기록물로 총 2,470건의 수기 기록물, 일본 정부 기록물, 당시 실황을 전한 언론 기록물 등으로 구성된다.

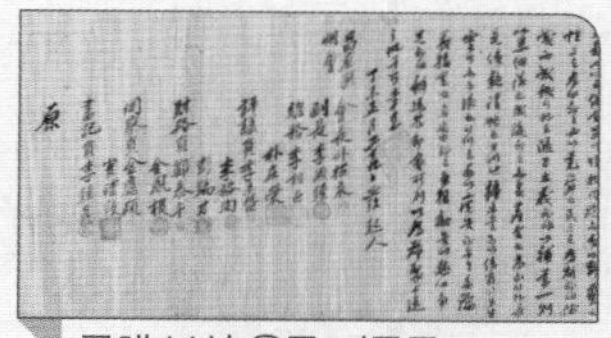
국채 보상 운동 기록물

ㅁ 4·19 혁명 기록물

1960년대 봄 대한민국에서 발발한 학생 주도의 민주화 운동에 대한 1,019점의 기록물로, 1960년대 세계 학생 운동에 영향을 미친 기록 유산으로서 세계사적 중요성을 인정받았다.

4·19 혁명 기록물

ㅁ 동학 농민 혁명 기록물

1894년에 일어난 동학 농민 운동과 관련한 185점의 기록물로, 조선 백성들이 주체가 되어 자유, 평등, 인권의 보편적 가치를 지향하기 위해 노력했던 세계사적 중요성을 인정받았다.

동학 농민 혁명 기록물

무형 유산

종묘 제례 및 종묘 제례악(2001) / 판소리(2003) / 강릉 단오제(2005) / 강강술래(2009) / 남사당놀이(2009) / 영산재(2009) / 처용무(2009) / 제주 칠머리당 영등굿(2009) / 가곡(2010)/ 대목장(2010) / 매사냥술(2010) / 줄타기(2011) / 택견(2011) / 한산 모시짜기(2011) / 아리랑(2012) / 김장 문화(2013) / 농악(2014) / 줄다리기(2015) / 제주 해녀 문화(2016) / 씨름(2018) / 연등회, 한국의 등축제(2020) / 한국의 탈춤(2022)

ㅁ 종묘 제례 및 종묘 제례악

종묘 제례(宗廟祭禮)는 종묘에서 행하는 제향(祭享) 의식으로, 유교 절차에 따라 거행된다.
종묘 제례악(宗廟祭禮樂)은 종묘에서 제사를 지낼 때 의식을 장엄하게 치르기 위하여 연주하는 기악(器樂)과 노래, 춤을 말한다.

종묘 제례

ㅁ 판소리

한명의 소리꾼이 고수(북치는 사람)의 장단에 맞추어 소리(창), 아니리(말), 발림(몸짓)을 섞어 가며 구연하는 일종의 솔로 오페라이다. 초기에 열두 마당이 있었지만 현재는 춘향가 · 심청가 · 수궁가 · 흥보가 · 적벽가의 판소리 다섯 마당으로 정착되었다.

판소리 공연 장면

ㅁ 강릉 단오제

단오는 음력 5월 5일로 '높은 날' 또는 '신날'이라는 뜻의 '수릿날'이라고 부르는 날이다. 강릉 단오제는 수릿날의 전통을 계승한 축제로, 모심기가 끝난 뒤에 한바탕 놀면서 쉬는 명절로서 농경 사회 풍농 기원제의 성격을 지닌다. 천여 년의 역사를 가지고 있는 강릉 단오제는 한국의 대표적 전통 신앙인 유교, 무속, 불교, 도교를 배경으로 한 다양한 의례와 공연이 전해지고 있다.

강릉 단오제

ㅁ 강강술래

강강술래는 대한민국 남부 지방에서 풍작과 다산을 기원하기 위해 널리 행해지는 민속놀이이다. 음력 팔월 한가윗날 주로 실행한다. 밝은 보름달 아래 결혼하지 않은 마을 여성들이 둥글게 모여서 손을 잡고 '강강술래'라는 후렴이 붙은 노래를 부르며 빙글빙글 돌면서 밤새 춤추고 노래하는 것으로, 노래 · 무용 · 음악의 삼위일체 형태로 이루어지는 원시 종합 예술이다.

강강술래

ㅁ 남사당놀이

'남자로 구성된 유랑 광대들의 놀이'라는 의미로, 우두머리인 꼭두쇠를 비롯해 남자들로 구성된 유랑 연예극단인 남사당패가 서민층을 대상으로 조선 후기부터 행했던 놀이이다. 주로 야외에서 사람들에게 둘러싸여 벌이는 남사당놀이는 농어촌 서민들을 즐겁게 해주는 동시에 탈춤과 인형극을 통해 억압받는 하층민들과 남성 우월 사회에서 천대받는 여성들의 현실을 풍자했다.

남사당놀이

ㅁ 영산재

영산재

부처가 영취산에서 법화경을 설법하던 모습을 재현한 불교 의식으로 사람이 죽은 지 49일이 되는 날 영혼을 극락으로 천도하는 천도재의 한 형태이다. 영산재를 지내면서 불교 음악 범패(梵唄), 화청(和唱) 등을 연주하며, 바라춤, 나비춤, 법고춤을 춘다. 이러한 요소들은 우리 전통 민속 음악과 민속 무용의 형성에 큰 영향을 미쳤다.

ㅁ 처용무

처용무

처용무는 처용의 가면을 쓰고 추는 탈춤이다. 오늘날에는 무대에서 공연되지만, 당초에는 궁중 무용으로써 악귀를 내쫓고 궁중 연회 때 평화를 기원하거나 새해 전날 행운을 빌기 위해 시작되었다. 통일 신라 시대의 처용이 아내를 범하려던 역신을 노래를 부르고 춤을 추어서 물리쳤다고 하며, 이후 처용의 모습을 문에 새겨두면 병마를 쫓을 수 있다는 설화가 전해 내려온다.

ㅁ 제주 칠머리당 영등굿

제주 칠머리당 영등굿

음력으로 두 번째 달에 열리는 의식으로써 풍작과 풍어를 위해 마을의 무당들이 바람의 여신인 영등할머니와 용왕, 산신령들을 위해 벌이는 굿이다. 제주섬에서 열리는 여러 영등굿 가운데 제주도 건입동의 본향당에서 열리는 칠머리당 굿이 가장 대표적이다. 정기적인 의례이자 축제인 이 의식은 제주의 독특한 정체성을 담고 있으며, 그들의 삶을 좌우하는 바다에 대한 마을 사람들의 존경심이 들어있다.

ㅁ 가곡

가곡

가곡은 시조시(우리나라 고유의 정형시)에 곡을 붙여서 관현악 반주에 맞추어 부르는 우리나라 전통음악으로, '삭대엽(數大葉)' 또는 '노래'라고도 한다. 가곡의 원형은 만대엽, 중대엽, 삭대엽 순이나 만대엽과 중대엽은 사라지고, 지금의 가곡은 조선 후기부터 나타난 빠른 곡인 삭대엽에서 파생한 것으로, 가락적으로 관계가 있는 여러 곡들이 5장 형식의 노래 모음을 이룬 것이다.

ㅁ 대목장

대목장

대한민국에서는 나무를 다루는 사람을 전통적으로 목장, 목공, 목수라 불렀다. 이 목장 가운데 궁궐이나 사찰 또는 가옥을 짓고 건축과 관계된 일을 대목(大木)이라 불렀고, 그 일을 하는 장인을 대목장(大木匠)이라 불렀다. 설계, 시공, 감리 등 나무를 재료로 하여 집을 짓는 전 과정의 책임을 지는 장인으로서, 오늘날 건축가를 일컫는 전통적 명칭이 대목장이다.

□ 매사냥술

매를 훈련하여 야생 상태에 있는 먹이를 잡는 방식으로 4,000년 이상 지속되고 있다. 과거에 매사냥은 식량 확보 수단으로 사용되었으나, 현재는 자연과의 융화를 추구하는 야외 활동으로 자리매김했으며 60개 이상의 국가에서 전승되고 있다.

매사냥술

□ 줄타기

줄타기는 공중에 맨 줄 위에서 재미있는 이야기와 발림을 섞어가며 갖가지 재주를 부리는 놀이이다. 줄 위를 마치 얼음지치듯 미끄러지며 나가는 재주라고 하여 '어름' 또는 '줄얼음 타기'라고도 부른다. 우리나라의 줄타기는 외국의 줄타기와 달리 줄만 타는 몸 기술에 머무르지 않고, 노래와 재담을 곁들여 줄 타는 사람과 구경꾼이 함께 어우러진 놀이판을 이끄는 특징이 있다.

줄타기

□ 택견

택견은 우리나라 전통 무술의 하나로, 유연한 동작으로 손과 발을 순간적으로 우쭉거려 생기는 탄력으로 상대방을 제압하고 자기 몸을 방어하는 무술이다. 고구려 고분 벽화에 택견을 하는 모습이 그려져 있어 삼국 시대부터 이미 택견이 행해졌음을 알 수 있다. 고려 시대에는 무인들 사이에서 성행하는 무예로 발전되었다. 조선 시대에는 대중적인 무술이 되어 무인뿐만 아니라 일반인들도 널리 행하게 되었다.

택견

□ 한산모시 짜기

모시는 모시풀 껍질을 벗긴 것을 재료로 하여 만든다. 저포, 저치라고도 부르는데, 그 역사는 매우 오래되었다. 한산모시는 충청남도 서천군 한산 지역에서 만드는 모시로 다른 지역에 비해서 품질이 우수하며, 섬세하고 단아하여 모시의 대명사로 불리어 왔으며, 우리나라의 미를 상징하는 대표적인 여름 전통 옷감이다.

한산모시 짜기

□ 아리랑

한국의 대표적인 민요로, 20세기 초 일제 강점기에 국외로까지 확산되었다. 아리랑에는 민중들이 삶의 현장에서 느끼는 희로애락과 염원이 담겨 있으며, 특유의 민중성과 개방적인 특징으로 현대에도 꾸준히 새롭게 창작되고 있다.

아리랑

□ 김장 문화

김치는 양념과 젓갈로 버무린 한국식 저장 채소로, 계층과 지역을 막론하고 한국인들의 식사에서 빠질 수 없다. 김치를 만들기 위한 일련의 과정인 김장은 한국인의 정체성을 확인시켜주며 가족 간 협력 증진의 중요한 기회이기도 하다. 또한 김장은 한국인들에게 인간이 자연과 어울려 사는 중요성을 다시 한 번 확인시켜주기도 한다.

김장 문화

ㅁ 농악

농악은 공동체 의식과 농촌 사회의 여흥 활동에서 유래한 대중적인 공연 예술의 하나이다. 타악기 합주와 함께 전통 관악기 연주, 행진, 춤, 연극, 기예 등이 함께 어우러진 공연으로, 공동체 내에서 연대성과 협력을 강화하고, 공동체 구성원들이 동일한 정체성을 공유할 수 있도록 도와준다.

농악

ㅁ 줄다리기

줄다리기는 대한민국 · 베트남 · 캄보디아 · 필리핀과 공동으로 등재된 무형 유산으로, 풍농을 기원하고 공동체 구성원 간의 화합과 단결을 위하여 동아시아와 동남아시아 벼농사 문화권에서 널리 실시되었다.

줄다리기

ㅁ 제주 해녀 문화

제주 해녀는 산소 공급 장치 없이 10미터 정도 깊이의 바닷속으로 약 1분간 잠수하여 해산물을 채취한다. 제주 해녀는 하루에 여름철에는 6~7시간 정도, 겨울철에는 4~5시간, 연간 90일 정도 물질 작업을 한다. 제주 해녀들은 바다의 여신인 용왕 할머니에게 풍어와 바다에서의 안전을 기원하기 위해 잠수 굿을 지내면서 서우젯소리를 부른다. 또한 노를 저어 바다로 물질을 나갔던 시절에 불렀던 '해녀 노래'가 전승되고 있다.

물에 들어갈 준비를 하는 해녀들

ㅁ 씨름

두 사람이 샅바를 맞잡고 힘과 기술을 이용해 상대를 넘어뜨려 승부를 겨루는 경기이다. 한민족 특유의 공동체 문화를 바탕으로 유구한 역사를 거쳐 현재까지 전승되어 온 민속놀이로, 유네스코 무형 유산으로 남 · 북한 공동 등재되었다.

씨름

ㅁ 연등회

매년 음력 4월 8일(부처님 오신날)이 다가오면 전국적으로 형형색색의 등불이 밝혀지며, 석가모니 탄생을 축하하는 의식이 치러진다. 삼국사기에도 불교와 연등에 관한 기록이 존재하며, 고려 시대의 기록에는 연등제가 개최되었다는 기록이 있다. 본래 연등회는 석가모니의 탄생을 기념하기 위한 종교 의식이었으나, 지금은 남녀노소 누구나 참여할 수 있는 대표적인 봄 축제가 되었다.

연등회

ㅁ 한국의 탈춤

탈춤은 춤, 노래, 연극을 아우르는 종합 예술이다. 한국의 탈춤은 한국인의 삶 속에서 전통적 공연 예술의 상징으로 인식되어 왔으며, 양주별산대놀이 등 다양한 지역의 탈춤이 보존·전승되어 왔다.

한국의 탈춤

노범석

주요 약력
박문각 공무원 한국사 온라인, 오프라인 전임교수
전) EBS 공무원 한국사 강사
전) KG패스원 공무원 한국사 전임교수
전) 강남구청 인터넷수능방송 강사
전) 두로경찰간부학원 한국사 교수
전) 을지대학교 한국사 특강 교수

주요 저서
박문각 공무원 입문서 시작! 노범석 한국사
노범석 한국사 기본서
노범석 한국사 필기노트
노범석 한국사 기선제압 OX
노범석 한국사 기출문제집
노범석 한국사 기출필수코드 단원별 실전문제
노범석 한국사 파이널 모의고사
박문각 한국사능력검정시험 노범석 원샷 한능검 심화 1/2/3급

노범석 한국사

초판 발행 | 2024. 7. 25. **2쇄 발행** | 2024. 10. 7. **편저** | 노범석
발행인 | 박 용 **발행처** | (주)박문각출판 **등록** | 2015년 4월 29일 제2019-000137호
주소 | 06654 서울시 서초구 효령로 283 서경 B/D 4층 **팩스** | (02)584-2927
전화 | 교재 문의 (02)6466-7202

저자와의
협의하에
인지생략

정가 47,000원 (전2권)
ISBN 979-11-7262-125-4
979-11-7262-123-0(세트)